JN123765

# 21世紀型スキルとしての情報社会学

# 21世紀型スキルとしての情報社会学

## VUCAワールドを生きる人たちのために

# 目次

# はじめに

情報技術の発達と世界的な普及は、社会経済システムの在り方だけでなく、社会文化、階層構造、人々の行動様式など、人間社会に関わるさまざまな領域で、大きな変化をもたらしてきた。VUCA ワールドそして人生 100 年時代を迎えた現在、そうした変化について、マクロレベルとミクロレベルの変化を関連付けながら、歴史的な観点も交えて考察することが、アカデミックな観点のみならず実践的な観点からも、必要とされているのではないか。春風社さんから出版のお話を頂いたのを機に、本書を企画したのは、そのような理由からである。

さて、公文俊平が提唱したように、情報社会学が「情報社会」について、社会科学の諸領域をまたいで考察する「学」であるとすれば、すでに「情報化」「高度情報化」の段階を終えた日本社会においては、そこで発生するさまざまな現象を対象とする研究はすべて「情報社会学」の対象となってしまうことになる。そして社会科学の諸領域が「対象」と「方法論」の二つで定義されるとすれば、情報社会学が成立するためには、その学問領域を特徴づける「方法論」が問題となる。ここで仮に、情報通信技術および情報処理技術を一まとめにしてコンピューティング技術と呼ぶとすれば、情報社会学は、「コンピューティング技術の発達と普及を独立変数とし、それが社会に及ぼした影響を従属変数として、両者の関連を学際的な視点から考察する学問領域」である、と定義することが可能であろう。

本書では、情報社会学についてそのような定義を仮説的に設定した上で、コンピューティング技術の発達と普及が社会経済システムの在り方だけでなく、社会文化、階層構造、人々の行動様式などに及ぼした影響について考察し、第四次産業革命そして Society 5.0 の時代に必要とされる資質や能力についての検討および提案を試みた。

本書での考察は、グローバル・バリューチェーン革命から始まる。コンピューティング技術の発達と普及はオフショアリングの単位を工場レベルから工程レベルへと細分化し、先進国と後進国をまたぐ形で、新たなバリューチェーンが形成されることになる。LSI の発達は製造業における「すり合わせ技術」を無効化して、日本の競争優位を失わせるとともに、欧米諸国が主催する国際斜形分業を特徴としたエコシステムが形成されたが、それは従来の南北関係を大きく変化させるとともに、先進国の中間層を没落させる結果となった。

先進国による国際エコシステムの主催の背景には知識社会の到来があり、オープン＆クローズ戦略に代表される知財活用戦略、そして、それを可能とする二国間条約の締結があった。すべてを自社内で行う自前主義からオープンイノベーションへの転換、部品のモジュール化により「寄せ木細工」的に完成品を作れるようにする工夫、そして技術イノベーションの常態化による競争優位の維持と、ビジネスモデルや契約内容の決定など、高度成長期における日本の成功モデルの枠を超えたさまざまな試みが、欧米の経済的成功を支えたのである。

そして知財マネジメントのモデルは、時代によって大きく変化してきた。古典モデルで重視されたのは独自技術を特許、特許網、特許群、知財権ミックスに仕立て、自社実施・他社非供与によって「参入障壁」を築くこと、プロパテント時代に重視されたのは積極的な特許取得による他社排除あるいは他社供与によるライセンス収入や譲渡収入であったのに対し、プロイノベーション時代には自社特許を他社に公開提供することで新規事業や事業優位性形成の促進を行うという戦略が重視されるようになる。こうして技術、製品、市場によって適切な知財ミックス・ビジネスモデルの組み合わせパターンを選択しなければ、競争で生き残ることが難しくなった。オープンイノベーションの時代、そしてエクスポネンシャルな変化の分岐点にある今日、知財に関する知識や情報は、ますます重要性を増しつつある。

さて、インターネットの普及は、GAFAと総称されるプラットフォーム企業の飛躍的な成長をもたらし、それまで当たり前だったパイプライン型のビジネスを駆逐していった。これらの企業は顧客情報を蓄積し、独自のアルゴリズムによる商品のレコメンドやポップアップ広告のコントロールなどを通してユーザーを拡大したが、インターネットの中央集権化を招いたことの反省から、GDPRやブロックチェーンによる分散化への動きが進んでいる。

技術だけでなく、ビジネスモデルのイノベーションもまた、企業の盛衰を左右する重要な要素である。コンピューティング技術の発達は、製造業の業界にも、さまざまな変化をもたらした。B to Cの領域における「モノ売り」から「サービス売り」への転換、そして、シェアリングエコノミーなど協調型消費の展開。B to Bの領域における「モノ売り」から「ソリューション売り」への転換、そして「成果型エコノミー」の展開など、製造業のサービス業への転換と、製品の製造からアフターサービス、そしてリサイクルや再製造のプロセスまでのマネジメントという形での、「顧客体験の最適化」・「製品性能の最適化」・「労働力の最適化」・「運用効率の最適化」・「新製品・新サービスのポートフォリオの最適化」の実現である。サイバーフィジカル（技術）、SDGs（制度）、SSSC（文化）という条件がそろった現在、本書で検討した製造業の分野におけるビジネスモデル・イノベーションは、産業生態系そのもののパラダイムチェンジという世界史的に大きな変化の中で理解する必要がある。

コンピューティング環境の発展に目を転じれば、IoTとクラウドコンピューティングの普及および情報通信技術の発達とクラウドコンピューティング・サービスの進化により、収集したビッグデータをAIによって処理することが容易になり、文字・文章・音声だけでなく画像・動画などの非定型データの分析精度が上がると、それらを定型データと組み合わせた分析も実用的となった。「N＝全部」のデータは、誤差が混在し精度が低下するかわりに、現象の全体像の把握だけでなく時系列的な理解をも可能にした。ビッグデータを相関分析にかければ、データが答えを語りだす。偏りも少なく、精度も高い、データ主導型の分析は、何よりも超高速に答えをはじき出してくれる。ただしこのような状況下では、データ独裁の犠牲者になるリスクおよびデータの解釈で騙されるリスクに対する意識が必要となる。

数理モデルを活用し、標準化によって得られたデータとビッグデータを適切に組み合わせて利用することで、費用を抑えながらより早く社会の状態を把握することができる。そしてVUCAワールドにおいては、調査の頻度を上げ調査結果をより早くまとめることが、社会問題を解決する決め手となる。しかしながら、VUCAワールドで発生する社会現象については、数量化されたデータと数理モデルによる理解が不可能なケースが珍しくない。想定外の事態が常態化した今日、AIとビッグデータを活用できるとしても、重要な場面で判断を誤らないためには、量的・質的データの双方に同様のウェイトを置きながら、リベラルアーツを用いて現象の本質を把握する、センスメイキングの手法を活用する必要が認識されるようになっている。

教育に目を転じてみれば、スプートニクショック、そしてITを中心としたハイテク産業の隆盛により、理工系人材に対するニーズが高まったのを機に、英米を中心とした西側諸国ではSTEM教育に力が入れられるようになった。若者たちには「深い理解と知識の転移を養う、認知能力や、個人的能力、社会的能力」が融合した21世紀型スキルが必要であるとされ、そのために教科横断的な新たなパラダイムが具体化され、成果をあげるようになった。これからの世界を生きる若者には自由に発想し、「前例のない問題」に創意工夫で解を見出す能力が求められる。それゆえ、STEMにLanguage ArtsやLiberal/Social ArtsなどのArtを加えたSTEAM教育が提唱された。これからの時代、リベラルアーツに基づく問題発見そして意味創出のために必須となるセンスメイキングには、理系からだけでなく文系からの文理融合型が、求められることになるのは必定である。

コンピューティング技術の発達と低廉化、さまざまなシステムそしてモジュールやライブラリの共有など、情報システムの構築とwebを通したサービスの公開が容易になり、システム開発の手法も自社完結型からオープンソリューション型に変化した今日、ビジネスの現場においては、いかに迅速・柔軟にユーザーの要望の変化に対応できるかが重要になってきている。そして、社会デザインの考え方に基づかない情報システムは、いかに迅速に構築されても社会実装に至ることは難しい。オンラインとオフラインが融合した時代には、ユーザーを属性単位ではなく状況単位で捉え、顧客起点の「バリュージャーニー」としてUXを構想し、それを実現するための情報システムおよびビジネスモデルを「ジャーニーファースト」で構築して、スピーディーに実現していくことが不可欠となっている。

しかしながら、平等・公平を原則とする行政機関の場合、価値観やライフスタイルの多様化に対し、きめ細かい対応を行うことは難しい。行政機関は、税金を使ってさまざまなデータを収集・整理・保管し業務に活用しているが、その中には市民や民間企業などにとっても有益なものが多い。これらのデータを再利用可能な形で公開すれば、市民の持つ多様なニーズについて、市民自身、NPOやNGOあるいは民間企業がアプリやwebサービスを開発したり、ビジネスを起こすことができるようになる。データを死蔵している企業がAPIを通してそれらを提供すれば、新たな価値を生む可能性もある。そして近年、オープンデータやAPI経済の可能性を具体化する試みが行われるようになり、大きな成果をあげつつある。

『LIFE SHIFT』（グラットン＆スコット）で謳われているように、VUCAワールド下での人生100年時代、多くの人々がマルチステージ型の人生を送ることになるものと予測される。科学技術・情報技術の発達やイノベーションが常態化し想定外の事態が頻発する時代には、ウォーターフォール型からアジャイル型への移行、過去の成功経験の無意味化とラーニングアジリティの養成、コア人材によるクラウド人材の活用など、新しい考え方や行動様式が求められる。しかしそれは同時に、世代間における階層の再生産や、学校歴により生涯賃金が左右される時代とは一線を画した、本人の意思と能力によって人生を切り開いていける時代であり、ライフステージのそれぞれの段階においてその時の自分にふさわしい働き方を選ぶことのできる、多様な働き方が可能な時代であり、職業生活の中で人種や性別に加えさまざまな世代と交流し、自らを成長させていくことのできる時代である。

本書で情報社会学の入門を果たした面々には、高度情報社会の特性を文理融合・学際的な視点から理解するセンスと、自らの関心のある領域における問題の発見とその本質の把握および問題解決のために必要な情報システムを構想する能力に目覚め、そして、ディストリビューションサービスの上でオープンデータやAPIを利用するなどして、web サービスを構築しサービスを提供してみたいという気持ちが生まれているはずである。しかし、人文社会科学系の学生には、その思いを実現するためには具体的にどこから手を付ければよいのか、そして、アジャイル型のシステム開発をどのように進めていけばよいのか、社会実装を実現するにはどうしたらよいのかなど、さまざまな疑問に直面するに違いない。

近年続々と誕生した文理融合や問題解決の知を掲げた学部学科の多くが、さまざまな領域の研究者を集めているにもかかわらず、社会調査に基づく研究による問題発見とその本質的な把握を通した問題解決法のデザイン、システムの構想・構築そして社会実装までを通して行った経験を持つ研究者は皆無であろう。それゆえ、文理融合の実践は学生自身に丸投げされ、多くの学生が途方に暮れているのではないか。幸いにして筆者には、文系領域の研究者でありながら、社会調査を通した問題の発見と理解、問題解決に必要なシステムの構想と構築、およびその社会実装に至るプロセスのすべてを、一通り行ってきた経験がある。本書では最後に、そうした経験に基づいて、本書で提唱してきた人文社会科学系のセンスに基づく社会問題解決のための情報システムの構想･構築及び社会実装の事例を紹介することにしたい。

新型コロナウィルスの世界的な流行、中国共産党によるプラットフォーム企業への規制強化、米中半導体戦争など、2020 年以降の二年の間でさえも、世界を揺るがす大きな出来事が次々と発生している。米中デカップリングがグローバル・バリューチェーンにどのような影響を及ぼすか、アフガニスタンでのタリバン政権の樹立のゆくえは、など、VUCA ワールドは常に五里霧中。その時代を生きていかざるを得ない世代には、それ以前の時代とは異なる生き方を強いられる。しかしそれは、史上初めて「価値起点のイノベーション」が可能となった時代であり、高度情報環境の下で提唱された Society 5.0 において、万人の参画の下での人間中心の社会の構築が目指される社会でもある。

本書が次世代を担うことになる学生たち、そして、時代の変化に対応するためにリカレント教育を希望する社会人の方々が、社会経済システムの変化を学際的な視点でとらえ直し、文理融合型の知を身につけ、高度情報環境が実現するさまざまな可能性にチャレンジしていく上で、本書がお役に立つことがあれば、これ以上の喜びはない。

本書における知財マネジメントやビジネスモデルに関する内容は NPO 法人 産学連携推進機構 理事長の妹尾堅一郎先生に、TRON に関する内容は東洋大学情報連携学部学部長の坂村健先生に、Society 5.0 に関する内容は理化学研究所理事で東北大学名誉教授の原山優子先生に、その多くを負っている。筆者がこの本をまとめ上げることができたのは、三人の先生方のお陰であり、心より謝意を表したい。なお、センスメイキング及びデータ資本主義に関する内容は、翻訳者でありフリージャーナリストである斎藤栄一郎氏の一連の翻訳書によっている。早稲田大学在学時代からの長きにわたる、氏との変わらぬ友情に感謝する次第である。

2021年8月　　明星大学　天野徹

第1章

# 高度情報化とグローバリゼーションの変化

## 第1節　グローバル・バリューチェーン革命

情報社会の到来が世界にもたらしたインパクトを理解する上で最も重要なのは、グローバリズムの本質的な変化、いわゆるグローバル・バリューチェーン革命であろう。

世界で最初に産業革命を成し遂げたイギリスを除けば、G7 諸国は四つの政策からなる「標準セット」を駆使して工業化と成長の離陸を成し遂げてきた。(1) 国内関税を撤廃し、インフラを整えて、国内市場を統一する、(2) 対外的な関税障壁を築いて、イギリス製品の競争力をそぐ、(3) 産業投資に資金を供給し、通貨を安定させるための銀行の設立を認可する、(4) 大衆教育を確立して、農場から工場への移行がもたらす影響を緩和する。これに対して、1990 年以降に急速な発展を遂げた新興経済国が、まったく異なる方法で経済成長を遂げたことには、留意しておく必要がある。彼らは国内にノウハウを蓄積し、国内のサプライチェーンを構築するのではなく、自国が一番得意なことを通して国際生産ネットワークに加わることによって、海外での競争力を身につけてきたからである。

その結果、1990 年以降の先進七カ国、いわゆる G7 と呼ばれる国々の製造業においては雇用が急速に減少し、この業界の付加価値に占めるシェアが急低下した。G7 の製造業のグローバル GDP におけるシェアは、1990 年では 2/3 だったが、

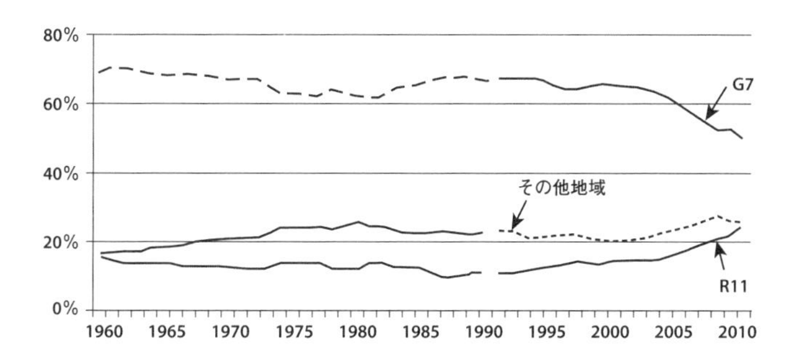


1990年以降のグローバルGDPのシェアの変化を見ると、中国がシェアを急速に回復していることが分かる。R11全体の上昇分の約半分を、中国が占めている。

図版1-1：G7とR11がグローバルGDPに占めるシェアの変化（出典：ボールドウィン）

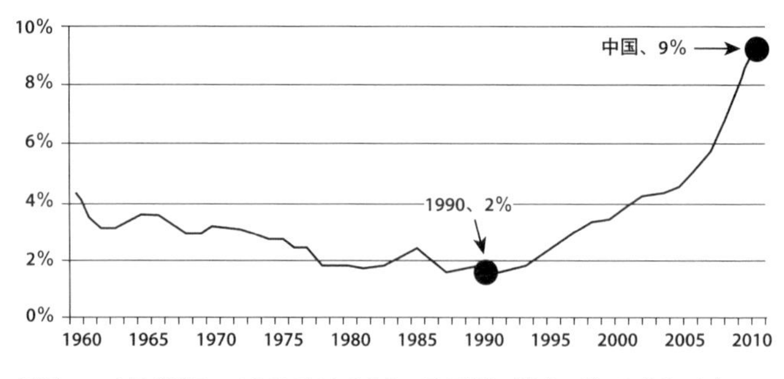


図版1–2：中国がグローバルGDPに占めるシェアの変化（出典：ボールドウィン）

2010年には1/2を割り込んでいる。それに代って製造業の生産高を急増させたのは、11の開発途上国、具体的には、中国、インド、ブラジル、インドネシア、ナイジェリア、韓国、オーストラリア、メキシコ、ベネズエラ、ポーランド、トルコの11国（R11と総称される）であった。その中でも、中国の伸びは突出している。

こうした新興国の発展を可能にしたのは、世界レベルでの情報化の進展である。1990年までのG7の製造業企業は、製品の製造プロセスが複雑なゆえに各工程間の調整が必要であり、工場内というミクロなレベルでの工程の集積が不可欠であった。そのため、必要な投入財を国内で調達して「国内生産・海外販売」というタイプの財の生産方式をとっていたのである。ICT革命が起きて、工場内で各工程の調整を行う必要がなくなると、G7の企業は次第に生産工程を国際分散し、発展途上国の低コスト労働力を利用するようになった。ここでのポイントは、この新しい国際生産のエコシステムの下で、北と南の境界を越えて、製造業が工場レベルではなく工程レベルで移動したことである。すなわち、これまで工場内で完結していたフローが国際的なフローへと様変わりしたのだ。生産活動の工程レベルでの分割が可能となったことにより、発展途上国であっても、自らの比較優位を生かす形で、先進国の製造業における生産プロセスに、参入することが可能となった。そしてそのことが、1990年を境に、グローバリゼーションが世界に与える効果を一変させることになる。

さて、東アジアの新興国は、同地域における生産工程の分割・地理的分散の進展から大きな恩恵を受けているが、そこに至るまでの経緯はダイナミックなものであった。敗戦後、奇跡の復興を遂げた日本は、1980年代に欧米諸国から輸入管理措置を受け、生産拠点の海外移転を進めることになる。1985年のプラザ合意で日本円が急騰し、日本国内での生産コストが上昇したことが、これに拍車を掛けた。

1995年頃から東アジア各国は日本を中心とした経済的な連携を形成していたが、1997年にアジア通貨危機が起こると、対円・対米ドルの両面で東南アジアの通貨が瞬時に低下し、これによって生産コスト面での競争力をつけたアジアの生産拠点は、日本企業にとって、海外（欧米）輸出基地と位置づけられることとなった。しかし、2001に中国が、2002に台湾がWTOに加盟すると、国際貿易の構図は大きく変化する。東アジアの経済的な連携の中心が、中国へとシフトしたからである。巨大な人口を擁する中国は、膨大かつ低廉な労働力をもって、東アジアにおける生産工程の分業体制に分け入り、東アジアに特異な生産システムを作り上げたのであった。

ヨーロッパの国々と比較した場合、アジアの国々は、国によって産業特化のレベルと形態が大きく異なっている。日本や韓国は資本主義経済、インドネシアは資源国、シンガポールはサービス産業立国、中国は共産主義国家だ。そして東アジアに特異な生産システムは、これら特徴の異なる国々が、東アジアという地域内における生産ネットワークの中で、それぞれの国の労働力や天然資源、そして生産技術などに見合ったポジションを見いだし、そこに特化することで生産性を引き上げ、それぞれの国の飛躍的な経済成長を可能としたのである。そのからくりは、以下のような「三角構造」に基づく国際分業体制にある。

① 中国以外の東アジア諸国が高付加価値の部品・付属品を生産し、
② それを中国の安価（低付加価値）な労働力によって集中的に最終製品へと組み上げ、
③ 消費市場としての欧米先進国へ輸出する。

事実、ITバブル崩壊の時期（2001年）と世界金融危機の時期（2008～2009年）を除けば、米国の最終需要とアジア諸国からの最終消費財輸入額は増加し続けている。つまり、中国を含む東アジア諸国の経済発展は、米国の巨大な消費需要によってもたらされたもの、ということができる。

プラットフォーマーによる情報サービスの普及などによって商品情報へのアクセスが容易になるにつれ、米国における消費志向が多様化し、ブランドの差別化や新製品の開発に対する需要が急増するなどといった米国市場の急激な変化に対しても、東アジアの生産分業体制は、強力な物流機能に支えられたサプライチェーン管理によって、柔軟に対応できるまでに成熟を見せた。その背後には、2003年以降における情報通信技術に対する投資の急増と、技術革新によって高度化した国際輸送システムの活用による生産拠点間の調整があったといわれている。

次に、こうしたグローバリゼーションの変化を理解するために、付加価値フローの変化の全容を概観してみることにしたい。猪俣哲史（2019）によれば、1995年から2015年における全世界的な付加価値フローの変化についてのデータから、価値の流れが活発化したことが分かる。中でも、北米・欧州・アジアの三極でフローの集中の度合いが高まったこと、アジアの中でも中国の貢献が増えていること、「その他の国」との連関が強まっていることが指摘できるという。1995年では、アジア域内のフローはまだ散発的であり、付加価値貿易の中心は北米と欧州にある。1994年にNAFTA（北米自由貿易協定）が発効したため、米国の対カナダ、対メキシコの付加価値フローが際立っていた。これに対して、欧州の中軸は、ドイツとフランスの二国であった。2015年になると、米国は全世界に付加価値フローのネットワークを展開している。そして欧州では、ドイツ・フランス以外の国も域内ネットワークへの貢献を増やしている。その一方、アジアにおいては主要な付加価値フローが生まれることはなく、日本、中国、韓国が流れの中心を作っている。

こうした変化をグローバル・バリューチェーン（GVC）参加指数によって評価すると、先進国と開発途上国の関係が様変わりしていることが分かる。GVC参加指数は、中間投入財およびサービスが内包する付加価値の国際取引を通して各国がどれほど深く国際的な生産ネットワークに関わっているかを示すものだが、この値によれば1995年以降先進国と途上国の差は縮小を続けており、ここからは途上国経済が急速にグローバル化していることが分かる。なお、GVC参加指数は途上国

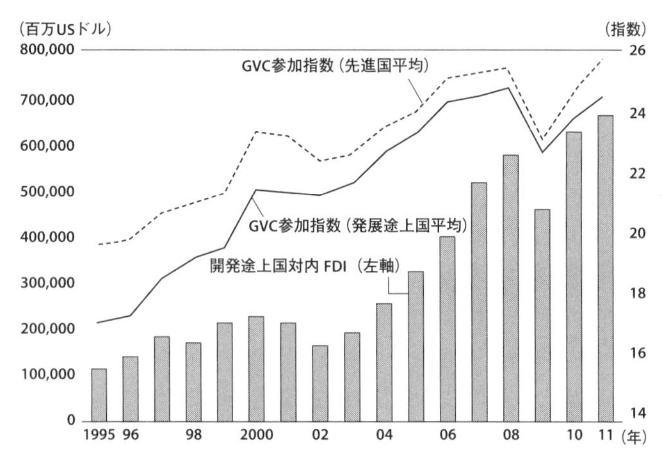


図版1–3：外国直接投資（FDI）とGVC参加指数：1995〜2011年（出典：猪俣）

への外国直接投資と同じ動きを見せている。ここから、両者の間には強い相関があることが推測される。これは、GVCが、先進国企業による途上国企業の株式取得、工場建設そして事業遂行と、大きな関わりを持っていることを示唆している。

先進国企業による製造業のオフショアリングはグローバルなノウハウの分布に影響を与えた。すべての工程が一つのまとまりとして機能するようにさせるために、G7の国々が自国の企業に固有の知識の一部もオフショアに移したからである。高級掃除機などの商品を作るイギリス企業のダイソンは、その好例といえる。もともとダイソンは、イギリスのサウサンプトン近郊の町で、家電の設計、開発、製造を行っていたが、2003年には組立工場をマレーシアに移している。ダイソンはもはや工場を持たない製造企業、いわゆるファブレス・メーカーと呼ばれる企業であり、同社の労働者はただのひとりも組立製造に関わってはいない。ダイソンは技術、マーケティング、経営管理に関するノウハウを、低賃金のマレーシアの労働者と組み合わせることによって、商品の競争力を維持している。このようなケースは無数に存在するが、大量のノウハウが北から南へと流れ込むことにより、新興経済国は飛躍的な成長を遂げたのである。

一方でダイソンは、イギリスの拠点マルムズベリーではエンジニア、科学者、事業の運営にあたるスタッフ1300人を雇用するだけでなく、2014年には、2020年を目途にイギリスで3000人規模の科学者とエンジニアの雇用を生み出す計画を発表している。オーナーのジェームス・ダイソンは、「イギリスでは毎年6万1000人のエンジニアが不足しており、人財を見つけるのが難しい。しかし、イギリスは発明するには最高の場所だ」と述べている。優秀な人材は、都市に集まる。そこでは、人々が出会い、顔を合わせたつながりと交換のネットワークが形成される。都市とは、アイデアを交換し合い、アイデアを競い合う場所。新しいテクノロジーが発展する場所であり、スタートアップ企業が栄える場所である。そして都市は、労働者と企業、サプライヤーと顧客のマッチングも最適化する。知識経済はその性質上、伝統産業以上に地理的に集積する傾向がある。ダイソンがイギリスに残すのは、企業のコアコンピタンスに関わる機能と、それを支えるための雇用。それ以外の工程と雇用は海外に移す、すなわちオフショアリングするということである。

こうしたやり方は、アップルも同様だ。アップルは1980年、同社のコンピュータの生産をテキサスとアイルランドで開始し、1990年代前半まではアメリカ国内での工場労働者の雇用を増やし続けたが、1996年以降、製造業をアメリカ国外にシフトしはじめた。今では国内ではもっぱら設計、マーケティング、アフターサービスとアドオンサービスに特化し、製造工程は主に中国で行われている。

もちろん、グローバル・バリューチェーンへの途上国企業の組み込みは、外国直接投資以外の方法によるものもある。ベトナムの某国有企業のケースを例に説明しよう。この企業は1998年までは農業機械・部品を生産していた。労働力の質は良かったが、経営管理に問題があったため、生産能力と品質は振るわなかったという。しかし、1990年代に日本の本田技研工業株式会社と下請け契約が結ばれると、日本からエンジニアが派遣され、生産管理のノウハウが伝えられ、技術移転がなされ、日本式の生産モデルが構築されることとなった。ホンダのグローバル・バリューチェーンがベトナムに到達することによって、日本の経営管理のノウハウとベトナムの労働力が結びついたのである。これにより、この会社の生産能力と品質は向上し、オートバイ部品を中心に、ホンダ以外の海外の顧客からの注文も受けることが出来るようになった。こうしてベトナムは、オートバイの輸入国から輸出国へと転換することができたのである。

ここで注目しておきたいのは、こうした「ノウハウ」の移転により、当のホンダの国際的競争力も高まった、ということである。ホンダはベトナムへの「低廉な労働力」と結びつくことにより、インドでの部品調達を開始したドイツのBMW社に対する競争力を上げることができたのである。今や、この二つの企業間の競争は当該企業間での競争ではなく、それぞれの企業が構築したグローバル・バリューチェーンの間の競争という構図になっている。そして、途上国は、対外直接投資であるか下請けであるか、あるいは他の方法であるかを問わず、自らの比較優位を生かしバリューチェーンの中で「特別な場所」を占めることによって、経済的発展を遂げることができるようになったのだ。

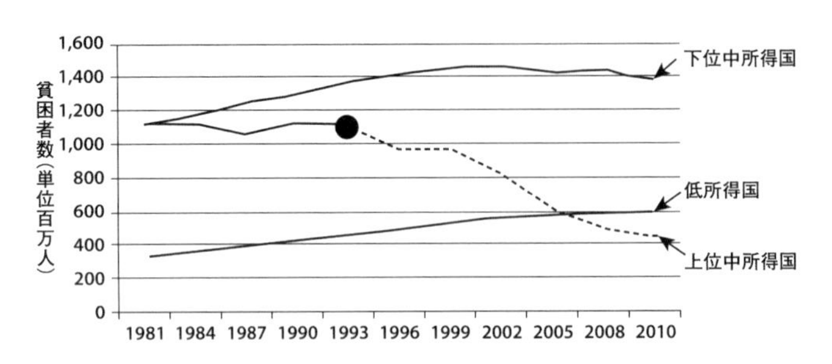


三つの折れ線は、それぞれのグループに含まれる国々の中で、1日2ドル未満で生活する「深刻な貧困状態にある人の数」を示している。1990年ごろから貧困を抜け出す人々が増えているのは、上位中所得国に限られている。

図版1–4：所得水準別の国家群における貧困者数合計の推移（出典：ボールドウィン）

こうした情報化と知識社会化が可能とした、工程レベルでのオフショアリングによる途上国のグローバル・バリューチェーンへの参画は、それ以前のグローバリゼーションと区別するために、ニュー・グローバリゼーションと呼ばれている。世界銀行のデータの分析から、ニュー・グローバリゼーションにはオールド・グローバリゼーションと対照的な性格があることが分かる。貧困の標準的な指標となるのは、1日2ドル未満で暮らす人の数であるとされる（勿論、現地の物価水準に合わせて調整された数字である）。そして、1983年～1990年の間、いわゆるオールド・グローバリゼーションの期間には、この貧困線以下で暮らしている人の数は約3億7000万人増えた。貧困線以下の人口が急増したのはそれ以前から貧しかった国であり、政府の政策によるところも大きかったと考えられるので、グローバリゼーションだけが原因であると考えることはできないが、こうした最貧国にグローバリゼーションの恩恵が流れていなかったのは確かであろう。しかしながら、ニュー・グローバリゼーションの時代になると、世界銀行が上位中所得国に分類する国（R11諸国の大半が含まれる）においては、およそ6億5000万人が貧困線を上回る所得を得られるようになった。自国の優位性を生かしてグローバル・バリューチェーンに参加することによって、多くの国民がグローバリゼーションの恩恵を受けられるようになったのである。R11の中でこの人口が突出して多いのは中国とインドであるが、インドが下位中所得国に分類されていることには注意が必要である。そして、グローバル・バリューチェーンに参加できない低所得国の状況が以前と変わらず悪化し続けていることを、忘れてはならない。

## 第2節　情報通信技術（ICT）革命とGVC革命

1980年代後半、情報の伝達、保存、処理が革命的に進化して、大きな変化のうねりが生まれ、通信コストが劇的に下がった。通話料金が大幅に下がって、ファクシミリが広く普及し、携帯電話が爆発的に浸透したのである。電気通信ネットワークは密度が高くなり、信頼性が増して、コストも下がった。さらに1990年代になるとインターネットが出現し、知識や情報を移動させるコストがさらに下がった。1995年にはウィンドウズ95が発売され、インターネットは世界的に普及した。そしてこれ以外にも、CPUやメモリの高速化・大容量化による計算コストのめざましい低下と、光ファイバーの伝達速度と帯域幅のめざましい増加があった。2020年を迎えた今では、文字、画像、データの双方向の継続的なフローをほぼノーコストで維持できるようになっている。その意味においては、デジタル化された知識と

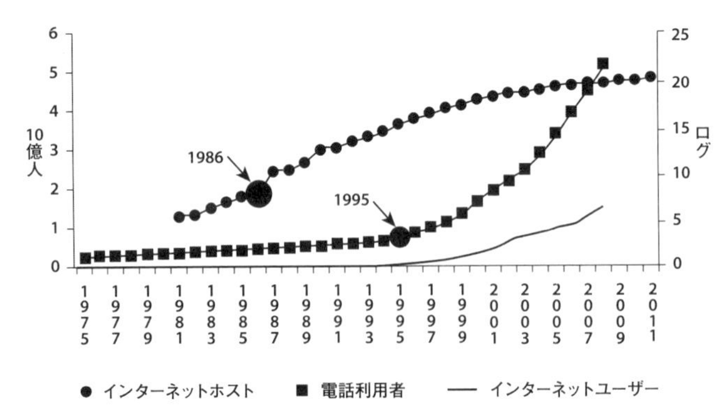


図版1–5：1975年から2011年の間の、世界のインターネットと電話回線の伸び
（出典：ボールドウィン）

情報については、距離は全く意味をなさなくなったといってよいだろう。

こうした情報環境の急速な高度化はICT革命という言葉で表現されるが、GVCという視点から見ても、ICT革命によるインパクトは、まさに革命というに相応しいものであった。まず、ケーブルを通してアイデアをほぼノーコストで、ほとんどどこにでも送れるようになると、仕事のやり方や経営管理の仕方、企業とサプライヤー・顧客との関係が大きく変わった。また、作業方法や製品デザインがシフトして、生産のモジュール化が進み、生産活動を遠隔で調整しやすくなった。さらに、電気通信革命とインターネット革命が引き金となって、情報管理の一連のイノベーションが生じると、複雑な活動を空間的に調整しやすくなった。調整のコストが下がり、安全性が上がったからである。そして、電子メールや編集可能なファイルなど、専門性の高いウェブベースの調整ソフトウェアパッケージが出現すると、多面的な手順を遠く離れた場所から管理する能力が革命的に高まった。このことが、グローバリゼーションに新たな展開をもたらしたからである。

ICT革命が起こるまでは、アダム・スミスの提唱に始まる分業による大量生産体制による製造業においては、分割された各工程の間で複雑な調整作業を行う必要があった。その調整を容易にするためには､生産工程の諸段階を一つの立地（＝工場）に集約する必要があった。ICT革命は、こうした状況を一変させた。テレックスからファクシミリ、そしてインターネットへと、より廉価かつ高速な国際通信網が急速に発達したことによって、遠隔でも生産工程間の調整を容易に行うことが可能となったからである。商品の販売予測や部品の調達状況は瞬時に生産ラインへ伝えられ、電子化された詳細な製品仕様やデザイン情報が全製造拠点で共有されるようになった。ICT革命の下で、高度な技術を持つG7企業が発展途上国の製造プロセス

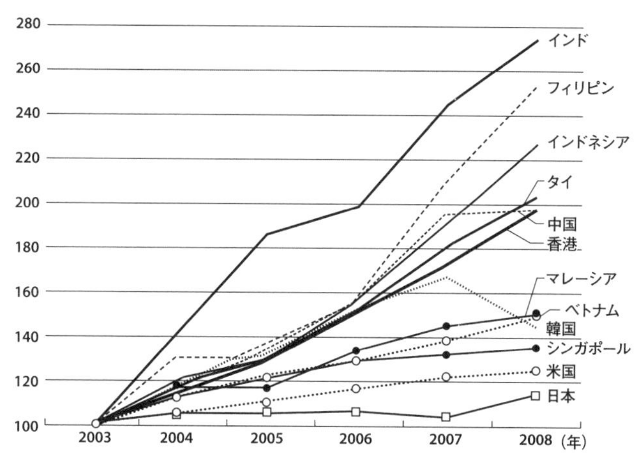


図版1–6：2003年を100とした場合の、各国の情報通信技術関連支出額（2003〜2008）
（出典：猪俣）

を、以前とは比べものにならないほどの精度で監視しコントロールすることが可能になったのである。これにより生産者は「工程間調整のため、近接した空間に生産機能を集約する」という、それまでの制約から解放され、生産工程の技術的分離と生産要素の価格差を求めた、製造拠点の地理的分散が可能となった。こうした生産工程の技術的分離は、特に、生産のアンバンドリングと呼ばれる。これはICT革命によって国際競争の解像度が上がり、ニュー・グローバリゼーションのもとで生産工程が細分化されたことを意味する。これを境に、製造業における競争は、セクター・レベルから工程レベルへとシフトしたのである。

ICT革命以前、工業化を進める国が直面した問題は、工業化に必要な知識を取得して、工業化に必要な現地の能力を発展させるのが難しかったことであった。発展途上国が製造業で競争力を持つにはセクター・レベルで競争力を持つしかなく、セクター全体の膨大なノウハウが必要だった。しかし、ノウハウがセクター・レベルでひとかたまりになっていることが高い壁として立ちはだかり、これを乗り越えられた国はほとんどなかったのである。先進国がオフショア生産の競争力を高めるには、ノウハウを移転することが不可欠だが、技術移転を吸収する発展途上国側の能力が制約要因だった。技術を移転する際には、人員を訓練し、協調して働くようにさせる必要があったが、そのためには莫大なコストが必要だったからである。しかしICT革命によってGVC革命が起こると、発展途上国は一度に一つの部品や一つの工程に焦点を合わせられるようになり、途上国の企業は知識を吸収しやすくなり、商品を作るのに必要な技術とスキルベースを少しずつ身につけられるようになっ

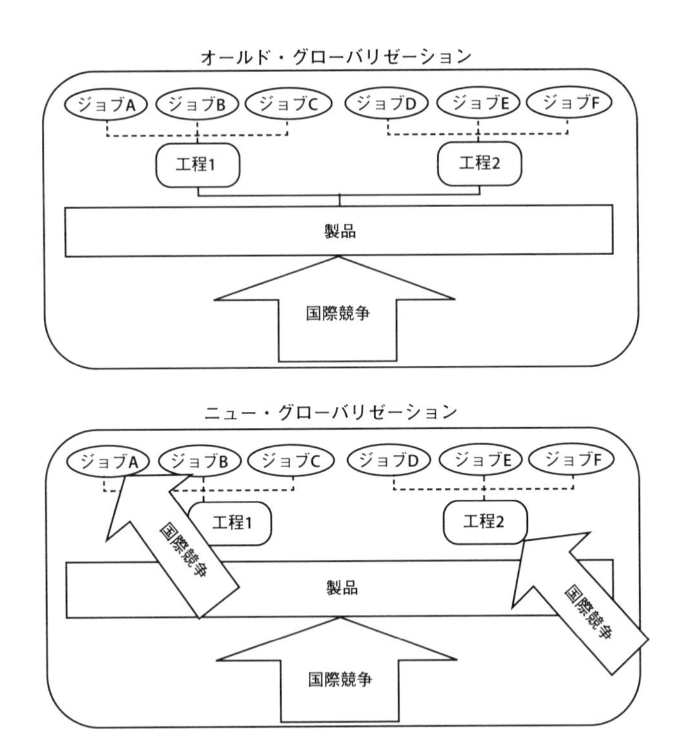


情報化が進展すると、工場レベルのオフショアから、工程レベルへのオフショア化、そして、ジョブレベルのオフショア化へと、「解像度」が上がっていく。

図版1-7：ニューグローバリゼーションによる工程レベル・ジョブレベルのオフショア化（出典：ボールドウィン）

た。高度な技術を持つ企業にとっては、工程レベルの知識を移転しても競争相手を生み出す危険性が少ないことから、移転を進めることに問題はなかったのである。

こうして生産活動は工程レベルで分割され、各国の比較優位を求める形で製造拠点の海外移転が加速した。情報通信技術の発達により生産工程の細分化と地理的分散が進展したことで、強力な産業基盤を持たない途上国でも、組み立て工程など自国の技術レベルにあった部位を国際的なサプライチェーンから切り取ることが可能となったからである。GVCにおける技術移転は生産工程というミクロなレベルで起こるため、そのプロセスはそれ以前と比べて著しく加速されることになった。その結果、多くの途上国が伝統的発展論の想定よりもはるかに速いペースで経済の高度化を実現したのである。

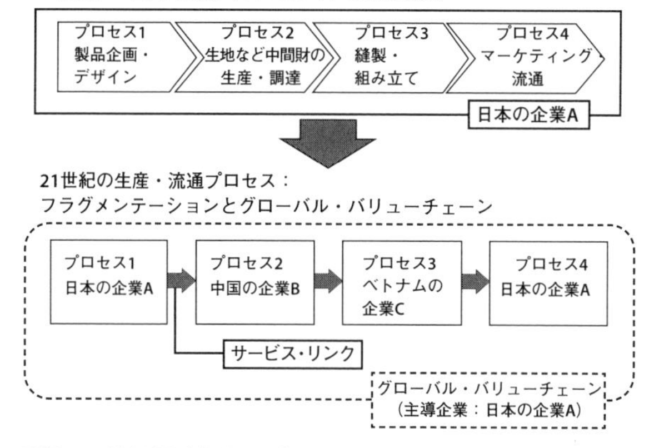


図版1-8：総合型生産体制からグローバル・バリューチェーンへ（アパレル業界の場合）（出典：後藤）

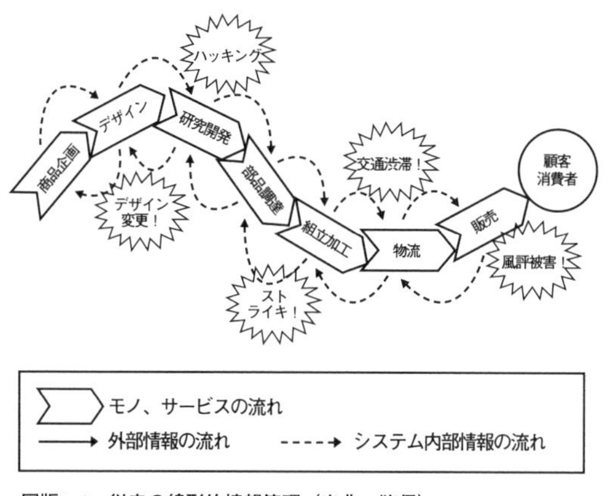


図版1-9：従来の線形的情報管理（出典：猪俣）

こうしてG7の比較優位の源泉（ノウハウ）がI6（新興工業経済6地域すなわち中国、韓国、インド、インドネシア、タイ、ポーランドのこと）の比較優位の源泉（労働力）へと移動すると、この新しい知識のフローは、知識を受け入れる国の比較優位を押し上げた。それとともに、中国などの途上国が、自国の技術では輸出どころか生産さえできなかったであろう多種多様なモノを、輸出できるようにもなったのである。ただしここで注意しておかなければならないのは、GVC革命により知識が国際移動するようになったにもかかわらず、知識を所有する企業が新しい知識の流れを非常に慎重にコントロールしており、自社の構築したGVCの輪郭の中に自社が提供する知識が留まるように、あらゆる手段を活用しているということだ。したがって、ニュー・グローバリゼーションの下でGVCに参加を果たした途上国では、貧困線を下回る人口が激減しているという事実があり、先進国からの知識移転によって労働者の質が向上するという事実があったとしても、これらの国の競争優位は低賃金で豊富な労働力にとどまり、継続的なイノベーションによって新しい知識を生み出し続ける先進国企業との差が、将来にわたって縮小していくとは考えにくい。

では、次世代情報通信網、そしてAIとロボティクスの発展は、現在のGVCについて、どのような影響を及ぼすと考えられるであろうか。

ドイツが提唱する第四次産業革命では、次世代通信システムである5Gによって可能となる「超高速大容量・低遅延・多地点通信」を用いたモノのインターネット(IoT)環境の下、センサーやRFID、Bluetooth、GPS(全地球測位システム)によりサプライチェーンの追跡可能性が飛躍的に向上するという。それらによって収集された開発／製造／物流／販売データを、他の外部情報(天候データ、交通データ、さらにはSNSへの投稿文書など)と併せ、クラウドコンピューティングによる総合的かつ集中的なビッグデータ解析を行うことによって、リアルタイムでネットワーク最適化を行うことができる。世界的に展開するサプライチェーンを想定した場合、設計変更や製造要件の入れ忘れによる工程の出戻りといった日常的なアクシデントに加え、工場でのストライキ、税関での足止め、交通渋滞、自然災害、風

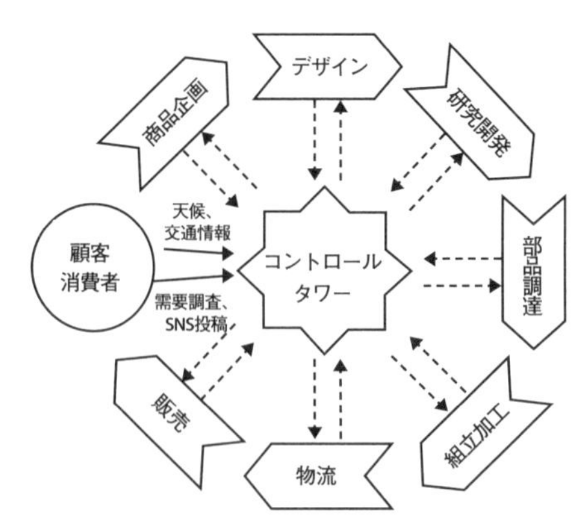


図版1-10：第四次産業革命の情報エコシステム
(スパイダー型)(出典：猪俣)

評被害、そしてサイバーテロに至るまで、生産活動に影響を与えるさまざまな事柄が、どの部位でも起こる可能性がある。そうした問題をいち早く察知し、適切な処置を行うためには、関係各部署の間での情報共有と即時連携による最適解の導出が必要である。こうしたアクションを実現するには、高度な情報システムが必要不可欠であるだけでなく、それを基盤としたサプライチェーン・マネジメントの考え方の転換、すなわち、ネットワーク内の共時的・全方位的な情報エコシステムの活用という視点が必要なのである。

第四次産業革命下におけるサプライチェーンの高度化は、設備稼働率、不良在庫処理、歩留まり、リスク対応、予測精度などさまざまな側面において効率を極限まで高め、そのエコシステムに属する企業の生産性を飛躍的に向上させると考えられるが、それは同時に、高度な情報システムの実装とそれを活用できるノウハウを持った人材が活用できるエコシステムに参加できるか否かによって、企業パフォーマンスが大きく異なっていくことを意味している。これはつまり、第四次産業革命の時代になると今まで以上に、国家レベルでの情報政策・経済政策・知財戦略が、国家間の経済格差に大きく影響することを意味している。

GVC 革命によって国際競争がセクター・レベルから工程レベルに移ると、過去は将来の指針として役に立たなくなる。そして重要なのは、どの工程が次に移転されるか分からないことだ。こうした変化の原動力は、高度な情報技術と電気通信の向上だが、21 世紀の ICT 革命はスピードが速く、混沌としているため、GVC 革命のペースをコントロールすることは難しい。さらに、GVC が構築されていると、売上げと規模の問題が消える。オフショア施設を作る多国籍企業はすでにグローバルな競争力を持っているので、GVC に参加しようとする企業にとっては、需要と市場規模は重要な要因ではなくなった。それゆえ、さまざまな国の政策の変化により自国の優位性が変化すれば、瞬く間に繁栄を失う可能性があるのだ。

今一つの問題は、高度情報技術の発展による、先進国における製造業の国内回帰の可能性である。近年における自律ロボット、スマートセンサー、ビッグデータ解析などによる生産工程の自動化の進展は、人間の手による労働の価値を著しく低下させた。そのために、非熟練業務の海外移転が割高になりつつある。これは、開発途上国の持っていた「安価な労働力」という競争優位性が、情報技術の高度化により無効化されつつあることを意味している。世界銀行グループによる、2003 年から 2015 年の比較分析によれば、先進国における生産自動化は、あるレベルに達すると、開発途上国へのオフショアリングを抑制する傾向がある。例えばアディダスは、一般消費者向けの商品を 3D プリンターで大量生産することを可能にした。また、ベンチャー企業のニッテレイトは、「衣服の3Dプリンター」とも呼ばれている自動編み機を開発している。ニッテレイトの自動編み機は2018年現在ニット製品に限られているものの、この製造技術が衣類全体へと拡大応用されれば、最も労働集約的な産業と考えられているアパレル産業のGVCを激変させることになるだろう。ベトナム、ミャンマー、バングラデシュなどの後進国は、靴・アパレル産業の外資操業に大きく依存しているから、それらの製品の生産拠点が先進国に回帰すれば、甚大な経済的打撃を被る可能性がある。

ただし、これとは全く異なる展開も想定されることも、忘れてはならない。輸送手段が高度化し、さまざまなデータと通信環境を活用することによって、農業の高度化や資源開発の効率化がもたらされ、こうした領域に競争優位を持つ途上国が新たにGVCに参加する可能性がある。探索・掘削技術が進歩することにより、新たなエネルギーが開発されることも考えられる。3Dプリンターの普及は、世界中のデザイナーに市場参入のチャンスを与え、途上国内でのデザイナーに活躍の場を提供する可能性もある。

また、5G環境とARやVRの技術によるバーチャル・プレゼンス技術は、先進国と途上国の間での質の高い直接的コミュニケーションを可能とするので、オフショアリングできる業務の種類／範囲を広げることができるだろう。ひょっとしたら、仕様に関する複雑な説明が必要な商品を、海外に移すことが可能になるかもしれない。さらには、「匠の技」のような属人的技術を要するサービスなどを、モジュール部品の組み立て作業と同じ感覚でオフショアリングできる日が来るかもしれない。国内に担い手を見つけられない、あるいは、経済的に引き合わなくなったさまざまな分野・領域・業種について、高度情報環境を活用しながらオフショア化していくという事態が、今後発生する可能性は十分にあり得る。

情報技術の進展は急速かつ多様であり、その将来を予測することは不可能に近い。また、そのインパクトにはさまざまな可能性があるため、GVCの将来は、たとえ業界ごとであっても、想定することは難しいといわざるを得ない。しかしながらそれは、それはこれまで「GVC圏外」にあって経済的な成功のチャンスに無縁であった国々の中小企業や個人にさまざまな商機をもたらすという意味で、歴史上初の「可能性に満ちた世界」ということもできるだろう。そして、そうした世界において競争優位を保っていく上で最も重要なポイントは、新しい知識を生み出すこと、および、知的財産に関する権利が法律によって守られていることと、考えることができる。

次節ではこのような視点から、GVC革命を挟んだ時期における、各国の知的財産に関する法律および裁判に関わる動向、および、特許数およびその内容について、考察を加えていくことにしたい。

## 第3節　グローバル・バリューチェーン革命と知的財産権

情報環境の発達により、開発途上国でもGVCに参加して、サプライチェーンの中に自分の技術レベルや要素技術存在状況に見合った「特別なポジション」を見いだし、そこに注力することよって、高付加価値製品を世界に送り出すことができるようになった。GVCにおける高付加価値製品は、契約集約的であるとともに、技術集約的なものであることが多い。したがって、開発途上国がGVCに参加するためには、そのために必要な国内条件を整えておく必要がある。

途上国の成長を促進する競争力政策は、人的資本、社会資本、知識資本への投資を増やし、新しい資本が賢く使われるようにするものでなければならない。そして発展途上国がグローバル・バリューチェーン生産に加わるためには、二つの政策がある。一つは、外国企業から、発展途上国で安全にビジネスができると納得してもらうための政策である。外国企業が発展途上国をGVCに組み込む場合、生産施設を作る場合だけでなく、サプライヤーと長期的な関係を築く時でさえ、有形・無形の財産を盗まれるリスクにさらされることになる。そのため、発展途上国がGVCに参画しようとするのであれば、外国企業に対して「財産権は保護される」という保証を提供しなければならない。

もう一つの政策は、国際ネットワークがネットワークとして機能し続けることを阻害する要因を取り除くための政策である。その中でも重要なのは、世界レベルのビジネス・サービスを提供すること、キーパーソンが移動しやすい環境を提供すること、投入物と産出物をスムーズかつ確実に移動させる体制を構築すること、である。

後者は、貿易・投資の自由化、物流や情報のインフラ整備、非関税障壁の撤廃、競争ルールの確立、労働環境の国際標準化、教育への投資など、多岐に渡るものである。その中でも、外国企業の現地進出に関する制約（外資規制・操業規制）や外国人専門家のサービス提供に関する制約（入国規制、労働力許可規制、在国資格の適用問題）、あるいはデータの越境に関する過剰な規制（データ・ローカライゼーション）など、さまざまな国内規制を縮減・撤廃することが、重要な政策課題となる。

これらについて歴史的に見れば、まずは第二次世界大戦後のGATTの設立により、貿易自由化への枠組みが整備され、WTOへの移行に伴い、多国間交渉による関税引き下げの動きが活発化したことが、GVC革命を推進する大きな力となった。ただし、GVCによる製造では多数のサプライヤーとの契約が必要であり、それは同時に、クライアントがそれだけ多くの契約不履行のリスクに直面することを意味していた。また、取引関係が複雑・繊細であれば、制度環境の劣化に対するサプライチェーンの脆弱性が高まるのは必然であった。このようなことを考慮すれば、安定した法制度の下でなければ、これらの産業が発展することは難しい。こうして、国際的分業の複雑化によって多国間交渉の枠組みでは扱い難くなった品目・事項については、FTAやEPAなどの地域間貿易協定が、それを補完するようになった。

しかしそれ以上に重要なのは、前者すなわち、先進国側の財産を保護するための仕組みが実装されなければ、発展途上国はGVCに参加することができない、ということである。これは、途上国の側に、所有権や法の支配の確立といった国内制度の改革が必要なケースが多数存在したことを示している。それゆえに、それまで規制されていた外国直接投資（FDI）が、積極的に受け入れられるようになったのである。二国間投資協定（BIT）の爆発的な増加は、それを如実に示している。BITは、発展途上国に投資する民間外資と投資受け入れ国の政府の行動を相互に規制する規定が組み込まれ、発展途上国の主権を制限するものである場合が多い。投資する企業は発展途上国側の都合に左右されずに、自由に資金を投資したり引き上げたりすることができる。また、外国投資家には、投資受け入れ国との間で紛争が起きた場合には、現地の裁判所ではなく国際仲裁に付託する権利も与えられることになる（「投資家対国家の紛争解決」条項）。主な仲裁機関はワシントンDCにある投資紛争解決国際センターとなる。これらを考慮すれば、BITは、投資受け入れ国側が投

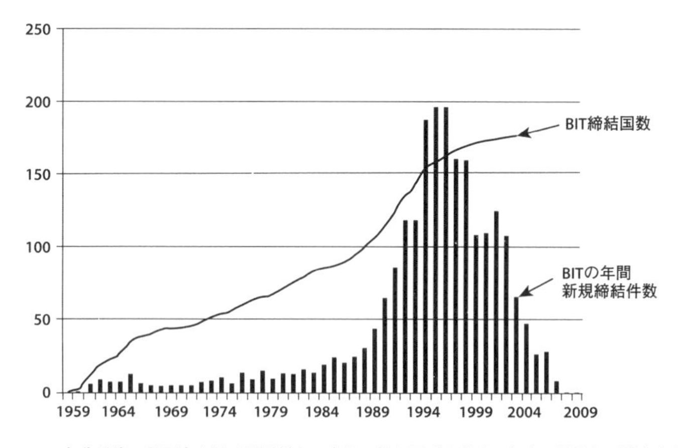


図版1-11：BITの年間新規締結件数および締結国数の推移（出典：ボールドウィン）

| | 20世紀型ガバナンス（古典的貿易論） | 21世紀型ガバナンス（GVC） |
|---|---|---|
| 国際貿易の概念 | ここで生産し、そこで消費される Made-here, sold-there | いたるところで（協働で）生産・消費される Made-everywhere and sold-there |
| 通商戦略 | 「そちらが市場を開放すれば、こちらも開放しよう」 "I will open my market, if you open yours." | 「もし我が国からの投資が欲しければ、国際ルールに従いなさい」 "I give you mya factories, if you do your own reform." |
| 政策ターゲット | 国境措置（関税削減など）による市場アクセス Market access through border arrangements (e.g. tariff-cut) | 国際共通ルール構築 Regulatory convergence |
| 政策ツール／フレームワーク | 世界貿易機関、「浅い」貿易協定 GATT/WTO 'Shallow' FTAs | メガRTA／投資協定、「深い」貿易協定 Mega-RTAs/BITs 'Deep' RTAs |

図版1–12：国際ガバナンスの変遷（出典：猪俣）

資を行う企業に対する譲歩を認めるもの、といえよう。発展途上国の多くは、それ以前は経済的利益が主権の喪失にまさるとは考えていなかったのだが、1985年を境として同時かつ突然に変節し、その結果、BIT締結数は爆発的に増えたのである。

さてここで、1990年代初めから、貿易協定に盛り込まれる条項の種類が大きく変わっていることに、留意しておきたい。それまで発展途上国が締結する取り決めは、関税しか扱わないものであった。これが突如として一転し、発展途上国にある種の改革を義務づけ、その影響が国境の奥深くまで浸透するようなものへと変化したのである。それは、先進国の企業が発展途上国でビジネスを行いやすいようにするために、必要なものであった。こうした条項のうち、国際生産ネットワークと関連していると思われる条項には、例えば「国家貿易業」「国家支援」「公共調達」「投資」に関するものに加えて、「知的所有権に関する貿易」や知的所有権に関連する最恵国待遇に関するもの、WTOの知的所有権保護よりも強い保護を提供する国際協定への参加など、知財や知的財産に関するものが含まれていることに注目したい。なぜならば、これによってG7企業がオフショアに仕事を移転する際に持ち込むノウハウが、守られるようになったからである。

21世紀型の国際取引は、地域貿易協定、二国間投資協定、発展途上国による一方的な改革を組み合わせることで支えられている。その中で、先進国はその圧倒的な知的資本を背景に商品企画や研究開発、流通サービスなどの高付加価値領域を独占する。途上国はその安価な労働力を武器に国際生産ネットワークへ参入し、組み立て工程など低付加価値領域でのGVCへの参入を実現した。こうして両者の間には、それぞれの比較優位に基づく、相補的･調和的な協調ゲームが成立したのである。

しかし現在では、サプライチェーンのガバナンスは急速に進化・多様化している。知的資本が希少な途上国にとって、サプライチェーンの高度化／高付加価値化は、先進国企業によるその統治形態によって左右される。統治の在り方がゲームにおける価値配分の大きさと方向性を決めるからである。そしてサプライチェーンの統治は、企業間の力関係に基づいて、細かい類型を設定して考察する必要がある。

サプライヤーに対するクライアントの力が最も大きいのは「垂直統合型」である。一般的にこの類型は、多国籍企業における本社と海外子会社の関係を指す。国際的ブランド企業とその下請けのような形で、サプライヤーがクライアントの指示通りにサービスを提供し、製品の品質や納期について厳しいチェックを受けるような場合は、「従属型」といわれる。特殊な金型を用いる場合など、特定の生産施設を必要とする取引については、サプライヤーとクライアントの間で独占的かつ相互依存的な関係になるため「相互依存型」といわれる。これに対して、製品を構成する部品を機能単位に分割し、それを組み合わせることでさまざまな製品を作れるような場合は、「モジュール型」とよばれる。このタイプのGVCでは、複雑な製品についても仕様書や作業手順の情報化が容易であり、サプライヤーも当該取引に特化した設備投資をする必要がなく、取引先の変更も比較的容易である。そして、取引対象の製品が特殊な設備や製品を一切必要としない一般商品である場合には、クライアント・サプライヤーの双方に、契約相手の選択肢が無数にあるので、市場を介してほぼ対等な取引関係を結ぶことができる。このタイプのGVCの形態は「市場型」と呼ばれる。

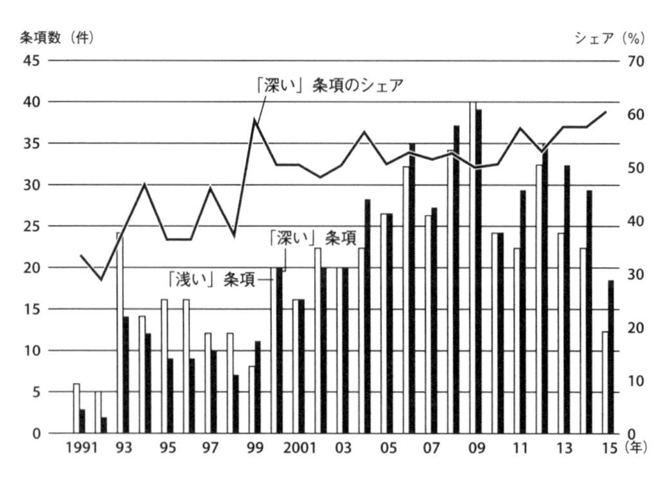


図版1–13：1991年以降における貿易協定の「深化」（出典：猪俣）

ここで注目すべきは、かつてアパレル業界におけるブランド企業は裁断縫製などの低技術・労働集約な作業工程をオフショアする「従属型」であったが、現在では加工業者にデザインや素材選択も任せる「フル・パッケージ」型の発注も増えていることである。こうした事例からは、「従属型」から「相互依存型」への移行が起こっていることが見て取れる。また、電子機器産業においては、ITA（情報技術協定）というハイレベルな貿易自由化協定が早期に発効し、新興国を含む多くの国が参加したことを背景として、先進国企業によるコア部品のモジュール化と途上国企業へのインターフェイスに関する情報の提供が進んだ。この領域では、個々の部品が小さくて生産拠点間の搬送が比較的容易であるという特性を生かして、技術の発展に応じた生産工程を機能モジュールに沿って再定義し、サプライチェーンを柔軟に組み替える形での、サプライチェーンの高度化が進んでいる。

そして近年、かつて「垂直型」のGVCが必須であった業界においても、徐々に「モジュール型」への転換が進んでいる。その典型は、自動車産業である。自動車は開発段階において部品の丁寧なすり合わせが必要で、その生産にあたってはあらゆる局面で体系的かつ組織的な調整が求められる製品だった。なかでもエンジンとトランスミッションは自動車の基本性能を左右する中核部品であり、それらのすり合わせ作業は設計・開発の段階で内製処理すべきものであった。しかし、高度情報化の進展によりそうしたノウハウがデータとしてLSI（高集積回路）の中に詰め込まれて、車体のバリエーションによるマッチングギャップはECU（電子制御ユニット）のパラメータ設定で吸収されるようなった。先進国企業の側から見れば、モジュール化によって異なった車種の間の共通部品を増やし、部品の大量購入によるスケー

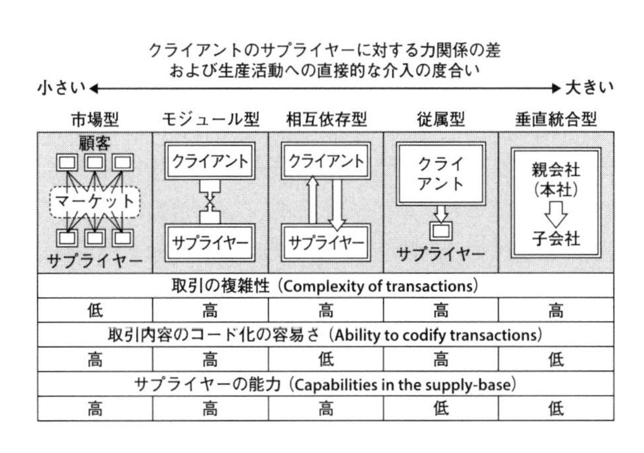


| 市場型 | モジュール型 | 相互依存型 | 従属型 | 垂直統合型 |
|---|---|---|---|---|
| 取引の複雑性（Complexity of transactions） | | | | |
| 低 | 高 | 高 | 高 | 高 |
| 取引内容のコード化の容易さ（Ability to codify transactions） | | | | |
| 高 | 高 | 低 | 高 | 低 |
| サプライヤーの能力（Capabilities in the supply-base） | | | | |
| 高 | 高 | 高 | 低 | 低 |

図版1–14：GVCの類型と企業間のパワーバランス（出典：猪俣）

ルメリットを生かすことができるようになり、途上国企業の側から見れば、高い技術を持たなくても、これらの中核部品の提供を受けさえすれば、自動車のような複雑な製品の製造が可能となった。こうして、途上国企業を巻き込んだサプライチェーンの編成、すなわち自動車産業におけるGVC革命が実現したのである。それによって先進国の自動車企業は、多様な消費者ニーズに応えるための製品バリエーションを維持しつつ、製造にかかるコストを削減することができた。

こうした技術革新は、ローエンドの消費需要に特化した市場でも、新しい動きを生み出している。例えば中国の瀋陽航天三菱汽車と米国デルファイは、主に中国の地場自動車メーカーに対し、その個別の車体を基準にエンジンなど基幹部品をマッチングして販売するというビジネスで協業するようになった。中核モジュールは先進国、これを使ったローエンド市場でのビジネスは途上国という形である。

さて、モジュール化の進展は、途上国の競争に無数のプレイヤーを招き入れ、産業全体を過当競争すなわち、価格競争の罠に陥らせる危険性をはらんでいる。では、途上国が「価値の階段」を上る方法はあるのだろうか。それに対する一つの答えが、台湾のPCメーカーにある。彼らは自社ブランドを持たずに受託生産に特化し、先進国ブランド企業が競合する現場で各社と複線的な取引関係のネットワークを形成。開発技術や市場動向に関する学習機会を増やしていくことで、設計やロジスティクス、新機種の企画提案まで手掛ける、多元的なサービスのサプライヤーへと成長を遂げたのである。その他にも、市場環境・技術環境の変化を利用して、大きな変化を遂げた中国ブランドの携帯電話メーカーが生まれるなど、近年、GVCには大きな構造変化が発生しているという。いずれにせよ、先進国企業との多元的な関係性を築き上げ、不断の知識・技術吸収を積み重ねることが、途上国の発展のカギになる。

そして多くの途上国が、伝統的発展論の想定よりはるかに速いペースで経済の高度化を実現している。そのことは、2000～2017年における国際特許出願件数の推移からも、明らかだ。2000年時点における米国の出願件数は3万8015件、中国が782件であったのに対し、2017年では米国5万6709件、中国4万8871件と差が大きく縮まり、世界一位と二位を占めるまでになっているのである。企業の知財活用は特許がすべてではないが、こうした変化は中国をはじめとする途上国がGVCの上流に参入するために注力していることを意味していると考えて間違いないであろう。国際特許の出願／公開件数は当該国が特に注力している技術分野を反映しているとみなすことができるが、技術別国際特許公開件数からは、ロボットや医療関連技術では日米が優位性を保っているものの、コンピュータ技術やデジタル通信技

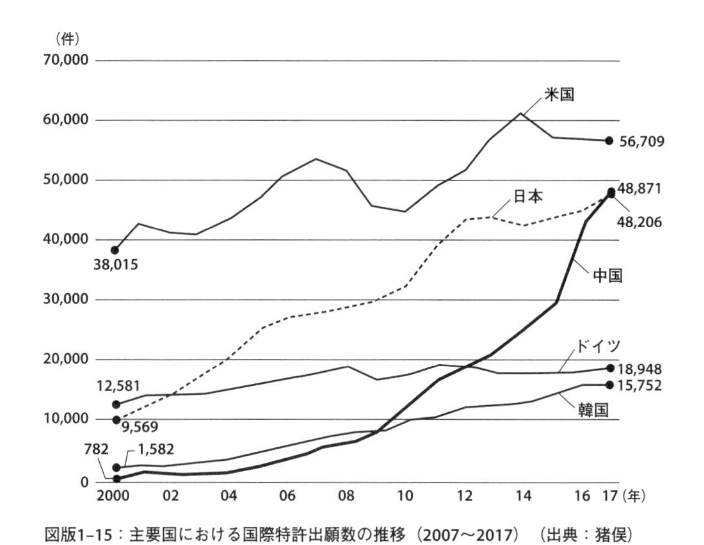


図版1–15：主要国における国際特許出願数の推移（2007〜2017）（出典：猪俣）

術においては中国が日米と拮抗していること、特にデジタル通信技術で中国が圧倒的な強さを見せていることがうかがい知れる。

途上国による先進国企業からの技術移転には多様な手段が考えられるが、近年目立っているのはM&A（企業合併・買収）による知的資本の獲得である。その目的は、技術やブランド、経営ノウハウ、流通チャネルなど、戦略的資産の獲得であることが多い。M&Aを通した技術取得は当事者企業による裁量的な行動選択によって実証できるので、技術援助や技術ライセンスの獲得などの手段に比べ、はるかにスピーディだからである。こうした状況を前に、米国は最先端・基盤的技術の獲得を目的とした対米外国投資に対する審査を強化するために、「外国投資リスク審査近代化法（FIRRMA）」を制定した（2018）。GVC革命の進展は、途上国と先進国との協調的な経済発展から、知財開発をめぐる国家レベルでの競争の段階に入っており、国家レベルでの知財戦略がその国の帰趨を決めることが広く認識されるようになっているのである。

## 第4節　GVC革命による世界経済へのインパクト

グローバリゼーションといえば、いきおい負の側面が強調されるきらいがある。産業空洞化や失業、構造調整などといった問題に加え、食品の安全性や環境破壊、フェアトレードなど、新たな問題もとりざたされるようになった。これに対し、国

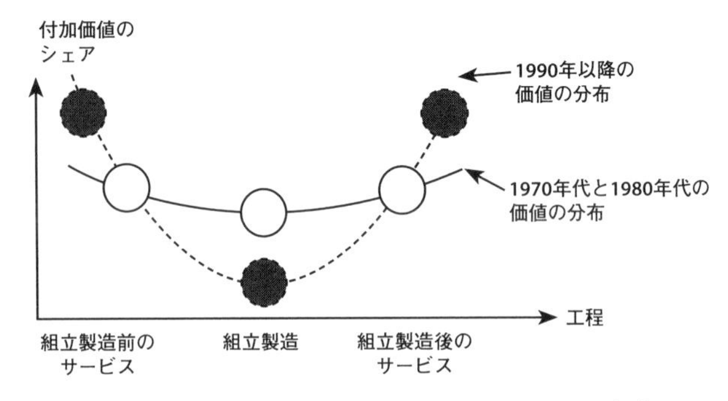


グローバル・バリューチェーン革命によって、バリューチェーンの各プロセスにおける付加価値の分布が、大きく変化した。

図版1-16：スマイルカーブ（出典：ボールドウィン）

際貿易のよい面というのは、なかなか理解されにくい。貿易が増えることで一部の企業の業績が上がり、その企業によって国の景気が底上げされる。それによって賃金が上がり、家計が潤う。また、消費者の立場から見れば、輸入は安価で多種多様な製品の消費ができるようにしてくれる。どちらもグローバリゼーションのもつ重要な側面なのである。

先にみたように、ICT 革命以前の、いわゆるオールド・グローバリゼーションには、貧困の増大という憂うべき側面があった。貧困の基準となる「一日二ドル未満で暮らす人の数」は、1980 年から 1993 年の間に約 3 億 7000 万人増えた。GVC 革命以後のニュー・グローバリゼーションは発展途上国の部品輸出を特に強く刺激し、それに付随するサービス産業を生み出すことにより、下の上位中所得国で、この数をおよそ 6 億 5000 万人減少させたのである。その意味で GVC 革命は、世界的な貧困の減少に貢献したといえる。

ただし、この「貢献」には、いくつか考慮しておかなければならないことがある。低付加価値工程（単純労働）の対価へは国際競争によって下落圧力がかかり、高付加価値工程（知識集約的・高技術労働）については相対的な増価が見込まれることにより、生産工程間の価値格差が拡大したことである。それをもたらした大きな要因の一つは、国際生産組織の再編成による、スマイルカーブと呼ばれる付加価値の分布のシフトである。1990 年を境に、製造に関連するサービスによる付加価値が上昇するのとは対照的に、製造そのものによる付加価値は低下した。それ以前には組み立て製造工程で発生していた付加価値のかなりの部分が、サービスの投入が中心となる組み立て製造前と組み立て製造後の工程に移った。これは LSI に代表される、製品の中枢を形作る部品がモジュール化され、周辺部品とのインターフェイスが提供されて、高度なすり合わせ技術なしに高度な製品を作り上げることができるようになったこと以外にも、さまざまな理由が考えられるが、まず最初にオフショアされたのは、こうした「労働者一人当たりの付加価値の低い」仕事だった。しかしながら、それによって途上国の雇用が非市場型の農業から工業へとシフトし、発展途上国の未熟練労働者の生産性が高まり、それによって発展途上国の市民の多くが絶望的な貧困を抜け出したことも、また事実なのである。そしてこれとは対照的に、途上国において低技能労働集約型の生産が増えると、先進国による輸入が増える傾向があり、これらは豊かな国の低技能労働者の打撃になる。これは大半の先進国で起きていることであるが、これらのシフトからはもっと深い意味を持つ結果が生まれている。

国籍を無視し、世界中のすべての人を最も貧しい人から最も豊かな人へと順番に並べて1998年から2008年の間の変化をみると、ニュー・グローバリゼーションはグローバルな所得分布の中間層全体と最富裕層の二つに大きな恩恵を与えるものであったが、それとは対照的に、最貧困層と、豊かな国の所得下位層には大きな打撃を与えたことが分かる。中間層の所得が増えた理由は、この層が新興工業経済

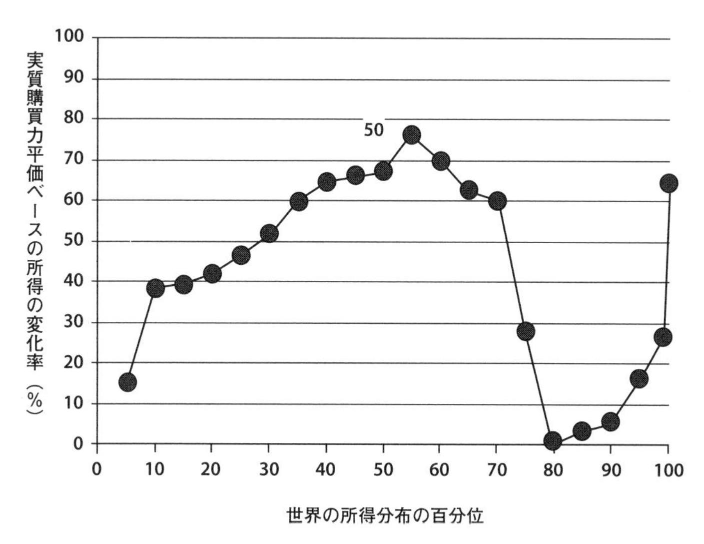


世界の人々が1988年以前と比べてどれだけ豊かになったかを、所得の増加率をもとに示したもの。横軸は世界の所得分布におけるランク付け（階層的位置）を示している。

図版1–17：エレファントカーブ（出典：ボールドウィン）

六地域のどこかの国民であるか、国際商品主導で成長が離陸した新興市場国の国民だったからである。そして、エリートが勝ち組になったのは、GVC革命、もっと広く見ればICT革命が起きて、自分たちのノウハウをより広い人たちに売ることができるようになったからである。世界の労働人口を高技能労働者、中技能労働者、低技能労働者という三つのグループに分ければ、労働力の「二極化」とも呼ぶべきパターンがあるとこが分かる。技能階層の最上位にいる労働者にはプラス、最下位にいる労働者はオフショア不能な職業であるがゆえに、何とか持ちこたえている。しかし中位にいる人々にとっては、オフショアリングは職の喪失を意味するがゆえに、死活問題になっているのである。

そして現在、先進国と途上国の間の相補的・調和的な協調の構造が、崩れつつある。先進国においては、中間層の没落による国内所得格差の拡大という社会問題を解決するために、GVC革命によってオフショアされた非熟練労働を国内に取り戻そうという動きがある。先進国における生産自動化は、あるレベルに達すると、開発途上国へのオフショアリングを抑制する傾向が、すでに観察されているのである。その一方、途上国では、技術／知的資本の蓄積や先進国企業を対象としたM&Aを加速化することで、これまでの低付加価値業務から高付加価値領域へと、サプライチェーンの拡張を図る動きがある。生産工程の細分化・地理的な分散が進む今日では、経済的な競争はサプライチェーン上の特定部位というミクロレベルでも起こっており、国際生産分業をめぐる問題は個別的・多層的・流動的なものになっており、競争と協調が交互に現れるような、複雑かつダイナミックな様相を呈している。それゆえ、その帰趨を予測することは難しい。

さらに、第四次産業革命によるサプライチェーン・マネジメントの更新、すなわち、需給関係という物理的連鎖をベースとした線型的情報管理から、ネットワーク内の共時的・全方位的な情報エコシステムへと進化を続けていることが持つ意味にも、注意が必要である。第四次産業革命の技術は、組織間の共時的・多方位的な情報共有と連携によって、サプライチェーンの高度な統合を実現する。これにより、設備稼働率、不良在庫処理、歩留まり、リスク対応、予想精度など、さまざまな側面における効率を極限まで高め、そのエコシステムに属する企業の生産性を飛躍的に向上させる。こうしたシステムがGVCに実装されれば、そのエコシステムの内側にいる企業と外側にいる企業の間で、企業パフォーマンスの差が拡大していくものと考えられる。こうしたエコシステムの構築には多額の初期投資が必要となるため、実装できる企業はごく一部に限られるであろう。

したがって、途上国企業がこのエコシステムへの参加を実現するには、国策とし

| | 時代区分 | 主要技術／エネルギー源 | 革新技術を代表する産業 |
|---|---|---|---|
| 第1次産業革命<br>(Industry 1.0) | 18世紀後半～<br>19世紀前半 | [蒸気・水力]<br>蒸気機関を動力源とする<br>製造工程の機械化 | 繊維産業 |
| 第2次産業革命<br>(Industry 2.0) | 19世紀末～<br>20世紀初頭 | [電気]<br>組立てラインでの大量生産 | 自動車産業<br>電気機器産業 |
| 第3次産業革命<br>(Industry 3.0)<br>＝IT革命 | 20世紀末 | [電子]<br>ロボットによる製造工程の<br>自動化（オートメーション） | 電子機器産業<br>情報通信産業 |
| 第4次産業革命<br>(Industry 4.0) | 21世紀初頭～ | [量子？]<br>デジタル技術と<br>物理的システムの融合 | ？？？ |

図版1–18：第一次産業革命～第四次産業革命の特徴（出典：猪俣）

ての情報政策による産業支援が不可欠となる。したがって、「中進国の罠」から抜け出すことができず、エコシステムへの参加ができない途上国は、競争優位を失い、低開発へと逆戻りする可能性が高い。そうした国が多数現れれば、途上国において、貧困の基準未満の人口が激増する危険性もある。先進国企業が非熟練労働を国内回帰させたとしても、その多くがロボティクスなど自動化技術によって担われるとすれば、先進国内における中間層の雇用が増加するとは考えられず、それゆえ先進国における経済的格差の拡大の解消に貢献することはないかもしれない。

VUCAという言葉が指し示しているように、現代の世界はVolatility（多様性）、Uncertainty（不確実性）、Complexity（複雑性）、そしてAmbiguity（曖昧性）に満ちている。したがって、こうした推論が現実のものとなるか否かは、予測不能できるものではない。第四次産業革命が実現する新たなエコシステムも、世界規模の急激かつ大規模な変化にどこまで対応できるかは、未知数なのである。その一方で、世界的な情報環境の高度化とクラウドコンピューティングによるICT活用コストの低下と、IoTによるビッグデータの蓄積および、AIの高度化による情報処理能力の向上は、想定されるリスクの管理だけでなく、あらゆる階層について、最先端技術へのアクセスと学び直しの機会を提供しつつある。高度情報化はGVC革命をもたらし、数字の上では世界の貧困者数を劇的に減少させた。その先にあるものが、発展途上国の衰退と先進国の中間層の没落と想定されるのであれば、それに対する対策を国レベル・社会レベル・企業レベルそして個人レベルでとっていく必要があるだろう。世界経済の構造が本質的に変化し続けている今日、学校教育や学歴だけを頼りに人生100年を生きるという考え方は、時代に合わないものとなってしまっているのである。

そして、本章の文脈で考察すれば、これから社会に出ていこうとする若者、そして、GVC革命以前に学びを終えてしまった社会人が身に着けなければならないことは、高度情報社会・知識社会を生き抜くための能力であり、さまざまな形で社会に貢献していく能力であり、新しい知を創造しそれを活用することによって、新たな価値を生み出す能力であろう。

こうした考察をもとにして、次章では知識社会と知的財産、そしてイノベーションとビジネスモデルについて、考えていくことにしたい。

## 第1章　注

製造業の領域でファブレス化が進んでいることは、(木村忠正、2001) などですでに指摘されていた。情報通信技術の発展は工場レベルではなく工程レベルでのオフショア化を可能としたが、これによってもたらされた多国間における製造工程の最適化について情報社会・知識社会の視点から理解する上で、2016年に刊行されたR・ボールドウィンの「The Great Convergence: Information Technology And the New Globalization (邦訳『世界経済大いなる収斂』) で示されたニュー・グローバリゼーションそしてグローバル・バリューチェーン革命という考え方は、非常に重要な意味を持つ。本章は、遠藤真美による訳書と、(猪俣哲史、2019) で述べられている理論・概念・データについて検討・考察を加えたのち、情報社会学教育のリデザインという観点から再構成したものである。

なお、本稿執筆中にダイソンは本社をシンガポールへ移転させる決定を行ったが、英国で働く従業員の配転は行わないとしている (日経新聞朝刊「英ダイソン、本社をシンガポールに移転へ」日本経済新聞社、2019.1.23.https://www.nikkei.com/article/DGXMZO40347230T20C19A1000000/、2021.8.20. 最終確認)。

# 第2章

# 知識社会と情報社会

## 第1節　知識社会と情報社会

ハーバート・サイモンによれば、有史以来、人類の生活を根底から作り変えるほどの衝撃を与えた技術革新は三つある。その第一が農耕の導入であり、第二が産業革命であり、第三がコンピュータの出現による情報処理技術の変革である。コンピュータと通信技術の結合は高度に知的・複合的な情報の生成を可能にし、人間の知的労働の大体を遙かに超えた機能を実現するだけでなく、広範な知的情報ネットワークを形成して、工業社会を情報社会へと根本的に変革してきた。

知識や情報の社会における位置づけを示すことで、情報の経済的価値について具体的に論じたのは、フリッツ・マッハルプである。彼は「知識産業」の例として「教育」「研究開発」「メディア」「情報機会」「情報産業」を挙げ、経済全体の中で知識や情報の位置づけを数量的に表そうという試みを行った。知識と情報を総合的に把握しようとする視点は、時代に先駆けた実に興味深いものであった。

脱工業社会として、情報社会を論じたのは、ダニエル・ベルである。彼は脱工業社会の特徴を、「第三次以上の産業」「専門職・技術職・科学者」「人間相互間のゲーム」「抽象理論やモデル、シミュレーション」「未来志向・予測」「理論的知識の中心性及びその集積化」に求め、鍵となる技術は情報技術であるとした（1973）。

そして1980年、アルビン・トフラーの『第三の波』が出版される。トフラーは現代社会の変化の相対的な記述を目指し、第一の波（農業社会）、第二の波（産業社会）の次に、第三の波が来るとした（ただし、彼が第三の波を情報革命と位置付けたのは、本書出版の後のことである）。

情報社会論に関する言説が現れたのは、実は日本の方が先であった。その嚆矢は、梅棹忠男である。彼は産業の歴史を、農業の時代、工業の時代、精神産業の時代と捉え、これからは精神産業（情報産業）を中心とする社会となっていくとした（1963）。次に、林雄二郎は社会の情報化を「社会に存在するすべての物財、サービス、システムについて、それらが持っている機能の中で、実用的機能に比して情報的機能の比重が次第に高まっていく傾向」とした（1969）。これらはベルの書物に先立って公刊されている。そしてトフラーに遅れること五年、増田米二の『原典情報社会』が出版される。彼は情報社会を、コンピュータを中心とする高度な情報通信環境により、生き甲斐のある社会、さらには世界平和までが実現される理想郷として描いた。情報社会という単語が、多分に未来志向であったために、日本人の目には、まだ見ぬユートピアとしてイメージされていたのであろう。

情報社会では、産業の仕組みも大きく変化する。情報の価値の生産、つまり情報の産業化が進み、それがモノの価値の生産であるモノの産業化に比べて圧倒的比重をもつようになる。情報社会論の代表的論者の一人、香山健一は、情報革命を、①計算、通信制御の諸分野における技術革新、②情報科学とシステム概念に代表される科学革命、③社会的コミュニケーションの内容、携帯、規模、方法などの変化にともなう組織革新、社会革新、④新しい人間観、社会を導く人間革命から構成される革命として描いた。

1980年代に入ると、重厚長大型の装置型産業の時代から、ハイテク産業社会、技術・知識集約型産業社会への転換という形で、高度情報化の社会実装が始まる。それとともに、情報化社会論議は、官庁の政策、自治体の政策、市民運動、メディア経験の変容など、いろいろなベクトルが複雑に交差・融合しながら進展することとなった。その流れを大まかに整理すれば、1）情報の産業化（情報機器産業、情報サービス産業の成長）、2）産業の情報化（企業のFA化、OA化の進展）と、3）社会の情報化の三つになる。このうち「社会の情報化」についてみれば、さらに三つの異なった局面がある。すなわち、①社会情報システムといわれる都市や地域管理の情報システム。ここでは、もっぱらシステムの効率性や利便性が強調された。②ニューメディアなどのような情報サービス・情報メディア産業。③個人生活の中での情報装置化、メディア装置化である。そこには70年代初頭の情報社会論が内包するソフトな社会論はない。コンピュータ革命やニューメディア革命を、技術革新とそれが産業・業界・社会・家庭にもたらすインパクトそのものに着目して論じた高度情報化社会論は、コンピュータとその高度利用としてのネットワーク通信の「革命性」を強調する、産業論・業界論の類いが多かった。

こうした風潮に対し、人間とコミュニケーションの現象に着目しつつ情報社会や情報化現象を論じる言説すなわち、高度情報社会を人間と意味という視点から、いかに捉え直すか、読み直すか、という試みが行われるようになった。それらは、①ネットワーク社会論（今井賢一・金子郁容ら）、②地域コミュニケーション論と地域メディア論（社会ネットワーク論、市民ネットワーク論、生活者ネットワーク論、地域コミュニケーション論など）、③電子ネットワーク論（ネットワーク・コミュニティ論、情報市民社会論）という形で、整理することができる。これらが重なり合う地平で、市民的公共性、市民共和の社会イメージを作り上げる議論も行われるようになった。

ここにきて、情報社会論はようやく、技術・経済・社会・文化という広がりをもって、語られるようになったのである。

さて、ピーター・ドラッカーはソ連崩壊の直後に『ポスト資本主義社会』を出版し、資本主義が勝利したのではなく、資本主義はすでにポスト資本主義になっている。それは知識社会である。ソ連はその現実に対応することができなかったために崩壊した、という説を展開した。彼によれば、「ポスト資本主義社会」とは生産性革命とマネジメント革命によって資本主義が変質した「知識社会」であり、制約的資源が資本から組織へ、そして知識へと推移してきた結果である。資本主義は、生産性革命とマネジメント革命という二つの「断絶」によってポスト資本主義社会、つまり知識社会となった。ポスト資本主義社会への過程、つまり資本主義社会から知識社会への道は、二つの断絶あるいは革命からなっている。第一の断絶は商業社会から産業社会への生産性革命であり、第二は産業社会から知識社会へのマネジメント革命である。テーラーは知識を労働そのものに応用し、労働生産性に革命を引き起こした。そしてドラッカーらは知識を知識の運用に応用し、マネジメント革命が実現した。資本の調達や物的生産システムの生産性ではなく、効果的マネジメントの構築が競争優位の源泉となったのである。

再びドラッカーによれば、知識の実利的な有用性に対する適用の最終段階は、知識の「知識」それ自体への体系的・目的的適用の段階である。知識の知識への適用による体系的イノベーションが富を生み出す知識経済の時代にあっては、「知識」こそが個人や経済活動の中心的資源となり、伝統的な生産要素である土地、資本、労働は二義的要素となってくる。テクネーとしての専門知識、成果を生み出すための既存知識を、目的的・組織的に適用し、いかにして最善の成果を上げるかを見いだす知識、これが「マネジメント」である。知識に関わるこの第三段階をドラッカーは「マネジメント革命」と名付けている。

現代において「マネジメント」とは、行動にとって効果的な情報、成果に焦点が当てられた情報としての「知識」を、目的実現のためにいかにして組織的・体系的に適用するかという「知識」の体系という意味を持つようになった。ここで気をつけなければならないのは、手段としての知識、変革を状態とする知識の知識への体系的・組織的適用が、必然的に社会に対して破壊的要素を組み込むことになったということである。その一つが、創造的破壊すなわち「イノベーション」である。イノベーションは知識の知識への体系的・目的的な適用によって実現されるが、必然的に常に新たな製品、新たなサービス、新たな技能、新たな人間関係を創造的に次々に生み出し、旧来のものを体系的に破壊するシステムとして自己運動していく。それゆえに、マネジメントは、知識による「体系的イノベーション」に適用される知識の体系として重要な意味を持つに至った。つまり知識社会にあっては、適用される知識そのものが、変化を常態とし、イノベーションを内包するものとなることから、現代経営学は、知識の目的的・組織的適用によって体系的イノベーションを組織的にいかに図っていくかを明らかにする学としての性格を持つようになったのである。

ポスト資本主義社会、知識社会は、すぐれた知識の創造、変換、利用等々による有望な新規事業に投資資金が集まってくる社会である。高度情報通信ネットワークと大量な情報を高速で処理することのできるコンピュータ資源が安価に活用できるようになった現在、実体経済の何倍にもなるという資金が、優良投資案件を求めてグローバル経済を駆け巡りっている。1995 年に始まるインターネットの爆発的普及、世界的なブロードバンド・サービスの展開、LSI の高度化による電化製品のコモディティ化、クラウドコンピューティングやディープラーニングの発達などに代表される高度情報化の進展が、知識社会の高度化を促してきた。その意味で、ポスト資本主義社会、知識社会は高度情報化と歩みを共にして発展してきた企業家経済社会であり、グローバル経済社会であるともいえよう。

妹尾堅一郎によれば、情報社会とは、「情報」という概念を軸として、すべてが再構成される社会である。そして、情報の中でも特に価値のある究極の情報を我々は「知（知識や知恵の総体)」と呼ぶ。したがって、情報社会は必然的に知識社会である。それは、単に情報が行き交うのではなく、知識が最も大きな価値を持ち、重要視される社会であり、「知」の最たるものこそが「知的財産」なのである。そうであればこそ、情報社会＝知識社会においては、知的財産の活用こそが、非常に重要な意味を持つことになるのである。

## 第 2 節　イノベーション構造の変化

ドラッカーの知識社会論そしてマネジメント革命のコンセプトから分かるのは、知識社会の到来と継続的なイノベーションすなわち創造的破壊が、分かちがたく関係していることである。これは手段としての知識、変革を常態とする知識の知識への体系的･組織的適用が、必然的に社会に対して破壊的要素を組み込むことになる、ということを意味する。その一つが､創造的破壊である「イノベーション」である。イノベーションは必然的に、常に新たな製品、新たなサービス、新たな技能、新たな人間関係を創造的に次々に生み出し、旧来のものを体系的に破壊するシステムと

図版2–1：発明家・起業家　トーマス・エジソン
（出典：経済産業省 特許庁）

して自己運動していく。そしてこれは、イノベーションが科学技術の発明だけで可能な時代ではなくなったこと、すなわち、知識社会の進展が、インベンション（発明）＝イノベーション（価値創新）であった時代を終わらせ、イノベーションモデルのイノベーションをもたらしたことを意味している。こうしたイノベーションモデルの変遷を経済産業省特許庁ほか（2010）に倣い、四段階に整理して理解すれば、次のようになる。

その第一は、個人発明家によるイノベーションの時代、すなわち、画期的なアイデアをもった大発明家が真摯に努力を重ね、その努力によって世の中にイノベーションがもたらされた時代である。電球を発明したトーマス・エジソン、写真を発明したジョージ・イーストマン、画期的な生産ラインで自動車の生産に革命を起こしたヘンリー・フォードなどの大発明家は、発明を実際に社会へ普及させるための企業を自ら立ち上げ、それぞれの事業を展開した。イノベーションという概念を最初に提唱したジョセフ・シュンペーターによる議論は、この時代の認識が基になっているとされる。彼が提起したイノベーションの概念に、プロダクト・イノベーションだけでなく、プロセス・イノベーション、そして事業モデル自体の更新も含まれていることには留意しておきたい。

第二期は、大企業による「画期的発明駆動型」イノベーションの時代である。電気製品のGE、化学製品のデュポン、写真のコダック、複写機のゼロックス、コンピュータのIBMなど、さまざまな大企業が単独一社で「垂直統合型・自前主義・抱え込み主義」で行う、大企業主導の「画期的発明駆動型」イノベーションの時代である。1920年代から1960年年代までに特徴的なそれは、強大な企業が豊富な資金を使い、研究、開発から生産、販売、そしてアフターサービスまでの全てのプロセスと、それに必要な経営資源を一社が自前で揃え、それらを垂直的に事業に使うというモデルである。この時期はまだ、大発明・技術力が勝敗を決定づける、「インベンション＝イノベーション」の時代だったといえる。

第三期は 1970 ～ 80 年代、高度成長期の日本の大企業によって行われた「切磋琢磨型」イノベーションである。そこでは同じタイプの垂直統合型自前企業が群をなし、互いに競争を繰り広げることで、「既存モデル」の磨き上げを行い、その過程では非常に強い「商品力」をもった製品が生み出された。プロセスイ・ノベーションとプロダクトインプルーブメントの徹底が、日本企業の強みだった。生み出された高性能・安定品質・低価格の日本製品は世界中に急激に普及し、欧米との間に次々と貿易摩擦を生み出したのである。多くの生産工程において製造装置の発明が行われるとともに、工場の生産現場では作業者の地道な創意工夫が生産力を高めた。そして国内でライバル企業と切磋琢磨すれば、製品自体の競争力が強化され、海外製品に比べて圧倒的に優位に立てた。

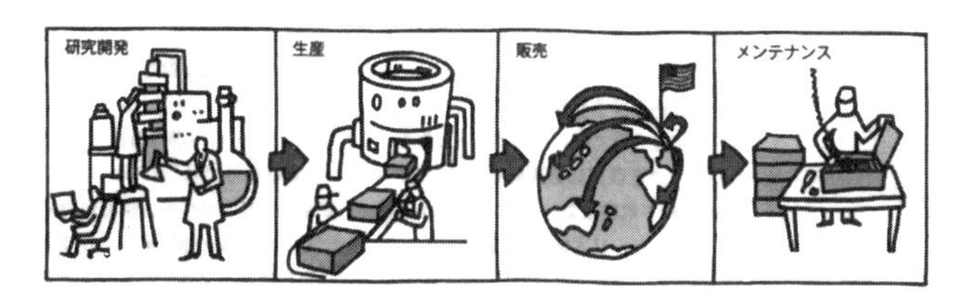


図版2–2：大企業による「画期的発明駆動型」イノベーション（出典：経済産業省 特許庁）

図版2–3：複数の大企業による「切磋琢磨型」イノベーション
（出典：経済産業省 特許庁）

しかしながら、円高と人件費高騰により80年代から東アジアでの生産が進み、貿易摩擦の緩衝策として欧米でも現地生産が進む。それと並行して、「生産工程の標準化」とそれに基づく「製造装置群の開発と普及」、そして「海外へのものづくりノウハウの流出」が進んだ。さらに80年代後半から90年代にかけて「デジタル技術の進展」とそれによる「標準技術の確立」が研究開発や生産現場に入り込んでいくと、日本の誇る「すり合わせ技術」が不要となり、未熟練労働者でも高度な製品の生産が可能となった。そして、製造設備に集約されたノウハウとそれを扱う人がもっているノウハウが流出するとともに、日本の優位性は失われていったのである。

さて、第四期はバブル崩壊と時を同じくして、1990年代から徐々に進展して導入が進み、2010頃に成長期を迎えたとされる「国際斜形分業型」イノベーションである。このモデルの特徴は、ビジネスモデルと知財マネジメントの展開により実現され、イノベーション競争に積極的な新興国が「ある役割」を担って参加するようになったことにある。たとえ日本が研究開発を行い、特許の件数が多く、当初100%のシェアを誇ったとしても、製品の普及の段階では「国際分業を主催する企業」と「その企業が描いたシナリオに乗ってエコシステムを形成する周辺企業」からなる国際分業システムに収益をもっていかれる。単なるインベンションだけで企業の収益を確保できる時代が終わり、「市場への普及・定着」のプロセスも組みあわせてデザインすることによって社会全体へ新しい価値を生み出す時代になったのである。

図版2–4：ビジネスモデルと知財マネジメントの展開による
国際斜形分業型イノベーション（出典：経済産業省 特許庁）

これを日本の文脈に置き換えて考えてみれば、1970～1980年代と1990年代以降で大きく変わったイノベーションの質の違いを理解できなかったということになる。80年代までにおいては、日本の製造業は従来モデルの磨き上げで世界に冠たる品質とコストを実現した。これは、既存モデルの錬磨、すなわちインプルーブメントの勝利であった。同一製品の製造、あるいは同一レベルのサービスの提供の場合、より性能が高く、より効率的で、より安定的に提供することができれば、競争に勝てる。これがいわゆる「経済成長」のモデルであった。欧米諸国はこの敗北を正しく認識し、「モデル錬磨」というルールの中で戦うことを捨てて、「モデル自体を変える」、すなわち「経済発展」のモデルによる戦略に移行する。それゆえ、日本が1990年代のバブル崩壊から立ち直りを見せたとき、すでに従来の既存モデルの錬磨という方法では、競争力を取り戻すことは不可能になっていた。事実、1990年代に世界をリードした経営者は、モデルを変えることを率先した人々であった。

さて、インプルーブメント（モデル錬磨）とイノベーション（モデル創新）の関係は、次の七つに整理できるとされている。

1. 従来型モデルの改善をいくら突き進めても、新規モデルは創出できない。
2. イノベーションは従来モデルを駆逐し、その生産性向上努力を無にする。
3. システム的な階層構造上、常に上位のモデルのイノベーションが競争優位に立つ。
4. 下位レベルでのモデル磨きでも、顧客価値の観点からは上位モデル創新となる場

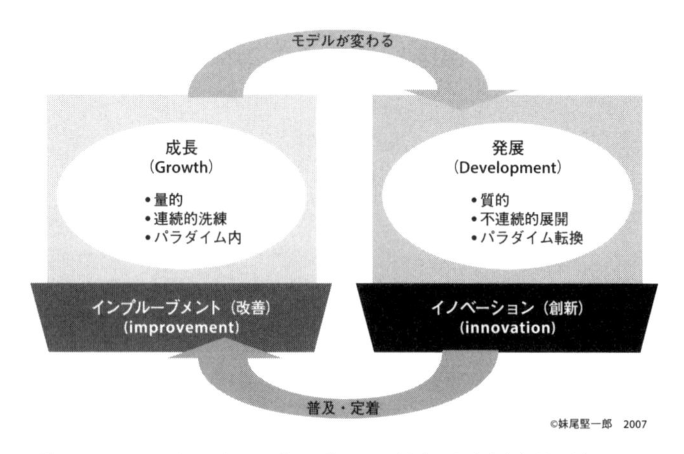


図版2–5：イノベーションとインプルーブメント（出典：経済産業省 特許庁）

合もある。
5. 競争優位な場合は、従来モデルの錬磨、競争劣位の場合は、新規モデル移行を検討する。
6. プロダクトイノベーションのほうがプロセスイノベーションより強い。
7. 成長と発展、インプルーブメントとイノベーションは、スパイラルな関係にある。

これらを踏まえて考察すれば、企業経営の失敗の多くは、「従来モデルの磨き上げ」か「新規モデルへの移行」かについて、経営判断を間違った場合ということになる。大切に磨くべき伝統モデルと、断ち切らねばならない過去のモデルを明確にすること、そして、成長戦略と発展戦略を区別した上で、その関係づけをしっかりとやること。知識社会におけるマネジメント革命の要諦の一つは、そういった経営判断にあるといえよう。

さて、国際斜形分業にもとづくエコシステムの形成による自社利益の最大化というビジネスモデルを実現するためには、総合的な知財のマネジメントが必要となる。企業間の契約だけでなく、国家間の取り決めすなわち条約の締結と、当該国で発生した問題であっても国際機関による解決を行えるようにすることを含む、水も漏らさぬ布陣にしておく必要があるからである。具体的には、国際条約に基づいて自社の知的財産権を守るための法的な知識と、サードパーティが立地する国家と締結す

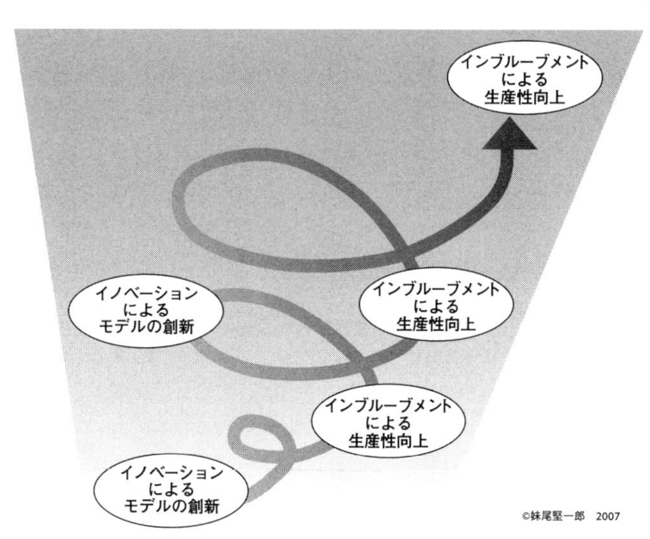


図版2–6：イノベーションとインプルーブメントのスパイラルな関係
（出典：経済産業省 特許庁）

べき条約の内容、権利侵害が発生した際における問題解決のための法的な対応に関する知識等、紛争解決のために必要なさまざまな業務の遂行能力である。知的財産に関する法律は、国際的に共通な取り決めがある一方で、国によってさまざまな差異があり、模倣品の流通などの形で権利が侵害されることも珍しくない。現代は、極めて高度な知財マネジメントが要求される時代であり、まさにその意味で、知識社会と呼ばれるに相応しい時代であるといえる。

第四期のイノベーションモデルで注目すべきは、市場拡大の結果として得られる収益のほとんどが、事業における価値を作り出す連鎖過程（バリューチェーン）におけるコントロールポイント、すなわち連鎖過程全体を制御しうる要諦を握る企業に環流する仕組みになっている、ということである。ただし、こうしたシステムを維持するためには、競争優位を維持するための絶えざる技術イノベーションに基づいて自社製品をアップデートすることにより最終的な製品の機能を向上させていくことだけでなく、法的・経済的・経営的知識をフル活用しながら、ビジネスモデルそのものも更新していくことが必要となる。IoTやインダストリアル・インターネット、第四次産業革命の時代を迎えると、ドラッカーが指摘した知識社会の特徴であるマネジメント革命は、さらに高度な段階へと進展していくことになるだろう。

## 第3節　オープン&クローズ戦略と国際斜形分業

現在世界規模で展開しているような製造業のグローバライゼーション＝知識社会

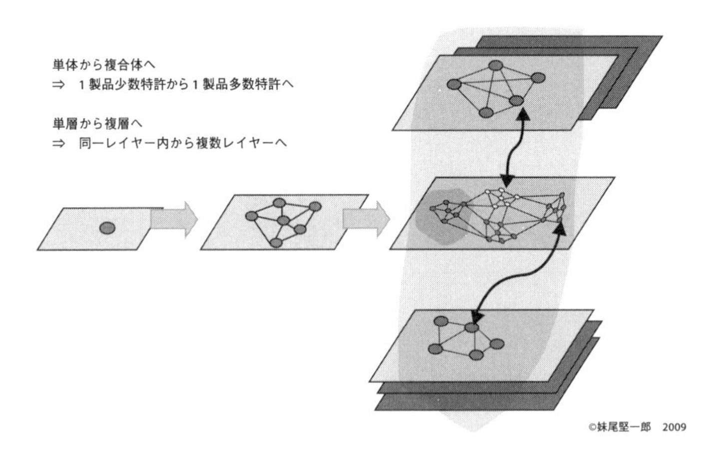


図版2–7：製品のレイヤー構造：単体から複合体へ、単層から複層へ（出典：経済産業省 特許庁）

におけるビジネスモデル革命について考察するには、製造業の構造転換について理解しておく必要がある。

小川紘一（2015）によれば、世界の製造業は今まで、三回の構造転換を経験しているという。

その第一は、機織り期が手作業から機械式になり、馬力や水力に頼った動力源が蒸気エンジンに置き換わり、製品イノベーションの成果を守る知的財産権などの所有権に関わる制度が確立して分業と専門化が進んだ時期である。その結果、多種多様な産業が流行して資本主義が大規模に発展し、多くの株式会社を生み出した。1760年のイギリスで発生したこの最初の産業構造展開が、第一次経済革命である。

第二の産業構造転換は、1870年代以降のドイツやアメリカで次々に起きた、市場（特に価格）コントロールや経済合理性を追求して起こった企業の巨大化、および軍事技術の複合化に伴う企業の巨大化であった。その背後には、統合型企業の技術イノベーション連鎖や製品イノベーション連鎖があり、工場機械化の発展および交通手段や情報通信手段の発展による製造コストと輸送・通信コストの劇的な低下があった。科学的な研究の成果が、人類がそれまで持ち得なかった製品コンセプトを生み出した。そしてそれは、世界の経済システムおよび、世の中の人々の生き方を変えたのである。第二次経済革命は、人類にとって画期的な産業構造転換であった。

そして、現在に至る第三の産業構造転換の兆候が現れたのは、約百年後の1970年代であった。その特徴を最もよく示すのは、ミニコンピュータ産業である。当時ミニコンピュータを製品化したのは、小さなベンチャー企業群であった。彼らは自社の中には、一社ではコンピュータを構成する技術体系の一部しかもっていなかった。そこで、コンピュータの製品アーキテクチャーを寄せ木細工ともいうべきモジュールの組み合わせ型へ転換させることで、互いに技術を持ち寄るオープンな企業間分業によりコンピュータを作るという方法が編み出された。技術モジュールの結合インターフェイスをオープン環境で標準化するという方法が、さまざまな企業が国境を越えて互いの得意分野を持ち寄る形での協業を可能にしたのである。こうしてミニコンピュータ産業では、グローバル市場の中にビジネス・エコシステム型の企業間分業が形成された。1980年代にはパソコン産業で、ミニコン時を遙かに勝る巨大でオープンなビジネス・エコシステム型の企業間国際分業が形成される。インターネットの領域でも同様のことが発生し、その後、多くの産業領域でその成功体験が踏襲されることになった。こうした世界規模の経済システムの変革が、第三次経済革命である。

さて、第三次経済革命が可能となった決定的な要因は、高度情報化の進展、具体的には、アナログ技術で構成された家電製品の設計に、マイクロプロセッサとこれを動かす組み込み型ソフトウェアが使われるようになったことである。マイクロプロセッサは、ソフトウェアを介してミクロな電子回路を動かしながら、携帯電話やテレビの技術モジュールを組み合わせ、ネットワーク同士を結合させることで、さまざまな製品のアーキテクチャーをオープンな寄木細工型（モジュラー型）へと転換し、技術的蓄積の少ない発展途上国がこの協業のシステムの中に参加できるようにした。そのことによって実現した製造業のグローバリゼーションは、次第に他の領域へも浸透していく。こうして製造業の多くの領域がソフトウェアリッチ型へと急速に移行し、それが新興国の経済成長を促進することになった。

ここで重要なのは、技術、知識、ものづくりなどで勝っていた先進国が、ソフトウェアリッチ型になった途端、途上国の企業に勝てなくなった、という事実である。長年の研究投資によって最先端の技術を開発しても、そのノウハウが組み込み型ソフトウェアのモジュールになると一瞬で流通・伝搬するから、それだけでは収益を上げることができない。したがって、第三次経済革命後の世界で企業が収益を上げていくためには、知識社会の高度化を意識したマネジメント革命が必須である。そしてその要諦が、オープン＆クローズの知財戦略なのである。

前述の通り、製品がソフトウェアリッチ型になり、技術モジュール相互の結合インターフェイスがオープン環境で標準化されあるいは業界標準となると、技術の伝搬スピードと着床スピードが加速され、瞬時に国境を越える。これは、インターフェイス情報が公開されれば、技術モジュールの単純結合によって、誰でも製品を作れるようになるということである。このような状況下では、当然、製造コストが低く為替レートで優位な発展途上国が価格競争で有利となる。これに対し、内部構造がブラックボックス化された技術モジュールであれば、伝搬・着床スピードが極端に遅くなり、国境を越えにくいので、先進国でも競争力を保つことは可能だ。そうであれば、伝搬・着床のスピードが非常に遅く国境を越えにくい技術モジュールをコア領域として先進国内に留めつつ、これと強い相互依存性を持っている技術モジュールについて公開あるいは標準化するようにすれば、新興国の企業が先進国のコア技術を使わないとビジネスチャンスをつかむことができない状況を作り出すことができる。こうすることで、先進国や途上国を含む複数の企業が協調的に活動し、業界全体で収益構造を作り、発展させ、成長を維持しながらも、先進国が新興国の成長を取り込むことで、大量普及と高収益を同時に実現できるというわけだ。ただし、そのためには、高度な技術と知財マネジメントに裏付けられたビジネスモデルの事前設計と、競争優位を保つための持続的な活動が必要となる。国家レベルでの

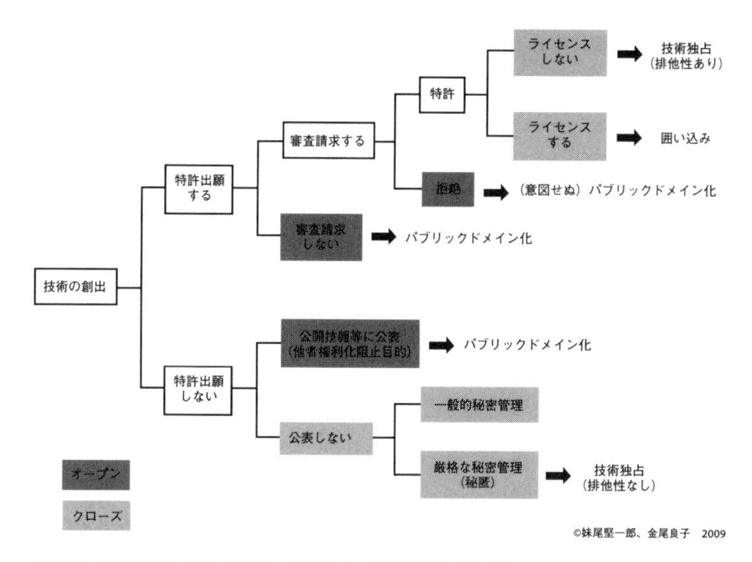


図版2-8：技術のオープンとクローズ（出典：経済産業省 特許庁）

政策的支援も、またしかりである。

では、技術や知識、ものづくりなどでまさっていた企業が、ソフトウェアリッチ型に転換した後も途上国の企業に勝つための、オープン＆クローズの知財マネジメント戦略とはどのようなものか。その際のポイントは、製品を構成する基幹モジュールの中で自社／自国に残すコア領域（クローズ）と、オープン標準化によって意図的に伝搬させる非コア領域（オープン）の境界を事前設計し（オープン＆クローズ戦略）、互いの結合ルールも自社優位に事前設計し、企業間の国際分業としてのビジネス・エコシステムも自社優位に事前設計することである。21 世紀のビジネス・エコシステム型国際分業では、第一に、事前に設計された製品システムのアーキテクチャー構造（技術モジュールの伝搬・着床スピードの違い）、第二にオープン標準を駆使した自国（自社）とパートナーとの境界設計、第三にこれらを背景で支えるオープン＆クローズの戦略思想と知財マネジメントが、市場の規模を規定する。

それゆえ新たな事業で利益を上げるためには、想定を超えた速さで状況が変化することを織り込みながら、事前に分かっている経済ルールに基づいて、その製品でグローバライゼーションが起きるか否かを事前に予測し、事業を行う前に新たな勝ちパターンを設計しておかなければならない。製品アーキテクチャーのモジュール化やオープン標準化、技術の伝搬・着床スピードの違いを活用するオープン＆クローズの仕掛けを事前計画として設計しておく必要がある。国家レベルのイノベーション政策や知的財産政策はもとより、企業レベルの事業計画や知財マネジメントを再構築しなければ、技術イノベーションも製品イノベーションも、そしてものづくりでさえも、グローバル市場の競争優位につなげることはできない。同じプラットフォーム上の市場であるなら、新規参入や代替品／代替サービスは互いに同じビジネス･エコシステムを介して協業しながら付加価値を増やすために歓迎されるが、オープン＆クローズ戦略を起点とした事前の仕組み構築によって、サプライヤーの交渉力と買い手の交渉力が自動的に決まってしまう。そして、先手を打って定着させたグローバルなビジネス・エコシステムの構造や競争ルールを、他者があとから変えるのは不可能に近い。堅牢な「伸びゆく手」をもってグローバルなビジネス・エコシステムを形成するには、自社あるいは自国の中に圧倒的な優位性のあるコア領域、技術力や製品力といったハードパワーだけではなく、知的財産マネジメントや契約マネジメントなどのソフトパワーにも支えられたクローズド領域を形成し、これとオープンにすべき非コア領域を組み合わせた、総合的なマネジメントを行っていく必要がある。それによってはじめて、世界中のパートナー企業をあたかも自社の機能の一部のように位置づけることが可能となるからである。

生き残った企業に共通する勝ちパターンは、第一にインターフェイスやプロトコルに知的財産をすり込ませた上で公開することにより、製品を大量普及することであり、第二に技術の進化を主導・独占するメカニズムを構成することであった。すなわち、国際標準化を巧みに使って企業と市場の境界を設計し、境界にちりばめた知的財産を自由に使わせながら多くの企業を誘い込み、その背後で知的財産権と技術改版権を使って製品市場の進化を独占する。そうした定石を抑え、国際斜形分業を主催できる能力が､先進国で製造業に関わる企業にとって､今や必須のものとなったのである。

欧米がこうした形で製造業の再生を行うことができたのは、国あるいは多国間の連携による､産業政策の支援があったからである。そして東アジアの発展途上国が、こうした変化を自国の成長に結びつけることができたのは、それぞれの国が比較優位を政策的に創り出して、独自の勝ちパターンを完成させるために、トータルなビジネスコストを追求する政策イノベーションを行ったからであった。

アジア諸国は1970年代から積極的な技術導入政策を打ち出していた。その基本的な考え方は、戦前と同じく、外為法を使って外国の直接投資を規制しつつ、国内市場の開放と低コストの製造インフラの提供を行う、というものである。先進国から見た場合、韓国や台湾は国内市場が小さいので魅力に乏しく、当時の主要産業がアナログ的･機械的な特性、あるいは複合的なプロセス技術で構成されたことから、技術の全体系を一括導入しなければ産業として定着しないという懸念があった。それゆえ当時のアジアは、単に先進国企業の多国籍化による低コスト生産基地と位置づけられたのである。しかし、製品産業がソフトウェアリッチ型へ転換し、製品アーキテクチャーのモジュール化が進むと、事態は一変する。基幹部品を寄木細工のように単純に組み立てるだけで完成品を量産できるようになったことにより、ビジネス・エコシステム型の産業構造がグローバル市場に出現したからである。設計と製造を分離できるようになると、欧米企業が主に設計を担い、アジア企業が低コスト量産を担うという、比較優位の国際分業が急速に展開する。これによって、サプライチェーンの特定セグメントだけを技術導入するだけで済むようになると、自国の得意領域を政策誘導によって作り、国の優遇政策を個々に集中させることによって、技術的蓄積が少ない開発途上国であっても、非常に短い期間でグローバル市場における競争優位を築くことができるようになったのだ。

このような背景をもとに、人為的に比較優位を創り出すビジネス設計制度が、アジア諸国で産業政策として展開されることになる。それは第一に、技術の獲得とその着床を加速させる政策の強化であり、経済特区を作って税制を柔軟に活用し、これによって技術獲得を容易にするサプライサイドの政策である。第二に、生産設備などに柔軟な税制を活用し、量産される製品にグローバル市場側で価格競争力を持たせるデマンドサイドの政策であった。これらの政策を一本化し、競争力を短期間で作り出す一連のビジネス設計制度が、国としての全体最適を追求する政策イノベーションだった。これにより、アジア諸国企業の経済は、現在のような成長軌道に乗ることになる。

これに対してアメリカはすでに1970年代待つから1980年代の中期にかけて、競争力強化のための政策を次々に打ち出し、産業構造を大胆に変えはじめていた。1980年のバイドール法では大学発ベンチャーの簇生や産学連携を推進し、1980年にはソフトウェアに著作権が認められた。ソフトウェアはその後特許権でも保護させるようになり、それがソフトウェアリッチ型の産業を成長させることになるとともに、自社のコア領域を起点にグローバル市場へ強い影響力を持たせる「伸びゆく手」の形成が容易になった。1982年の中小企業技術革新制度（SBIR）では中小企業を資金面からサポートして技術革新の担い手としてのベンチャーの育成を図り、1984年にはいわゆる知的財産高裁を設置して知的財産のポリスアクションを強化した。一方、アジア諸国の特徴をよく知る欧米企業は、アジアの成長を取り込むビジネス・エコシステム型の産業構造と競争ルールを、すでに1990年代から自社／自国優位に構築しはじめる。これに対して日本では、1995年に制定された第一期科学技術基本法にさえ、知的財産という言葉が出てこない。1996年の基本計画でも、生み出された成果を知的財産でしっかり守り、産業競争力の強化や雇用と経済成長に寄与する、という方向性が出ていなかったといわれている。2003年から出願・保護・活用の三位一体政策として、知的財産立国の政策がスタートしたが、特許の数を効果的に増やす制度設計に終始し、産業競争力の強化には結びつかなかった。日本では、企業のみならず政府の中にも、第三次経済革命がもつ意味を理解し、これに対して有効な政策をとることができる人材が存在しないか、存在していても政策に反映させることができない状態が続いていた。これは大変不幸なことであった。

## 第4節　インテルインサイドとアップルアウトサイド

知財活用戦略による国際斜形分業の例として対極にあるのが、国際的なメーカーであるインテルとアップルである。前者が「基幹部品・材料」を主役とするモデルであるのに対し、後者は「完成品」を主役としたモデルである。両者とも、「技術によるブラックボックス化」と「知的財産と契約のマネジメントによるブラックボックス化」を巧妙に組み合わせている。

基幹部品における最先端技術開発をリードし、それを起点として基幹部品によって完成品の進化を先導するビジネスモデルを、「インサイドモデル」（基幹部品主導型モデル）と呼ぶ。インテルは、それまではインテグラル型製品だったパソコンを、CPUとその周辺の技術を開発することによって、パソコンの要所モジュールとして仕立て上げた。これを起点として、パソコンは一気にモジュラー型製品へと変化したのである。それだけではない。インテルはマザーボードという中間システムについて、業界企業及び団体と協力して規格の策定を積極的に進めた。技術のオープン化によって、パソコンをさらに進化させる最新技術の普及を一気に加速する新しいイノベーションモデルを形成したのである。

それを実現するために、インテルはまず、CPUの技術開発とそれを量産製造する半導体プロセス技術の開発に注力し、競合製品より処理能力に優れたCPUを開発、販売した。その上で、インテル・アーキテクチャーと呼ばれるCPUがどのような処理をするかという仕様はオープンにする一方、CPUの設計開発及び製造に関わる技術はインテルの独自技術として保護や秘匿の対象とした。パソコンが多くの人に使われるようになるにつれ、周辺機器を接続し機能を拡張したいというニーズが生まれると、インテルは業界企業や団体と共に、パソコンと周辺機器を接続するさまざまなインターフェイスの規格化を進め、広く公開させた。インテルがハー

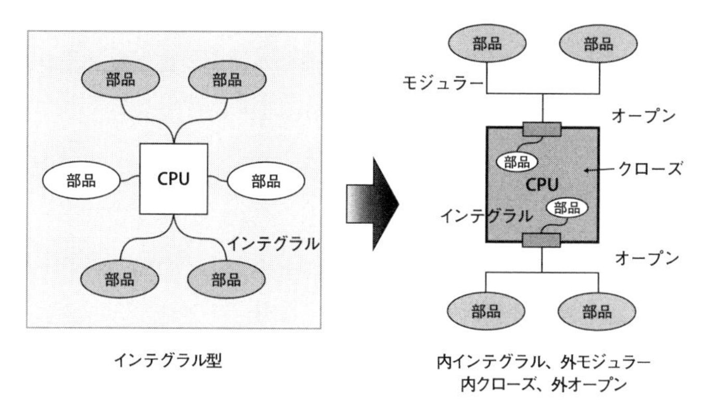


図版2-9：インテグラル型からモジュラー型への変更（出典：経済産業省 特許庁）

ドウェアの標準化を促進し、マイクロソフトがウィンドウズの汎用性を向上させ、周辺機器メーカーやソフトウェアベンダーなどが標準規格に則った関連製品を開発することで、パソコンの利便性が大幅に向上したのである。

次にインテルは、CPUを組み込む中間システム（マザーボード）を創り出した。その技術とノウハウは大変な知的財産である。マザーボードがあれば、自らパソコンを組み立てることが飛躍的に楽になる。インテルがメーカーに一連の技術を提供すると、メーカーは喜んでその技術情報群を活用した。多くのメーカーがインテルの提供する技術情報群を利用するようになると、そのマザーボードをはじめとした格安のモジュラー型の部品を組み合わせるだけでパソコンを簡単に作れるようになった。こうしてインテルはCPUという自らの基幹部品をモジュラー型部品として仕立て、それを広く普及する中間システムを形成することで、自社のCPUが組み込まれたPCが一気に普及する素地を形成したのである。

このような一連の工夫によって、インテルは技術革新を自社の中に囲い込み新興国に普及機能を任せる「国際斜形分業」というべきエコシステムを形成したが、これによって先進諸国でのパソコン価格が劇的に低下するだけでなく、新興諸国でもパソコンが普及することになる。こうして世界のパソコン市場が大きく拡大し、インテルが利益を独占する形でパソコン産業が成長したのであった。

インテルのビジネスモデルの本質は、①「市場の拡大」と「ビジネスの成長」の両方が同時に達成されうるモデルであること、②基本的シナリオは基幹部品メーカーが描き、完成品メーカーがそのシナリオに呼応したということ、③「三位一体」の事業経営がなされたこと、だった。すなわち

(1) 研究開発戦略、すなわち研究開発における要所要所の見極めとその開発
(2) それをどこまで独自技術として権利化し、どこから標準化してオープンにするかといった知財マネジメント
(3) それらにより一方で市場拡大、他方で収益の確保を可能とするビジネスモデルの構築

にある。後に、他の業界において展開する「インサイドモデル」の成功例は、すべてこれらのポイントを押さえて展開されている。

他方、完成品主導モデルの代表は、アップルの「アウトサイドモデル」である。アップルはハードウェアからOS、アプリケーションソフトウェア、デザインまで、製品を構成するすべての要素を自社で手がける企業である。マザーボードの構成部品等については、その内部が細かいところまで「すり合わせ」の設計に基づいているといわれている。アップルの圧倒的な強さの要因は、ブランドの強さやアイデアとコンセプトの斬新さであり、技術はそれを具現化する手段に過ぎない。そして、例えばiPodの製造のほとんどをEMSに外部委託していること、粗利が50%にのぼる製品が珍しくないこと、などが大きな特徴である。このような製品作りは、完成品主導型で、部品・材料納入業者を下請けとして使うモデルといえる。

アップル躍進の本質は、世界で超一流のコンサルタントを次々に雇用しながら、自社の確固たる競争基盤をコア領域とし、知財マネジメントと契約マネジメントを駆使することで、部品の調達市場に向けた強力な「伸びゆく手」を形成したことにある。すなわち、自社の確固たる事業基盤として守るコア領域およびコア領域と他社技術をつなぐ境界（インターフェイス）に知的財産を集中させ、専用部品そのものだけでなく、部品の組み立てや取り付け領域にも知的財産を設定し、技術イノベーションや製品イノベーションの成果の漏洩を防ぎ、さらにこれをグローバルなオープン市場で守る。その上で最先端の生産技術や生産管理システムを製造委託先のアジアのメーカーへ委託し、彼らの力で最先端の製造工程や製造技術、品質管理ノウハウをアジアに移植しながら量産工場を進化させてきたのである。アップルは自社の確固たる競争基盤をコア領域として、知財マネジメントと契約マネジメントを駆使することで、部品の調達市場に向けた強力な「伸びゆく手を」形成し、部品サプライヤーの工場を実質的にアップルの専用工場のように位置づけることで、グローバルなビジネス・エコシステムを介したネットワーク型の垂直統合モデルを完成させた。

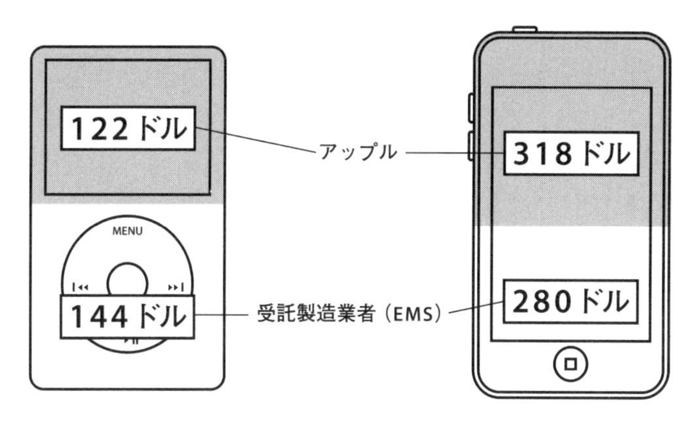


図版2–10：アップルアウトサイド型ビジネスモデルの収益構造（出典：経済産業省 特許庁）

それに加えて、発売当初はiPodやiPhoneと同じ基本コンセプトをもつ直接の競合相手はいなかったし、現在でもアップルが作り上げた市場ドメインには競争相手はいない。競争相手がいないのだから、製品の価格はアップルの事業戦略によって決めることができる。そしてアップル製品の価格は、量販店であっても低下することはない。アップルが大躍進した理由は、競争相手が同じ製品市場へ参入できない仕組みを合法的に作り、常に価格を維持できる仕組みを作っていたことにあるといえる。この仕組みは、①ビジネスの主導権（特に価格）を量販店からメーカーであるアップルが奪い返すこと、そして、②後追いで模倣するキャッチアップ型企業の参入を阻むことから成り立っていた。市場が拡大すれば部品の調達コストは大幅に下がる。その際、販売価格が維持されていれば、調達コストと販売価格の差がそのままアップルの粗利益となる。アップルの躍進の理由の一つは、ここにあった。

さらにアップルは、同じ型の製品であっても、それを構成する一つ一つの部品について、要求される仕様と製品の価格を検討することで、随時変更するという戦略をとった。大量生産の過程で発生する品質のばらつきや、型番の異なる部品の違いは、ソフトウェアが吸収してくれる。組み立て工程は寄木細工のように単純化されているから、製造プロセスに関わる工員が気にすることはない。すり合わせ技術が不要なのであれば、少しでもコストパフォーマンスのよい部品を使うのは企業経営の定石であり、これもまたアップルに環流する利益を増大させることになった。

こうしてアップルは、価格を下げなくても世界中で大量に普及し、非常に高いレベルで利益率を増加させ、同時に売上げを急増させる仕組みを作ることによって、ビジネスとして圧倒的な成功を収めることになる。世に言う「アウトサイド」モデルの基本的なカラクリは、以上のようなものであった。

ここで注意しておかなければならないのは、ひとたびこうしたエコシステムの形成に成功したとしても、それは常にイノベーション競争にさらされ、競争ルールの変化に対応できなければ、他の企業が主催するエコシステムに、瞬時に置き換えられるリスクを抱えているということである。欧州GSM陣営からアップルへの携帯電話業界の勢力図の激変は、それを如実に示すものといえる。

一時期欧州と中国で圧倒的支配力を持った欧州GSM陣営は、「インサイド」モデルを応用した戦略を用いることで自社の携帯端末を普及させ、圧倒的な支配力を誇示していた。彼らがとった戦略は、「携帯端末の内部仕様と外部仕様を徹底してオープン化し携帯端末にSIMカードさえ交換すればどこでも使えるようにする」一方、「携帯端末から出る電波を交換機につなぐ無線基地局では、基地局の技術を支える特許をGSM陣営だけが使えるようにする」というものだった。彼らは携帯端末と無線基地局とのインターフェイス、およびシステム全体をつなぐプロトコルを企業と市場の境界と設定し、常に基地局側から市場をコントロールできる構造を構築したのである。彼らは通信プロトコルのすべてを公開して自由に使わせたが、プロトコルの改変権は決して手放さなかった。したがって欧州GSM陣営が通信プロトコルを次々に改版・進化させれば、欧州以外の企業はその使用許可を得て詳細な仕様を入手するまで、新規サービスに対応する携帯端末を作れない。彼らは携帯端末の大量普及が始まる1995年頃から毎年のようにプロトコルを進化・改版させることで主導権を握りながら、大量普及と市場支配を同時に実現した。こうすることで、1990年代から2000年代にかけては、GSM陣営だけが圧倒的な市場支配力を持つことができたのであった。

しかし、欧州の携帯電話ビジネスを成功させた要因が、ブラックボックス化された基地局にあるのなら、その基地局と同じ機能を持つ技術領域を創り出しその技術をオープン標準化してしまえば、欧州携帯電話陣営の拠り所となる市場支配のメカニズムは一瞬にして崩壊することになる。そして携帯電話の競争ルールを変え、GSM陣営の覇権を崩したのは、アメリカの企業群だった。彼らは基地局と類似の機能を持つwi-fiアクセスポイントを提案し、その内部を徹底してオープン標準化することによって、完全にオープンなインターネット環境を「将来」のビジネスインフラにしてしまったのである。スマートフォンはその尖兵であった。スマートフォンは携帯電話業者がコントロールする既存のシステムを経由せずに、wi-fiアクセスポイントを介して直接インターネットのサービス機能を活用することができる。個人がアクセスポイントだけを介して、データや音声、グラフィックス、動画、ゲームなどを活用できることから、消費者は次々にスマートフォンを使えるwi-fiへと移行していった。こうして、巧妙な特許戦略に基づく基地局ネットワークによって築かれた欧州陣営の競争優位が、徹底したオープン化を全面的に出す新たな仕組みの出現によって、瞬く間に消滅してしまったのである。

その後、世界中に普及したスマートフォンが共通のプラットフォームとなって、多様なビジネスやサービスが世界の隅々から生まれることになった。しかもその多くが、特定の企業ではなく、端末をもつ個人によって創り出されたものである。既存の携帯電話業者ではなく、スマートフォンをもつ個人が自由自在に参加できるという意味で、ビジネスの競争ルールがさらに変わった。欧州の携帯電話システムと異なり、wi-fiアクセスポイントを経由した情報のやりとりは、インターネットと同じパケット通信を使っているので、システムを構成する技術モジュール相互の結合性が極めてよいだけでなく、コンテンツ情報やサービス情報の交換と結合性が極めてよい。GSM陣営の携帯端末をスマートフォンに代えるだけで、世界中で沸き起こる技術イノベーションやコンテンツイノベーションの成果を、インターネットを介して簡単に結合できて利用し合えるようになった。ここから生まれるビジネスの広がりは、まさに革命的なものとなったのである。

2008年から登場したスマートフォンによって、既存の通信業者の枠組みの中で携帯端末のビジネスを展開してきた欧州のノキアもアメリカのモトローラも、そして日本のメーカーも、わずか三年から四年で劣勢に立たされることになった。これは、2000年代のアメリカ陣営が、1980年代の欧州携帯電話よりもさらに強力にオープン化を徹底させ、非常に利用コストの低いビジネス・プラットフォームを新たに創り出したからである。ただしここで注意しなければならないのは、アメリカ企業がオープン標準化された領域とは全く別のビジネス層でクローズドの独占領域を持ち、新たな付加価値を創出していたことである。これは、ソフトウェアリッチな製造業の出現によって、企業が自らの手で世界の産業構造さえも変えられるようになったことだけでなく、圧倒的な支配力を持つと思われたグローバルなビジネス・エコシステムであっても、新たな技術イノベーションと周到な知財活用にもとづく新たなビジネスモデルあるいはより上位のレベルにおけるビジネスモデル・イノベーションにより、瞬く間に劣勢に立たされる可能性があることを意味している。そしてそれは、インテルやアップルであっても、決して例外ではないのである。

## 第2章　注

グローバル・バリューチェーン革命を象徴するのが、インテルインサイド・アップルアウトサイドに代表される、知財戦略およびビジネスモデルの革命的変化であり、それはGVC革命を理解する上でも、日本がなぜ負け続けたのかを理解する上でも、非常に重要な意味を持つ。本章の内容は、主に（妹尾堅一郎、2009)、（経済産業省 特許庁、2010）および（小川紘一、2015）（ボールドウィン、2018）（猪俣哲史、2019）によって示された理論・概念・データに基づくものであり、それらについて検討・考察を加えたのち、情報社会学教育のリデザインという観点から再構成したものである。

なお、本章第1節の冒頭部分は、天野（2020）の第3章第1節の再掲である。

第3章

# イノベーションと知財活用

## 第1節　さまざまな知財と活用のパターン

前述したように、現代社会においては、人間の知的活動によって生み出されたアイデアや創作物が、さまざまな価値を生み出す。そうしたものの中で、財産的な価値を持つものを特に、「知的財産」と呼ぶ。知的財産に対する権利を「知的財産権」と呼び、それには三つの種類がある。

発明と呼ばれる、比較的程度の高い新しい技術的アイデアを保護するのが、「特許権」である。特許権の保護対象は、1.「物」の発明、2.「方法」の発明及び、3.「物の生産方法」の発明の三つのタイプがあり、保護期間は原則20年だが、出願時に技術内容を詳しく説明した明細書、図面を作成して届ける必要があり、出願されてから1年6か月で出願内容が公開されるので、発明の内容が競合他社に知られてしまうことになる。

発明ほど高度な技術的アイデアでないものを保護するのは、「実用新案権」である。これは物品の形状、構造または組み合わせに係る考案を保護するものだが、実質的

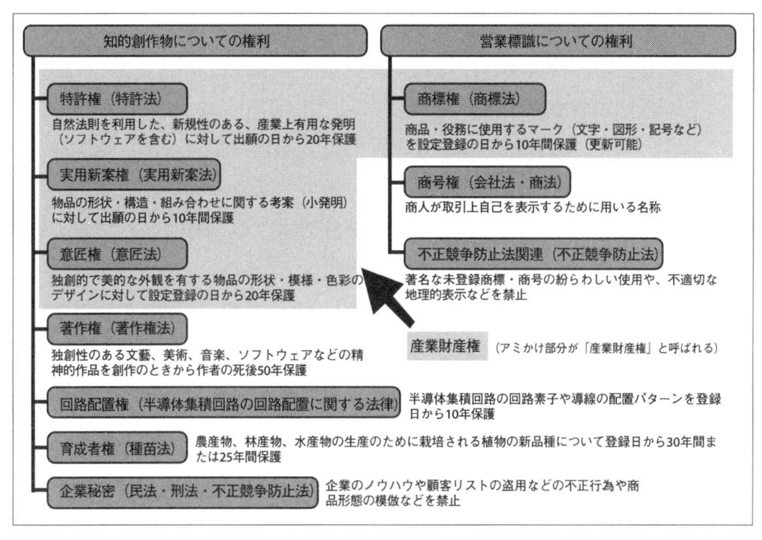


図版3–1：知的財産の保護体系（出典：経済産業省 特許庁）

に無審査で取得でき早期に権利化できる。我々が日常的に使用しているふとんたたきやペットボトルのキャップの形状、そして鉛筆の端に消しゴムをつけるアイデアなどがこれにあたる。保護期間は10年である。

文芸、学術、美術、音楽の範囲において、作者の思想や感情が創造的に表現された著作物を保護するのが、「著作権」である。書籍、雑誌の文章、絵画はもとより、美術、音楽、論文なども著作権で守られている。また、電子的著作物であるコンピュータプログラムも、著作権によって守られる。保護期間は原則として、創作時から著作者の死後70年である。

著作権とは異なり、工業上利用できる物品のデザインを保護するのが、「意匠権」である。意匠権では、物品全体のデザインの他、部分的に特徴のあるデザインや画像のデザインが、保護の対象となる。さまざまな家電、家具や車両、洋服などのデザインがこれに当たり、保護期間は20年である。

会社や商品のロゴなどといった「商標」を守るのが、「商標権」である。これは、自分が取り扱う商品やサービスと、他人が取り扱う商品やサービスとを区別するための文字やマーク等を保護するもので、保護期間は登録から10年であるが、10年ごとに更新することができるので、更新手続きを継続的に行えば、永続使用が可能となる。

技術自体の価値を事業として実のあるものにするためには、技術を使う知というもの、すなわち標準も含めた知財マネジメントが重要となる。競争優位を実現するために、技術を扱う知恵、知財を扱う知、すなわち知財を使うメタレベルの知財の開発が問われている。換言すれば、技術価値を事業価値に転換することが、知財マネジメントの役割なのである。

知財マネジメントの古典モデルでは、独自技術を特許、特許網、特許群、知財権ミックスに仕立て、自社実施・他社非供与によって「参入障壁」を築くことが重視された。また、自社非実施・他社非供与の特許でも、障害特許として参入障壁に寄与することができた。

プロパテント時代における企業は、これらに加え、積極的に特許取得を進めるとともに、自前技術の権利を主張することにより、他社排除を行う一方、特許の自社非実施・他社供与を進め、ライセンス収入や譲渡収入を重視した。この時代は、いかに技術を権利化してより多くの特許を取るか、また自社技術をいかにより多く国際標準に組み込ませるかが重視されたのである。

次に訪れたプロイノベーション時代には、さらにこれに加え、一方で自社非実施の特許を他社に活用してもらう、他方で自社実施特許を積極的に他社へ公開提供することで新規市場や事業優位性形成の促進を行うことが意味を持ち始めたのであった。これは、オープンとクローズの使い分け、あるいは、クローズにした自社の部分から、いかにオープンになった全体をコントロールするかというマネジメントが求められるようになったことを意味している。こうして競争力は、競争力と相互補完的な関係を持ちつつも、さらに優位性を担保する戦略に基づかなければならなくなった。

知財マネジメントは、知的創造サイクルから見たときは「知的財産を生み、育て、それを権利化あるいは秘匿した上で、それらを活用するという一連のプロセスをマネジメントすること」である。しかしこれでは、どうしても後追いになってしまう。それゆえ事業戦略上、もう一つの事業サイクル観に基づく「自社の特長を活かした事業を創出・継続できるように、自社・他社の知的財産（群）を構成し、それを調達する一連のプロセスをマネジメントすること」が求められることとなったのである。

さて、競争優位の鍵になるのは、知財マネジメントとビジネスモデルであるが、技術、製品、市場によって「ビジネスモデルの組み合わせパターン」は異なっている。例えば、医薬品分野や機能性材料分野では、一つの製品に含まれる特許数が少数である（一製品少数特許）から、基本特許を取得しさえすれば、一社単独、自社製品だけで独占的な市場を形成する可能性が高まる。こうした領域では、「技術力＝製品力＝商品力」という古典的なビジネスモデルが成立し、他社が特許権を侵害していないかをチェックし、必要ならば法的手段に訴えること。そして、特許権が切れた後を考えての製品のライフサイクルマネジメントが、重要な知財マネジメントということになる。機能性素材としての林原グループのトレハロースは、デンプンからトレハロースを大量生産する技術の開発に成功し、多様な用途も特許で押さえる知財戦略の成功例である。

これに対して、一製品に多数技術が必要となる複雑な製品（一製品多数技術・特許）では、他社からライセンスを受けたり、他社と協調的にパテントプールを形成する必要がある。PCやスマートフォンなどのエレクトロニクス製品分野は、その典型といえるだろう。デジタルカメラや音楽プレイヤーなど、このタイプに該当するものには日本が得意とするものも少なくない。この種の製品では「技術相互利用型ビジネスモデル」が必要であり、ライフサイクルの段階ごとに、研究開発やマーケティング等と連動しながら知財マネジメントを行う必要がある。また、最近では、サブスクリプションという言葉に示されるように、「製品の販売」から「ソリューションの提供」へとビジネスの方法が大きく変わりつつあり、こうした変化に対応した

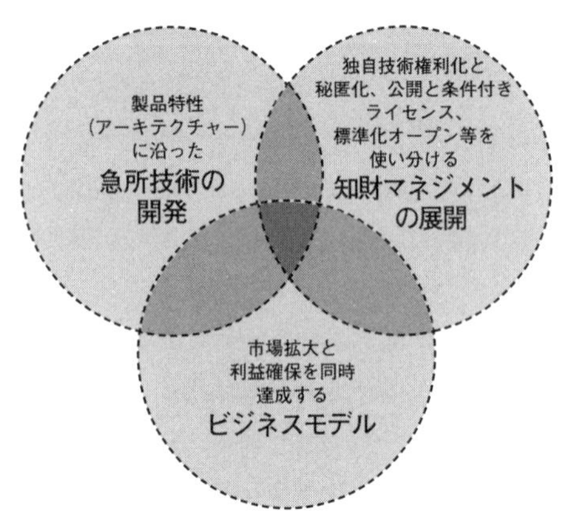


図版3–2：技術が強いことは必要条件になりえるが、充分条件は別にある　「三位一体」の本質（出典：妹尾2009）

知財マネジメントが求められている。

その他、代表的な知財活用の戦略モデルとしては、インテルに代表される基幹部品主導型モデルや、アップルに代表される完成部品主導型モデルがあるが、これらについては前述したのでそちらを参照されたい。

さて、技術と並ぶ知的財産に"ブランド"がある。ブランドとは、商品・サービスの商標や意匠を通じて喚起される信頼の集合体のことである。「ブランド」は事業を通じて企業が顧客と結びつく重要な知的財産なので、商標や意匠の権利化やそれらを組み合わせる知財ミックスは、ブランドビジネスを展開する上で非常に大きな意味を持つ。こうしたことを反映してか、メーカーブランドに対抗して流通ブランドが登場したり、地域団体等による地域名産品のブランド化が行われたり、部材ブランドによる完成品競争力の強化や、技術自体のブランド化などといった形で、知財マネジメントによる事業戦略が進展を見せている。模倣品の出現を防ぎ、類似の商品の中から自社の製品やサービスを明確に分けて選択してもらうことは、企業活動を安定させる上で非常に重要なポイントとなる。「企業名の略称やロゴマーク」「商品やサービスの名前」等は商標とよばれ、有形物の形状、模様、色彩に関する知的財産は意匠権とよばれる。ブランド力を高める効果を持つ「デザイン」は、特許権、意匠権、商標権、不正競争防止法などで守られる。知財戦略に長けた企業は、意匠権と特許権を同時に活用するなど、知財権ミックスと呼ばれる知財マネジメントを事業戦略として用いることが､必須となっている。サントリーの商品である｢伊右衛門茶」は、自社独自の香味の改善・沈殿と香りを抑制する技術に加え、ペットボトルのデザインとネーミングという知財を組み合わせてビジネスを成功させた、知財ミックス戦略の成功例といえる。

こうしたことから分かるのは、現在のビジネス環境において企業同士の競争に勝ち抜くには技術だけでは十分とはいえず、知財マネジメントを織り込んだビジネスモデルの開発が必須となっているという事実である。技術やブランドという知だけでなく、それを生かすビジネスモデルや知財マネジメントというメタレベルの知そのものも知的財産となりつつあり、これらメタレベルの知を駆使しなければ、もはや、競争優位を確保しながら企業経営を行っていくことは難しい。

さて、こうした知財活用の高度化が必要とされるようになった背景には、技術の進展と顧客価値の多様化により、製品のとらえ方が「製品単体（あるいは単体の寄せ集め）＝商品」というものから「相互に関連する準完成品の複合体＝商品」へと変容してきたことがある。今日では、機械製品やエレクトロニクス製品が、数多くの部品から構成されるようになった。それらの「部品」が、販売された先で組み合わされて「完成品」が作られるというわけである。かつてはシンプルだった完成品も、技術が進歩し、顧客価値が多様化するにつれ、複雑さが増し、部品数が大幅に増加した。そして、デジタル化が進みモジュラー化が進んだ現在、「製品を構成する部品をどのようにとらえれば自社に有利になるか」という観点から部品という概念そのものを見直し、部品を部品としてではなく、「相互に関連して商品を構成する準完成品」と見なして国際斜形分業などのビジネスモデルをデザインすることが、重要になってきている。

そして、その製品自体のレイヤーが他のレイヤーと関係しはじめると、モノ同士の関係もまた複雑化していくことになる。つまり、ある一つのレイヤーに含まれるモノ同士の関係を理解する場合であっても、複数のレイヤーとの関係性に目配りをする必要性がある、ということである。例えばアップルの iPod は、それ自体を多くの部品からなる商品とみることができる一方で、iTunes Store を通して楽曲などをダウンロードすることに注目すれば、そのサービスを受けるための一部分と見なすこともできる。これは iPod のビジネスモデルが、モノ単体ではなく、モノとサービスが相乗作用をもたらす「商品サービスシステム」へと拡張されたと捉えることができる。ここで用いられているのは、「商品の複合体化×サービスレイヤーへの関連付け＝商品サービスシステム化」という戦略であり、アップルがモノとしての製品が該当するレイヤーだけを想定しているのではなく、ビジネスの範囲を単層から複層へと拡張してビジネスモデル構築していることが分かる。

つまり現代では、従来型の「製品単体＝商品」と考えるビジネスモデルにとどま

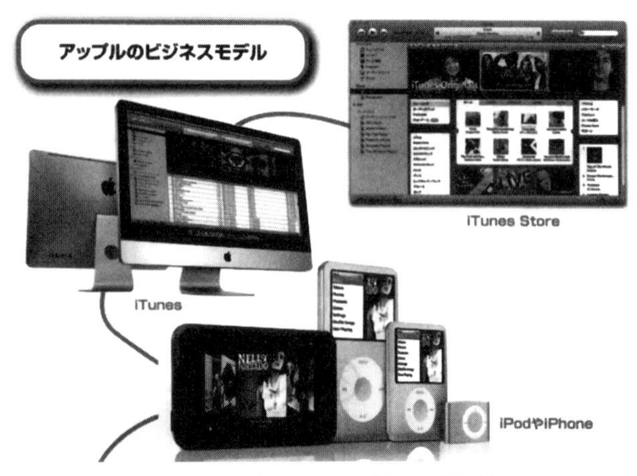


図版3–3：アップルのビジネスモデル（出典：経済産業省 特許庁）

らず、「相互に関連する準完成品の複合体＝商品」、さらには「準完成品の複合体×サービスレイヤー＝商品サービスシステム」ととらえるビジネスモデルが組み立てられる時代であり、それゆえビジネスモデルの検討にあたっては「単体・単層」から「複合体・単層」そして「複合体・複層」へと、想定しなければならない領域が広がってきているのである。ここで「商品サービスシステム」とは、製品だけでなくサービスも合わせたシステムが顧客価値提供する、という考え方に基づいた概念であるが、競争力を持つビジネスモデルを構築するためには、上下左右のレイヤー、特にサービスレイヤーとの関係を吟味して、立体的な商品サービスシステムを構想しなければならない時代が訪れたことを、如実に示すものといえよう。

ビジネスモデルの複雑化は、顧客に提供する価値自体が高度化・複雑化して行くことの反映といえる。企業は顧客ニーズに対応するために、商品サービスシステムを、単体から複合体へ、単層から複層へと複雑化とさせてきた。その中で、自社が最も競争優位を確保できるようにビジネスモデルを形成することが、企業経営の帰趨を決定づけることになる。

さて、アップルやインテルと異なる方法で企業価値を見いだしたのが、かつてのコンピュータ業界の巨人IBMである。IBMは、システムを構成する部品等が標準品・汎用品であったとしても、それらを顧客の問題を解決できるように組み合わせ、カスタマイズするという知それ自体に価値があるとし、システム全体を構成して顧客の個別ニーズに応えられるような「製品とサービスを組み合わせた商品サービスシステム」を顧客に提供するためのノウハウをブラックボックス化して、上位レイヤー

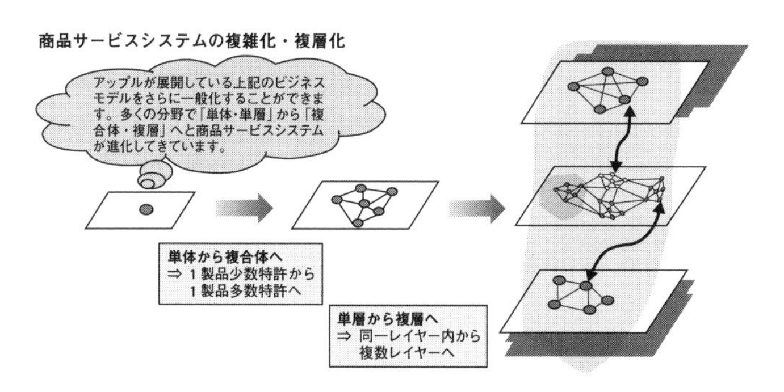


図版3–4：製品サービスシステムの複雑化・複層化（出典：経済産業省 特許庁）

に集積してクローズにした。そして、その知の価値を「ソリューョン」と呼び、顧客価値に応えるビジネスモデルを形成したのである。自社のビジネスを根本的に変革するこうした営みによって、IBMの売上げの七割までが、サービスビジネスで生み出されるようになったのは、興味深いことだ。

現代において、顧客に提供する価値を優位にするという意味での差異化には、機能優位（技術優位）や価格優位（コスト優位）に加え、便宜性優位（流通優位）そしてイメージ優位（ブランド優位）が加わっているという。これらのことから、今日、企業の側には、こうした顧客価値を形づくるビジネスモデルの総合的競争力が求められているといえよう。

## 第2節　知財の権利化と知財マネジメント

事業戦略を考えた場合､知財と知財権の概念が違うことを正しく認識することは、極めて重要である。事業戦略を考慮した場合、知財を権利化するだけでなく複数の知財を掛け合わせて使うなど、さまざまなテクニックが要求されるからである。そのことの意味を理解するためには、知財権の仕組みを理解しておく必要がある。

特許とは本来、ある期間に限って、特定の技術を排他的・独占的に使用する権利を与えるものであり、他が許諾を得ずに使用することを一切禁止する法的権利のことである。この権利と引き換えに、特許の内容は公開されるが、それによって技術の内容が知られてしまうのに加え、特許期間が過ぎれば誰もがその技術を使えるようになる。長年にわたる技術開発の成果が、何のコストも負担しない第三者によって自由に使われ、自社と競合するビジネスに育つのであれば、あえて権利化せずに秘匿し、独占することも、立派な戦略といえる。

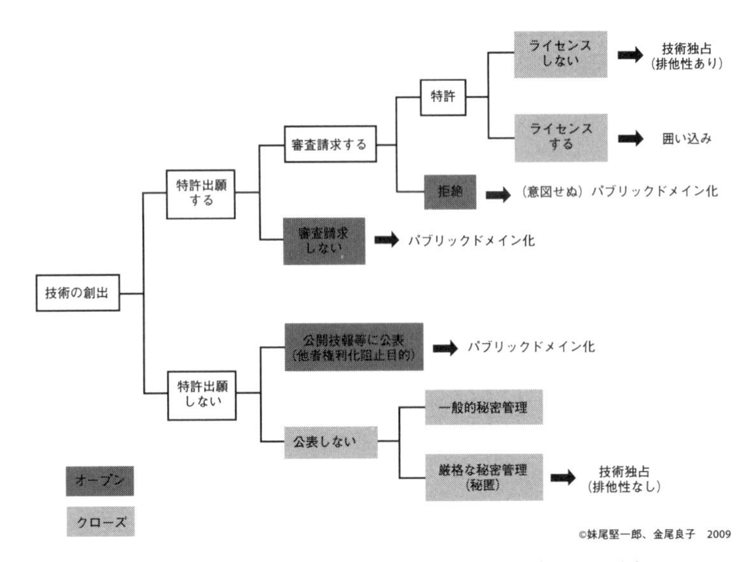


図版3–5：技術のオープンとクローズ（出典：経済産業省 特許庁）〔図版2–8再掲〕

どの知財を権利化し、どの知財を権利化しないでノウハウ秘匿とするのかを判断する上でポイントとなるのが「リバースエンジニアリングできるか否か」、すなわち、「完成品を分解したり解析したりすることで、それがどのような技術や工夫によってできているのかを調べることができるか否か」、である。もしリバースエンジニアリングが可能であれば、製品を製造するための技術や工夫が露見し模倣されてしまう危険があるため、その技術を特許で権利化する必要がある。しかし、リバースエンジニアリングが行えない場合には、特許を取得し技術や製法が公開されることによって、逆に、さまざまな企業を利することになるため、事業戦略としてはノウハウ秘匿を選択すべきということになる。

さて、製品製造における特許戦略においては、製品の肝となる技術、いわゆる急所技術に関する特許、特に「基本特許」と呼ばれる特許の取得は必須である。ただし、それが特に高度な技術ではない場合もしばしばあることには、注意しなければならない。製品機能の要所を握る「ちょっとした技術」に関する特許は特に「関所特許」と呼ばれる。これがなければ先に進めないとされる技術を押さえることは、知財マネジメントのポイントの一つである。これに加えて、周辺技術や隣接技術、関連技術等についての特許群や特許網を取得しておくこともまた、重要なポイントである。現在では、大抵の製品は「一製品多数特許」型なので、中核技術を持っていたとしても、それだけでは、隣接・周辺・関連特許に排他されるリスクをなくすことができないからである。たとえ革新的な技術を開発したとしても、製品化に必要な技術開発と特許取得がなければ、ビジネスを展開することはできない。その場合に、どのような形で技術の開発と知財権の形成をしていけばよいのかは、重要な問題である。

特許は各国がその国の特許法に基づいて行うものであるから、特許権は取得する国のみで効力を持つ。事業を海外展開する場合には、必要な国ごとに特許を取得しなればならない。しかし、多くの国でそれぞれ出願するとなれば手続きが煩雑となり、実務的に極めて負担が大きい。事実上、すべての国の言語で同時に出願することは不可能だ。この問題を解決する手法として、特許協力条約に基づく「PCT出願」制度がある。これは、ある加盟国で出願すれば、他のすべての加盟国でも同時に出願したと見なされる制度で、例えば日本でならば、日本語か英語で作成した出願書類を一通だけ提出すれば、PCT加盟国に対してその国で国内出願したと見なされるのである。ただし、知財制度とその運用はそれぞれの国によって異なることには、注意が必要である。

2011年まで、加盟国の間での最も極端な違いは、米国を除くすべての国が「少しでも早く特許出願を行ったものに権利が与えられる」先願主義であるのに対し、米国だけが「実際に発明したことが早かったことを証明できれば権利が認められる」先発明主義であることだった。米国でビジネスを行う際には常に、この制度を活用した悪意の訴訟リスクがつきまとっていた。特許法の改正によりこの問題は解消されたが、国によって知的財産に関する歴史的経緯が異なるため、裁判制度も運用も異なる。しかも、国の政策が変われば法律の運用も変化するから、国境を越えてビジネスを展開する企業は常に、最新の情報に気を配っておかなければならないのである。

今一つ、特許について気をつけておかなければならないのは、特許というものが「解釈によって判断が異なってしまう権利」であり、「他の経営における財産権と比べて不確定な度合いが相対的に高い権利」であるということだ。特許は、いったん認められたとしても、他社がおかしいと考えたときには、公的に疑義を挟むことができる。特許庁に出願してそれが認められたとしても、後になってそれが他社の特許技術を侵害していると分かれば、特許か無効であるとして特許庁に対し「無効審判」を申し立てることができる。その結果、特許が無効になってしまうことも少なくない。これは、特許を取得しているからと安心して製品を作っていても、他社から訴訟を起こされて敗北すれば、それまでの事業の成果が無駄になってしまう可能性が常にあることを意味している。

知財戦略が事業経営の帰趨を左右する時代には、知財権としての特許の取り方もまた、戦略的に行う必要がある。プロパテントのかけ声とともに、大企業を中心に特許出願をノルマとするところが激増し、日本は一時期、四十万件前後の出願を誇る特許出願大国になった（2018 年では少し減少して、三十万件程度である）。特許大国を知財大国と呼ぶのは妥当かもしれないが、しかし、知財を活かした事業・企業・産業の成功につながらなければ、知財立国ということはできない。その成否を分けるポイントは、特許出願の数を増やすことでも、量より質として未実施特許は出願しないということでもない。一見無駄に見える特許が実は、相手の技術進展を妨げる「進入禁止特許」である場合もあれば、相手の技術を止めてしまう「防護柵特許」であることもある。大量の特許出願をしてどの技術を進めようとしている分からなくする「カモフラージュ特許出願」もある。つまり、経営戦略的な判断により、実施しない特許を出願・取得することには、重大な意味がある。さまざまな意味で将来的な可能性を予見して特許戦略をデザインすること、そして、特許ポートフォリオを作って定期的に自社の特許の現状を把握し直し、特許の破棄・売却・ライセンシングといった判断を行うことも、知財マネジメントの重要なポイントである。その他、「クロスライセンス」や「パテントプール」をつくる際には、特許の数が重要な場合もあるし、企業イメージを向上させるために「特許出願中」とか「特許取得済み」という文言を使って製品イメージの向上を図る場合もある。このように、特許をはじめとした知財のマネジメントは、今や、企業経営において避けることのできない重要な要素あるいはテクニックとなっているのである。

特許権は無体財産権であり、自社がその技術を使用する（自社実施）と同時に、他社にも使用させること（他社実施）ができる。この観点に立つと、特許のいろいろな活用が可能となる。妹尾（2010）によれば、その基本パターンは以下の四つである。

①自社は実施し、他社には実施させない場合

特許発明の本来的な利用方法であり、「古典モデル」と呼ぶべきものである。特許になっている技術を自社が独占排他的に使用し他社には使わせない「参入障壁」として活用するもので、製品の模倣を阻止したり、自社優位の研究開発が可能となる。ただし、同じ市場に他社が参入するため、迂回技術や代替技術が開発される可能性があり、両者の技術が大きく異なるときにはどちらがドミナントモデルになるかが競われることになる。したがって、市場を良く見定めて、ある段階で特許を他社にも使わせることにより、他の代替技術が出てこないようにする「途中オープン」

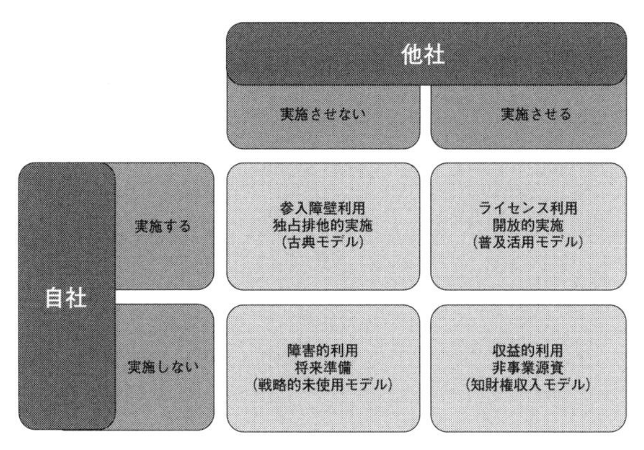


図版3–6：特許発明の使い方（出典：妹尾2009）

を行う戦略もある。

ここで注意が必要なのは、自社で特許を独占していても、自社特許だけでは製品化が成立しない場合である。他社に隣接・周辺・関連技術をとられてしまうと、包囲網を敷かれたような形になり、自社の特許技術だけで製品を作れなくなるからである。特にエレクトロニクス商品などでは、この傾向が強く、クロスライセンスが必要になるケースが少なくない。これは逆に言えば、基本特許を取られたとしても、周辺を固めれば「引き分け」に持ち込むことができるし、製品化において不可欠な技術の特許を取得してしまえば、一気に逆転することもできることを意味している。また、自社で技術を独占できたからといって、製品の機能などの魅力、マーケティングの優劣、適切な価格などで市場から歓迎されなければ、事業としての成功はありえない。

②自社は実施せず、他社にも実施させない場合

他社に特許化した技術を使用させないだけでなく、自社でも実施しないというもの。戦略的な未使用特許である。この戦略には、二つの場合がある。一つは、自社の特許を他社への障害あるいは防護柵として利用する場合。自社の進めている事業に他社が迂回技術や代替技術で参入してくる可能性があると予測できたとき、その技術を事前に開発しておいて、特許を取ってしまう。そのことによって事前に他社参入の芽を摘むのである。第二は、現在は自社実施をしていないものの、将来的には実施する可能性がある場合。画期的な技術ほど、製品化するまでに年月がかかる。その間に他者に追い越されないよう、将来に向けての独占的排他的使用として、特許を取得するということである。

③自社実施はしないが、他社に実施させる場合

ある技術を開発して特許まで取ったにもかかわらず事業化できなかった場合には、自社特許を第三者にライセンスあるいは有償で譲渡することにより、対価として収入を得ることがある。また、事業化に必要なヒト・モノ・カネ、あるいは資金、生産設備、販売網等が用意できなかった場合、あるいは発明や技術開発を専業で行っている場合は、特許を企業等にライセンスすることによって、ロイヤリティー収入を得ることになる。このタイプの応用としては、地域や使用製品などを限定してライセンスを行う場合がある。例えば、自社の営業網が存在しない地域でのみ事業を許諾する場合がこれにあたる。こうした事例は、国内だけでなく海外で展開されることもある。

④自社は実施し、他社にも実施させる場合

特許技術を自社実施するだけでなく、他社にも使用させようとするものである。これにも、いくつかのパターンがある。その第一は、クロスライセンスやパテントプールの材料として使用する場合である。一製品多数特許の場合を想定すれば、分かりやすい。第二は、自社技術に基づく製品モデルをドミナントモデルに育てるために、デファクト標準に持ち込もうとして特許を開放する場合である。自社だけで独占排他を行うと市場が伸び悩む可能性があるのであれば、自社の特許技術を開放することにより、市場そのものを成長させた方がよいという判断である。

さらに妹尾（2010）は、③と④のモデルのように、特許のライセンス等によって他社へ技術を提供することは、幾つものメリットがあるとしている。

1）ライセンスによって普及活用に弾みがつき、結果、味方の「与力」が得られる
2）ほとんどの場合は有償ライセンスなので、特許料収入が期待できる。
3）ライセンスを通じてライセンス先の技術使用に制限をかけることができる。契約上、他社の実施範囲を限定できるし、その技術の改変を制約することも可能である。
4）特に制約しなくても、他社が自社開発を諦めるという誘導効果が出る場合もある。
5）粗悪模倣品の抑制効果が期待できる。

そして同時に、ライセンスを受ける側にも、次のようなメリットが生じるという。

1）他社特許侵害リスクの回避

2）コストと時間の節約
3）その技術に付随する知見の獲得
4）製品ラインアップの充実

現代のグローバル経済に勝ち抜くのに必要なイノベーションを実現するには、グローバルな経済システムの状態を見据えた上で、それぞれの戦略のメリット・デメリットをふまえて、「古典モデル」でいく技術と「普及活用モデル」でいく技術を巧みに使い分け、ステークホールダーがwin-winの関係になるようなエコシステムの構築を行う必要がある。

ここで忘れてはならないことは、知財マネジメントが知財権等を含む知財全体を対象にしているということである。つまり、特許出願等の実務処理やライセンス実務・訴訟実務といった実務対応のオペレーションレベルから、取得した特許をどうポートフォリオで管理していくかを検討するアドミニストレーションレベル、そして、事業にどう知財を活用すべきかを検討するディレクションレベルまでを含む概念である。ここで「活用」というのは、既存知財をどう構成して事業を形成するかといった段階から、新規知財をどう創出して事業品目（モノ、サービス、それらの組み合わせ）にするかという段階、さらには、知財をどう活かして事業展開（市場拡大と収益確保）するかの段階までもが含まれる。したがって、知財マネジメントというとき、特許の出願管理とか、特許ポートフォリオ（特許の種類、目的、用途等々によって戦略・戦術判断を行うために形成するカテゴリー）の管理といったこ

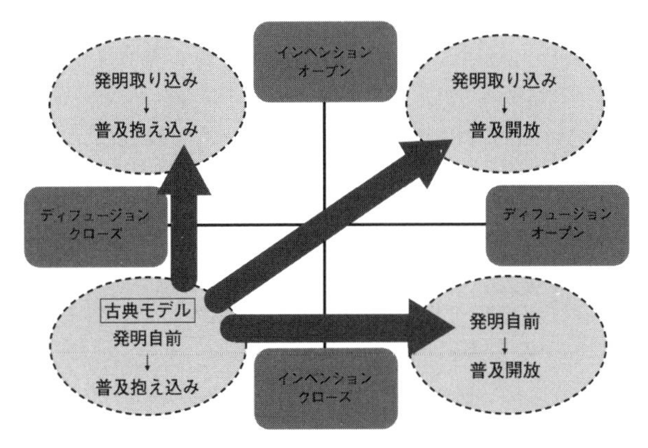


図版3–7：「インベンションとディフュージョン×クローズとオープン」のマトリクス（出典：妹尾2009）

とは極めて重要であるが、それはこの概念の中のほんの一部分に過ぎない。

前述したとおり、知財には特許権の他に、消費識別を明確にし、類似品や模倣品・海賊版を排除するために必須のものである商標権と、有形物の形状、模様、色彩等のデザインに等の知的創造物に関する権利である意匠権などがある。これらはいずれも、企業のブランド力を高め・維持していく上で重要な権利である。事業で競争力を維持していくためには、技術の特許だけでなく、商標や意匠についても権利化を進めて、それらを総合的に駆使して事業競争力を保護・強化するような、知財マネジメントが必要となる。

## 第３節　知財戦略としてのオープン＆クローズ戦略

従来の古典的なビジネスモデルは、「技術開発を自前主義で行い、そこでできた製品を抱え込み主義で普及に持ち込む」という垂直統合型であった。日本の大企業はかつてこのモデルで成功した経験を持っていて、現在でも多くの企業がこのモデルに準拠しているといわれている。しかし、このモデルで当初シェアが100%とれても、あるいは特許の件数が多くても、「国際標準化によるオープン政策」が行われた途端に、シェアが著しく下がっていく。それが日本の「惨敗パターン」であった。

これに代わって普及しはじめているのが、「最初の技術開発段階はクローズな自前主義で行い、その後の普及段階ではオープンな脱・抱え込み主義に移行する」モデルである。技術の粋を尽くした画期的な製品を徹底的なすり合わせによってつくり、普及段階で適切な分業パートナーと手を組んで一気に普及させるという、ビジネスモデルである。

ただしそのためには、自社でじっくり開発した技術・製品をどうオープンに展開するかというイノベーションのシナリオを、念入りに描いておく必要がある。このシナリオを製品のライフサイクルと連動させることができれば、より精度の高いシナリオ展開を実現することができるはずだからである。

さて、普及を効果的・効率的に行うためには、二つの段階を踏む必要がある。自社製品が部品の場合は、部品と完成品の間に中間システムを挟む方法がある。先に紹介したインテルの場合は、CPU自体を「内インテグラル、外モジュラー」「内クローズ、外オープン」という形にデザインし、その上で「マザーボード」という中間システムをデザインして技術情報群とともに製造ノウハウを提供することにより、完成品としてのパソコンが普及しやすくなるようにした。これに対して三菱化学のDVDメディア用色素の場合は、まず最初にこれを事実上の国際標準に組み込み、その上で未熟練工でも生産可能な「フルターンキーソリューション型の製造装置」を作り上げて提供することで、安価に大量生産されて普及が加速するようにしたのである。

標準化を含む知財マネジメントは、製品の特性・アーキテクチャーだけでなく、業種や企業の状況、事業環境によって異なってくる。したがって、個別のケースごとに具体的に検討する必要があるが、「社内で培った独自技術を、いつ、どのようなタイミングで、どこまでオープンにするのか」を見極め、戦略的な行動をとれるかどうかが、非常に重要なのである。

さて、ビジネスモデルの構築に際しては、三つの「オープン戦略」を区別する必要がある。

その第一は「技術研究フェーズのオープン戦略」である。これは、発明・技術開発に資する資源を他からも導入することを指している。つまり、ソーシングについて、従来の自前主義を捨てて、協業的に技術開発を行う「コラボレーティブインベンション（協業的技術開発）である。インソース（自前調達)、アウトソース（外部委託調達あるいは外部調達)、クロスソース（相互調達)、コモンソース（共有化調達)、オープンソース（公開技術導入）等の、多様な調達を組み合わせようとするものであり、オープンイノベーションとは趣を異にする。

第二は、「製品開発フェーズのオープン戦略」である。これは製品特性に沿って事業戦略上の技術要素を見定め、それに特化して技術を開発し、「内インテグラル、外モジュラー」、「内独自技術、外標準」、「内クローズ、外オープン」等の“からくり”を工夫することを指している。アナログ時代に高度なすり合わせが必要となっていた製品が、デジタル技術の発達によってモジュラー型に変わってきているが、その際に「どこをクローズにして、どこをオープンにするか」という見極め・戦略的な判断が、重要な意味を持っているのである。

第三は、「普及フェーズのオープン戦略」のことである。従来は、製品の普及あるいは市場形成もすべて自社（あるいは自社グループ）だけで行う「抱え込み主義」であった。しかし今は、どうやって他社を製造販売の分業パートナーとして仲間に引き入れるか、ということが、ビジネスモデルとして重要となってきている。これはすなわち、普及プロセスを効率的・効果的なものにする上でどこまでオープンにすべきかという見極めが戦略的に重要となったことを意味している。

ここで注意しなければならないのは、これら三つの「オープン戦略」が、「すべてをオープンにするか、すべてをクローズにするか」という二者択一の判断ではない、ということである。どの程度オープンにするか。どの部分をオープンにし、どの部分をクローズにするか。これらの案配がポイントなのである。また、第一のオープン戦略をとらなくても、第二・第三のオープン戦略は可能であること、第二のオープン戦略と第三のオープン戦略が連動しており、第二の製品におけるオープン戦略において標準化を含む知財マネジメントをしっかりやっておかなければ、第三の普及におけるオープン戦略はとりえないことについても、留意しておきたい。

いずれにしても、一番重要なことは、イノベーションのイニシアチブをとることであり、ディフュージョンまでを視野に入れてあらかじめイノベーションのシナリオを描き、計算づくで先導的に実行する、ということである。そして、イノベーションでイニシアチブをとるための競争では、多様なビジネスモデルがせめぎ合っている。その代表的なものは、

① インテグラル延命　対　モジュラー進展　対　再インテグラル化
② プレミアム化　対　コモディティ化
③ 完成品主導　対　基幹部材主導型

の三つである。事業モデルのせめぎ合いが行われているとき、どの立場にいるのかをしっかり認識することが、極めて重要である。対極のビジネスモデル戦略をとる企業から、自らのビジネスモデルを防衛するための戦略を、タイムリーに展開していかなければ、企業経営そのものが成り立たなくなるからである。

## 第4節　オープンイノベーション

2000年を過ぎて、知識と市場はますますグローバル化している。いかなる大企業であっても、グローバルマーケットの中で発生する変化に対応することは、経営体としても組織としても不可能である。その一方で、以前は大企業でしか生み出され得ないと思われていた新しい技術や知識が、今では個人発明家やスタートアップ企業、大学の研究部門や大企業からのスピンオフ組などで生み出されるようになっている。新しい専門知識が小企業で生まれるなど、優れた技術の開発が大企業の枠外で起こっており、その拡大のペースは指数的とさえいわれているのである。企業は予算上の制約や、新しい知識を吸収・消化する能力の限界のために、こうした知識の拡大のペースに合わせてR&D投資を拡大することはできないし、新しいテクノロジーはあまりに複雑なため、個々の企業では手に余ることが多い。

そうした状況下で、企業が自社のイノベーションを世に送り出し、市場で競争優

位を確保しようとするのであれば、製品を完成させる上で自社に欠けている技術を自社内で開発するよりも、社外のアイデアや技術を活用する方が効率的である。何より、製品化に要する時間を短縮でき、ビジネスチャンスを逸するリスクを減らすことができるからである。こうして画期的な新製品を市場投入する際に、社外の知識を見つけて社内に取り組もうとする企業と、自社の持つイノベーティブな技術を社外市場に提供することを追求する企業が、パートナーとして協力するケースが数多く見られるようになった。このようなイノベーションの方法は特に、オープンイノベーションと呼ばれている。

オープンイノベーションの重要な目標は、組織と組織の間でやりとりされている外部知識をつかみ､そのような知識の流れから閉ざされている企業よりも､イノベーションで成功を収めることにある。実際、さまざまな企業･団体･研究機関とのネットワークを通して社外知を活用することで、企業は特定のニーズをすみやかに満たせることができることが知られている。こうした活動は、特許取得率の増加や既存製品の改良、新製品の開発と市場投入までの時間の短縮、そして新市場へのアクセスなどにおいて、イノベーティブな効果をもたらすことが実証されている。

こうした経営戦略が有効性を発揮するようになった今日では、それ以前までは王道とされていたクローズドイノベーション、自社で数十年にわたって蓄積してきた少数の深いコアコンピタンスを支えに生き残ることが、もはや不可能となってきている。企業はもはや、世界規模で広がる知識市場や専門的な技術を持つ企業のネットワークにアクセスし、そこで生み出される膨大な知識・新技術の自社ビジネスに関連する価値や潜在的可能性を正当に評価するとともに、それらを自社のもつ知識や技術と結びつけることで、自社の顧客の要望に応えて競争優位を維持する、あるいは、新しいマーケットを開拓して自社ビジネスの発展を実現する活動を、日常的に行っていく必要に迫られている。そしてそれは、顧客によりよい価値をより早くよりリーズナブルな価格で提供するという､企業の本来的な目的を実現するために、大規模な企業が他社との関係を利用し、自らの組織を市場の状況に合わせて常に改革していく必要に迫られていることを意味している。

このように考えれば、オープンイノベーションは、ただ単に社外の知識・技術を活用することを指すものではないということが、分かるだろう。

さて、オープンイノベーションには、二つの重要なポイントがある。その一つは知財管理であり、今一つはビジネスモデルである。

そう、大企業がオープンイノベーションによって成果を上げようとするなら、大企業は自らの新製品の開発や、改良させた製品のアーキテクチャーに組み込むことができる、社内外のイノベーティブなアイデア、新技術、コンセプト、知財の状況に注意する必要がある。このようなプロセスにおいて、大企業と新しい技術を開発した小企業の間には、さまざまな情報の交換が発生することになる。それは、イノベーションのライセンスの授受の前提となる、新技術の内容の評価のためには重要・不可欠なことである。オープンイノベーションにおいて、技術・知識の売り手と買い手の間で取引を成立させるためには、かなりの情報公開が必要とされる。しかしながら、法的なバックアップがない限り、この取引は圧倒的に大企業が優位であり、既存の大企業によるイノベーティブな小企業の不当な搾取という結果になりかねない。

大企業に求められるのは、社外への知識の流れを止めることではなく、むしろそれを奨励して「知識の商業化」を図り、最終的に、自社に集まってくる収益を最大化するための戦略であろう。企業秘密を使ってアイデアを社内に囲い込むのではなく、アイデアを積極的に特許化して社外に広く普及させる戦略、アイデアを積極的に特許化して社外に普及させることを目指し、それが採用されれば特許ロイヤリティーを確保できるようにする戦略である。そして、イノベーターのアイデアが市場を求めて広がり、オープンイノベーションが豊かな成果を生んでいけるようにするには、知的財産権に関する法律の整備が不可欠である。このような意味で、特許権、意匠権、実用新案権などの知的財産権は、イノベーションを売る側にとっても、そして、買う側にとっても、意味のある仕組みといえる。

しかし、すべての知財権が同じメカニズムでできているわけではなく、また、イノベーションをライセンスしたいイノベーターの知財の保護に不正競争防止法（米国における「営業秘密保護法」に相当）は期待できないなど、特許権・著作権に関連する法律にも欠点があるのは事実である。こうした「特許が効果的ではない分野」では、言語化されていない知識をライセンス供与するためのガイドラインを作り、自社からの溢出を成功させることに積極的に参加させる戦略をとることができよう。さらに、このようなガイドラインを用いることで、イノベーションの実用化を加速させるとともに、サービスの受け手が潜在ライバルに対して優位に立てるようにすることも可能となるだろう。

それに加えて、オープンイノベーションは、制定法による直接的な規定であれ、政権の政策であれ、裁判所による判例であれ、法律上の知財保護の意味が変化すると、その影響を受ける。つまり、知財権を基礎とするビジネスモデルは、市場競争以外の政策目標によって制限されることがあることには、留意しておきたい。その他、企業の知財戦略の目標が国家の産業政策と矛盾する、あるいは、その他の政策目標によって抑制されることもある。これは、政策目標との対立などによって、法律上の知財保護が得られないことがあることを意味している。それとは逆に、政策の転換によって、それまで認められていなかった製品に知的財産権が認められるケースもある。1981年のデイアイディア事件は、その典型であろう。これは、連邦裁判所が初めて、ソフトウェアアルゴリズムに特許を認めた判決を下したもので、これにより不法コピーが法的に禁止されることになり、以後、ソフトウェアリッチ型の産業が発展する重要な契機となったとされる。

このような公権力の手による法律上の知財保護の意味の変化のほかにも、組織の方針が知財権、専有可能性、ひいてはオープンイノベーションの在り方に影響を与えることがある。その中でも主要なものは、オープンイノベーションを実現する上でのもう一つのポイントであるビジネスモデルの在り方であるが、それに加えて、社外から得られた新しい知識・技術を受け入れ、新しい製品の開発や既存の製品の改良を行う基盤となる、大企業内における組織・文化の変革についても、検討しておく必要があるだろう。

ここで原点に立ち戻ってイノベーションという概念を再確認しておこう。イノベーションという概念は、アイデアが誕生してから発明を市場に投入するまでの過程、と定義することができる。ビジネスの観点からいえば、何らかの形で商品にならない限り、どれだけ新規性があろうとも、技術そのものには価値がないわけで、新しい技術開発から経済的な価値を生み出すためには、アイデアから流通に至るすべてのプロセスを包括する、適切なビジネスモデルを作り出す必要があるということである。

次に注意しておかなければならないのは、オープンイノベーションという概念のもとでは、企業という概念と市場という概念が再定義されるということである。オープンイノベーションのもとでは、市場で競争するのは企業ではなく製品であり、競争の単位となるのは、企業ではなく「バリューネットワーク」と呼ばれる企業グループである。したがって、ネットワークの形成とマネジメントを行う中核企業は、さまざまなタイムホライズンにおいて「新しい将来像」を洞察した上で、「産業の育成」を視野に入れたバリューネットワークを形成しマネジメントしていかなければならない。これには、クローズドイノベーションとは本質的に異なる、高度な戦略が必要となる。イノベーションの初期から社会実装に至るさまざまな段階において、事業環境の変化に応じてネットワーク内の企業間、例えば、サプライヤー、部品メーカー、補完サプライヤーの間の関係や資源配分のタイプを変化させ、エコシステムを構成するそれぞれの企業が適切な価値を獲得できるようなマネジメントを行う必要があるからである。また、もし仮に新しい技術によって、顧客に対するバリュープロポジションやイノベーターの価値獲得、あるいはバリューネットワーク内の企業が変化するようであれば、イノベーター企業のマネジメント層は、新しいビジネスモデルを構築する必要がある。

例えばバイオテクノロジーは、農業市場を再定義するとともに、従来農業とは無縁だった多くの産業セクター、例えば医薬品製造や動物健康管理、化学など、非常に広い範囲の市場、そして市場の上位へと、農業を変化させた。農業と関連ビジネスは、バイオテクノロジーのイノベーションによって変化の速度が上がったが、そのことによって既存のビジネスモデルを脅かす新しいビジネスモデルも生まれてきている。

さて、オープンイノベーションにおいて中核企業の位置を占めるのは、大企業であることが多い。しかし大企業の中には、コアコンピタンスを持つ特定の領域で規模と範囲の経済を生かして成長してきたがゆえに、コアジリティかコアインコンピタンスに陥っているものも、珍しくない。クローズドイノベーションの成功体験に基づいた自前主義への固執だけでなく、既存製品のアーキテクチャーが通常業務の分業体制に染み込んでいて、技術的な変更にともなう認知上の障壁が大きくない場合であっても、日常業務が惰性になっているために組織改革が難しくなっていることが多いからである。さらに、社外にイノベーションが見つかっても、それが社内の製品戦略に組み込まれるとは限らない。大企業の優位性は効率のよい大量生産に基礎をおいており、その時点で存在する市場の管理能力は高い。しかし、大企業の持つ技能、オペレーションのモデル、効果測定システムそして企業構造は、社外からの新しい技術の導入や新しい市場を構築する上で、大きな障害になることが多いからである。社内資源配分の最適化を目指す従来の資源配分モデルでは、企業の組織・文化の改革を実現することは難しい。

しかしながら、企業が長く生き残っていくためには、組織的な成長と刷新を欠かすことができない。大企業が得意とする成熟した市場はコモディティ化するし、ロイヤリティーの高い顧客は限られているからである。それゆえ、企業のマネジメント層は、社内のコンピタンスの統合、構築そして再構築のために、ラジカルイノベーションを試みることになるのだが、自社内への投資という形では、成果を上げるのに 10 年以上を要することも珍しくない。そしてオープンイノベーションは、こうした時間を短縮する上で、非常に有効な手段と目されている。根本的な変化をもたらす可能性のあるイノベーションにコンテクストを提供することのできるオープンイノベーションによって、社内グループだけでなく社外グループからも発明を導入でき、市場やパートナーに機敏に反応する形で、それらをビジネスに育てるために社内の組織や文化を作り変えていくことができるのであれば、長い歴史のある大企業であっても、企業の存続に不可欠な組織改革とイノベーションを通した社会貢献を両立させる形で、オープンイノベーションを活用することができるだろう。

最後に、社外の知識からチャンスを見つけ、オープンイノベーションを実現するためには、環境スキャニング、競合情報分析、受託研究、関連する業界団体への参加などの方法をとる必要があること、そして、社外の知識を社内のイノベーションにつなげるためには、社内 R&D に投資をして、社外の知識を取り込むための吸収力を育てておかなければならないことを指摘しておきたい。エクスポネンシャルな変化が想定される現代社会において、自社のイノベーションを成功させるためには、経営者層に常在戦場の心得が求められるのである。

## 第3章　注

本書は情報社会学教育のリデザインという立場から、学部学生および「学び直し」を志す社会人を読者に想定している。第3章は、そうした読者のために、第2章の内容をより詳しく理解してもらうために執筆したものである。本章の内容を理解すれば、知財の種類・知財活用の基本的パターンからインテルインサイド・アップルアウトサイドの意味を理解し、オープンイノベーションの必要性を理解できるようになるだろう。本章の内容は、主に（Chesbrough, 2006）、（経済産業省特許庁、2010）および（丸山儀一、2011）（妹尾堅一郎、2009）、（経済産業省特許庁、2010）（Chesbrough, 2008）によって示された理論・概念・データに基づくものであり、それらについて検討・考察を加えたのち、情報社会学教育のリデザインという観点から再構成したものである。

# 第4章

# プラットフォーム・レボリューション

## 第1節　パイプラインからプラットフォームへ

高度情報化の象徴の一つであるインターネットの発達は、産業の世界に「大破壊」と呼ぶにふさわしい大きな変革を、少なくとも二回、もたらしてきたといわれている。

その第一は、1990年代に起こった。インターネットの普及が始まると、これを利用したアプリケーションが数多く開発され、製品やサービスの流通を一変させた。限界費用が非常に安いオンライン・システムは非常に効率的なパイプライン・システムを創り出し、それまで多大な投資が必要だった小売り流通業界の非効率的なパイプライン・システムを駆逐し、以前とは比べ物にならない小さな投資で、大きな市場をめがけてサービスを提供できるようになったのである。

そして今、我々は第二の「大破壊」の中にいる。パイプラインが高度化するのではなく、パイプライン自体が消滅する、という段階である。それに代わるものこそ、「プラットフォーム」と呼ばれるものである。こうした事態は、「パイプライン自体がプラットフォームに飲み込まれる」、あるいは、「プラットフォームが世界を食い尽くす」とも表現される。これによりインターネットの役割も、本質的に変化した。インターネットはもはや、単に流通チャネルの役割を果たすだけではなく、創造を促すインフラであり、調整メカニズム機能を備えたインフラとしても機能するようになった。物理的なものとデジタルなものが急速に収斂すると、インターネットは実世界においてさまざまなモノを結び付けたり、調整を可能にしたりするようになった。プラットフォームはこの新しい能力を活用して、全く新しいビジネスモデルを生み出している。プラットフォーム・ビジネスは外部のエコシステムを用いて、パイプライン・システムとは全く違う、新たなやり方で価値創造を行うようになってきているのである。

では、従来のビジネスの基本形であった、パイプライン・システムとはどのようなものか。パイプラインは、円筒形をイメージすると分かりやすい。その特徴は、リニア（直線的）という言葉で表すことができる。例えば、円筒形の左側から右側に向かって、製品や活動がバトンとして次々と工程をリレーされたり（これはサプライチェーンと呼ばれる）、あるいは段階的に価値を高めていく（これはバリューチェーンと呼ばれる）といったイメージである。パイプラインの片側には製品（モ

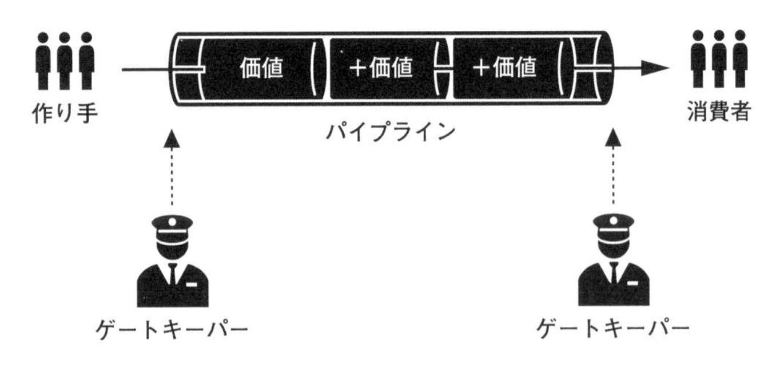


図版4–1：パイプライン型ビジネスモデル（出典：パーカーほか）

ノ）やサービスの生産者が、もう片方にはそれらの消費者がいて、段階的に調整しながら価値を創出し、生産者から消費者へと移転していく。企業はまず製品やサービスを設計し、そのあとで制品を作って販売先に供給したり、あるいはサービスを提供したりするために、さまざまなシステムを整備する。そして最後に顧客が登場し、その製品やサービスを購入する。製品やサービスは、パイプラインの片方からもう片方へと一方向に進む。このように考えれば、パイプライン・ビジネスは単純でリニア（直線的）なバリューチェーンということができるだろう。

さて、パイプライン型ビジネスのもう一つの特徴は、一つ一つのビジネス工程ごとに必ず「ゲートキーパー」が存在し、全体そして工程・段階ごとの出入り口において、その先にモノを通すかどうかを仕切っているということである。ゲートキーパーは、工程そのものを管理するとともに、製品やサービスのもつ意味や価値を定義する。つまり、消費者のもとに提供される製品やサービスは、提供者側によって一方的に定義されており、消費者側の意思がフィードバックされることがあっても、ゲートキーパーによるフィルタリングを経る必要があるため、タイムラグが発生するのに加え、量的にも質的にも限定されたものになってしまうのである。

では、パイプラインを飲み込んだと評されるプラットフォームとは、どのようなものであろうか。「プラットフォーム」とはもともとは、平坦な土地のことを指すラテン語が語源であるといわれている。そこから「基礎」といった意味に転じ、さらに「舞台や基盤・枠組み・台」のことになった。ここから連想されるのは、「その上に多様なものが集まり交流する舞台」とか「そのうえで多様なコトが繰り広げられる枠組み」というイメージということになろうか。

プラットフォームの全体的な目的は、パイプラインとは対照的である。外部の生産者と消費者が相互にインタラクションを行うことにより、ユーザー間で完全な

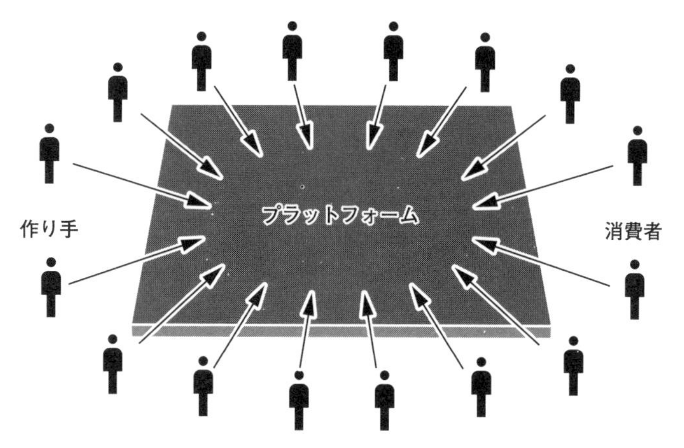


図版4-2：プラットフォーム型ビジネスモデル（出典：パーカーほか）

マッチングを行い、製品やサービス、社会的通貨を交換しやすくして、全参加者にとって価値を創造しうるようにすることにあるからだ。プラットフォームの世界においてはタイプの異なる消費者同士が、プラットフォーム上で提供される資源を使ってお互いにつながりあい、インタラクションを行うことができる。ユーザーは生産者であることもあれば、消費者であることもあり、時には両方の役割を演じることもある。この関わり合いの過程において、参加者たちはそれぞれ、何らかの価値を交換し、消費し、時には共創していくことになる。ここで注意しておかなければならないのは、このような価値が生産者から消費者へと直線的に流れるものではない、ということである。参加者たちは、プラットフォームが促す関わり合いによって、また、多様な方法や場所によって、さまざまな価値を創出し、変更し、交換し、消費することができるのだ。

そして、伝統的なプラットフォーム・ビジネスと、現代的なプラットフォーム・ビジネスの主な違いは、デジタル技術が加わったことでプラットフォームの範囲、速度、利便性、効率性が、途方もなく拡大していくところにある。どのような場合でも、情報交換がプラットフォーム自体を通じて行われる。実際に、これがプラットフォーム・ビジネスの基本的特徴の一つとなっている。プラットフォームの目的は、生産者と消費者を結びつけて、情報、製品やサービス、通貨という三つの形の交換に関与させることにある。プラットフォーム自体は参加者をつなげるインフラと、簡単で互いに満足のいく交換を実現させるツールとルールを提供するのである。インターネットやそれに付随するテクノロジーは、予測のつかない形で、今日のプラットフォーム・ビジネスに圧倒的な産業変革力を与え続けている。

ある産業から別の産業へとプラットフォーム・モデルが広がると、ビジネスのほぼすべての側面で革命的変化が起こる。「プラットフォーム」という概念によって、産業生態系や事業の競争原理が大きく変わりつつあるのである。ここでは五つの点からこの変化について考察してみることにしたい。

第一に、プラットフォームは、ゲートキーパーを排除し、より効率的に大規模化できるので、パイプラインを駆逐することになる。その大きな理由は、パイプラインでは非効率的なゲートキーパーが、生産者から消費者までの価値の流れを管理していたのに対し、プラットフォームではそうしたものが存在しないことにある。プラットフォームでは、ただキュレーターがいるだけである。出版業界を例に挙げよう。パイプライン・モデルでは編集者がゲートキーパーとして機能する。しかし、プラットフォーム・モデルでは、読者コミュニティ全体が自動的に市場のシグナルを発信するようになる。これにより、出版社は、より早く、より効率的に対応することができるようになる。つまり、ゲートキーパーがいなくなれば、消費者にとっては、自らのニーズを満たす商品を選ぶ自由度が広がるということである。

第二に、プラットフォームは、価値創造と供給の新たな源泉を開拓することで、パイプラインを駆逐することになる。ホテル業界を例に挙げよう。エアビーアンドビーは、宿泊業界にプラットフォーム・モデルを持ち込んだ。部屋を一切保有せず、代わりに、個々のプラットフォーム参加者が消費者に部屋を直接提供できるようにしたのである。エアビーアンドビーのビジネスは、それを実現するプラットフォームを創出し、維持することだけである。彼らのビジネスには、伝統的なホテル経営者が行ってきたリスクのある投資を行う必要もなければ、物理的資産の管理能力も必要ない。自宅で余っている部屋を貸し出せる人々が参加するペースに合わせて、自らの不動産「在庫」を増やせるからである。こうした方法をとることにより、エアビーアンドビーや同種の競合相手のプラットフォームは、従来のホテルよりも、はるかに早く成長できるのである。

第三に、プラットフォーム市場では、供給ということの本質が変わる。プラットフォーム企業は、これまで活用の対象として認識されていなかった「社会における未利用資源」を自ら活用できる資源とみなし、それらを最大限に役立つように活用するからである。新たな供給を既存の市場に顕在化させることで、プラットフォームは従来の競争状況自体を破壊する。例えば、固定費をカバーしなければならないホテルは、固定費を持たない企業と競争する状況におかれるようになった。このような事態が発生したのは、プラットフォーム企業が、未利用の潜在的な供給能力を市場に提供することで、いわばシェアリングエコノミーと呼ぶべきモデルを、社会に実装することに成功したからである。エアビーアンドビーには、伝統的なホテルが備えているようなブランド力はない。施設の状態を管理するノウハウもない。しかし、不履行時の保険契約と評判システムを提供することによって、施設提供者自身による品質管理とユーザーの適切な行動を奨励することができるようになった。このことによって、「取引コスト」が大幅に引き下げられたのである。こうしたプラットフォームの適切な設計によって新しい生産者が次々と登場して生産活動を行うことができるようになり、宿泊業界において新しい市場が創出されたのである。

第四に、プラットフォームは、データに基づいたツールを用いてコミュニティのフィードバック・ループを創出することで、パイプラインより優位性を持つ。プラットフォーム上で提供される「評判システム」の中に利用者コミュニティが形成され、コンテンツの品質やサービスの提供者の評判についての情報が蓄積されると、利用者と提供者の間のインタラクションはますます効率的になり、両者の質が互いに向上していくことが期待できるからである。特に利用者にとって、他の消費者からのフィードバックを見ることによって、自分のニーズを満たすようなコンテンツを見つけやすくなるのは、とても有難いものだ。これに対して、既存のパイプライン企業は、コントロール・メカニズム（編集者、マネージャー、監督など）に頼って品質を確保することで、市場とのインタラクションを実現しようとしているが、規模を拡大しようとした場合には、この方法ではコストがかかるだけでなく、効率も悪い。

第五に、プラットフォームの価値は、企業の中からではなく、ユーザーのコミュニティから生まれる。そのため、プラットフォーム・ビジネスを行う場合は、企業活動の焦点を内部活動から外部活動へと移す必要が発生する。その過程で、企業は、経営の方法論自体を大きく転換させねばならない。企業が存続するためには、マーケティングからIT、オペレーション、戦略に至るまでのあらゆる機能を、徐々に「外部」の人材、資源、機能にゆだねる必要があるからだ。そうした「外部の力」を活用して、従来からの内部の人材、リソースを保管したり、代替したりすることが、企業経営の必要条件になったということである。VUCAという言葉に象徴されるように、世界の情勢からマーケットの状況まで、現代は多様性・あいまいさ・不確実性に満ちているので、企業が自ら抱え込んでいる資源だけでは、迅速・柔軟に対応することは困難である。イノベーションはもはや社内専門家や研究開発部門の担当領域ではなく、プラットフォーム上の独立した参加者が考え出したアイデアや、クラウドソーシングを通じて生み出されるものとなっている。プラットフォーム企業で強調されるのは、製品の最適化よりもエコシステムのガバナンス（統治）であり、内部の従業員を管理することよりも外部のパートナーをその気にさせることになっている。

このような事態をみれば、プラットフォームが台頭してきたことで、ほぼすべての既存企業の経営慣行（戦略、活動、マーケティング、生産、研究開発、人的資源管理など）が大きく変化していることが分かる。プラットフォーム世界が到来したことによって、私たちは不安定な時期を迎え、その影響はあらゆる企業と個々のビジネスリーダーにも及び始めているのである。教育、メディア、ヘルスケア、エネルギー、政府など、プラットフォームの登場による変化は、経済だけでなく社会全体の隅々にまで及んでいる。今日においても、プラットフォームは絶えず進化している。プラットフォームには複数の目的に対応するものが多いのに加え、新しいプラットフォーム企業が毎日のように登場しているのである。それが我々の生活をより豊かなものにしている点は積極的に評価すべきであるが、経済、社会、政治、その他さまざまな領域でプラットフォームの影響が強くなっていることが、事業者、専門職、消費者、市民としての自分にどう関係してくるか、あらゆる種類のプラットフォームがコントロールを強めているという現実をどのように考えるべきかについては、慎重に検討していく必要がある。

## 第2節　GAFAが作り替えた世界

プラットフォームを活用したビジネスによって、「世界を変えた」とまで評させる企業は、グーグル、アップル、フェイスブック、アマゾンの四社であり、ひとまとまりにしてGAFAと呼ばれることもある。この四社にはすべてに共通する特性もあるが、現実には、デジタル時代にはっきりとした役割を担い、それぞれ違った道筋で頭角を現したことは理解しておく必要がある。

まずフェイスブックとグーグルだが、彼らは25年前には存在しなかった分野を支配している。これに対して他の二社、アマゾンとアップルはすでに確立していた分野の企業である。アマゾンは安い資本を集めて無茶なほどの効率的運営を行い、競争を勝ち抜いてきた。一方アップルは、製品のイノベーションを進めて高級品として業界の主導権を握り、まったく新しい数十億ドルの製品カテゴリーと、世界のだれもが憧れるブランドを生み出してきた。プラットフォームを活用することで、フェイスブックとグーグルはメディアを、アップルは電話を支配した。そしてアマゾンは小売業界を制覇しようとしている。これによりフェイスブックは創業者が32歳になるまでにユーザー10億人を達成し、アップルは1世代で今のような世界的な事業を構築したのである。

グーグルは、検索サービスの他、Gメール、グーグルマップ、YouTube等のサービス、ウェブブラウザ「クローム」、スマートフォン向けOS「アンドロイド」、クラウド事業などを展開する、巨大企業である。2015年には株式会社アルファベットを設立し、グーグルと「Other Bets」の二部門構成になった。Other Betsは、自動運転開発プロジェクトのウェイモ、スマートシティ計画を展開するサイドウォークラボ、アルファ碁のディープマインドなどを抱えている。

これら二つの企業のミッションには、同じ思想が通底している。グーグルのミッションが「世界中の情報を整理し、世界中の人々がアクセスできて使えるようにすること」であるのに対し、持ち株会社であるアルファベットは、これを発展させた「あなたの回りの世界を利用しやすく便利にすること」をミッションとしている。この違いは、両者の設立された時代背景の違いと、それに対応したビジネス構想の展開によるものである。

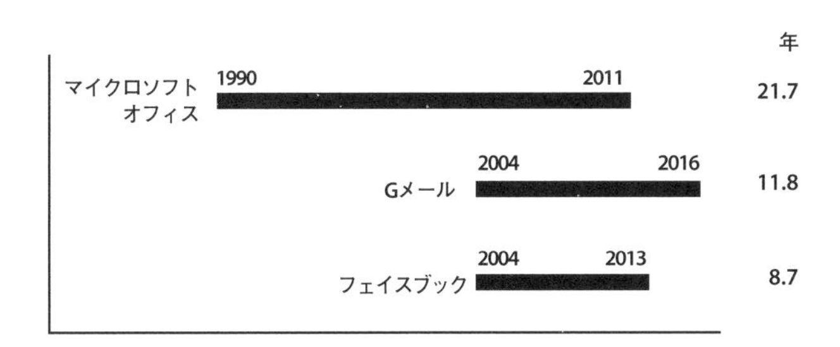


図版4–3：ユーザー10億人達成までの時間（出典：ギャロウェイ）

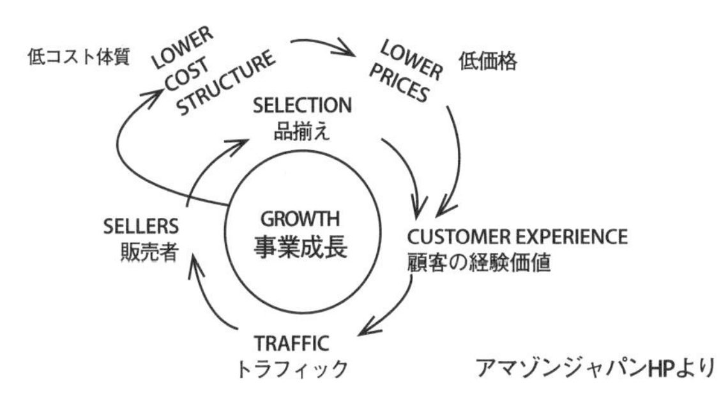


図版4–4：ベゾスが描いたビジネスモデル（出典：田中）

グーグルのミッションは、グーグルが提供する検索サービスの特徴に現れている。グーグルは「そのウェブサイトがどのくらいリンクを張られているか」を重視して検索結果を表示する「ページランク」という仕組みにより検索精度を向上させた。張られているリンクの数は、他者からの参照数を反映したものであるから、単純なキーワード検索と比較して、格段に「民主的」といえるだろう。検索サービスを開始した2000年当時から、グーグルは、ユーザーが入力した検索ワードに応じて関連する広告のリンクを表示する「アドワーズ」というサービスを提供している。グーグルの収益の大半は、こうした広告によるものである。Gメールやグーグルマップ、アンドロイド、YouTubeなど、その他のサービスも含め、無料で提供しているサービス。これらを通してグーグルが収集しているのはユーザーの利用履歴であり、AIを使ってこれを分析することにより、ユーザーに関心の高い広告を表示することが可能となった。グーグルには、そのウェブサイトに関連する広告の他、ユーザー毎に最適化された広告を表示する「アドセンス」というサービスがある。グーグルは自らが提供するアンドロイドのアプリ、Gメールやグーグルマップ、YouTubeを通して、各ユーザーに最適化された広告を、表示することができるのである。

2007年にグーグルからの提供が始まったモバイル向けOS「アンドロイド」は、2017年に世界のスマホOSの約85%のシェアを持つようになった。そしてその間の2016年、グーグルは開発方針を、「モバイルファースト」から「AIファースト」に転換している。独自の研究組織「グーグルブレイン」の設立、「グーグルアシスタント」の構築と「グーグルホーム」の発売、自動運転プロジェクトの成果を踏まえた「グーグルX」の開発とウェイモによる自動運転タクシーの商用化、サイドウォークラボによるスマートシティプロジェクトなど、その成果はさまざまな形で

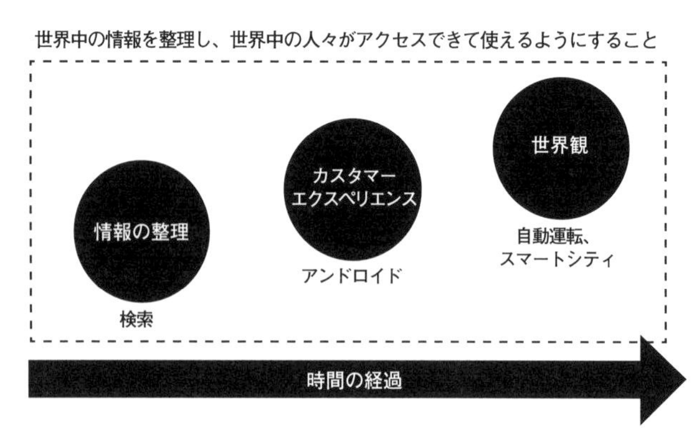


図版4-5：グーグルにおけるミッションの進化（出典：田中）

社会実装されようとしている。AIスピーカーのグーグルホームやビデオ通話アプリのグーグルデュオなど、AIを搭載した製品も多数リリースしている。

こうしたグーグルの事業をまとめるとすれば、「世界の中の膨大な情報やコミュニケーション、行動等をデジタルデータ化し、それらを広告収入で収益化するビジネスモデルやプラットフォームの構築」ということになろうか。なぜならグーグルは、これらの事業を通してオープンプラットフォームとしてのOSを広範囲に展開することによって、顧客との接点を増やすことができ、それを通して新たなサービスを提供することで、広告収入を増やすことができるからである。

マッキントッシュやiMac, Mac Bookなどパーソナルコンピュータで知られていたアップルがプラットフォーム企業としての成功を収める転機になったのは、21世紀の始め、スティーブ・ジョブズがアップルに復帰した後に行われた、ビジネス史上最大のイノベーションであった。ジョブスの復帰から10年の間、アップルは1000億ドル規模の新たなカテゴリーを生み出す製品やサービスを打ち出すことで、世界を揺るがし続けた。iPod、iTunes、アップルストア、iPhone、iPad。このようなものはそれまで存在しなかった。iPodを通して、アップルは携帯音楽プレーヤーを販売しただけでなく、無料でiTunesという管理ソフトを提供し、さらにiTunesを通じて音楽データ配信サービスを提供した。それによりアップルは、「聞きたいときに聞きたい楽曲を買い、それをいつでもどこでも聞ける」という、当時としては画期的なデジタルライフスタイルを提案した。そしてそれは、音楽市場に破壊的イノベーションをもたらしたのである。

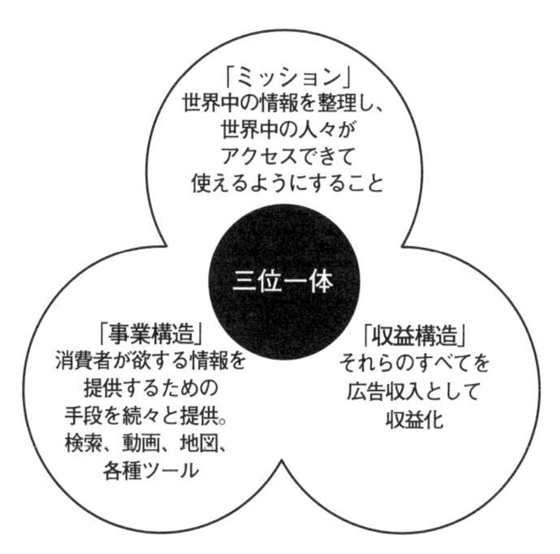


図版4-6：グーグルの「ミッション×事業構造×収益構造」
（出典：田中）

iPhoneが他のスマホと異なることは、iOSを搭載していることである。他社と異なりアップルは、iPhoneという端末だけでなくiOSも押さえており、iPhoneユーザーはアップルが運営する「アップルストア」でアプリをダウンロードすることになる。つまり、アップルはただのスマホメーカーではなく、世界中のアプリ開発者がアプリを提供・販売するためのプラットフォームを構築しているということである。この点で、「端末を売って終わり」のスマホメーカーとはビジネスモデルが全く異なっている。アップルは、iPhoneとiOSによりプラットフォームを構築し、そのプラットフォーム上で、エコシステム（ビジネス生態系）を確立することに成功した。アップルストアでアプリを公開し有料で販売する場合、販売額の三割をアップルに手数料として支払わなければならない。アプリが無料であっても、アプリ内で課金する場合やアプリ内にサブスクリプションを導入する場合は、アップルに一定割合の手数料を支払わなければならない。そしてこのプラットフォーム上には、アプリを開発するデベロッパーが数百万、アプリユーザーは10億人以上も集まっている。

さらに重要なのは、アップルウォッチである。シリーズ4になってからはECG（心電図）計測ができるようになり、事実上「医療機器」と呼べる水準になった。ハードウェア構造が進化し、健康管理、医療管理のウェアラブル機器として、米国FDAから限定的な医療機器としての認可を得た。これまでの「健康管理」から「医療管理」へと変貌したのである。近い将来、アップルウォッチには心電図機能のほか、血圧測定機能、血糖値測定機能までが搭載されていくことだろう。そして、イ

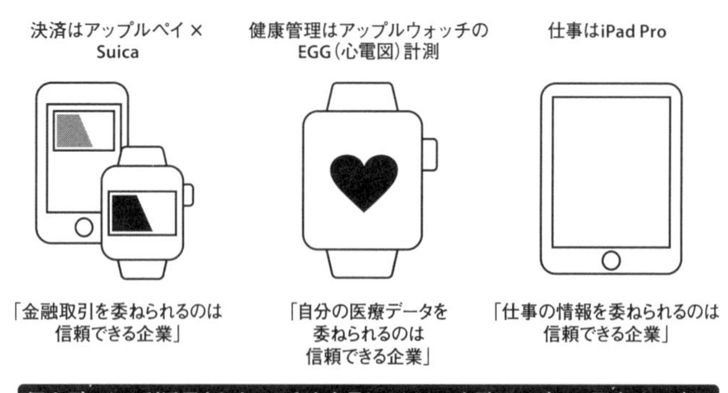


図版4–7：「信用力」に優れたアップル（出典：田中）

ンフラとしてアップルのヘルスケア戦略を支えているのは、スマートヘルスケアのエコシステムとしてのHealthkit（ヘルスキット）である。利用者はすでに公開されている健康管理アプリ「ヘルスケア」で自分のデータをチェックできる。アップルはヘルスケア関連アプリ開発のプラットフォームとして「CareKit」を、ヘルスケア関連のリサーチプラットフォームとして「ReserchKiT」をすでに事業展開しているから、将来的にはこの上に病院のカルテ情報などが蓄えられていくことになるだろう。そしてアップルはこのエコシステムを自社製品のみならず、多くの企業が展開するヘルスケア関連のIoT機器製品群にもオープンプラットフォームとして公開していくのではないか。このように考えると、アップルが米国政府に対し、利用者のプライバシー保護を理由に闘ったのは、国からの要請を逆手にとって、自社がなによりも医療分野のエコシステムやプラットフォームにおいて最も重要なポイントである信頼性や安心感を重視する姿勢を世界にアピールするために、利用したと考えることもできる。

フェイスブックは、言わずと知れたSNSの雄である。当初からのサービスである「フェイスブック」に加え、写真投稿SNSの「インスタグラム」、メッセージアプリの「メッセンジャー」「ワッツアップ」、そしてVRヘッドセットなどを手掛ける「オキュラス」の四つのサービスを提供している。アカウントを持ち、月に一回以上ログインするユーザーは、2018年12月時点で世界に23億2000万人。前年比9%の伸びを示し、世界の中でも群を抜くユーザーをかかえている。

フェイスブックの掲げるミッションは2017年、従来の「making the world more open and connected（世界をよりオープンにし、つなぐ）」から、「give the people the power to build community and bring the world closer together（人々にコミュニティー

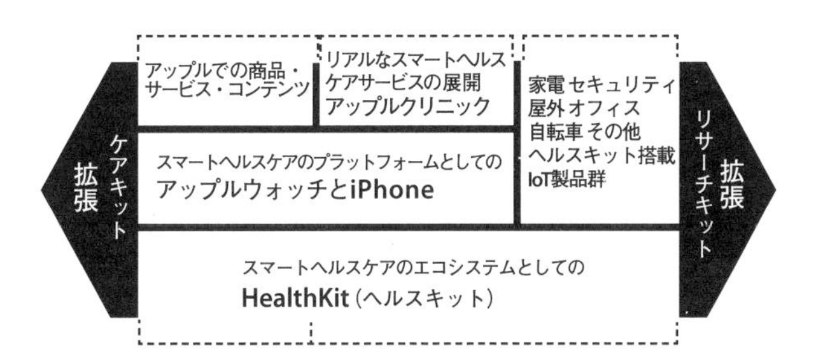


図版4–8：予測される「アップルのヘルスケア戦略」（出典：田中）

を構築する力を提供し、世界のつながりを密にする)」へと「進化」した。これについて、マーク・ザッカーバーグは、「『人と人とのつながりをサポートし、よりオープンでつながった世界を実現する』というこれまでのミッションをさらに進化させ、『ただ繋げるのではなく、人と人がより身近になるような世界を実現することに注力する必要があります』」と述べ、その具体化として、「フェイスブック　グループ」の機能強化を行っている。これは趣味やビジネスなど共通のテーマの下にメンバーを集め、情報を共有したり交流できたりするツールであるが、グループは公開範囲を選択可能で、検索対象となり投稿が誰でも読める「公開グループ」のほか、検索対象にはなるもののメンバーにならないと投稿が読めない「非公開グループ」、そして、検索対象とならずメンバー以外には投稿が非公開の「秘密のグループ」の作成が可能である。フェイスブックはこれらの機能により、緊密なコミュニティーを作るためのツールによって「人々にコミュニティーを構築する力を提供」することを謳っているのである。

確かにフェイスブックは、うまく使えば人間関係を築き育むために、役立てることができよう。そして事実、フェイスブック上では18億6000万人のユーザーが自分のページを作っており、何年分もの価値ある個人的なコンテンツが収められている。人間関係の深さと有意義さは人の幸福感の源だから、フェイスブックは私たちの心、幸福、そして健康にとって大きな意味を持つものになっているともいえる。しかしながら気をつけなければいけないのは、フェイスブック自体が巨大な学習エンジンであり、フェイスブック上で交換・蓄積される情報のすべてを高精度・高解

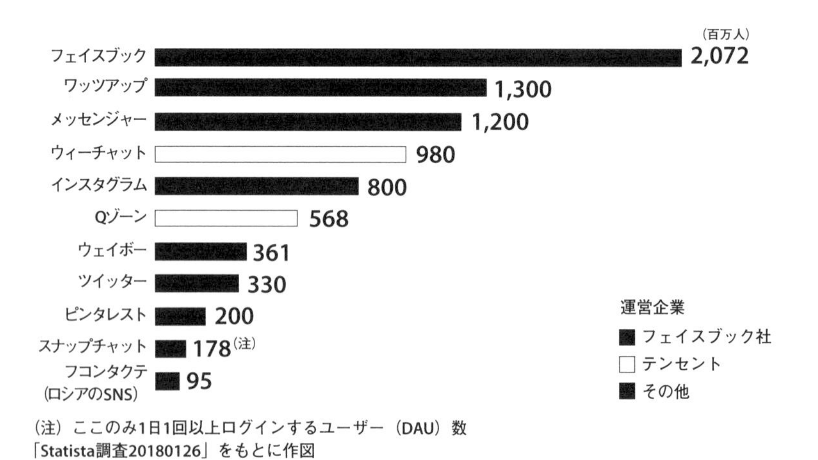


図版4–9：世界の主要なSNSで、月に1回以上ログインするユーザー数(2017.9.17.~12.16.)(出典：田中)

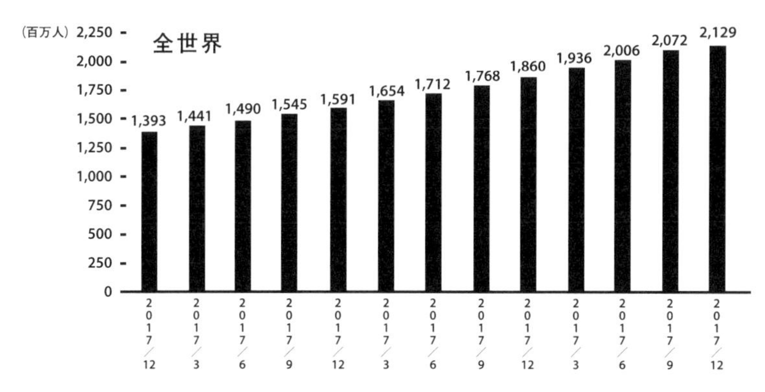


図版4–10：月に1回以上ログインするユーザー数の推移（出典：田中）

像度で分析し、自らのビジネスに活用しているという事実である。

フェイスブックは一般ユーザーにとっては日々接するSNSに過ぎないが、企業や団体にとっては非常に有力なマーケティング・プラットフォームであり、フェイスブックはそのほとんどが、広告収入によって成り立っている会社である。フェイスブックの強みは、規模とターゲティング能力を併せ持っていて、そのアルゴリズムを用いれば、ある特定の小さな集団だけをターゲットにできることだ。何故なら、ユーザーが150件の「いいね」を付ければ、フェイスブックはそのユーザーのことを配偶者より理解でき、これが300件になると、フェイスブックはユーザーのことをユーザー自身よりも理解できるからである。また、ユーザーが人間関係の情報を変更すれば、それで生じた行動上の変化をセンチメント分析にかけ、心の動きを察知することもできる。フェイスブックはこれらの情報を巧みに活用して、いくつものプラットフォームでデータを集めてシェアすることができる。これはフェイスブックが、自社の媒体だけでなく、提携するアプリにも、ユーザーのデータに基づいて最適化された広告を配信できることを意味している。そしてこれこそが、フェイスブックが企業や団体のマーケティング・プラットフォームとして活用される大きな理由であるとともに、グーグルからマーケットシェアを奪っている、大きな理由なのである。

さらにフェイスブックは、機能強化の一環として、サブスクリプション（定期購入）サービスの導入を進めている。これを用いることで、グループ管理者はメンバーに定額課金して有料のコンテンツを提供できるようになる。ゆくゆくはアップルストアのようなプラットフォームとして機能するようになる可能性もある。これは、フェイスブックが、世界中のユーザーの人間関係を基盤とした独自のエコシステム

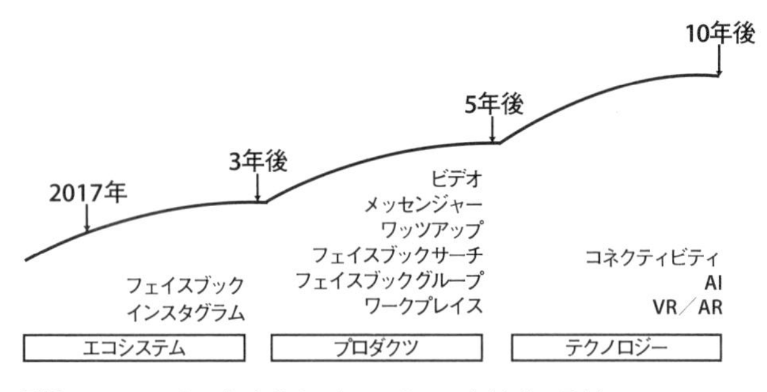


図版4–11：フェイスブック社の10年ロードマップ（出典：田中）

を築き上げることによって、広告収入以外にも収益源を増やそうとする試みと考えることができよう。

さて、アマゾンの創業者ジェフ・ベゾスは、最初のドット・コムブームの時には、コンピュータ・サイエンスの学位を持ち、e コマースの未来を信じる一人の若者に過ぎなかった。まだまだ黎明期で限定した機能しか有していなかったウェブのテクノロジー。1994 年の創業時に、ベゾスは本を商材にすることに決めた。通信速度が遅く解像度も粗い e コマース環境では、見やすくてすぐ見つけられ、在庫となっても価値が下がるリスクがないものを扱うことが、最適だったからである。Web 上に構築したブックレビューの仕組みに宣伝を委ねることで、アマゾンはインターネットが比較的得意としている、仕分けと流通に専念することができた。その後ベゾスは、人々がそれまでネットで買わなかった CD や DVD などを扱うようになり、さらにはアマゾン・マーケットプレイスを導入することで第三者を参入させ、商品を大幅に増やした。売り手は世界最大の e コマースのプラットフォームと顧客ベースにアクセスできるようになり、アマゾンは余分な在庫費用を持つこと無しに、販売機会の少ない多彩なものをも扱うことができるようになった。こうして今では、アマゾンマーケットプレイスの売上げは、アマゾン全体の 40％を占めるまでになっている。

ただし、小売業全体の成長は鈍化しているだけでなく、顧客のブランドへのこだわりが減るに従って、e コマースの領域では顧客獲得のコストが上がり続けている。そして消費者は、マルチ販売チャネルの体験を好むようになった。アマゾンはアマゾン・エコーを普及させることによって、消費者の私生活や消費者の願望についてのデータを収集･AI を使って分析し（アマゾンは、アマゾン･ウェブサービス（AWS）を展開する、世界最大のクラウド企業でもある）、アマゾン・ゴーを展開すること

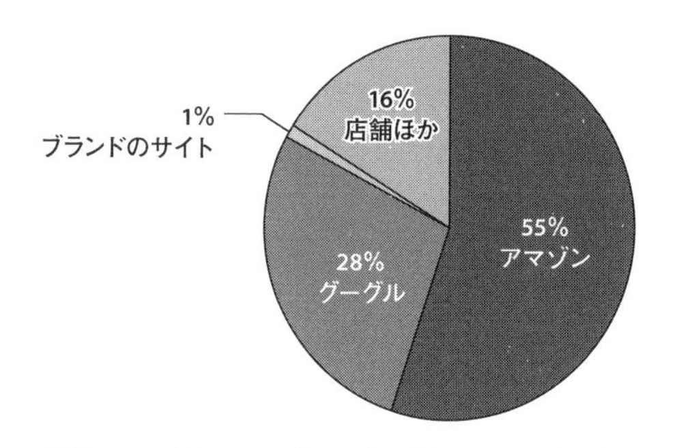


図版4–12：商品について調べる際に最初に用いる手段（2016年）（出典：ギャロウェイ）

でレジ待ちをすることなく買い物をする体験を提供し、フルフィルメント・バイ・アマゾン（FBA）によって史上最強の物流インフラストラクチャを構築。e コマースではアマゾン・プライムを展開することによって、安定的な収入を確保しようとしている。小売業業界で世界制覇を成し遂げるために、強力なマルチチャンネル販売組織を構築することが必要不可欠な戦略と判断し、着実に実行しているのである。

## 第 3 節　GAFA の方法論の到達点と限界

インターネットが普及し始めた頃、HP にアクセスした際に画面に表示される広告のバナーや、次々にウインドウが現れるポップアップ広告に、悩まされなかった人はいなかったに違いない。当時のウェブ広告のほとんどは押しつけがましく、中には無礼なものまであったからある。グーグルは「検索連動型広告モデル」を構築することで、従来の方法の問題点を解消し、新たなビジネスモデルを確立しようとした。そして、ユーザーを有害広告や詐欺まがいの料金請求などから守ろうと考えた。

ラリー・ペイジは、個々のユーザーの検索パターンから導き出した情報から、ユーザーに歓迎される情報を探り出し、「ユーザーが見たいと思う情報」にあわせて広告を提供することによって、無秩序状態だった広告ビジネスを改善しようとした。その目標を達成するために、グーグルは広告を「スポンサーから提供されたリンク」と表記し、ユーザーがクリックした回数から判断して成功だと思われるものだけを有料とした。また、同様の基準で広告の有効性と品質を評価し、十分なクリック数に到達しなかった広告を排除して、広告主に広告内容を改善させたのである。これによって広告は、ユーザーが戦うべき相手から、ユーザーに求められる存在に変わったかのように見えた。

ただし、スマートフォンやモバイル機器などによってデバイスの普及と分散化が進む一方で、巨大IT企業群による中央集権化が進んだことを、看過してはならない。本人認証から個人情報の管理までが中央集権的な仕組みによって行われ、個人情報がタダ同然で吸い上げられてマネタイズの道具にされ、巨大企業の糧となった。さまざまな機器を通してユーザーから無料で得た個人情報やコンテンツは、プラットフォーム企業に莫大な利益をもたらしている。ユーザーの個人情報、趣味嗜好を握り、それらをテクノロジーによって活用する巨大IT企業群に大量の資金が流れ込むからであり、その資金がさらにテクノロジーを発展させるからである。その結果、先述したGAFAと呼ばれる巨大プラットフォーム企業が誕生した。このような形での資本主義とテクノロジーの結合により世界中にデータセンターを作り、物流網を備えることで、世界中の消費者は品質の高いデバイスをより早く手にすることができるようになった。その意味で消費者は、GAFAのサービスや製品によって利益を享受しているといえるが、まさにそのこと自体による弊害も明らかになってきている。

その第一は、プラットフォーム企業の水平展開が、スタートアップ企業やライバル企業を買収あるいは駆逐していくことである。GAFAはそれぞれ、当初のビジネスにとどまることなく、さまざまなサービスを買収することで、広大なプラットフォームを構築し、肥大化している。デジタル上においては、「ネットワーク効果」により、勝者がますます勝者になりやすい。サービスやプロダクトとのユーザー数が増えることで、さらに価値が増していくという環境の下では、ある時点から寡占的な状況が生まれやすい。そしてGAFAは、まさに「ウィナー・テイクス・オール」を体現しているといえる。

そしてこの構造は、「テクノクラティック・エリート」といわれる層を生み出した。

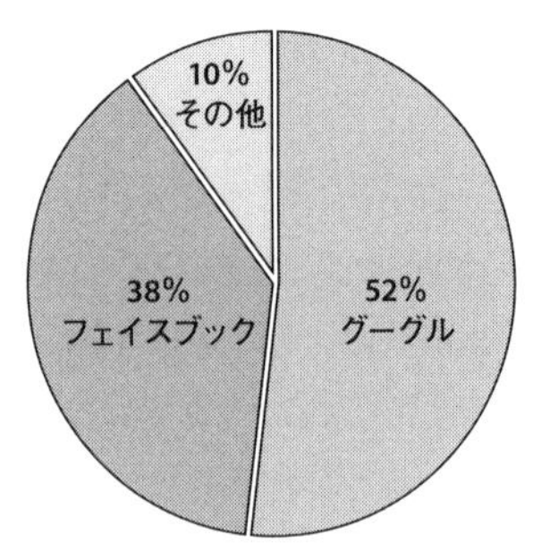


図版4-13：デジタル広告の収益増加に占める役割
（2016年）（出典：ギャロウェイ）

これは一種の「テクノクラシー」である。テクノクラシーとは、テクノロジーを理解した専門家が、資本家や政治家に代わって社会を支配と管理で導くという考え方だが、グーグルのページランクというアルゴリズムは、それを体現している。ページランクは検索結果についての価値基準を示している。それが意味するところは、「ページランクが低い企業はテクノクラティック視点からすれば価値がなく、どれだけ社会的に優れたことを行っていても、ウェブでPR活動していなければ価値はほぼゼロ」ということだ。価値を上げたいのであればページランクのテクノロジーを受け入れ、その原理を知り、ランキングを上げるために努力しなければならない。そのためにはSEM（検索エンジンマーケティング）を活用する必要があるのだが、グーグルはそこに課金する。つまりユーザーは常にグーグルの掌中にあり、すべてはグーグルの思惑通りになるということだ。

そしてプラットフォーム企業は、世界のお金の分布を大きく変えた。事実上のテクノクラシーによって、世界のカネの流れは大きく変化した。2018年の時価総額ランキングの上位は、GAFAと中国のプラットフォーム企業、アメリカの金融会社で占められている。高額の報酬を得られるのは一部の優秀なエンジニアやマネージャー（テクノクラティック・エリート層）、そしてプラットフォーム企業に初期から関わっていたシェアホルダーだけである。彼らはますます富み、潤沢な資金を利用してロビー活動を行い、政治家を動かして自らに有利なルールをつくっていくが、それ以外でプラットフォームに関わる人が得られるのは、わずかな賃金と不安定な生活にすぎない。コンピュータやインターネットが登場した頃、人々はテクノロジーによって生産性が向上し、人間はもっと余暇を楽しめるようになると期待した。しかし今では、テクノロジーはますます人間を忙しくさせ、息苦しくさえさせているようにみえる。

さて、ウィンドウズやアンドロイドといったOSでは、JavaScriptが動いている。このスクリプトはウェブページにCookieを設定する機能を搭載しており、これによってターゲット広告やウェブ侵入型のユーザー・トラッキングを行うことができる。Cookieはウェブサイトに関する情報をコンピュータ上に記憶し、記憶したサイトから、記憶先のCookieを制御できる。我々はCookieがアクセス情報を記憶してくれるおかげで、ユーザー名やパスワードを改めて入力しなくても、いったん離れたサイトへ再び戻ることができる。しかし、Cookieは便利であるとともに危険でもある。インターネット接続中のコンピュータにマルウェアを仕込むというような、不正なサイトに使われることがあるからだ。

そしてJavaScriptを採用しているグーグルが、「邪悪になってはいけない」を社是

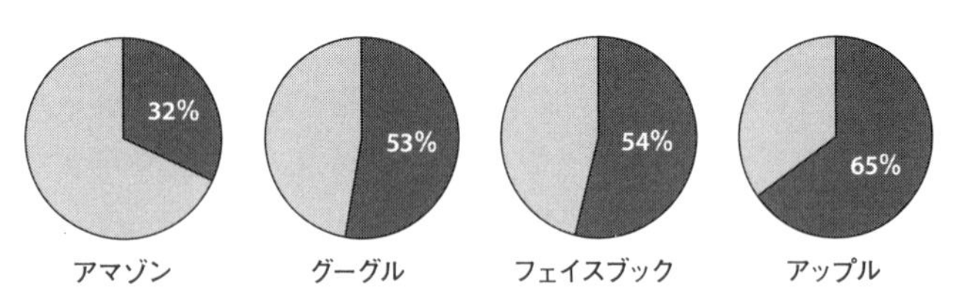


図版4–14：アメリカ以外の国で上げた収益の割合（2016年）（出典：ギャロウェイ）

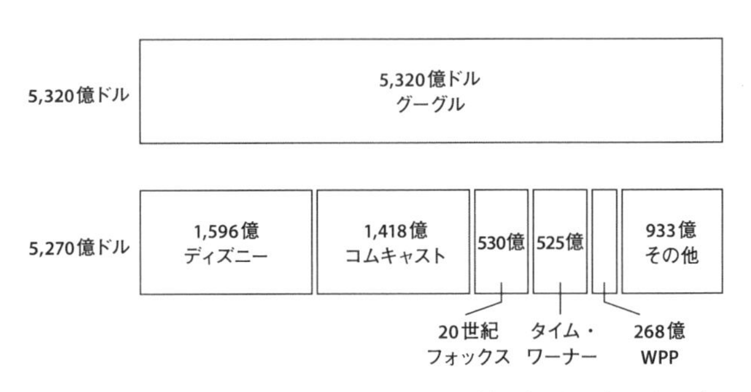


図版4–15：メディア企業の時価総額（2016年2月現在）（出典：ギャロウェイ）

から外したことは、非常に重要な出来事だった。これはグーグルがセキュリティ問題を放棄したと理解できるからだ。グーグルの無料サービスの最も重大な影響は、顧客に対する責任の回避ではなく、セキュリティ問題からの回避である。無料のものをわざわざ盗もうとする人はいないので、巨大生産ラインが無料なら、ハッカーや泥棒から守る必要も、安定した状態を維持する必要もないということである。

グーグル、アップル、フェイスブック、アマゾンなどのプラットフォーム企業は、ユーザーを囲い込んだセグメントの中で個人情報の収集を進めて、ファイアウォールと暗号化によってデータを保護していたものの、しばらくしてデータの集中管理の危険に気が付いた。重要なデータの管理場所をハッカーに知られることで、インターネット自体が危険にさらされることになっていたのである。これらの企業は囲い込んだ顧客に対し、万全の対策を行っているかのように振る舞ったが、これがセキュリティの向上につながることはなかった。こうして、インターネットは穴だらけの、信頼を喪失したスキームと化したのである。

インターネットのセキュリティが甘ければ、財産権やプライバシーを保護することも、安全で効率のよい取引を提供することも、マイクロペイメント（少額決済）によるスパムの阻止も、そして信頼性の高いID情報も確立することもできない。

グーグル、フェイスブック、アマゾン、アップルなどの企業は、ユーザーが自由に利用できる「安全な空間」を独自に設け、ユーザー同士が「安全な空間」の中で商取引ができるようにしようとした。現在では、オンラインサービスを頻繁に利用すれば、ユーザー情報が「データサイロ」に閉じ込められる。したがって、例えばフェイスブック、ヤフー、グーグルなどの企業が独自に認識し、保存しているデータは、同じユーザーの情報であっても、相互利用はできない。しかしそうしたデータの集中管理、データサイロはハッキングを避けられない。実際、ヤフーからは、5億人分のユーザー情報が流出しているといわれている。

インターネットのユーザーはプライバシーを侵害されて、マルウェアも増える一方である。望みもしない広告のダウンロードに高額の料金を払わされ、接続速度の低下に悩まされる。コンテンツ・パブリッシャーが数十億もの収益を失う一方、詐欺の件数は急増している。さらに広告主は、広告効果を把握できず、ターゲットの設定も十分にできていない。こうしたインターネットの危機的状況は、ブレイブ・ソフトウェアが2017年の3月に発表したホワイトペーパーに簡潔にまとめられている。現在のインターネットは勝者総取りの状況で、利益の99%がグーグルとフェイスブックに流れている。ウェブサイト、書籍、ゲーム、音楽の違いを問わず、コンテンツ・パブリッシャーに残るのは、たった1%である。さらに、インターネットには詐欺も横行している。2016年には、インターネット・ボットによって、広告主が総額で72億ドルの被害を受けている。また、インターネットのユーザーを欺く広告型マルウェアは、前年度比で132%も増加している。この事実に矛盾を感じない人はいないのではなかろうか。グーグルの広告システムによりユーザーはロードタイムの遅さに不満を感じ、不要な広告に周波数帯域が使われ、パブリッシャーの利益も奪われている。しかも、十分なセキュリティが保障されているわけではない。

グーグルは、無料サービスへのこだわりと限界費用ゼロ社会という発想によって、コンピュータ処理をデータセンターへ集約することには成功した。「無料」サービスへのこだわりによって、これまでにない規模のデータが集まっている。しかし、ユーザーは、相応の「お金」を支払う代わりに、見たくもない動画が画面にチラチラ出現したり、閉じるまで広告を見させられたり、情報という費用を払ったりしている。グーグルの基本原則の中で、「価格がゼロ」というのは何よりも無害に思える。しかしユーザーは、お金ではなく時間という希少な財と自らのプライバシーを犠牲にすることを強要されているのである。

そしてグーグルの内包する本質的な問題は、彼らをトップ企業に押し上げた、ページランクというシステムそのものにある。グーグルの検索エンジンは、ウェブ全体をマルコフ連鎖とみなすことで、特定のページがユーザーを満足させる確率を把握する。グーグルの基盤となるアルゴリズム「ページランク」は、マルコフ連鎖を積極的に活用して、インターネット全体でペタバイトレベルのデータを網羅しているが、マルコフモデルでは、世界はある状態と別の状態が「遷移確率」でつながっているものと想定している。これは、「一つの出来事が、もう一つの出来事にどのようにつながるのか」を検証するには、ある状態から別の状態へ移行する確率の推移を、時系列でたどればよい、という考え方である。そしてこのモデルの最大の特徴は「記憶が不要」とする点だ。つまりマルコフモデルは、「過去の履歴は現在に集約されており、過去の経緯とは全く関係がない」と想定する。そしてまさにこのことにより、グーグルはコンピュータ処理のプロセスを簡略化することができた。階層型マルコフモデルを使えば、音楽からニューラルネットワークツリー、単語からフレーズや意味、現実のモデルなど、さまざまなレベルの抽出が可能となる。アマゾンやフェイスブックなど、クラウドを導入しているすべての大企業は、マルコフモデルで試行錯誤を繰り返しながら顧客の意見を読み取ることで、次の行動を予測している。マルコフモデルを使ったシステムにおいては、人間の努力と能力によって生み出された情報さえあれば、人間の意図や目的を無視できるからである。このアプローチのおかげで、アナリストたちは、人間の意図や計画を解明したり、出来事と出来事の論理的つながりを究明したりする負担から、解放されたのである。

このように考えれば、グーグルの進化のアイデアは、技術的展望から生まれているといえる。しかし、コンピュータは「決定論的」であるのに対して、人間は「創造的」である。そしてマルコフ連鎖もまた、確率論的なロジックを組み込んではいるものの、決定論的な方法であることに違いはない。そして決定論的な思考からは、真の創造性が産まれることはない。事実、グーグルのシステムを支えるビッグデータは、これまでのようには収益を生み出せなくなっているともいわれる。コンピュータには、創造力と意志によって意図的に準備された情報のパターンと、ランダムなデータのパターンとの見分けがつかない。つまり、既存のアルゴリズムを用いたコンピュータによるランダムパターン解析では、新しい知識を見いだすことはできないし、ましてやそれを生み出すことなどできはしないということである。

これは、ライフスタイルと価値観が多様化し、イノベーションの常態化によりマーケットだけでなく産業の在り方そのものが急激に変化する今日において、意味や価値そして過去からの経緯についての情報だけでなく人間に特有な創造性までをも捨象した方法論が、限界を迎えていることを意味している。我々は従来プラットフォームが採用してきた情報通信技術と情報処理の方法論を超えた新しい技術そして方法論を、社会実装すべき時を迎えているのである。

## 第4節　情報技術のイノベーションと「After GAFA」の世界

先に見たように、現時点でのインターネットのアーキテクチャーは、IDや財産権を確立するプロトコルなどのシステムの基盤が、脆弱になっている。これらの基本的なデータ構造が侵入しやすく穴だらけとなれば、資金と権力はトップへと吸い上げられていくことになる。そして、グローバルなコピーマシンと化しているインターネットには、独自性、事実、真実、タイムスタンプ、基盤としての役割、アイデンティティの確立を期待することは難しい。インターネットの世界に蔓延するフェイクニュースやフィッシング詐欺の広がりは、現実世界の虚々実々をより増幅させて展開しているようだ。こうした情報環境が放置されれば、インターネットはますます信頼性を失っていくことになる。デバイスの分散化が進む一方で、巨大IT企業群による中央集権化が進み、web上のあらゆる処理のために、巨大なデータセンターに集約されたクラウド上のCPUパワー、そしてストレージが用いられ、本人であるかどうかの認証にもクラウドが使われてきたことが、その原因である。そしてグーグルをはじめとするプラットフォーム企業が、先に見たような「セキュリティの脆弱性」「人を集めて広告を見せるビジネスモデル」「無料へのこだわり」「顧客データの縦割り」「人工知能のビジョン」を維持し続ければ、この傾向が止まることはない。インターネットの危険な先行きを打開し、信頼と真実の新たな仕組みを作り出すためには、書き換えのできないデータベースに代表される、信頼性を保障するシステムが必要だ。そもそも、巨大企業によって個人情報がタダ同然で吸い上げられ、マネタイズの道具にされ、巨大企業の売上げになっていく状態を放置するのは、理不尽である。

さて、グーグルによる世界システムは、人間の意識よりも物理環境、人間の知性よりも人工知能、人間の学習よりも機械学習、真実の追究よりも相対主義的な研究、創造よりも模倣、階層的世界で人間に力を授けることよりも、フラットな宇宙で人間の階層を展開することを重視している。人間の頭脳ではなく機械の優位性を探し求めている。それは、階層的マルコフ連鎖モデルにもとづいて、個々のユーザーに最適と判断された広告を、自社の持つ全てのプラットフォームを通して、プッシュ型で配信するという方法そのものに、如実に示されている。グーグルの世界では、世界各国の人々と交流する際にグーグルのサーバーに閉じ込められ、何段階も仲介者や第三者が介在する状態を、ユーザーが自分の意志で避けることはできない。すなわち、ハードウェア的にも、データ的にも、アルゴリズム的にも、ユーザーが主体的に行動を選択することは、困難なのである。本来、コンピュータは人間の生活を豊かにするものだったはずなのだが、プラットフォーマーの下では、ユーザー自身は自由に振る舞っているように感じていても、実は「釈迦の掌の中の孫悟空」よろしく、プライバシー情報を握られ、提示された広告を閲覧するための時間を割かれ、設定されたアルゴリズムの範囲で行動させられているに過ぎない。

こうした事態を変えるためには、分散型のシステムを構築し、インターネットの信頼性を担保するとともに、個人が自らの情報を自分自身で管理できるようにする。さらには、単に情報を守るだけでなく、自ら情報を活用し、そこからの利益を情報の主である個人も享受できるようにすることが望ましい。

新しい世界システムは、コンピュータやアルゴリズム中心の発想を反転させ、創造の素晴らしさを賞賛しなければならない。具体的には、頭脳によって物質を超えること、人間の意識によって機械装置を超えること、本当の知性によって単なるアルゴリズム探索を超えること、目的のある学習によって知性のない進化を超えること、真実によって偶然を超えること、などである。そうすることによってこそ、コンピュータ科学の世界も、コンピュータによる成果を探求するのではなく、信頼やセキュリティというコンピュータの根源的価値を提供することができる。そして今や、大勢のエンジニアや起業家が、「グーグルの世界」を超越する新たなシステムを考案し、社会実装に向けた事業が進んでいる。

ヴィタリック・ブテリンは、無制限のスマートコントラクトが可能な、セキュリティと身元確認の基盤となり得る、新しいブロックチェーンを開発している。彼がこの計画を実現するために考案したのが、新しいプログラミング言語 Solidity、通貨イーサ、フレキシブルで容量が大きいブロックチェーンのイーサリアムである。イーサリアムが驚異的なのは、インターネットが孕んでいた多岐にわたる課題をほぼすべてにおいて完璧に解決している点である。イーサリアムは、新しいグローバルなコンピュータプラットフォームであり、新しいスマートコントラクトや組織のために、新しいソフトウェア言語や一定のエネルギー単位に基づく価値指標を持つ新しい通貨を取り入れ、資金集めの新たなビジネスモデルを構築することができる。

そしてムニーブ・アリとライアン・シーは、インターネット向けの安全なプロトコル層の開発というネットワークの基盤に関わる問題を解決するために、ブロックスタックの開発を行っている。これにより、ユーザーの個人情報、資金、権限、財産は、上層のアプリに集約されることなく、ユーザー自身が管理できるようになる。

ブロックスタックの開発チームは､従来のネットワークを再構築して､エントロピーの低い基盤を作ろうとした。アリによれば、「非中央集権型のユーザー認証システムを導入すれば、ユーザーを識別する情報がブロックチェーンに格納され、本人による管理が可能になる。しかも、その識別情報は、どのようなサイトでも認証に利用できる」。そして､ブロックチェーンを利用すれば､識別情報が自動的に提供され、ウェブサイトにログインできるという。

ブロックスタック開発チームは、グーグルのネットワーク・モデルに対抗し、インターネットを再び分散型のネットワークに戻そうとしていた。そのために彼らは、インターネットのシステムを「モノリス」(ブロックチェーンの下にある予測可能なキャリア)と「メタヴァース」(ユーザーの上にある独創的で驚異的なオペレーション)という二つの重要なシステムに分けようとした。そうすれば、インターネットは創造性の宝庫になるからである。ブロックスタックは、セキュリティが厳しく作成後に変更できないデータベースをブロックチェーン上に設け、重要なIDや個人情報やポインターを､そのデータベース内のアドレスに保存できるようにしている。ブロックスタックがDNSをブロックチェーンに移せば、インターネット上の脆弱性という重大な欠点を排除できる。ブロックチェーンの台帳を通じてさまざまな識別名にタイムスタンプをつけたり、書き換えできない状態で保存したり、全ノードに分散させたりできるからである。

ブロックスタックが提供するのは、現金より優れた交換手段である。これを用いることでユーザーは、個人情報を守れるだけでなく、必要に応じてプルーフ･オブ･コンプライアンス(誤報性の証明)を行うことができる。ブロックスタックのユーザーの利点は、匿名で取引できることだけではない。政府から実態に合わない税金を課された場合や、企業から料金を誤って請求された場合には、行動記録を証拠に間違いを指摘することも可能となる。これらのことからも分かるように、ブロックスタックによる仮想通貨は、セキュリティと認証を組み合わせることによって、従来の貨幣の抜本的な改善を実現することができる。

こうした分散型コンピューティングがもたらす世界観は「Web3.0」と呼ばれる。これまでウェブは､「リード」から「リード+ライト」に変化してきた。Web1.0はリードオンリー、Web2.0ではリード・ライト、そしてWeb3.0はリード・ライト・トラストへと変化する、というわけだ。Web3.0のキーワードは、まさに現在のインターネットに欠如している「信頼(トラスト)」だが、この世界観は、イーサリアムやその他の多くのブロックチェーンのみによって実現されるわけではない。その実現のためには、分散型のファイル共有とそれを実現する技術や、ノンファンジブルトークンなどの新しい考え方、そして全く新しいブラウザであるブレイブ（Brave）などさまざまな技術が必要となる。

ブレイブは、ブレンダン・アイクが立ち上げた、全く新しいブラウザである。このブラウザは、クロームとは異なり、「ユーザーのデータはユーザー自身のものであり、自分自身のデータの価格を自分で決められる」という考え方に基づいて作られている。そう、グーグルではAIがユーザーを支配するが、ブレイブでは、ユーザーこそがマシンの主であり、ユーザー自身がマシンを支配することになる。例えば、グーグルではAIが広告をプッシュ型で提供するのに対し、ブレイブの広告には優良情報があふれ、自分の欲しいものや必要ものを最も効率的に手に入れることが可能となる。これまで見てきたように、グーグルやフェイスブックはユーザーの個性を無視し統計的な推論に基づいた情報を押しつける。しかしブレイブが実現するグーグル後の世界では、独自性と個人の選択が前提になるはずである。

アイクはさらに、非中央集権的でオープンソースの効率的なプラットフォーム、イーサリアムのブロックチェーンに基づいた新しく精巧なデジタル広告プラットフォームを構築している。アイクが構築したシステムは透明性が高く、ユーザーの個人情報を保護すると同時に、広告代理店を排除できる。配信される広告の数は減少し、ユーザー本人が本当に望んでいる広告だけが表示されるようになる。それによって、無駄な広告を作成する費用も、通信に必要なコストも、閲覧に必要な時間も不要になるから、プラットフォーム企業以外のすべてのステークホルダーにとって、プラスの効果が生じることが期待できるのである。

そして5Gは、データ通信速度を飛躍的に高速化すると同時に、データビットあたりのコストを10分の1まで削減できる。これにより、IoTに対応した新しいセキュリティシステム、仮想通貨が支える新しい経済のブロックチェーン台帳、インターネット上でのコミュニケーションを進化させる拡張型の仮想現実プラットフォームが実現する。光ファイバーケーブルを合わせ活用して、世界全体で数十億人が持つというコンピュータの未使用リソースをブロックチェーンでつなぐことができれば、超高性能の仮想のスーパーコンピュータを作り上げることもできる。OTOYはその雛形になる、ブロックチェーンを使ったスーパーコンピュータの商品化を進めているという。それが実現すれば、グローバルな並列処理を実現するサービス、いわゆるスカイ・コンピューティングが実現する日も近いだろう。これにより実現される計算機環境は、たかだか数十万台のサーバだけで運用されているグーグルのシステムをはるかに超える計算能力を持ちながらも、クラウドのように大量の電力を消費する強力な冷却システムを用意する必要がない。加えて、これまでプラットフォーム企業の巨大なデータセンターに閉じ込められていたデータを、安全な形で世界中に分散することができる。これはすなわち、ブロックチェーンが実現する信頼とセキュリティを備えたシステムが、セキュリティが脆弱で信頼性を欠いたプラットフォーム企業のデータサイロから全てのユーザーのデータを解放する世界が、実現できることを意味している。

ブックチェーンにはさまざまな情報を格納することができるため、デジタル著作権の処理システムも組み込むことが可能である。例えば3Dデータ・映像データの加工を行う場合、そのプロセスで映像の状態が変化するが、著作権者の証明や再編集権の確認など、知的財産権に関わる手続きを任せることも可能になる。そのような環境が整えば、ユーザーは特別なハードウェアを持っていなくても、より少ない時間・より少ない労力で、これまで以上の仕事を行えるようになるだろう。

情報技術の領域におけるこうしたイノベーションは、必然的に、既存のプラットフォーム企業の競争優位を根底から揺るがすことになる。そして我々は今、それが社会実装された「After GAFA」の時代、「自分自身で自分自身のデータを管理し、運用する責任を担う時代」をどう生きるかを、問われているのである。

## 第4章　注

プラットフォーマーの台頭と、パイプラインの駆逐については主として（Geoffrey、2018）に、GAFAについては主として（Galloway、2017）に、プラットフォームとパイプラインについての解説は（渡部典子、2018）に掲載された妹尾堅一郎の解説に拠っている。インターネットの中央集権化・GAFA後の世界についての記述は、（Gilder、2019）、（Tapscott、2016）（鈴木裕人・三ツ谷 翔太、2018）（小林弘人、2020）に拠っている。本章はこれらの著作によって示された理論・概念・データに基づくものであり、それらについて検討・考察を加えたのち、情報社会学教育のリデザインという観点から再構築したものである。

第５章

# ビジネスモデル・イノベーション

## 第１節　ビジネスモデルと製造業の盛衰

（三谷、2014）によれば、ビジネスとはとどのつまりは「誰に対してある価値を、どこからか何かを調達・創造し、提供し、対価を得るもの」であり、その組み合わせ（セット）のことを「ビジネスモデル」という。先に、iPodをはじめとしたアップルの製品群によって、音楽業界が様変わりしてしまったことについて取り上げたが、ビジネスモデルによって、経営や事業が左右されるのは、いわゆるIT関連企業だけではない。

例えば1903年に設立されたフォードモーターズ。言わずと知れた、アメリカに大衆車を普及させた、一大自動車メーカーである。フォードが1908年に発売したモデルＴは、競合メーカーの自動車よりも故障しにくい上に何割も安く、年々値下げして、1925年には世帯年収の８分の１で買える大衆の足となった。これによりアメリカでは、土地の安い郊外の一戸建てに住んで都市や工場に通う「豊かな大衆」が出現したのである。

ここで注目すべきは、フォードはクルマの大衆化のために、生産システム・販売システムのための「時間分析・動作分析」「作業の標準化・マニュアル化」「徹底し

| | 1期 | 2期 | 3期 |
|---|---|---|---|
| 時期 | 創生期<br>第2章（～1969）<br>変革期<br>第3章（1970～90） | 創造期<br>第4章（1991～2001） | 巨人と小チーム<br>第5章（2002～2014） |
| 各章での事例 | 「三井越後屋」<br>大規模チェーンストア<br>垂直モデル／分散モデル<br>替え刃モデル<br>広告モデル<br>従量制課金モデル<br>多産多死モデル<br>「ミニコピア」<br>リーン生産方式／系列<br>ドミナントモデル<br>コンビニエンスストア<br>水平分業モデル<br>プラットフォームモデル<br>eマーケットプレイス | ダイレクトモデル<br>SPAモデル<br>「ポータル」「検索語広告」<br>C2C eマーケットプレイス<br>B2B eマーケットプレイス<br>ワンストップ／ロングテール | フリーミアム<br>個人向け大フリーミアム<br>ソーシャルネットワーク<br>ソーシャルゲーム<br>オムニ・チャネル<br>オープン・イノベーション<br>ジョブズの“再発明”<br>知財専業サービス<br>超分散ネットワークモデル |

図版5–1：「ビジネスモデル革新」の歴史（出典：三谷）

た分業化」「流れ作業」で特徴付けられる生産システムを用いたことである。熟練工が一人で担っていた作業は、何十・何百もの単純作業に分割され、それをベルトコンベア等がつないだ。部品も簡素化・規格化され、専用機械の開発・採用でばらつきがなくなった。フォードはこれにより、能率的な大量生産システムを確立したのである。さらにフォードは、フランチャイズ方式により、自前の販売・サービス網を全米に広げていった。補修パーツ倉庫を全米各地に設置して修理効率を高め、消費者からの絶大な信頼を勝ち取っていった。T型フォードの販売数が激増し、原材料・部品メーカーが対応できなくなると、原材料から部品をつくる工場を建設。さらに、炭田や鉄鉱石、珪石採石場、森林も買収し、製材工場も作り上げ、工場内には発電所まで作った。こうしてフォードは、できるだけ多くの機能を自社で内製化する、垂直統合モデルを実現した。しかしそれは、T型フォードを作り上げることに特化しすぎたモデルであり、クルマのモデルチェンジにさえ柔軟な対応ができない、硬直化したものであった。

これに対してゼネラルモーターズ（GM）は、商品の多ブランド化とファッション化を推し進めた。消費者、特に富裕層が、デザインが単調なT型フォードに飽き足らなくなっていることを見抜き、毎年商品をモデルチェンジして大量の広告宣伝を打ちそれまでの車を「時代遅れ」にする、計画的陳腐化というマーケティング手法を取り入れたのである。そのために、開発・生産様式、広告宣伝・販売方式、そして自社組織までもを、大きく変更した。車の外観デザインを専門のデザイナーが行い車のファッション化を進める一方、部品製造では「汎用機械」「共通部品」を用いることで多品種生産・モデルチェンジに対応できるようにした。販売では、今ではあたり前になっている「中古車下取り」や「割賦販売」を導入し、広告宣伝

| | フォード | GM |
|---|---|---|
| 顧客 | 中間層 | 中間層から富裕層 |
| 提供価値 | 質実剛健<br>単ブランド単モデル | 多ブランド多モデル<br>ファッション性<br>（毎年モデルチェンジ） |
| 収益の仕組み | 低コスト低価格 | コスト価格は多様<br>金融収入 |
| ケイパビリティ | 垂直統合モデル | 事業部制による<br>分散統治モデル |
| | 分業による大量生産方式 | 同左 |

図版5-2：フォードとGMのビジネスモデル比較（1930年代）（出典：三谷）

では、毎年のモデルチェンジを社会的イベントにすることで、消費者の買い換えを促進したのである。GM の経営で特徴なのは事業部制の導入であり、事業体を管理するための財務管理と市場調査であった。財務的にはセールスポイントの標準化と投資収益率を中心とした事業の評価基準を作り、市場調査では全米各州の月別登録台数の調査を始め、消費者調査も頻繁に行う。これらのデータにより、本社は各事業体の幹部たちを評価し、資源や報酬を配分する。こうした経営手法により、GM は世界恐慌からもいち早く立ち直ることができ、以降 30 年間、米国市場シェアの 50% を占める世界最強の自動車会社となった。フォードの覇権は、時代の変化に対応できないまま、ついに GM の前に崩壊することになる。

さて次に、技術革新に基づくビジネスモデルの革新が、業界の寡占状態を覆した興味深い例として、複写機における事例を挙げることにしよう。

1906 年に創業したゼロックスは、写真の印刷機を製造していたのだが、1940 年代に入ると事業継続の危機に陥っていた。そこで、オフセット印刷機ビジネスを経て、普通紙複写機ビジネスに進出する。その際ゼロックスが採用したのが、当時では全く新しいビジネスモデルである「従量制課金モデル」だった。ゼロックスのコピー機は非常に高価で「売り切り」方式ではビジネス展開が困難であり、「普通紙」を用いることから消耗品の販売で資金を回収することも難しかったからである。ここで重要なのは、「従量制課金モデル」を採用することにより、ゼロックスは単なるメーカーではなく、複写サービスを提供する企業へと転換した、ということである。

ゼロックスは複写枚数の多い大企業と官公庁を顧客とし、圧倒的な高収益を達成した。競合他社はゼロックスが持つ 1100 件以上の特許と、質の高いサービスを真似することができなかった。「顧客と提供価値」「収益の仕組み」「ビジネス・ケイパビリティ」の全てを変えることで、ゼロックスは長い間、圧倒的競争力を維持し

| | 湿式複写機メーカー | | Xerox |
|---|---|---|---|
| 顧客 | 全企業 | → | 大企業・官公庁のみ |
| 提供価値 | ― | → | 扱いが簡単・退職しない<br>使っただけ払う |
| 収益の仕組み | 替え刃モデル<br>本体は安く（300ドル）<br>複写紙で儲ける | → | 従量制課金モデル<br>コピー利用のサービス化 |
| ケイパビリティ | 技術は購入 | → | 技術特許（1100件）<br>サービス網・資金力 |

図版5–3：湿式の競合に挑んだ乾式ゼロックス（出典：三谷）

ていた。小型のデスクトップ複写機やカラーコピー機もヒットし、レーザープリンターの発明も行うなど、その覇権を脅かすことは不可能と思われていた。しかし、ある技術の開発により、その優位性は脆くも崩れ落ちることになる。キヤノンはゼロックスの特許を徹底的に研究し、その内容と権利範囲を把握。それをくぐり抜けて超越する技術「NP 方式」を開発した。その成果は 1982 年発売の「ミニコピア PC–10」に結実する。キヤノンは「顧客と提供価値」「収益の仕組み」「ビジネス・ケイパビリティ」の全てにおいて、ゼロックスや自社の先行商品を超えた。商品を安くして、故障しない・してもメンテナンスが簡単な商品をつくれば、中小企業や事業所、個人が使ってくれるはず。そうした考え方に基づいて、それまでコピー機に内蔵されていた感光ドラムなどの主要部品をカートリッジにして、「修理する主要部品」から「取り替える消耗品」に変えた。製品の品質基準を変えて信頼性を 10 ポイント以上あげて、本体を安めにして売り切りにし、最も重要なパーツであるカートリッジを高めの価格に設定して、消耗品で儲けるビジネスモデルを採用した。これによって、ミニコピアシリーズは大ヒット商品となり、複写機はパーソナルな事務機に変わったのである。

1970 年代、キヤノンが PPC（plain paper copier 普通紙複写機）市場に参入すると、リコーやミノルタがこれに続く。ゼロックスの市場シェアは急落し、82 年には 13% まで落ち込むことになる。史上最強と謳われたビジネスモデルも十数年の命に過ぎず、圧倒的なポジショニングの強みはわずか十年で失われてしまうことになったのである。

政策の転換が、製造業に大きな影響を及ぼすこともある。T 型フォード以来 60 年、フォード、GM、クラスラーといういわゆるビッグ 3 に親しんだアメリカの「豊かな大衆」に挑んだホンダは、その好例であろう。1970 年、米国議会をマスキー法

| | 従来品 | | PC・10/20 |
|---|---|---|---|
| 顧客 | 大企業の<br>コピーセンター | → | 中小企業や大企業の<br>課ごと・個人 |
| 提供価値 | 高速で大量処理<br>迅速なメンテ対応 | → | 低速だが身近<br>メンテナンスフリー |
| 収益の<br>仕組み | 従量制課金モデル<br>コピー利用のサービス化 | → | 替え刃モデル<br>トナーカートリッジで儲ける |
| ケイパ<br>ビリティ | サービス力<br>資金力 | → | 信頼性10倍向上<br>販売力・サービス力不要 |

図版5–4：すべてを変えたキヤノンPC-10/20（出典：三谷）

が通過し、「五年以内に排気ガス中の有害成分を十分の一にする」ことが自動車メーカーに義務づけられた際、ビッグ3が「不可能だ」としたのとは対照的に、ホンダは「チャンスだ」ととらえ、CVCCの開発に着手。世界で初めてマスキー法基準をクリアし、その技術力を世界に見せつけた。1973年に第一次オイルショックが発生すると、低燃費で排気ガスが少ないホンダの小型車に注目が集まり、米国マーケットでの地位を確立する。ホンダはロボットによる溶接や迅速な金型交換などによる一貫生産により、大量生産に依存しない高生産性を実現し、アメリカでの生産拠点におけるアコードの生産を軌道に乗せ、ビッグ3と競うようになる。

ホンダをはじめとする日本の自動車メーカーは、フォードのような垂直統合型でも、GMのような自由競争でもない、「系列」と呼ばれるシステムを築いていた。資本関係や長期取引のある部品メーカーが、何層にも渡ってメーカーを支えるピラミッド型の調達ネットワークである。全てを内製化すれば、柔軟性を失う。全ての調達を自由競争にすれば、在庫や品質問題を生む。部品メーカーが製品開発そのものに参加し、メーカーの調達部が部品メーカーの生産・配送工程に口を出す仕組みは、柔軟性を保ったまま「永遠の原価低減・品質向上努力」を行える仕組みとなった。それにより、日本の自動車メーカーは、世界の中で確固たるポジションを得ることができた。政策に対応し、他に先んじた技術イノベーションと、絶えず製品を進化させる製造システムが、米国におけるホンダのビジネスを成功へと導き、ホンダの「アキュラ」は1986年から1990年の間、米国自動車ユーザー満足度調査の一位を獲得する。それとは対照的に、50%のシェアを誇っていたGMは、凋落していくことになるのである。

さて、ファッションアパレル業界は、外部環境である「流行」の変化が速く、内部環境である「産業バリューチェーン」の速度が全く追いつけないという点で、自

| | フォード | トヨタ | GM |
|---|---|---|---|
| 調達モデル | 垂直統合 | 系列 | 水平分業 |
| 部品メーカーとの関係 | 内部化 | 協調的 | 敵対的 |
| 利点 | コントロールできる | 柔軟性<br>創意工夫 | コストダウン圧力<br>規模追求 |
| 欠点 | 柔軟性に欠ける | 不況時は重荷に | スピードや開発投資不足 |

図版5–5：トヨタの部品調達—系列モデルの威力—（出典：三谷）

動車やPCよりリスキーで水平分業化されて分散的なビジネスだった。これを垂直統合して規模的なビジネスに変えたのは、GAPとベネトンだった。それまでのアパレル業界は長大なバリューチェーンを持ち、それらが全て水平分業されていた。流行は数週間で変わるのに対して、染料メーカーから始まり、紡績メーカー、織物メーカー、アパレルメーカー、縫製メーカーそして小売店に至るまで丸二年。アパレルメーカーの規格から店頭に並ぶまでだけでも一年あまりかかる。こうしたシステムのもとでは、ファッション性の高い商品は少量多品種生産の高価格品となってしまう。

GAPは小売店自身が企画し発注することで、売切りを可能にした。加えて多店舗展開・アジアの工場との直接取引を通して単品あたりの発注量を多くすることができた。これらにより、大幅なコストダウンが実現したのである。在庫日数は49日で競合の半分、新製品も2か月毎に投入する態勢を作る、垂直統合モデルの体制を構築することで、大成功を収めたのである。「企画したものを多量発注して売り切る」方法は、プッシュ型SPA（製品小売業）とも呼ばれる。

これに対してワールドは1990年代前半、OZOCブランドでプル型SPA、すなわち、「売れたものを素早く再投入する」仕組みを構築した。それまで、卸と小売りの間での商習慣であった、発注・受注と商品供給の仕組みを大胆に改革し、店頭起点で「一週間サイクルで顧客ニーズに即応する」ための「納期四日の国内工場による多品種少量生産システム」と「週次でのマーチャンダイジング仮説検証サイクル」を目指した。その結果、ブランドを立ち上げてから三年後の96年には黒字を達成。在庫日数は22日とGAPの半分以下にすることができたのであった。

これと似た戦略をとったのがZARAであった。「予測して大量発注」という方法を止め、「流行を作り上げる」こともしない。代わりに新製品をどんどん出して、消費者の「本当の」好みを探って、それに合わせていく。市場投入して一週間で動きが悪ければそのアイテムは店頭から除かれ、追加分もキャンセルされる。ZARAは企画・試作部分を内製化することで、市場の流行に二週間で対応できるシステムを作り上げた。さらにZARAは、どんなに売れていても四週間以上は店頭に並べず、顧客が繰り返し来店することを狙った。その結果、他のブランドの愛好者の年平均の来店回数が年4回であるのに対し、ZARA愛好家のそれは17回といわれる。こうした手法が功を奏して、ZARAブランドを持つインディテックスは、2009年、GAPを抜いて世界一のSPAとなった。

こうしたクイック・レスポンスやファストファッションとは異なる方法で業績を伸ばしているのが、「ユニクロ」ブランドを擁するファーストリテイリングである。

同社はファッション性と機能性の両立を図りながら、流行を主張するのではなく、シンプルで自在に組み合わせて楽しんでもらう服を追求する、という方針をとり、素材力・開発力を活かしたベーシックな大型商品での展開を続けている。業界バリューチェーンの川下である小売店ではなく、最も川上にいる繊維会社との共同開発研究により生まれた「フリース('88)」「ヒートテック('06)」「ブラトップ('08)」「ウルトラライトダウン('09)」は、市場に受け入れられ、大ヒットとなった。こうしてユニクロは、インデックス、H&M、GAPの世界三強とは全く異なるアプローチで業績を上げ、それらに迫りつつある、日本で唯一のアパレルメーカーとなった。

インデックスやGAPがマーケットの特性を探りながら売れ筋を探っていく、消費者の意向を素早く取り入れることのできるビジネスモデルをとっているのに対し、ユニクロは素材・繊維会社との共同開発による商品開発という、新たなマーケットを作り出すビジネスモデルをとっているといえよう。前者がウィンドウズやアンドロイド陣営のビジネスモデルに似ているのに対し、後者がアップルのビジネスモデルに似ていると考えるのは、いきすぎであろうか。いずれにせよ、市場で成功を収めるビジネスモデルは一つではなく、一度成功を収めたとしても、いついかなる時にその優位性が覆されないとも限らないことは、留意しておく必要があるだろう。

## 第2節　モノ売りからサービス売り、モノ＋サービス売りへ

長期的に見ると、日本の消費者はモノを持つこと自体へのこだわりが低下している傾向があるといわれる。消費者の価値観が、「所有からアクセスへ」、すなわち、近年においては、必ずしも新品を購入するのではなく、使えれば借り物でも中古でもよいと考える人が増えているということである。NRIによる「生活者アンケート調査」(1985年)と「生活者一万人アンケート調査」(2012年、2015年)の調査結果を比較すれば、前者では40代以上でレンタルやリースを使うことに抵抗感を感じる人が多いが、後者では抵抗感がないと感じる40代以上の割合が大きく増えている。そして、2012年から2015年にかけては、10代を除く全ての世代で、レンタルやリースに対する抵抗感がさらに薄れていることが分かる。

スマートフォンの普及により、多くの人々がインターネットに手軽にアクセスできるようになり、レンタルサービスやフリマアプリなどを利用しやすい環境が整ってきたことにより、個々人が持っているモノについての情報交換が進み、求める人と提供したい人がマッチングされやすくなった。

情報環境の発展とレンタルやリースに対する意識の変化を背景に、シェアリング・

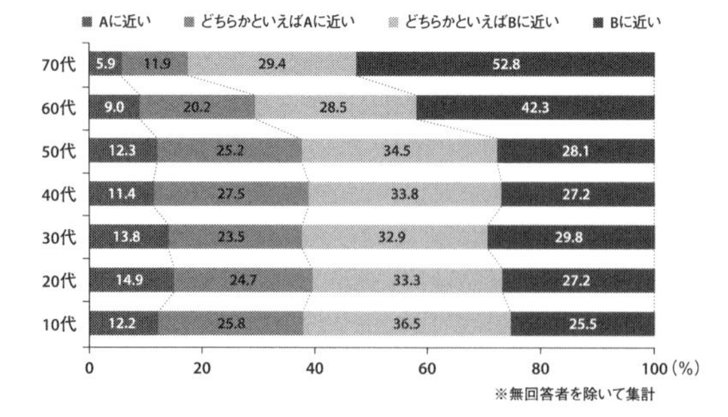


図版5–6：「レンタルやリースを使うことに抵抗があるか」（年代別）（出典：松下東子・林裕之「生活者一万人アンケートにみる日本人の価値観・消費行動の変化——第七回目の時系列調査結果のポイント」野村総合研究所、2015.11.17　https://www.nri.com/-/media/Corporate/jp/Files/PDF/knowledge/report/cc/mediaforum/2015/forum229.pdf）

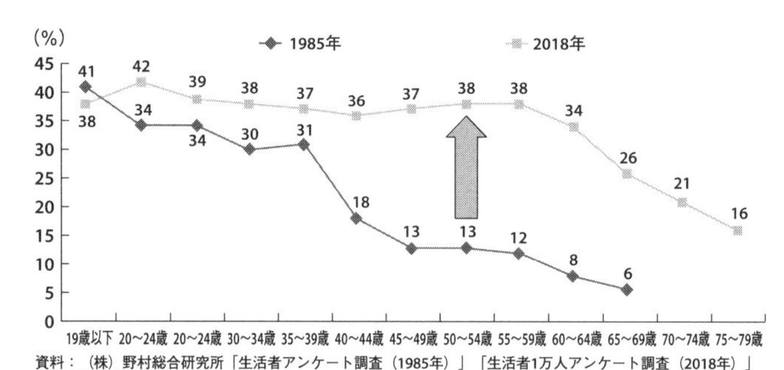


資料：（株）野村総合研究所「生活者アンケート調査（1985年）」「生活者1万人アンケート調査（2018年）」調査結果より中小企業庁作成
（注）1. 全国の満15～69歳の男女個人を対象に調査（2012年調査から調査対象者を満15～79歳に拡大している）。
2. 1997年から3年ごとに行われているアンケートである。

図版5–7：レンタルやリースを使用することに対する抵抗感が低い人の割合の推移（出典：中小企業省「レンタルやリースを使用することに対する抵抗感が低い人の割合の推移」白書・審議会データベース、2019.7.　https://empowerment.tsuda.ac.jp/detail/36976）

エコノミー、協働型エコノミー、協働型消費、そしてオンデマンドサービスと呼ばれる新しいビジネスが展開している。シェアリング・エコノミーとは、「あまり使われていない資産を無料あるいは料金つきで直接個人／個別事業者からシェアしてもらう経済システム」であり､宿泊場所のシェアリングを行うエアビーアンドビー、高額医療機器のシェアリングを行うコヒーロ、自動車の空きシートのシェアリングを行うブラブラカー、駐車スペースのシェアリングを行うジャストパーク、自動車のシェアリングを行うトゥーロなどがある｡次に協働型エコノミーとは｢分散型ネットワーク／市場の上で機能し、伝統的な中間業者を回避しながらニーズと資産を持つ者とのマッチングを行うことで、あまり活用されていない資産の価値を解き放つ経済システム」のことで、クラフト商品のオンライン・マーケットプレイスであるエッツィー、クラウドファンディングのキックスターター、P2Pの再生可能エネルギー・マーケットプレイスであるヴァンデブロン、P2P海外送金サービスであるトランスファーワイズなどが好例である。

協調型消費とは、「レンタル、貸し出し、交換、共有、物々交換、贈与などの伝統的な経済行動を技術によって刷新したもので、インターネット以前では手法的、規模的に実現不可能だった」仕組みを指し、P2Pレンディングのゾーパ、自動車レンタルのジップカー、古着の再販を行うスレッドアップ、非営利団体のリサイクル・ネットワークであるフリーサイクルなどがある。そして、「顧客のニーズと提供者を直接つなぎ合わせて、瞬時に商品やサービスを提供するプラットフォーム」であるオンデマンドサービスとしては、食品配送サービスのインスタカート、配車サービスのウーバー、洗濯代行サービスのワシオなどがある。

こうした新しいタイプのビジネスには、適した領域と適さない領域があるものの、大きな趨勢としては、消費者の価値観が「消費」から「使用」へと大きくシフトしたことを示しているといえよう。

こうした変化は、B to Cだけでなく、B to Bの領域でも、広がっている。いわゆる「モノ売り」から「ソリューション売り」への、ビジネスモデルの転換である。先に見たゼロックスによる「従量制課金モデル」は、その先駆といえる。高価な機材を手頃な値段で顧客に納入した後、利用頻度に基づいて課金するという方法は、顧客が抱えている問題を解決するために必要な機材を販売して対価を得るというモデルから、ソリューションそのものを提供してその対価を得るというモデルへの大転換であった。そして今や、製造業のサービス化はさまざまな領域で進展している。世界最高のモノを作っても、それを売らずに「モノづくり・モノ使わせ」で稼ぐ製造業が急増しているのである。

例えば、大型旅客機のジェットエンジンを製造するGE社やロールスロイス社は、世界最高品質のジェットエンジンを生産しても、それを販売していない。これらの会社は、飛行距離に基づいて稼働課金しているのである。かつてGEは、飛行機のエンジンを開発・設計・製造・販売していた。しかし、エンジンや機体のメンテナンス不備によって航空機が計画通りに飛行できなければ、航空会社にとって膨大な損失になる。そこでGEはエンジンにセンサーを付け、稼働課金モデルをつくりあげた。最も利益の上がる路線を計算し、航空機全体のメンテナンスサービスや運行計画を策定するサービス事業へと、ビジネスモデルを転換したのである。

航空機のエンジン市場は約8兆円だが、エンジンの納入先である航空機市場は20兆円、航空会社の市場まで含めると89兆円になる。航空会社のエンジンメンテナンスに伴う運航コスト比は16%であるから14.2兆円の市場になる。GEは、エンジンの本質的な顧客起点による価値を「速く、安全な移動」「不具合による機体整備の遅延がない運行」「エネルギー効率を最大化した飛行」と分析し、これらのモノの背後にある付加価値に注目した。GEはモノからサービスに転換することによって、十分な市場を見込めることを理解したのである。そしてGEは、エンジン

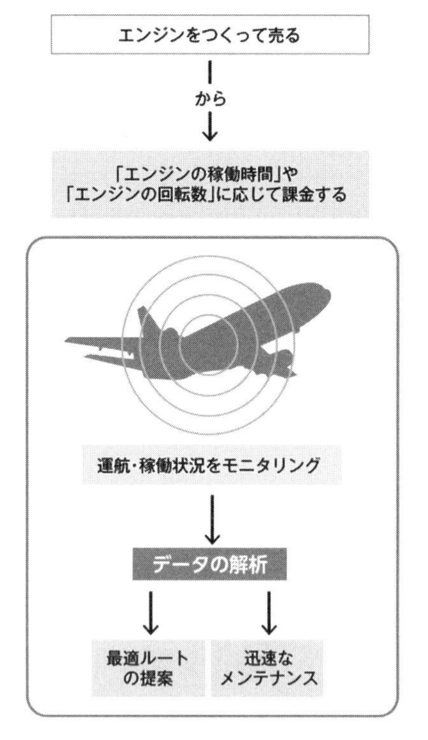


図版5–8：GE：「つくって売る」から「使ってもらって稼ぐ」ビジネスモデルへ
（出典：株式会社タンクフル「「儲けの仕組み」を大きく変えて大成功した企業とは」Diamond Online, 2019.4.3. https://diamond.jp/articles/-/198588?page=2）

へのセンサー設置、データを収集するプラットフォームの構築、故障予兆検知アルゴリズムの検討、効率的な運行管理を支援する運行管理ソリューションなどの創造などにより、航空会社向けの運行計画サービスを提供できるようになった。

これと同様、ミシュランはタイヤにセンサーを付け、運用コストの最適化サービス（整備時間の短縮や自動化、燃料の改善やタイヤ交換のタイミング）の提供を経て、走行距離に応じたタイヤ使用料を受け取るビジネスモデルへと転換した。具体的には、運送会社に提供している「デジタルタコメーター」から得たデータからドライバーや経路の特性、ガソリンの消費動向を分析し、加速度実績をスコアリングしてドライバーに改善を促し燃料費を削減するなど、運送会社に成果を担保するビジネスモデルに転換したのである。

ミシュランはタイヤとして市場を捉えるのではなく、商用車として市場を捉えた。その市場規模は60兆円となり、さらに陸運物流となると247兆円となる。陸運物流の燃料コスト比率は31%だから商用車のビジネスコストは76兆円。ミシュランはビジネスインパクトとして、計画通りに移動するために「（消耗やパンクを減らして）タイヤの価値を高める」ことと、「燃料効率の向上」に注目した。実際に使われているタイヤの未消耗トレッド率は55%、タイヤのメンテナンスによる燃費の改善比率を10%と想定すると、1.6兆円の市場になる。ミシュランは、サービスに必要なデータ取得のためのセンサーの活用、リトレッドタイミング決定アルゴリズムの開発、燃料向上走行分析などのサービスを開発したが、その結果、物流会社を中心に多くの商用車が、ミシュランのサービスを利用するようになった。

これらはいわば「成果型エコノミー」とでもいうべきものであるが、日本の企業にもこうした転換がみられるようになっている。例えばブリジストンは、業務用タイヤについて原則的には販売をしていない。ブリジストンは、タイヤの所有権は渡さず、サービスパッケージで稼いでいるのである。同社の新品タイヤは「転がり抵抗低減技術」「性能低下抑制技術」などの基盤技術に裏打ちされた高品質な製品であり、法人向けのエコバリューパックでは、定額で新品タイヤの借り受け・リトレッド作業の委託・メンテナンスの委託ができる。このようなサービスを提供することで、顧客にとってタイヤは、「所有」するものから「使用する」ものへと変化する。顧客は常に価値の維持されたタイヤを使用でき、ドライバーのメンテ負担を軽減することができるのである。同様の事例はさまざまな領域で見られるようになっているが、こうしたことからも、IoTとAIなど、ICT環境の発達・普及により、製造業のサービス業化が進んでいることが分かる。

さて、日本における、こうしたビジネスモデルの転換の嚆矢は、重機メーカーで

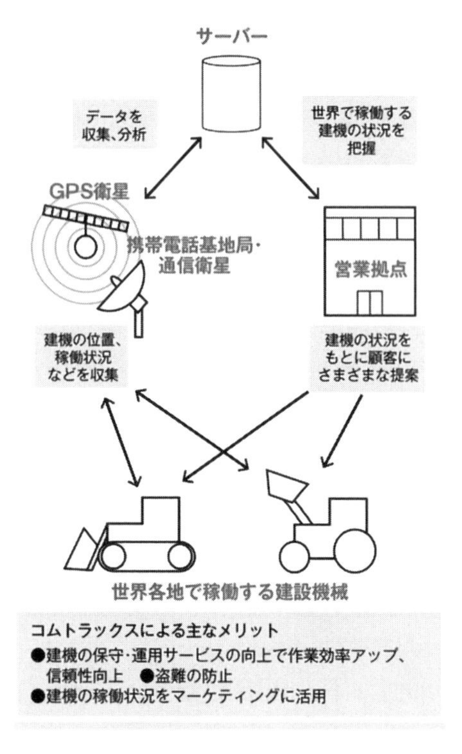


図版5–9：コマツ：建機が発信する情報を解析、保守・運用サービスに活かす
（出典：株式会社タンクフル「「儲けの仕組み」を大きく変えて大成功した企業とは」Diamond Online, 2019.4.3. https://diamond.jp/articles/-/198588?page=3）

あるコマツであろう。1990年代の後半、日本ではコマツのパワーショベルを使ったATM盗難事件が相次いだ。警察はコマツにも事件を防ぐための協力を要請したが、それに対して開発技術者から提案されたのは、GPSを活用した監視という方法だった。GPS機能だけでなく、通信機能を搭載すれば、建機の位置情報だけでなく、建機の稼働状況も把握することができる。この機能は当初オプションだったが、のちに標準搭載されるようになる。センサー技術の進化により、部品の交換時期を知らせたり、作業をしていない時間にエンジンを掛け続けて燃料が無駄になっていることを通知したり出来るようになると、コマツの建機を使えば、建機の性能が最大限に引き出せるということで、顧客からの信頼度が高まり、多少価格が高くなっても納得してもらえるようになった。こうした遠隔監視システムは「KOMTRAX（コ

ムトラックス)」と名付けられ、コマツのビジネスを大きく転換させることになる。ハードの性能や品質だけで勝負をする時代が終わり、メンテナンスなどのサービスで新しい付加価値地を提供することが、重機メーカーにとっても大きな収益源となり、競争力となることが実証されたことが、コマツの企業文化を根本的に変化させた。コムトラックスによる「顧客の困り事」の解決は、工事現場の作業をまるごと効率化する「スマートコントラクション」へと展開することになる。

ダントツの建機を作って売ることが、コマツのビジネスの根幹なのは変わらない。機械のアフターサービスも重要だ。しかし、データを活用したソリューションを提供することで、顧客に新しい価値を感じてもらいたい。そのためには、ハードとサービスを組み合わせて、独自の価値を提供し続けられるかどうかが焦点になる。コムトラックの発想は、車両にセンサーを装着して現在地や故障情報を把握することだった。しかし、顧客にメリットを感じてもらうためには、それだけでは不十分である。

コムトラックの次にコマツが見据えたのは、工事現場の作業をまるごと効率化するために、デジタル技術を使うことだった。工事現場の作業はそれまで、ベテラン作業員の経験と勘に頼るところが多かった。土を削ったり盛ったりする作業が工期中に終わるかはベテランの腕にかかっている。彼らは与えられた工期から逆算する形で、ダンプカーやショベルカーの必要な台数、さまざまな作業の補助をする作業員の人数をはじき出してきた。しかし、実際にどれくらいの量の土を処理するかはやってみなければ分からない。こうしたことから、工期に余裕をもって間に合わせるために、用意する建機や作業員の数を実際より多めにすることが珍しくなかった。それにもかかわらず、場合によっては指定された工期に間に合わないこともあった。デジタル技術を駆使してこうした「無駄」を省くだけでも顧客の満足度は高まる。

しかし、現場からは、「ICT 建機を使った部分の作業効率は上がるが、全体の工期はそれだけでは短くならない」という意見があった。工事の作業といっても多岐に渡る。土を掘ったり、運んだり、盛ったりという一連の作業の中で、どこか一つでも作業のペースを送らせるボトルネックがあれば、全体の作業効率は上がらない。そのボトルネックがどこにあるのかを知らなければ、スマートコントラクションは実現できない。しかし、建機メーカーであるコマツは、工事現場の作業を全て理解しているわけではなかった。

そこでコマツが頼ったのは、外部の力だった。土木施工の現場監督経験者を約 70 人中途採用し、営業担当者に建設現場の作業プロセスや現場管理者の悩みを教える体制を整えた。コマツは 8 か月にわたる教育プログラムを作成し、画面を見ながら現場の管理者と対等に渡り合える知識とスキルを持つ営業人材を育てたのである。これによる変化はすぐに現れた。コマツの営業担当者たちが現場の管理者と工事をどう進めるかを話し合うことが多くなり、顧客との関係もより深まるようになった。こうして建機メーカーであるコマツは、顧客と工事の方針を一緒に作り上げるようになったのである。

こうしてコマツは現場の工事をどう進めるかの企画立案段階から深く関わるようになった。まずはドローン（小型無人機）で現場の様子を撮影。立体的な3Dデータで表し、最も効率のよい施工方法を顧客と一緒になって考える。これを基に設計図面を作成し、ICT建機に登録して、施工後も再びドローンなどで現場を測量し、維持・保守に活かす。3Dデータを用いて工事現場における作業工程を「見える化」し、全体の作業効率を高める。コマツのサービスの核となるのは、GPS（全地球測位システム）やセンサーを搭載した「ICT（情報通信技術）建機」である。この最新鋭の建機が地面を掘る位置や状況をリアルタイムで把握しながら、事前に登録した設計データ通りに掘削や整地といった作業を自動でこなす。施工作業を自動化できることで、現場の省力化も可能になり、安全性を高めることもできることもできるようになった。コマツはこうしたサービスを「スマートコンストラクション」と名付けたのである。

コマツのビジネスが、顧客に近づき、まずは現場の悩みや課題を聞き、デジタル技術を駆使して、それらの解決にあたることに傾斜するようになるにしたがい、コマツの手に負えない課題も数多く出てくるようになった。そこでコマツは、オープンイノベーションの手法を採用する。建機については、コマツはエンジンも内製するほど「自前主義」にこだわってきたが、デジタル分野は技術革新のスピードが速く、専業に比べれば、当然、開発力は劣る。そこでコマツは、顧客の課題を解決するために、コマツ以外の「外部の技術」で解決するという方法を採ったのである。ドローンによる地形の確認作業については、ドローンそのものは市販の商品を改良し、撮影した画像を3Dデータに加工する技術は、米シリコンバレーのスタートアップから提供を受けた。

そしてコマツは、自社技術やノウハウを抱え込むこともしない。コマツはドローンや建機に取り付けたカメラやセンサーなどで集めたデータを解析し、建機メーカーなどで集めたデータを解析して、建機メーカーなどがサービス開発に必要な基本データを作成する機能を、NTTドコモ、独SAP日本法人と、ソフトウェア開発のオプティムが設立したランドログに担わせているが、ランドログにはコマツ以外の建機を使っている顧客が我々にさまざまな相談を持ちかけてくるという。これでは自社の大切なデータを他社の利益のために活用させているようなものだが、コマツの大橋社長は「顧客はコマツの機械だけを使っているわけではない。コマツが顧客を囲い込むという発想を持ったら、顧客はついてきてくれないし、工事現場全体の作業効率の改善にもつながらない」と強調する。

ただしコマツには、ハードを捨てる意識など全くない。なぜなら、工事現場の自動化率が高まれば､これまで以上に壊れない機械が大事になると考えるからである。その上で、自社の収益源を、建機というモノだけでなく、顧客の「困り事」を解決するためのサービス、ソリューションまで広げようとしているのである。これは、GEやミシュランと同じく、IoTの活用で、収益源を「モノ」から「コト」へと急速にシフトさせようとしているということを意味している。コマツの顧客が年間でこなせる工事の数は、せいぜい5箇所か10箇所程度。これに対して、コマツは（日本だけでも）10万台以上の機械の稼働状況を把握しているわけで、分析できるデータの母数が全く違う。その圧倒的なデータ解析して、それを基に、工事のやり方を提案していくサービスは、顧客にとって、単に壊れにくい建機を購入する以上の価値があることだろう。

これらの例から分かることは、高度情報技術の発達と情報通信環境の高度化に伴って、製造業の領域においても、「モノ売り」から「コト売り」、すなわち、サービスやソリューションへと収益の基盤を移行させるビジネスモデルの転換が、世界のトレンドになっているということである。ここで挙げた例はいずれも、単に自社の製品を売り切るビジネスモデルを大きく転換し、顧客と寄り添うことにより、顧客の困り事を詳しく理解し、自社の提供する「モノ」と、自社が蓄積したデータやノウハウとICT環境を活用することによって、最適なソリューションを提供するビジネスモデルへと移行してきた｡前章までの議論を踏まえてみれば､スマイルカーブへの変化により付加価値が向上した「アフターサービス」の部分に、メーカー自身が着目し、これを収益源とするビジネスモデルを構築し、収益の向上を図る動きと考えることができよう｡ユーザーが求めるものが所有から使用に移っている現在、こうした変化はソリューションの質の向上をもたらす、望ましい変化と考えられるのではなかろうか。

## 第3節　製造業におけるビジネスモデルの変容

これらの事例から分かることは、IoTの進展とともに、製造業がサービス業へと転換していることであり、個々の顧客の抱えるさまざまな問題に応えるためのきめ細かい調査がその基本となっていること、そして、個々の顧客の問題に対するソリューションを提供すること自体に課金するビジネスモデルを構築していることである。そして情報環境を活用した製造業の変化は、製品の利用に関する領域だけではなく、製品の製造からアフターサービス、そしてリサイクルや再製造のプロセスにも及びつつある。独の Industrie 4.0、アメリカのインダストリアル・インターネット、そして日本の Society 5.0 に、そうした構想を見て取ることができる。

Industrie 4.0 は、2011 年 11 月に独連邦政府が発表した「ハイテク戦略 2020 行動計画」において、ハイテク技術を活用した戦略的なイニシアティブの一つとして採択された構想である。この構想は、製造業において IoT 技術を高度に利用する「サイバーフィジカルシステム」（CPS）を導入することで、高付加価値のある製品生産を実現しつつ、徹底して生産コストを極小化する「スマートファクトリー」を実現しようとするものである。そして、「スマートファクトリー」では、フィジカル空間（現実世界）における工場など生産工程上のあらゆるデータが IoT 機器やインターネットを通じて収集され、サイバー空間で再現される。そこでは膨大な量のデータが AI によりリアルタイムで分析あるいはシミュレーションされ、最適解を導く。それだけではなく、フィジカル空間（現実世界）の工場を制御するというフィードバックまでを自立的に行うことができるのだ。

Industrie 4.0 は独が提唱した固有のコンセプトだが、世界的に見ても製造業の

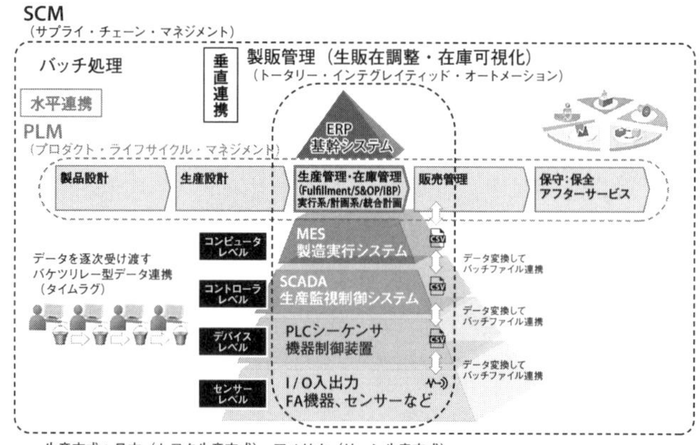


図版5–10：ドイツが進めるスマートファクトリーのためのダイナミックセル生産のイメージ
（出典：鍋野敬一郎「今さら聞けない「インダストリー4.0」の基本、IoT で何が変わるのか」ビジネス＋IT、SBクリエイティブ株式会社、2015.7.13.　https://www.sbbit.jp/article/cont1/29936#head1）

IoT 化は進んでいる。一般的には「第四の産業革命」と呼ばれ、従来の製造業界を一変させる大きな潮流となると考えられている。単にロボットやセンサーの利用だけなら他国の製造業でも実現されている。Industrie 4.0 の本質は、設計データ、顧客データ、サプライヤーデータといった生産工程のあらゆる場面でデータが収集され、組織や分野を超えて相互に利用されるデータ・情報・知識のサイクルを生み出すことにある。それは例えば、従来販売時点で手放していた製品利用データを販売後も継続して収集することで顧客の潜在的なニーズを探り新しいビジネスにつなぐ（バリューネットワークの強化）、および、多様化する顧客の要望に対し AI が柔軟に対応することで生産効率を落とさずに少量多品種生産を実現することにより高付加価値を創出する（マスカスタマイゼーション）、などである。こうした高度なデータの利活用こそが、第三次産業革命との決定的な違いなのだ。

こうしたことを実現するには、特定の業界だけでなく、IT・通信業界、学会や行政の連携によるデータの標準化や規格化、そのための制度の整備が不可欠となる。トップダウンにより、産官学をあげた国家戦略として Industrie 4.0 を提唱した背景には、こうした産業界の分野を超えた「情報連携」の実現にこそ、第四の産業革命ともいうべき変革の本質があり、製造業をはじめとする産業の進化のカギを握っていると考えられているからであろう。

スマートファクトリーをめざす Industrie 4.0 では、産業界をフィジカル空間（現実世界）の中心に据え、異業種間のヨコの情報連携と、モノづくりの生産工程でのタテの情報連携のための、サイバー空間の構築が追求されている。これは、製品や機械など製造・流通ラインの全てのモノの現状をリアルタイムで把握、管理、分析することで、マーケティングやトレンド予想を行い、経営の最適化をしようとするものだ。また、産官学一体として、連邦経済エネルギー省、連邦教育研究省、連邦内務省、そしてドイツ機械工業連盟、ドイツ IT・通信・ニューメディア産業連合会、ドイツ電気・電子工業連盟の三つの主要な業界団体が形成する「プラットフォーム Industrie 4.0」の構築が含まれている。こうした民間企業と、フラウンホーファー研究所、ドイツ工学アカデミーなどの研究機関が、組織の垣根を越えて連携しながらプロジェクトを進めているのである。

こうしたプロジェクトが進めば、工場の生産工程がつながり、販売店と工場、流通経路など、モノやサービスに関わる全ての施設が企業や国の垣根を越えてネットワークでつながり、オーダーメイドでも大量生産品と同様の価格で製品を製造できるようになる。工場が変われば労働者の生活が変わり、価格や物流の変化が消費者の行動を変え、新しいビジネスモデルが誕生して社会が変わる、という。

ドイツが目指すのは、これまでのIT技術を利用した生産の自動化から、AIを駆使したサイバーフィジカルの技術を用いた「考える工場」への進化である。これは、インターネットなどの通信ネットワークを介して工場内外のモノやサービスをつなぎ、AIが生産過程を最適化させる「考える工場（スマートファクトリー）」構築の試みである。注文が入ると、最も速くコストがかからない生産・販売ルートが自動的に計算され、生産の最適化が行われる。シミュレーションや分析などを仮想空間に委ね、その結果を受けて現実世界の生産工程における作業が行われるのである。ドイツの企業のうち、約99.6%が、従業員500人以下の中小企業だ。Industrie 4.0では、企業や業態の枠組みを超えて、考える工場と倉庫・流通経路・販売店などを、関連施設全てをネットワークでつなぎ、ドイツ国内を「一つの大きな工場に見立てる」という構想を描いている。スマートファクトリーではエネルギーの消費量をリアルタイムで調整することができ、需要に応じて生産を行うことによって材料の浪費を防ぐこともできるという点で、地球環境にとってプラスとなる。

さて、「第四次産業革命」と呼ばれる製造業界のデジタル革命は、企業のコスト構造や事業プロセスの設計、そして人間の労働への関与だけでなく、製品やサービスの在り方を大きく変化させる。デジタル化によって、ネットワークに接続可能な製品、いわゆる「コネクテッドプロダクト」を活用した包括的な運用プロセスの導入が可能となるからである。製品に内蔵されたセンサーから収集されるデータの集積、いわゆるビッグデータの分析により、顧客によりよい成果を提供できるようにすることが、企業の生き残りにとってきわめて重要な戦略となる。これは特に「データ戦略」といわれ、五つの要素の最適化を目指すものである。

その一は、「顧客体験の最適化」である。センサーから送られてくる情報をもとに、パートナー企業や顧客など当事者全員に対して、その時々にあったサービスをリアルタイムで提供しようとするものだ。例えば自動車であれば、顧客から送られてくるデータに基づいて、車のソフトウェアを自動的にアップデートする。データに基づいて「今何をしているか」を理解し、「次に何をしたいか」を予測して、顧客の行動を最適化するサービスを提供すれば、顧客体験の質を向上させることができる。こうした手法は、製造業全体に広がりつつある。

その二は、「製品性能の最適化」である。通信機能を持ち、ソフトウェアで動作するコネクテッドプロダクトは、従来のハードウェアに比べて、非常に大きなメリットを持つ。例えば、スマートな電気メーターとアナリティクスの組み合わせは、電気の使用効率を向上させるし、機材から送信されるデータを人工知能で分析することによって、保守作業を大幅に合理化することもできる。産業用機器についていえば、それぞれのパーツにセンサー機能を備え、通信機能を持つことによって、点検やメンテナンス、パーツ交換の時期を正確に知ることができる。こうしたことを通して予知保全が可能になれば、顧客がビジネスチャンスを逃すこともなくなり、顧客の顧客に対して大きな価値を提供することが出来るようになる。

その三は、「労働力の最適化」である。製品や労働者にセンサーや情報タグを付けることにより、状態や現在位置を把握することができるようになるからだ。油田のような危険を伴う現場でも、作業を安全に進められるようになる。下水道センサーと通信機能を付けておけば、管の破損を予測することで事故を未然に防ぐことができるだろう。こうした仕組みを工場に適用すれば、ダウンタイムを削減したり、事務作業を効率化することも可能だ。データによる「見える化」を通して、人間が直接関わらなければならない仕事における、リスクやコストを大幅に減らすことができるからである。

その四は、「運用効率の最適化」である。事業関連の生データを収集・分析することにより、工場内外の物量の流れを効率化し、最適なタイミングで保守作業を行うことが出来るようになる。また、工場内の機材のメンテナンスを効率化し、製品のポートフォリオを最適化することで、水やエネルギー、原材料の消費を抑制することができる。製造機材の不調を未然に防げれば、製品の補償費用を下げることもできる。ビッグデータとリアルタイムデータの双方を揃え、AIなどによる解析にもとづく「見える化」を行うことで、事業は全く異なるものに生まれ変わるのである。

その五は、「新製品・新サービスのポートフォリオの最適化」である。製品に内蔵されたセンサーのデータを収集・分析することによって、企業は、製品に関連する新たなサービスの提案や業務運用のサポートの提案、さらに、データ自体を用いたマーケティングや商取引に関する提案などを、顧客の業務に沿った形で行うことが出来るようになる。個々の顧客とはスケールの異なるユースケースを持ち、高度な分析技術と事業構想力があるメーカーであれば、それらを活用する形で、顧客に対してただ単に製品を売り切ることに比べて、遙かに優れた価値を提供することができるようになるだろう。

これらのことから、第四次産業革命が産官学のセクタの違いや企業間の違いをしなやかに乗り越えた連携を実現するとともに、原料や燃料などから部品、組み立て、販売、アフターサービス、リサイクルやリユース、再製造の全てを把握・管理できる環境を提供する可能性を持っていると考えることができる。

さて、ソフトウェア制御でインターネットへの接続機能を持つ、センサー内蔵のパーツ、デバイス、機器は、特にコネクテッドプロダクトと呼ばれる。コネクテッドプロダクトは特別な設定をしなくても、ユーザーの使用に合わせて、さまざまなデータを自動的に収集し、他のデバイスに送信することができる。この能力は革命的だ。スマート化したコネクテッドプロダクトは、ユーザーとメーカーの間で双方向のやりとりを行い、インターフェイスを個々のユーザーに合わせて変化させることで、これまでにない体験を提供する。このレベルに達した商品は、特に「リビングプロダクト」と呼ばれる。

そうした製品を作り上げるためには、研究開発プロセスにデジタル技術を導入し、新しいプロダクトライフサイクルマネジメント（PLM）を確立しなければならない。これからの製造業の研究開発では、データそれ自体が価値を持つという発想が必要であり、自社ブランドで閉じた操作系ではなく、オープンAPIを通して、複数のパートナー企業の製品を一つのアプリケーションによって連携させながら機能させるような、エコシステムを構想・実装することが必要となる。そして、コネクテッドプロダクトとスマートサービスの価値の源泉が、プラットフォームなのである。まさにこのような構想の中で、コネクテッドプロダクトはアイデアの創出から設計・試作・テスト・製品化に至るものづくりの全行程を再定義する。今や、メーカーが提供すべきは、自社のこだわりの製品そのものではなく、ユーザー自身の嗜好や必要に応じたさまざまな製品の組み合わせとそれらを連携させた活用により実現する、「体験」そのものなのだ。

したがって、第四次産業革命の時代における家電製品には、メーカーを超えた互換性であり、ユーザーによってカスタマイズ可能なソフト容量であり、再構成やメンテナンスを考慮した生産工程の柔軟性であり、消費者の嗜好の変化に応じられるようなバリエーションである。製品の開発を素早く、顧客の個性に合わせた柔軟なカスタマイゼーションを実現するためには、現行の設計・製造プロセスだけでなく、サービスの運用方法をも更新する必要がある。設計部門では、ソフトウェアやデータ管理、コネクティビティをはじめとする新たな手段を取り入れる必要があることに加え、エコシステム内のパートナー企業やエンドユーザーなど、今までは考えられなかった相手と協力しなければならない場合もある。ユーザーによって自社製品をどのように使うか想定できないケースも発生すると考えられることから、そうした事情はサービスの運用においても同様であろう。

ただし、コネクテッドプロダクトはセンサーと通信機能を備えており、双方向のデータ通信とAIを使ったデータ解析が可能だから、それ以前の製品とは異なり、データを循環させていく過程で常にフィードバックを受け、機能を改善させていくことができるのに加え、他者に譲渡された場合にはソフトウェアを入れ替えるだけで、ユーザーの好みに合わせることも可能である。さらには、製品のIDをブロックチェーンと紐付けることによって、原材料や製造過程で用いられたエネルギーの起源だけでなく、製造過程・使用遍歴さらには廃棄やリユース、再製造までの履歴の全てを、トレースすることも可能となるだろう。

## 第4節　B to CからB to Bへ——GAFAに侵されない領域の革命

さて、製造業におけるこうした変化は、「完成品の売り切り」から「顧客と継続的な関係を担保する」という形への、ビジネスモデルの変化と捉えることができる。「サブスクリプション」とは、こうした形態のビジネスを示すものであるが、サブスクリプション自体の歴史は意外に古く、2010年代に入ると著しい技術革新を背景に第三世代へと進化を遂げているといわれる。

第一世代のサブスクリプションの代表は、生命保険といわれる。生命保険はそもそも、一つのコミュニティの中で、一家の主が自分の死後、妻子が生活に困らないよう、十分な金額が渡るようにと、互いに少額の資金を出し合ってプールするという互助的な仕組みから始まったものであった。これが本格的なビジネスとなり、安定的に運用されるようになったのは、18世紀にハレーによって「生命表」が作られてからである。ただし、継続的関係を担保するための「顧客とのタッチポイント」

| Age. Curt. | Per-sona. | Age. Curt. | Per-sona. | Age. Curt. | Per-sona. | Age. Curt. | Per-sona. | Age. Curt. | Per-sona. | Age. Curt. | Per-sona. |
|---|---|---|---|---|---|---|---|---|---|---|---|
| 1 | 1000 | 8 | 680 | 15 | 628 | 22 | 586 | 29 | 539 | 36 | 481 |
| 2 | 855 | 9 | 670 | 16 | 622 | 23 | 579 | 30 | 531 | 37 | 472 |
| 3 | 798 | 10 | 661 | 17 | 616 | 24 | 573 | 31 | 523 | 38 | 463 |
| 4 | 760 | 11 | 653 | 18 | 610 | 25 | 567 | 32 | 515 | 39 | 454 |
| 5 | 732 | 12 | 646 | 19 | 604 | 26 | 560 | 33 | 507 | 40 | 445 |
| 6 | 710 | 13 | 640 | 20 | 598 | 27 | 553 | 34 | 499 | 41 | 436 |
| 7 | 692 | 14 | 634 | 21 | 592 | 28 | 546 | 35 | 490 | 42 | 427 |
| Age. Curt. | Per-sona. | Age. Curt. | Per-sona. | Age. Curt. | Per-sona. | Age. Curt. | Per-sona. | Age. Curt. | Per-sona. | Age. Curt. | Per-sona. |
| 43 | 417 | 50 | 346 | 57 | 272 | 64 | 202 | 71 | 131 | 78 | 58 |
| 44 | 407 | 51 | 335 | 58 | 262 | 65 | 192 | 72 | 120 | 79 | 49 |
| 45 | 397 | 52 | 324 | 59 | 252 | 66 | 182 | 73 | 109 | 80 | 41 |
| 46 | 387 | 53 | 313 | 60 | 242 | 67 | 172 | 74 | 98 | 81 | 34 |
| 47 | 377 | 54 | 302 | 61 | 232 | 68 | 162 | 75 | 88 | 82 | 28 |
| 48 | 367 | 55 | 292 | 62 | 222 | 69 | 152 | 76 | 78 | 83 | 23 |
| 49 | 357 | 56 | 282 | 63 | 212 | 70 | 142 | 77 | 68 | 84 | 20 |

| Age. | Persona. |
|---|---|
| 7 | 5547 |
| 14 | 4584 |
| 21 | 4270 |
| 28 | 3964 |
| 35 | 3604 |
| 42 | 3178 |
| 49 | 2709 |
| 56 | 2194 |
| 63 | 1694 |
| 70 | 1204 |
| 77 | 692 |
| 84 | 253 |
| 100 | 107 |
| | 34000 |
| | sum Total |

図版5–11：ハーレーの生命表
（出典：冨島佑允「生命保険料の算出に不可欠な「生命表」誕生の経緯とは？」幻冬舎GOLD ONLINE、2017.12.21　https://gentosha-go.com/articles/-/12922）

は対面、あるいは店舗に置かれ、生命保険は他の物品の売り買いと同じように取り扱われていた。

さて、2000年代に入ると、さまざまなソフトウェアがパッケージという形ではなくインターネット経由のダウンロードという形で販売されるようになる。契約や更新、バージョンアップ、オプションの購入などの手続きもすべて、インターネット上のオンラインストアやサポートページ、マイページなどを通じて行うことができるようになった。インターネットの台頭を背景にタッチポイントの在り方が変わり、サブスクリプションは第二世代のビジネスモデルを確立することになる。店舗に出向く必要がなくなったことで、逆に事業者と利用者の距離は一気に短縮されたのである。

第二世代の特徴は、ICTに関連する技術が、それまでの時期とは明らかに異なるレベルで、いつでも、より厳密に、途切れることなくリンクし、データを収集・解析することができるようになったことである。顧客がモノやサービスをどのように利用し、今どんな稼働状況にあるのか。一人一人の利用者はどのような嗜好を持ち、どのような要望をもっているのかがつぶさに分かる。また、パッチやアップデートも簡単に行うことができる。行動データを解析することで、顧客の抱える問題を把握し、効果的なセールスを行うこともできるのである。

そして現在、「SMARTサブスクリプション」と呼ばれる進化と、これを活用しようとする潮流が起こり始めている。SMARTとはSequential（連続性）、Mutual（相互性）、Alternative（変質性）、Responsive（即応性）、Transformable（転用性）の五つの頭文字から作った造語で、それぞれの単語の含意を示せば、次のようになる。

・Sequential（連続性）：次の購買行動を連続的に引き起こし得ること
・Mutual（相互性）：顧客側からのトリガーを有し、双方向性を持つこと
・Alternative（変質性）：いわゆる『モノからコトへの変化』『新たな価値創造』の実現
・Responsive（即応性）：顧客と一対一の関係にあること
・Transformable（転用性）：構築した仕組み・取得したデータをもとに、より高度なモデルへの転換が可能であること

ただし、第三世代のサブスクリプションには、大きく分けて二つのタイプがある。上記五つの要素のうち、S-M-Rが連動するエボリューション型と、A-Tが連動するイノベーション型である。このうち前者に最も近いポジションにあるのが、顧客に

工作機械や産業用ロボット、建設機械などをB to Bで提供している製造業である。こうした企業はほぼすべての顧客と保守契約を結んでおり、営業マンやサービスエンジニアなどを通して、顧客との継続的な関係が担保されているからだ。そして、エボリューション型のサブスクリプションの典型は、さきにあげたコマツの取り組みである。コマツはもともと持っていたS（連続性）に、インターネットを介したセンサーやGPSによる情報収集（M（相互性））を加味し、これを分析することによって予知保全や防犯を実現した（R（即応性））。それにより、リテールファイナンスによる与信管理が行いやすくなり、レンタルで提供する建設機械の稼働率も高まる。また、盗難件数の減少は保険料の低下という新しい価値をも生み出したのである。

これに対し、A-Tが連動するイノベーション型のサブスクリプションは、「モノ売りがコト売りに変わり、これまでになかった新しい商品が生まれ、新しい価値が生まれる、という、ビズネスの変化や変革をもたらすもの、である。Aの事例として人口に膾炙しているのは、「自動車の購入」という「モノ売り」から、「必要な時だけ車に乗る」という「コト売り」への、ビジネスの転換であろう。これを実現するのがカーシェアリングであり、すでに社会実装が進んでいる。また、XaaSの一つであるMaaSは、ICTを活用して交通をクラウド化し、公共交通か否か、またその運営主体に関わらず、マイカー以外のすべての交通手段によるモビリティを一つのサービスとしてとらえ、「移動」をシームレスにつなぐ概念であるが、ここではコマツ同様、B to Bの事例を挙げたい。このタイプの事例としては、コンプレッサー専業メーカーのケーザー・コンプレッサー（以下、ケーザー）が分かりやすい。コンプレッサーは通常、購入者がメーカーから機器を購入して、自ら設置し、メンテナンスまでを行うのが一般的だった。これに対してケーザーは、機器の企画から設置、運用、保守、修理まで全てを手掛けるサービス「シグマ・エア・ユーティリティ」を構築した（A（変質性））。顧客に代わって機械を運用することで、供給した空気の容量に応じて課金するサブスクリプションである。これにより、中規模以下の企業も圧縮空気を活用できるようになっただけでなく、オペレーターの教育が不要になり、機械トラブルにも景気変動にも対応しやすくなったのである。ケーザーは最初の売り切り型ビジネスを脱し、月額サービスを導入し、故障率の情報サービスを追加、さらには個々の客の現状に応じたプライシングを設定するなど、「モノ売りからコト売り」への変容後、次々にビジネスを進化させている（T（転用性））。もっともケーザーのケースは、顧客との間に連続性（S）を確保し、顧客の抱えている問題をリアルタイムで探り（M（相互性））、適切なソリューションを先んじて提案する（R（即応性））面も兼ね備えているから、SMARTの五要素全てを兼ね備えた

From a linear to a circular economy

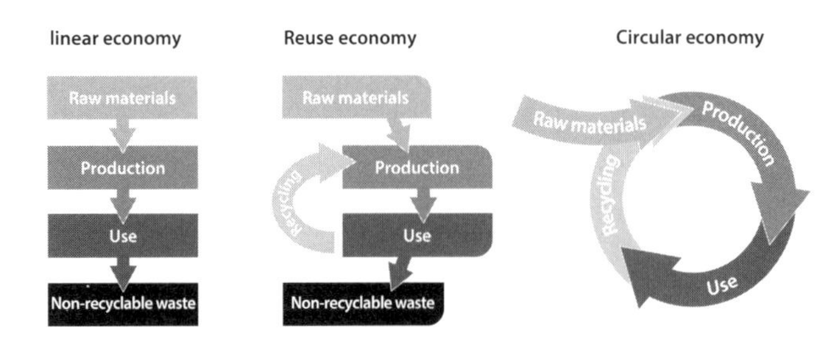


図版5–12：直線型エコノミーから循環型エコノミーへ
（出典：Government of the Netherlands, From a linear to a circular economy, 2021.8.4 https://www.government.nl/topics/circular-economy/from-a-linear-to-a-circular-economy）

事例ということができる。

そして特筆すべきことは、ここで検討してきたサブスクリプションが、循環社会を目指すサーキュラーエコノミー（循環型経済）と相性がよい、ということである。サーキュラーエコノミーとは、これまで無駄なモノとして廃棄されていたものや活用されていなかったものを「資源」と捉え、リサイクルシステムをビジネスに取り入れ、環境や経済に持続可能性を持たせることを意味する。製品や部品、資源やサービスを最大限に活用し、それらの価値を目減りさせることなく、永続的に再生・再利用し続けるモデルである。したがって、ビジネスをサーキュラーエコノミーに適用させようとすると、必然的にサブスクリプション型ビジネスが指向されることになる。例えば欧州の企業であるフィリップスは、電球という「モノ」を販売するビジネスモデルから、「明かりが点いた環境を提供する」という「コト」をサブスクリプションで販売するビジネスに転じている。スキポール空港用に従来よりも75％長持ちするLED照明器具を開発・設置して、エネルギーサービスカンパニーであるコフェリーと共同で「Light as a Service」というサービスを開始させたのである。空港は使用した照明分の代金を支払い、フィリップスとコフェリーは使用終了時の電球の再利用とリサイクルに関して共同で責任を負う。これにより、フィリップスは収益を安定させることができ、空港管理会社は経費を削減でき、照明器具の商品パッケージなどのごみを大量に減らすことかできた。こうしてフィリップスは、収益の安定化と環境負荷の削減の二つを、同時に成し遂げたのである。同社はそれに加え、医療器具についてもサーキュラーエコノミーの思想に則ったビジネスを展開している。この事業の全売り上げにおける比率は約10%であるが、将来的には企業を支える柱の事業に育っていくことが期待されよう。

サブスクリプションについては、コニカミノルタ、KINTO、東京センチュリーリなど、GAFAに浸食されないB to B領域では、日本企業にも大きな成功の可能性がある。また、B to Cの領域においても、衣・食・住・動・楽それぞれの領域において、GAFAとは別のスタイルで、さまざまな形でサブスクリプションの形態をとった事業が展開されつつある。日本人が得意とするきめ細かいサービス精神は、顧客至上主義を標榜したサービスの改善を求められるサブスクリプション・ビジネスに適しているのではなかろうか。

最後に、製造業におけるこうした変化を、より広い視点から俯瞰しておくことにしよう。妹尾堅一郎（2019）は「産業パラダイムは、技術・制度・文化の三つの要素が相互に関係して構成され、それらが相互に関連しながら変容する」とし、三つの要素の関係を「技術的革新を、制度的に安全を担保させ、文化的に安心を醸成する」「制度的な制約を、技術的革新で乗り越え、文化的安心をもたらす」「文化的要求を、技術的革新で掘り起こしつつ、制度的に応援する」とした上で、「近未来の技術・社会・文化を俯瞰的に常に俯瞰的・長期的に見通していかねばならない」と述べた。そして、Cyber-Physical（技術）、SDGs（制度）、SSSC（文化）という条件がそろった現在、本章で検討した製造業の分野におけるビジネスモデル・イノベーションは、産業生態系そのもののパラダイムチェンジという世界史的に大きな変化の中で理解する必要がある、との問題提起を行っている。我々はそうした広い視野で今起こりつつある具体的事実を正しく意味付け、その本質を理解し、その上で行動していく必要がある。

## 第5章　注

ビジネスモデルの事例は（三谷、2014）に依拠している。プロダクト・ライフサイクル・マネージメントについては、AICOSにおける妹尾堅一郎の講演内容および（ピーター・レイシーほか、2019）によるところが大きい。高度情報技術の発達、中でもIoTの普及が製造業に大きな転換をもたらしたことについては（松島聡、2016）に依拠している。なお、SMARTサブスクリプションについては、（宮崎琢磨ほか、2019）、サブスクリプションの事例については（日経クロストレンド編、2019）に依拠している。

第６章

# IoT とクラウドコンピューティング

## 第１節　IoT とセンサーネットワークの広がり

ここで再び、IoT の現代社会における意味について、考察しておきたい。

IoT は Internet of Things の略であり「モノをインターネットにつなげる」という現象を意味するが、ここで重要なのは、インターネットを通して目的も問わずメーカーも問わず機器同士がお互いに情報のやり取りができるという「オープン性」を実現できることである。機器の携帯がパソコンなのかスマートフォンなのか組み込み機器なのかは関係ない。それはインターネットの、それまでのネットワークとは基本的に違う特性であり、それによってインターネットは世界を変えた。IoT もまた、世界を大きく変えることは必至である。

では、IoT はどのような概念そして技術として、発展してきたのだろうか。インターネットにモノをつなぐことは自体は、30 年前に TRON プロジェクトで HFDS と呼ばれて研究されており、10 年以上前に「ユビキタスコンピューティング」という言葉で概念化されていた。オープン IoT と同じく、事前にメーカー間で特別な

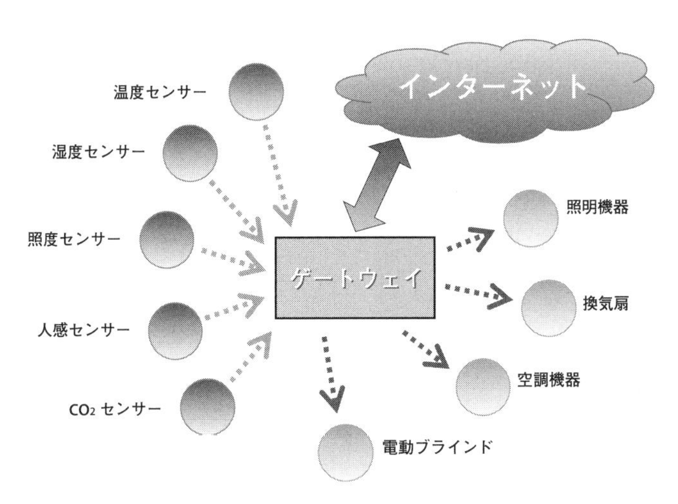


図版6–1：「IoT」のイメージ
（出典：モノワイヤレス株式会社「IoTとは」MONO WIRELESS, 2017.2.16.　https://mono-wireless.com/jp/tech/Internet_of_Things.html）

約束事をすることなく、ネットワークにつなげばすぐにお互いに情報交換して協調動作できることを謳っていたのである。

レビン・アシュトンによって初めて、「モノのインターネット」という概念が提唱されたのは、それよりずっと後の、1999年であった。アシュトンは、電波を当てると作動する小さな電子回路を使い、その回路と無線で情報をやり取りする技術である、RFID（無線タグやICタグともいわれる）技術の専門家であった。RFIDは電源が不要なのでさまざまなものに埋め込むことができるし、RFIDがついているモノについては仮想空間上でいくらでもデジタル情報を付加して、これを活用することができる。アシュトンはこうした環境が実現する世界を「モノのインターネット」という概念で捉え、さまざまなものがインターネットに接続することで、社会の在り方が一変すると考えたのである。しかし、この概念が生まれた1999年当時は、アシュトンの描く世界を実現するには、情報技術も情報機器も情報環境も未発達で高価だった。ネット人口も2億人程度にとどまっていた。そうした状況下では、できることは非常に限られていたのである（この時期における日本での代表例は、Suicaやi-mode程度であった）。

ではどうして、モノのインターネットがなかなかできなかったのか。それには技術的・経済的な要因が影響している。なにより当時は、まだまだセンサーの単価が高かった。例えば日本人全員にセンサーを付けるとすればせいぜい一億人台ですむが、日本にある全てのモノにセンサーを付けるとすれば、主だったものに限ったとしても何百億、何千億になる。30年前には何千億個のモノにセンサーを付けることも、それらをネットワークにつなげることも不可能だった。

1990年代以降、インターネットの商用利用が進められ、ウィンドウズ95が発売されると、世界のインターネット人口は急激に増加する。1995年に約260万人だっ

図版6–2：RFID（ICタグ）の例
（出典：ITトレンド「RFIDとは？その意味や仕組み、特徴などをわかりやすく解説！」ITトレンド、2019.7.1. https://it-trend.jp/physical_distribution_management/article/83-0018）

た世界のインターネット人口は、2000年に約4億人に達し、さらに2014年には30億人を突破。この時の世界人口を約70億人と考えれば、すでに4割以上の人々がアクセスしていたことになる。米シスコシステムズ社が2012年に発表したモノのネット接続についての調査では、その時点でインターネットに接続しているモノの数は、100億台から150億台の間と推測された。このことから分かるのは、この時点ですでに、ネット人口の三倍以上の「ネットにつながるモノ」が存在していたということである。だがシスコの推測によれば、これは世界中に存在するモノの中の、ほんの1%にも満たない数字だった。ここから分かるのは、その後のネット接続数の伸びについて、シスコはモノのそれが、人間よりはるかに大きな潜在力を秘めていると考えていたということである。彼らの想定では、2020年までに500億台のモノがネットに接続することになる。つまり、2012年の三倍から五倍に激増するという予想だった。シスコでは将来的には身の回りにあるモノの大部分がネットにつながるようになると考え「IoE（Internet of Everything　あらゆるモノのインターネット）」という言葉までをも生み出した。これは「身の回りにあるモノの大部分」を見据えた用語としては、IoTの未来を表す上でより適切な表現だったと考えることができよう。

シスコが示した「500億台」という予測値は、近い将来におけるIoTの爆発的な普及を象徴する数であった。2013年に開催された「第一回トリリオンセンサーサミット」において策定されたロードマップにおいて、同社は2023年までに一兆個のセンサー（トリリオンセンサー）を活用する会社を立ち上げ、さまざまな問題解決に役立てることを目指すとした。この「一兆個」という数値は、2013年時点で活用されているセンサーの約100倍に当たる。ロードマップにおいてはその全てがネットワークにつながるとまでは予測されていない。しかし、そこから生み出されるデジタルデータが、容易にネットワーク上で共有されると想定されていたことは、想像に難くないだろう。

500億台のネット接続機器と、一兆個のセンサーという具体的な数字の妥当性はともかくとして、これらの予測値に共通するのは、モノが発信するデジタルデータの量がエクスポネンシャルな変化を示す、すなわち、指数級数的に上昇していくと予測されていることだ。

そして2000年以降、「ムーアの法則」に象徴されるように、デジタル技術は指数級数的に進歩してきた。21世紀最初の10年で、IoTに必要な「モノに与えられる情報処理能力と通信能力」、そして「モノが接続する通信ネットワーク」といった要素すべてが加速度的に発展し、さまざまなモノをネットに接続させることが可能になった。つまり現在、我々は何百億、何千億個のモノをネットワークにつなげるに十分な、高度な情報環境を実現していることになる。

さて、IoT とは、全てのモノをネットにつなげることであるが、その際に重要なことは、ネットにつながる全てのものを一つ一つ識別できなければならないということである。コンピュータでも、スマホでも、それ以外の家電でも、トラクタのような重機でも、工場における製造機器でも、そして自動車の車輪のような部品についても、それら一つ一つを区別するため一つ一つに異なるコードを割り振っておかなければ、すべてのモノをネット上で識別することはできない。つまりモノを区別するためには、ノンセマンティック ID が必要なのである。そのために最も効率がよいのは、「意味のない番号」を割り振ってしまうことだ。TRON ではそのために 128bit のノンセマンティック ID として unicode を提唱し、ITU-T の国際標準規格として成立させてきた。ここで、unicode とはなんぞや？ 128bit というコードの量は一体どのような規模なんだ？といぶかる向きもあろうが、基本的には識別番号、アイデンティファイヤーであり、我々が日常的に用いている郵便番号とか製造番号と同じようなものでと理解すればよい。

では、この unicode が用意しているコードの量はどのくらいで、一体いくつのモノを区別できるのだろうか。先に述べように、unicode は 2 の 128 乗の番号をもっている。この数字はいわゆる「天文学的な数字」なので専門家でなければ理解どころかイメージすることも難しいが、ざっくり「一日一兆個のモノに unicode を振ることを一兆年続けても、それを一兆回繰り返すことができるだけのコードの数」と理解しておけば、一般的には困らないだろう。つまり、現時点で想定できる限りの期間において、世界中のメーカーが製造するものに全部ユニークな番号を振っても余裕を持った領域があるだけの、十分な量の数値を含んでいるということだ。

TRON ではこのコードをありとあらゆるものに割り当てようとしている。例えば、場所。国土交通省国土地理院はすでに、電子地図の上に unicode を貼っている。さらに unicode は非常に細かな郵便番号として利用することもできる。例えば具体的な部屋の中にある一つの棚に unicode を振れば、この部屋のこの棚の位置にモノを運んでもらうことができるようになる。そして TRON には、宅配便業者とともに、そういう実験を行った実績がある。そのほか、概念にまでも、unicode を付ける。ここでいう「概念」とは、学問的に定義された対象だけでなく、色や味や匂いなどを含んだ、非常に広範囲のものである。例えば色に unicode を振ることについて考えてみよう。「透明」という概念、そしてその意味にも unicode を振っておいて、コップにつけられた unicode と紐づけたとする。このように具体的なものと概念・意味に unicode を振り、仮想空間上で関係づけておけば、コンピュータ自身が自ら unicode の意味を知るだけで、このコップは透明だという意味が分かるようになる。それを実現するのが、unicode によるデータベースの再構築であり、TRON は u2 という仕組みを持っている。この u2 を活用することによって、unicode が付けられた全てのモノ・コト・サービス・アイデアなどについて正しく同定し、理解することが可能となる。ここで注意しなければならないのは、IoT で行われるデータのやりとりの大半が、センサーから人間の間のものではなく M2M（マシン・トゥ・マシン）、すなわち機械同士間で行われるものとなるということだ。つまり IoT の時代においては、「理解」という言葉はもはや人間が独占するものではなく、その大半が機械によるものになる、ということである。

こうして我々は今や、IoT、いや、IoE を実現するに足る高度な情報技術を発達させ、情報環境の恩恵に浴することができる段階にある。ただし、これらを使いこなすためには、いや、我々ひとりひとりの生活環境を自分の趣味や嗜好、気候や体調などに合わせて、自らが心地よいと感じる状態にするためには、メーカーの区別なく好きな製品を組み合わせた上で、それらを連携させた統合環境を構築する能力、センサーから得られるさまざまな値を総合的に判断してそれぞれの製品が連携して最適な状態を実現するようなアルゴリズムを構築し、プログラムとして実装する能

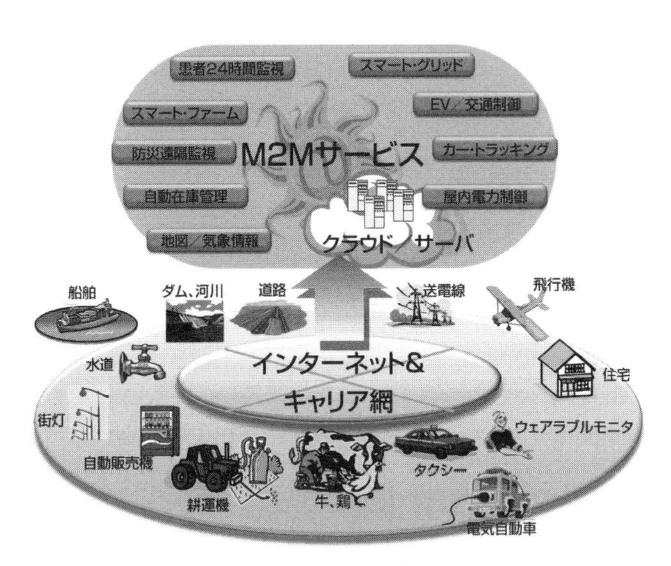


図版6–3：M2M（machine to machine）のイメージ
（出典：https://www.nippon-control-system.co.jp/integration/m2m/index.html）

力が求められる。そしてこうした能力は、社会サービスや製造工程の多くをロボットが担う Industrie 4.0 や Society 5.0 の時代において、個々の顧客の要望に対応するための多品種少量生産や、スマートシティにおける各種サービスを支えるアルゴリズムの効率化、そして、我々が個人レベル・社会レベルで直面することになるであろう新しい状況に対応するための、アルゴリズムの構築とプログラムの作成・実装を行う能力の基礎となる、貴重なものであることは間違いない。

さて、具体的な問題解決を目指すシステムの構築を行うにあたって気をつけなければならないことは、二つある。その一は、「その際」に効率化しようとしている対象の持つ特性を正しく理解することである。そしてその二は、「その時点」で活用可能な IoT 環境の機能性すなわち、エッジとクラウドそして LAN と Internet の特性に関する本質的な理解である。例えば、季節や天候・時刻などに応じた寝室の温度・湿度・照明等についての最適な組み合わせであれば、多少のタイムラグが生じても大きな支障は生じないと考えられるので、全ての制御をクラウド側で行うことが可能であろう。しかし、こうした方法は自動車のエンジンやステアリングの制御には通用しない。走行スピードや同乗者数、天候や周囲の状況などに左右されるにせよ、大半の場合において、インターネット回線を通して車両の各所に備え付けられたセンサーの情報をクラウドに伝え計算結果を待っている間に、車両がおかれている状況が大きく変化し、大きな事故につながる可能性が高いからである。このようなケースでは、即応性が求められる機能についてはセンサーの近くに設置されたコンピュータのチップ（クラウドに対してエッジと呼ばれる）で情報処理を行い、それ以外の機能についてはクラウド側に任せるという「情報処理の区分と機能連携」のデザインおよび、それを実現するアルゴリズムの作成とコーディングによる実装が必要となる。

現在のインターネットに使われている IPv6 はそれまでの IPv4 と比べ、IP の数量や伝送量・伝送速度など機能面で非常に優れている。しかし、機能の充実と比例して処理が重くなり電力を消費するため、組み込み型コンピュータには不向きである。そして TRON では、廉価性と省電力性が求められる RFID やセンサーについては BLE（Bluetooth Low Energy）や 6LowPAN（IPv6 over Low-Power Wireless Personal Area Networks）など省電力でメンテナンスフリーの機材と、エッジコンピューティングのためのチップだけでなく、クラウド連携のためのプラットフォームまでをも一緒に提供される。省電力な無線通信を実現する 6LowPAN と TRON OS の組み合わせであれば、リチウム電池一個で一年以上動作するから、コストパフォーマンスを保ちながら IoT 環境を構築することができる。そして現在これらの環境は我々利用者一人一人に対して「開かれて」いるから、本人に学ぶ意志さえあれば、これを自由に活用しながら知識と技術を習得することができ、学んだものを基礎として身の回りの世界を自らの構想に基づいて「再定義」したり、さまざまな社会問題を解決するために「再構築」したりすることも可能なのである。

IoT の知識を学びその使いこなしの技術を学ぶことは、単に STEM 的・理工学的な意味にとどまらず、社会科学的·教育学的そして哲学的な意味さえも内包する、現代人にとって必須なことになっている。IoT が一般化する時代においては、サイバーフィジカルシステムを用いたリアル世界のシミュレーションおよび、リベラルアーツに基づいて設定したさまざまな視点に基づくリアル環境の再定義・再構築が可能となる。VUCA という言葉に象徴される現代社会においては、SDGs によって示されるような成熟した人間中心の社会を実現するために、効率性と冗長性の双方を内包した、VUCA 時代の担い手を生み出す「苗床」となり彼らが活躍するに足る「場」となるような、ダイナミズムに富む社会システムの構築が不可欠となるものと考えられる。

## 第 2 節　ビッグデータとクラウドコンピューティングの意味

さて、企業内外に散在する膨大なデータを分析して経営の意思決定に活用する取り組みは、ビジネスインテリジェンスと呼ばれる。これはハワード・ドレスナーによって 1990 年頃に構築された理論だが、顧客や管理職、現場の担当者が、生産·物流、半端・在庫、売上げ・利益、顧客動向といったマネージメントに関する情報について自ら分析して意思決定することを指向していたため、「集計的な方法」と「見える化ツールの活用」を用いた過去指向のものに過ぎなかった。これに対して今日の企業は、グローバル競争の中で予測困難な未来志向の分析を行う必要に迫られている。顧客の行動分析・潜在的な需要の分析・未来を指向したサービスの開発。それを実現するために、従来の数理統計学的な分析手法に機械学習を加えて高度化し、非構造化データを加えた多様で膨大なデータの取り扱い、現在の状況を正しく認識し適宜適切な対処ができるだけの迅速さが求められるようになっているのである。

さて、こうした分析に必要とされる膨大な規模のデータは、特に「ビッグデータ」と呼ばれ、その特徴は 3V（Volume（規模）、Variety（多様性）、そして Velocity（俊敏性））にあるとされる。従来の企業で扱っていたのは主に、SQL などによって処理できる構造化されたデータすなわち、POS などによって収集された販売データや在庫データそして通話履歴などであったが、1995 年以降におけるインターネットの普及と2000年以降のセンサーおよび無線通信機器の発達・普及により、収集・蓄積されるデータは、先に見た3Vという特性を持つようになったのである。

ビッグデータには大きく分けて、四つの系譜がある。第一は、従来型ビッグデータの系譜である。Webのアクセスログ、小売店のPOSデータなどがそれにあたる。ビッグデータがブームになる前から大規模データとして認識されていたものの、データ量が大きすぎて扱えなかったり、一部を残して破棄されていたのである。第二は、RFIDや加速度センサー、温度センサーなどから得られる、センサーデータの系譜である。ネットワークでサーバー上に蓄積することでビッグデータとなるが、近年におけるセンサーの低廉化と普及により、急激に増加している。第三はSNS、ブログなどのソーシャルデータやインターネット通販の利用履歴などに代表される、ライフログの系譜である。こうしたいわゆる「行動履歴」の分析は、原因や動機の分析にまで踏み込める可能性はあるものの、個人情報とも密接に関わるため、扱いが難しい。最後に注目すべきは、センシングデータとライフログ双方の特性を持つデータである。例えば家庭の電力使用量をモニタリングするHEMSのデータや、ヘルスアデバイスから得られる体温、脈拍、呼吸、発汗等の計測データなどがそれにあたる。

これらのうち、第一と第四は構造化データのみであり従来の分析手法を用いることが可能だが、第二と第三は自然言語や音声・画像・動画などの非構造化データを含んでいるため、新しい分析手法の発達を待たなければならなかった。企業の意思決定の質を上げる競争を勝ち抜くためには、そうしたデータを収集・分析することが不可欠だからである。

非構造化データを含めた膨大なデータについて効率的な処理を行い、事業にとって有用な知識を導出するには、数量データの分析のための方法論を補完できる分析手法と、膨大な回数の試行錯誤の結果を適切に評価できるようにするための可視化の手法、そして、それらの技術を活用するに足る高度なハードウェア・ソフトウェア環境が、必要となる。そして、さまざまな事業主体が新しい価値を次々と生み出せるようにするためには、情報技術についての高度な専門知識や利用をためらうような設備投資が、不要となることが望ましい。それを実現したのが、クラウドコンピューティング・サービスだった。

クラウドコンピューティングとは、通信ネットワークによって接続された膨大な数の汎用サーバーから、ユーザーが行う情報処理に必要な計算機資源を確保し、それらを連動させて非構造化データの並列分散処理を行う技術、およびその環境を用いた情報処理のことを指す。こうした技術に基づくサービスが「従量制」で提供されるようになると、CPUやハードディスク、汎用サーバーなどを自前で用意する必要がなくなり、中小企業やベンチャー企業であっても、ビッグデータを活用できるようになった。ただし、クラウド環境を構築するにはオープンソースのHadoopをインストールし、オープンソースコミュニティで開発されたソフトウェアをインストールする必要があるため、技術的なハードルは高かった。そこでアマゾンは2004年、Hadoopの稼働環境をセットアップしたEMR（Elastic MapReduce）というサービスの提供を始めた。その後これを活用して新たなITサービスを生み出すITベンチャーが数多く誕生したが、EMRを使いこなすには高度な専門知識が必要だった(例えば、EMS上でSQL相当の処理を実現しようとするとHiveをインストール必要がある)。

このハードルを下げたのは、Hadoopのディストリビューション、すなわち、Hadoopのインストール用のパッケージを用意したり、事前検証済みの周辺ソフトフェアを同梱するなどしてクラウドコンピューティングを手軽に活用できるようにするために、オープンソースコミュニティで開発されたソフトウェアをパッケージ化して提供するサービスの開始であった。2008年に、史上初めてHadoopの商用ディストリビューションを提供したのは、タラウデア社。2010年にはIBMがこれに次ぐ(IBM InfoSphere BigInsights)。2011年以降になると、データスタックス社(Briks)、データテクノロジーズ社（MaDR）などが参入し、さまざまなサービスが展開するようになった（例えば、あらかじめHiveがインストールされたディストリビューションを利用すれば、SQLに似た言語であるHiveQLを書くだけで、Hadoopを使ったクラウドコンピューティングを行うことができる)。

クラウドのサービスモデルには、大きく分けて、IaaS、PaaS、SaaSの三つがある。まずIaaSであるが、これはInfrastructure as a Serviceの略称であり、サーバーやストレージなどのシステム資源のみを提供する形のサービスである。ただし、「コンピュータはソフトウェアがなければただの箱」であるから、ユーザーの側でOSやミドルウェアを導入して設定を行い、その上で動かすアプリケーションも自分でインストールしなければならないため、OSについての知識が必要となる。次にPaaS（Platform as a Service）だが、これはアプリケーションの開発・実行するためのサービスを提供するものである。OSやミドルウェアはすでに設定されているから、ユーザーはインフラの構築・設定に煩わされず、アプリケーションの開発・実行に注力することができる。最後にSaaSだが、これはSoftware as a Serviceすなわち、アプリケーションの機能をインターネットを通して提供するものである。具体的には、メーラーやスケジューラー、文書作成や表計算のためのソフトウェアをイメージすれば分かりやすいだろう。かつてパッケージソフトであったマイクロソフト オフィスの機能が、クラウドサービスとしてのマイクロソフト オフィス365によって提供されるようになったが、これを利用するユーザに求められるのはアプリケーションの使い方だけであり、OSやミドルウェアの知識は必要ない。

ビッグデータの活用におけるクラウド利用の長所は、大きく分けて二つある。一つは、さまざまな端末からネットワークを介してクラウドの上に集約・蓄積できるということであり、ソースから時間の経過とともに蓄積されていくデータ容量に応じて、利用するサービスの内容を更新していくことができることである。例えば電子書籍サービスにおいては、クラウドから端末側へと電子書籍データが流れるとともに、端末からクラウドへは「誰が、どのような時点において、どのような電子書籍を読んでいるのか」つまり、個々のユーザーについての利用動態情報が流れ蓄積されていく。M to Mの環境下では、膨大なセンサーから自動的に、クラウドへと情報が送られ続けるため、データの量は急速に増大するが、CPUの機能はムーアの法則に従って指数級数的に向上するのに加え、データを蓄積するために必要なハードディスクの容量あたりの価格は下落し続ける。ソフトウェア技術も発達すれば、サービス内容もより高度でしかも使いやすくなって安価になる。したがって、自社のビジネスと技術水準を正しく認識して、それに応じたサービス内容を選び更新していくことによって、ユーザー企業は増え続けるデータの量に悩まされることも、データ量に起因する分析速度の低下で苦しむことも、使いこなし方に悩むことも少なくなるのである。

そして今一つの長所は、新しいデータマイニングの手法である「機械学習」に関連したさまざまなサービスが提供されるようになったこと、および、ビッグデータから知見を導出する試行に要する時間を大幅に短縮することにより「試行の総数」を増大させられることである。

ここで留意すべきことは、「機械学習」にはさまざまな手法があり、さらに、仮に適切な手法が用いられても、適切な分析結果を得るためには膨大な変数・オプションの組み合わせを試す必要がある、ということである。アルゴリズムという観点からは教師あり学習（分類や回帰を行うもの）と、教師なし学習（何らかの構造や規則を解析するもの）、半教師あり学習（教師データ付きのレコードにもとづいて教師無しデータのレコードに解を付与しながら学習を行うもの）、そして強化学習（アルゴリズムが出力した答えの確からしさを示すスコアを基に、よりよい結果が得られるように分析モデルに修正を加えていくもの）がある。情報通信技術の発達とクラウドコンピューティング・サービスの進化により、それぞれの領域・対象の特性に応じて適切な手法を用い、よりよい分析結果を得るために、数多くの分析を繰り返し行うことが可能になったのは、革命的なことだった。ナイーブベイズ、パーセプトロン、ニューラルネットワーク、サポートベクタマシン、ディープラーニングなど、高度な計算機環境があって初めて実用化可能なコンセプトが現実にシステムとして実装されて稼働することにより、説明的（descriptive）データ分析だけでなく、予測的（predictive）データ分析や指示的（prescriptive）データ分析の精度が向上し、「現時点では見えていない情報」を推測し、「なにをやったらよいか（最適化）」を理解して、意思決定を行うことができるようになった。これら具体的な成果が蓄積されてその有効性が認められるまでになったからこそ、DXというコンセプトが受け入れられ、会社そして社会の在り方が具体的に変わりつつあるのだ。

そして特に注目したいのは、ベイズ理論、重回帰分析や因子分析、クラスター分析などが、データの規模やデータ処理時間の制約から解放されたことに加え、新しく開発された手法によって、文字・文章・音声だけでなく画像・動画などの非定型データと組み合わせて分析できるようになったことである。例えば画像認識については2015年時点でマイクロソフト社のResNetが、人間の誤認識率といわれる5.1%を凌ぐ3.57%を達成するなど、物体認識や画像セグメンテーションの技術も進化してきている。音声認識ではこの二年後の2017年に、同じマイクロソフトが人間の誤認識率5.1%を達成したといわれ、これらの技術は現在、すでに「成熟した技術」として、グーグルやマイクロソフトによってAPIレベルで提供されるまでになっている。その他、2016年には、ディープマインド社が開発したアルファ碁が世界トップレベルの囲碁棋士に勝利した後には、「自らとの対戦」を繰り返すだけで強くなるシステムが開発され、チェスや将棋、囲碁などに適用されたアルファゼロ（AlphaZero）が開発されるなど、個別の課題に対しては人間と同等、あるいはそれを上回る性能が得られるようになっている。

このように、複数の情報により時々刻々と変化するデータを収集し、複合的に分析・判断して、的確なレスポンスを迅速に提供する計算パラダイムは、特に、ストリーム・コンピューティングと呼ばれる。オラクル社によれば、これを活用することで効果が得られる領域は主に、以下の四つである。

その第一は、「需給状況に合わせて、人材や物品のリソースをリアルタイムに最適に配備」する領域である。具体的には、消防車の配車管理や営業所内における人材の配置最適化などがこれにあたる。第二は、「購買者行動に特定の意味付けを行い、行動に合わせたマーケティングサービスを実施」する領域である。具体的な例としては、アメリカらしく、カジノ利用者に対するリアルタイムでの顧客満足度向上プログラムがあげられている。そして第三は、「複数の情報を相互に関連付けることで、特定の判断や意思決定を実施」する領域である。具体的には、医療機関における患者の容態管理。細かくは、血圧、体温、心拍数などのリアルタイムな経過観察などである。最後に第四は、「監視対象者の行動を特定のルールと照合し、行動意図を特定」する領域である。これは、DX化が進んでいくこれからの社会に不可欠な、不正な決済や情報システムへの不正アクセスへの対応などを含んでいる。

現在では、こうした技術を応用して、知的単純作業の多くをこなすことのできるAIが開発され、ビジネスに応用されている。今や人間より精度の高い顔認識技術を使って秘書の仕事の一部分を代用をさせたり、学習済みのシステムを使ってX線やMRIの画像から患部を識別させて医師の見落としを未然に防いだりすることもできれば、監視カメラに応用して街角で不審な行動を発見したり、病院で患者の異常を発見したりすることもできる。コールセンターの苦情対応に当たるオペレーターに音声のストレス判定の結果を基に注意を促すことも、自動車や電車の走行音からの異常検出を行ったりすることもできる。また、動画認識により「数秒後の予測」が可能になり、画像と言語の認識技術が発達すれば、野球やサッカー、テニスなどの中継において、視聴者の関心や知識レベルに応じた解説をAIが行うようになる可能性だってあるだろう。ここ二、三年のうちには、自分のひいきのチーム別、年齢性別知識の深さに応じて、同じ試合について全く別の解説がAIによって行われるだけでなく、それぞれの視聴者グループがひいきのAIシステムの教育を行えるようなサービスまで提供されるようになるかもしれない。

そして、アルファ碁の事例が示唆するのは、ある特定の領域で成功したシステムについては、同じような特性を持つ領域に応用することが可能であること、そして、人間によって担われていた教師用データをAI自体が作り出し、それをもとにAI自信が学習を積み重ね、自らが進化していくことができるようになる可能性があること、である。そのとき気をつけなければならないのは、AIはあくまでサービスを構築し提供する存在であって、どのようにうまく構成されたサービスであっても、その評価の主体はサービスを受ける人間の側にある、ということだ。拒絶するのも、批判するのも、改善要求を行うのも、そのまま受け入れるのも、サービスを受ける側、すなわち、人間の自由なのは、当然である。人間の行為は行為者の知的レベルと思考能力そして品位・品性を如実に表す社会的な行為であり、それらが社会のフィードバックされることによって、AIとビッグデータ時代における日本の在り方は大きく変わっていくことになるだろう。したがって、私たちの未来をよりよいものにするためには、文理融合型のリベラルアーツを備えた人間性豊かな人材を数多く輩

図版6-4：人工知能と闘う囲碁の棋士
（出典：いらすとや　https://www.irasutoya.com/2016/02/blog-post_20.html）

出し、新しい時代に相応しいヒューマニズムに基づいたフィードバックが機能するようにしていく必要がある。

## 第3節　統計手法によるデータ分析と可視化技術の発達

ビッグデータやオープンデータの種類及び量が充実してくるに従い、データの分析や処理を効率的に行い、その結果を分かりやすく示す可視化の環境が整備されるようになった。Lotus 1-2-3 や Excel にも可視化の機能は備わっているが、グラフィックの種類は限定されているのに加え、アニメーションの機能はついておらず、扱えるデータの量が限定されていて、しかも、随時変化するデータを可視化の結果に反映させることができないなど、IoT によって作成されるビッグデータの活用や、多種多様なオープンデータを組み合わせて活用する時代が訪れると、その欠陥が認識されるようになった。

D3.js は、JavaScript からデータをもとに SVG を描画するライブラリである。データの可視化に機能を限定し、豊富なグラフィック表現を可能とするフリーのシステムであり、インタラクティブなグラフ作成機能と、リアルタイムデータの可視化機能を備えている。GitHub で配布され、HTML に組み込んで活用することができ、他の Chart ライブラリより柔軟性が高くてコードが簡単に書ける。データとドキュメントを結び付ける独特なセレクション機能があり、図形を描画する処理を簡潔に記述することができるので、散布図に地図を描画しその二つを連動させるなどの処理を手軽に行うことができることから、広く使われるようになった。地理情報の処理機能が豊富で、ライブラリの作者が大量のサンプルを公開しているから、学ぶ気持ちがある人なら、それらを参考にしてさまざまな応用ができる。

しかし、機能が豊富であるということは、同時に、さまざまなことを学ばなければ使いこなせない、ということでもある。そのため、手持ちのデータをちょっとグラフ化してみたい、という類の人にとっては、テンプレートがなく自ら画像処理を

図版6–5：D3.jsのイメージ
（出典：（D3.js入門）D3.jsの使い方とグラフの作成サンプル　https://www.indival.co.jp/2018/06/20/6255/）

実装しなければならないD3.jsは敷居が高いのもまた事実である。D3.jsの独特なセレクション機能は斬新な仕組みであるがゆえに、理解するまでに時間がかかるからである。

こうしたことから、インターネット上にD3.jsに関連したコミュニティが形成され、活発な情報交換が行われるとともに、リアルなイベントも開催されるようになった。それ以外にも、オープンデータの可視化イベントにおいても、D3.jsを活用して、より分かりやすいグラフ表現、より見る人に訴えかけるグラフ表現の工夫が、行われるようになった。こうしてD3.jsを使用するユーザーは、急速に増加したのである。さらにD3.jsの持っている豊富な地理情報の処理機能は、既存のGISシステムとのデータ連携へと進む。D3.jsを用いれば、ESRIなどのGISで作成された地図データを読み込んで表示することもできるし、新しい表現を付与した地図を表示することもできる。そして、インタラクティブ機能を用いてユーザーが望む情報を表示させることができれば、リアルタイムデータを表示に反映させることもできる。これらの機能をHTMLとともに活用すれば、そうした可視化の結果を、インターネットのブラウザを通して閲覧できるようなシステムを作ることも、当然可能である。

こうした環境がGitHubを通して、JavaScriptのライブラリという形で配布されたことは、データの可視化の領域においては、きわめて画期的なことだった。大袈裟な表現をお許しいただけるのであれば、D3.jsはデータの可視化という領域を、民主化したことになる。

さて、ビッグデータを活用でき、グラフィック機能は豊富だが、活用する前に学習が必要なD3.jsは、ビジネスの現場での活用は難しい。そして、エクセルのような対話形式の操作だけでビッグデータの可視化ができ、豊富な種類のグラフィックを一つの画面に自由に配置して分析できるツールとして、Tableauがある。データをビジュアルで視覚的に見ながら進めていく分析手法は特に、ビジュアルアナリティクスと呼ばれる。Tableauでは、インタラクティブなダッシュボード機能を使うことで、ビジュアルアナリティクスをスムーズに進める環境が提供される。

Tableauを用いれば、普段Excelやスプレッドシートで週次／日次で行っている作業を自動化することで、作業時間を大幅に削減することができる。Excelで必要だったマクロやVBAのコーディングも必要ない。また、Excelと異なり、数千万行のデータを扱ってもでも数秒でレスポンスが返ってくる。連携できるアプリケーションも豊富だ。複数のファイルからデータをコピーする必要がなく、人的ミスをなくすことができる。Excelを置き換えるものではないが、システムの機能を概観しただけでも、これだけの長所があるといわれている。

さらにTableauには素晴らしい作品を集めたデータ可視化のギャラリーTableau Publicがあり、作成したいイメージの作品を検索し、参考になる作品をダウンロードして作り方を学ぶことができるのに加え、世界規模のユーザーグループが組織されており、関心に応じた分科会に参加し交流を深めることができる。その中には、毎週世の中のニュース記事などから特定のグラフ表現をとりあげ、Tableauで作り直してツイッターで共有するという活動を行っているものもある。元のグラフのよい点・改善できる点を考え、新しいグラフ表現をし、メンバー同士で評価を行うことによって、Tableau自体の機能への習熟スキルやデータ視覚化のスキルを高めあっているのである。

Tableauにはもちろん、トレーニングビデオやハンズオンセミナー、さらにはe-Learningなどの、学習用のコンテンツや研修プログラムが用意されている。ただし、一般的に、学習した内容は常時使っていなければ次第に忘れていく傾向があるだけでなく、一つの職場で使用する機能はおのずから限定されている。さらに、情報

図版6-6：GitHubロゴ
（出典：GitHubロゴ　https://licensesoft.vn/github.htm）

システムによるサービスにはしばしばバージョンアップがあり、ユーザーインターフェイスや機能が改善されていくのが常だが、それらを一人一人のユーザーが独自に学んでいくのはなかなかに難しい。しかし、ユーザーコミュニティに参加していれば、自分が使わない機能についても常時情報が得られ、自らの仕事の成果をよりよいものにでき、他のユーザーからバージョンアップの内容と使い勝手・新しい表現についての経験談が得られるだけでなく、新たなバージョンアップについての要望を出すことも可能だ。こうしたことから、情報システムの社会実装においては、ユーザーを増やすだけでなく、ユーザー間での交流の場となるコミュニティの形成と維持発展が、重要なポイントとなることが分かる。

こうした活動の結果として、Tableauはその使い勝手と視覚表現の豊富さから多くのユーザーに支持され、ビジネス・インテリジェンスの領域において、8年間連続して「分析及びBIプラットフォーム」の分野でリーダーに位置付けられることとなっている。

さて、標本調査のデータ分析ツールとして長い実績を持ち、今はIBMによって開発・販売されているデータ分析ツールが、SPSSである。SPSSは、米国大統領選挙の浮動票を予測するために誕生した独立系ソフトウェアベンダーで、教育機関の多くの研究者の方々をはじめとするデータ分析者にとって不可欠なツールだった。

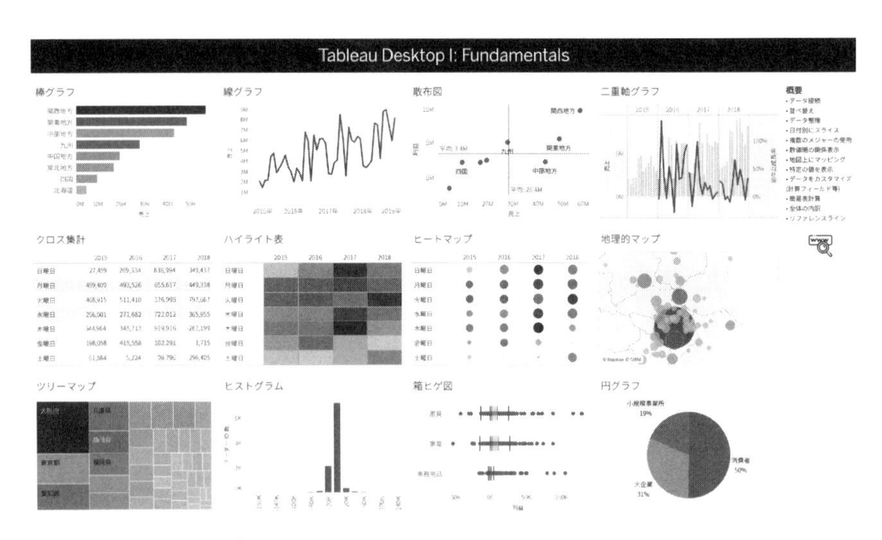


**図版6–7：Tableauのイメージ**
**（出典：Tableau Publicで参考になる日本人のViz。うまい人からヒントを得よう。https://akmemo.info/japanese-viz-on-tableau-public/）**

SPSSの始まりは、そもそも大学院の博士課程に在籍しているノーマン・ナイ、ハラルド・ハルをはじめとする学生が作った統計プログラムであった。その名称はStatistics Package for Social Scienceの頭文字。「社会科学のための統計パッケージ」の意である。1975年の法人設立までは、ソフトウェア自体は無料でテキストブックを売る形式だったが、1975年の法人設立後、1983年にPC版をリリースすることになる。その後、マイクロソフト ウィンドウズが発売されると、1992年にはウィンドウズ版のSPSS for Windowsを発売開始。本格的にPCでの統計解析ソフト市場を拡大。1998年には、GUIでデータプロセスを可視化しながら分析する画期的なソフトウェアである「Clementine」をリリース。これはのちに、データマイニングソフトウェア「SPSS Modeler」へと展開することになる。

2010年、もともとはハードウェアの巨大メーカーとして世界に君臨していたIBMが、ソフトウェアリッチの時代に対応するために一大方針転換を行い、SPSSを買収する。ただしSPSS当時からの製品ラインアップに大きな変化はなく、SPSS Statistical（一般的にSPSSといわれている製品）、モデリングファミリー、そして展開ファミリーという三つのグループから構成されている。ユーザーはこれらの製品群を活用することで、分析プロセスの入り口から出口までについてのトータルサポートを享受することができるのである。

さて、ここでポイントとなるのは、IBMが提供するSPSSに関連した製品群が、

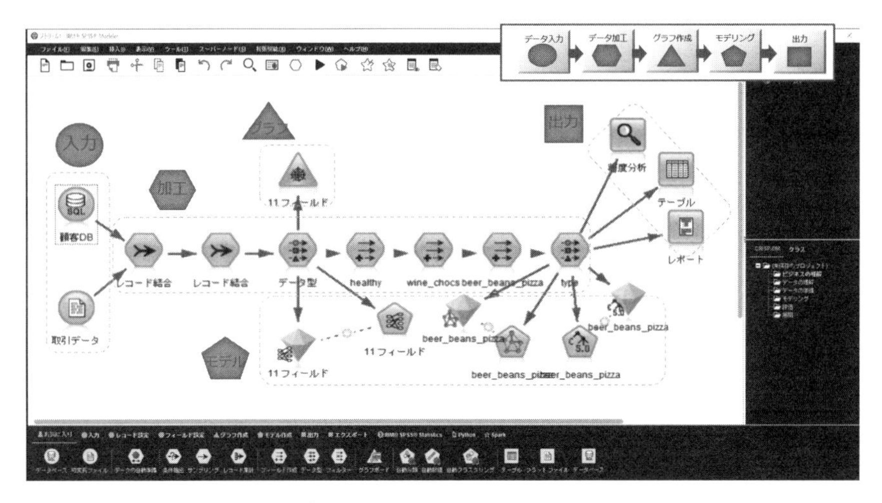


図版6-8：IBM SPSS Modelerのイメージ
（出典：IBM SPSS Modeler 概要　https://www.ait-solution.jp/ibm_spss/）

初期のSPSSとは異なり、ビッグデータの活用、クラウド環境の活用、機械学習、そして可視化を通して、データから可能な限りの情報を引き出す機能を備えていることだ。SPSSを活用することにより、データ分析の入り口すなわち統計モデルに基づく数値データの分析から、分析結果の可視化に基づくビジネス上の意思決定のすべてを、統一した環境のもとで行うことが可能となる。さらに、SPSSの伝統である統計解析手法は実に40種類。これらの中から必要な機能を組み合わせて使うことで、データドリブンの戦略をよりよいものにすることができる、というわけだ。SPSSではさらに、メディカルモデル、看護モデルも用意されており、医療統計・臨床統計に特化したパッケージ、ビッグデータではなく小サンプルに対応した正確確率検定の機能を持つパッケージも用意されていることから、ビジネス以外の領域においても活用されるようになっている。

ただし、コミュニティ参加メンバーだけでも100万人以上を誇るTableauに対して、SPSSははるかに少ない28万人という数字を考慮すれば、SPSSには調査研究データの分析というアカデミックな領域で活用するもの、というイメージがいまだに強いものと思われる。IBMは自ら、さまざまなイベントでSPSS for Windowsを含めた製品群の展示を行い、ユーザーの拡張に努めているが、ユーザー数という点で見れば、良質なコミュニティの形成に成功したTableauとの差を、詰めることは難しいだろう。SPSSにはTableauにはないさまざまな分析手法と、社会調査データの分析・医療系のデータの分析などアカデミックな領域・医療の領域での実績と定評があることを考慮すれば、IBMはTableauとの機能およびユーザーの違いを考慮した棲み分け戦略を採っていくことになるものと思われる。それはすなわち、データ分析環境の選択においては、それぞれの分析環境がどのような性質を持ち、サービスを提供する企業がどのような事業展開を考えているかを、ユーザー側が考慮し判断していく必要があることを、意味している。

ビッグデータの活用、バリエーションに富んだ可視化機能を備えた情報システムは、それ以外にもさまざまなものがあるが、それらをすべて紹介し、比較検討することは本書の手に余る。本節では最後に、ビッグデータの活用機能、機械学習も含めた豊富な数値データの分析機能、そしてさまざまな可視化機能を利用することのできる、Pythonについて言及しておくことにしたい。

Pythonはオブジェクト指向の考え方を用いて作られた、プログラム言語である。ビッグデータの使用はもちろんのこと、numpy、pandas、scipyといった数値データの分析に必要なライブラリに加えて、フリーのデータ分析ソフトとして定評のある「R」の機能を活用するためのライブラリがあり、ユーザーは多彩なデータ処理関数を組み合わせて、柔軟な発想に基づいたデータ分析を行うことができる。可視化については、matplotlib や bokeh、Plotly などのライブラリだけでなく、先に触れた D3.js のライブラリを活用することも可能だ。コンパイラだけでなくインタープリター環境が準備されているのに加え、スタンドアロンでウェブプログラミングを試すことのできる Django や Flask などの環境も無料で公開されている。コード体系もシンプルで、初学者にも学習しやすい。

Python の環境は、データサイエンスを学ぶ学生にとっても、統計パッケージの内容を理解する上でも、よりよいグラフィック表現を学ぶ上でも、非常に有意義であることは間違いない。また、必要な可視化の手法が限定されているのであれば、パッケージソフトを購入するよりもシンプルかつ安上がりにデータ分析環境を構築することができる。そして、構築した分析環境を、ウェブ環境を用いて共有することも可能だ。プログラミングの経験がない人にはいささか敷居が高いことではあるが、統計的分析のモデルを理解し、必要な手法を適切に活用する上でも、自らが考案するデータ分析・可視化の手法を広く多くの人に活用してもらうことを通して、よりよい社会を実現していく上でも、チャレンジする意義は大きいといえる。

## 第 4 節　ビッグデータ至上主義の長所と欠陥

ビッグデータすなわち、コンピュータに蓄積された膨大なデータは、科学的にも社会的にも価値がある。ビッグデータを活用することで、ビジネスや化学だけでなく、医療、政府、教育、経済、人文科学、さらには社会のあらゆる部分に至るまで、今までのやり方が一新されようとしているのは事実である。e コマースの雄アマゾンが顧客について膨大なデータを蓄積し、レコメンドシステムを構築・活用していること、フェイスブックが利用者について膨大なつながりデータを蓄積・分析し、広告に結び付けているだけでなく、IoT によって集められたデータが画像認識・音声認識・文字認識などに応用されることで、自動運転やオペレーターの支援、文字データの電子化や人認証などの形での社会実装が行われるようになっている。

図版6-9：プログラミング言語 Pythonのロゴマーク
（出典：プログラミング言語 Pythonの紹介　https://www.python.jp/pages/about.html）

ビッグデータの活用は、それまでの標本調査データの活用の在り方を、一変させつつある。無作為抽出のデータではなく、文字通り「すべてのデータ」が解析できるようになると、標本データよりもはるかに精度の高い分析ができ、現象の細部までもが見えてくる。標本では察知できない小さな区分や事象まではっきりと見ることができるからである。標本抽出は、情報処理にさまざまな制約があった時代の産物、大量のデータを集めても、そのデータを分析する道具がない時代の遺物である。今日のデータ収集は、センサーや携帯電話のGPS、ウェブのクリック、ツイッターなどのSNS、アマゾンのECサイトなど、ありとあらゆる方法でデータが収集され、コンピュータにより一気に処理することができる。そして、可能ならばすべてのデータを集め、「N＝全部」の世界を目指そうという方向へのシフトがさまざまな領域で始まっている。「N＝全部」であれば、データを深く掘り下げていくことが可能だ。事実グーグルのインフルエンザ流行状況調査では米国のインターネット検索の作業履歴全体が使われ、州や国レベルではなく、特定の街での流行まで予測できたのである。

そして今では、データ収集・分析の手段が、無理のないコストで利用できるようになった。巨大企業だけでなく、今やだれでもビッグデータを活用することができる。そして、膨大な情報に埋もれていた物事を見つけ出すことができる。例えばクレジットカードの不正利用検知には、「利用パターンの変則性」を見つけ出す必要があるが、標本データではなくデータ全体を処理しなければ、変則性を見出すことはできない。標本データしか使うことのできなかった時代にはできなかったことが、今や誰にでも可能になっている。ビッグデータはすべての情報、ないしは大量のデータを持っているから、細部をクローズアップしても、新たな角度から分析しても、情報がぼやける恐れがないので、あらゆるレベルで新たな仮説を検証できる。これは歴史的に見て、実に画期的なことといえる。

社会科学の領域は、「N＝全部」で激震が走る分野の一つといわれている。人々が普段通りに行動している間に自然にデータが集められるようになると、標本抽出の必要がなくなり、回答者の偏りもなくなる。したがって、携帯電話の通話から人間関係が浮かび上がったり、ツイッターのつぶやきから人々の心理状態を明らかにすることができる。そして興味深いことに、標本調査から得られた結果とは違う結果が得られたり、標本調査では検出することができない新たな事実が発見されたりすることがあると考えられている。したがって、特定の状況では標本調査の手法を使うことは有効かもしれないが、現象の全体像やディテールを理解する手法としては、もはや有効ということはできない。こうした事実を踏まえ我々は、新しい方法を、積極的に採用していく必要がある。

さりながら、ビッグデータを活用するにあたっては、犠牲にしなければならないこともある。その最たるものが「精度」である。ビッグデータの中には、誤った数字や破損したデータが含まれるのが常である。標本調査の時代には、そうしたノイズに目をつむることなく、不良データとして取り除く努力がはらわれた。集める測定値の数が限られているので、誤った数値が混入してしまうと、母数の推定を大きく誤る危険があるからだ。こうした伝統は、13 世紀の欧州における天文学者の測定に始まり、19 世紀のフランスで最高潮を迎えた。時間・空間などの測定単位を正確に定めた体系が作成され、測定単位の原型が国際条約の形で世界的に普及されるまでになった。1920 年代に量子力学が「発見」されると、物理学の世界においては「完璧な測定を目指す」という信念は永遠に打ち砕かれたが、物理学以外の領域の技術者や科学者、そして、ビジネスの世界では、長らく残存し続けていたのである。

そうした信念が、ビッグデータの出現によって、大きく変わろうとしている。許容誤差の基準を甘くする代わりに、はるかに大量のデータを集め、斬新なことを実現しようという試みである。測定値の数が増えれば、誤差が紛れ込む可能性は高まる。しかし、データの量が多ければ多いほど、現象の「全体像」を把握しやすくなるのも事実である。一方、データのフォーマットのばらつきもまた、ビッグデータの活用時には大きな問題となる。例えば広大なブドウ畑に数多くの温度センサーを取り付けた場合、いくつかのセンサーが不正確なデータを上げてきたり、データの前後関係に乱れが生じたりすることがある。しかし、これら各計測値の精度を犠牲

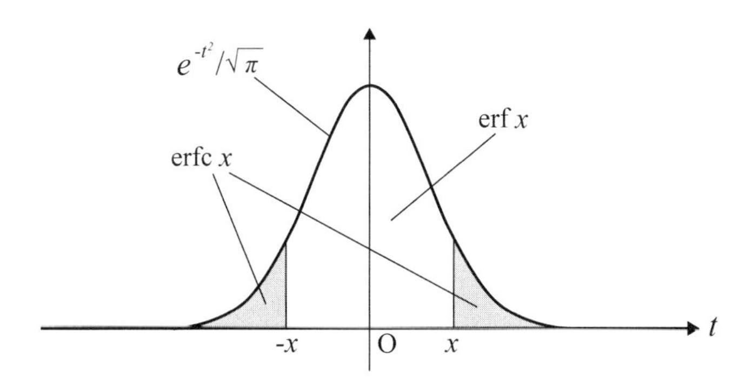


**図版6–10：正規分布と信頼区間**
**（出典：数学では「erf」の意味は何ですか？　https://jp.quora.com/suugaku-deha-erf-no-imi-ha-nani-desu-ka）**

にする代わりに、多様性が高まり見逃しかねない詳細な情報を把握できるようになる。たいていの場合、誤りを防ぐことに腐心するより、誤りを許容することの方がメリットは大きいのである。もっともその際には、数字から精度を読み取るのではなく、数字を確率的に判断するという、「数字の評価方法の切り替え」が必要であるが。

膨大なデータが賢いアルゴリズムに勝つという事実は、自然言語処理の分野でも証明されている。四種類の一般的な自然言語解析アルゴリズムについて、コーパスすなわち「実際の言葉の使われ方を蓄積した資料」のデータを、1000万語から10億語まで増やしたところ、50万語のデータ量では最低の成績だった単純なアルゴリズムが、10億語のデータ量では最高の成績を発揮した（正答率は75%から95%に向上）のに対し、少ないデータ量で最高の成績を上げていたアルゴリズムでは、データ量を増やして得られる成績の伸び幅が最も小さかった（正答率は86%から94%に向上）。ここから、データは「少ない」よりも「多い」方が成績がよく、しかも「多い」は「賢い」よりも好成績となることが分かったのである。

これまで標本による分析を担ってきた人々は、乱雑さを取り除くことに人生をささげてきた。標本の抽出は特別な訓練を受けた専門家が正しい手順に従って行うものとされてきた。ただし、誤りを減らす対策には費用と時間がかかってしまう。そして、ビッグデータの世界に足を踏み入れるためには、「正確＝メリット」という考え方を改める必要がある。大部分あるいは全体を取り込んだ包括的データが手に入るなら、個々の測定値の良し悪しにいちいち悩むことにはあまり意味がない。膨大なデータがあり、全体的な傾向を推測できさえすれば、精度や正確さは必要とされないケースは、多く存在するからである。そして、測定、記録、情報伝達に使用するツールが改善されていけば、こうした不正確さの問題は次第に解決するだろう。ビッグデータの持つ乱雑さを受け入れれば、従来の手法やツールでは考えられない範囲や規模、そして速度をもって、極めて有益のサービスを提供することが可能となる。多少の誤りであれば許容されるような領域では、そうした考え方の下でビッグデータ活用が進むことになるだろう。

包括的なデータ集合と乱雑さを柱としたビッグデータは、従来のスモールデータと正確さの組み合わせよりも、現実に迫ることができる。スモールデータの時代は、世の中に対する我々の理解度は「分析可能なもの」に限られていたから、完全といえないだけでなく、間違っていたかもしれない。それを補うために、確実性と安定性という文言が求められたのであろう。これに対してビッグデータの時代は、粗さや曖昧さが許容される代わりに、これまでとは比較にならないくらい大きな視点で

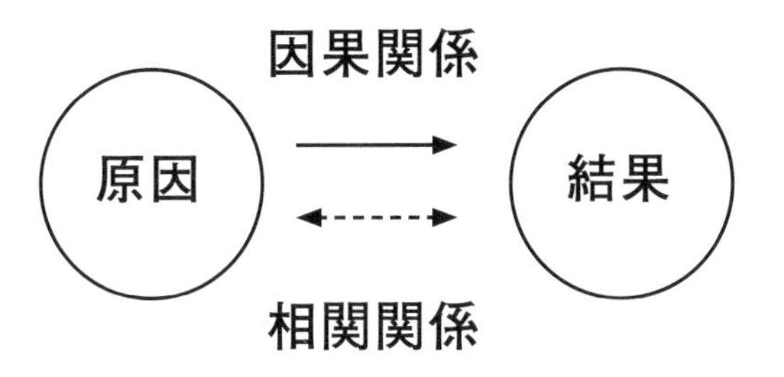


図版6–11：因果関係と相関関係
（出典：因果関係と相関関係　慶應義塾大学清水勝彦研究室
https://shimizu-lab.jp/blog/3462.html）

物事をとらえる社会になる可能性がある。標本調査の時代･正確さ第一の世界では、収まるべきものがしかるべき場所に収まり、一つの質問に対しては答えは常に一つだった。あらゆる出来事の「理由」を探るのが当たり前だったし、そういう慣習が社会の拠り所になっていた。しかしビッグデータの時代には、「因果関係に重きを置く分析」という態度が「相関関係で十分とする分析」という態度に変化する。それは同時に「理由」ではなく「結論」を重視する分析態度への変化を意味する。

ビッグデータが登場するまでは､相関の実用性は限られていた。データが少なく、収集作業にもコストがかかったため、統計学者はまず相関の高そうな数値に目星をつけ、関連データを集めて相関分析にかけ、予想の妥当性を確認していた。しかし、ビッグデータ時代になれば、すべての変数の組み合わせについて相関分析を行い、簡単に相関の高い変数の組み合わせを特定することができる。ある現象について有効な仮説がなくても、ビッグデータを相関分析にかければ、データが答えを語りだす。偏りも少なく、精度も高い、データ主導型の分析は、何よりも超高速に答えをはじき出してくれるのだ。こうした方法は、服薬遵守スコアや銀行の与信スコアだけでなく、顧客の妊娠予測や建築物の損耗の兆候監視によるメンテナンス計画、そして、車の部品の測定・監視による故障の予想と部品交換という形ですでに応用されている。大規模生産組織について損耗の兆候が発見ができれば、生産停止という事態を、車の部品の故障を予測できれば、荷物の運送の遅延を防ぐことができるだけでなく、重大な事故を避けることができ、トータルコストを大幅に削減することができる。相関は「理由」ではなく「答え」しか教えてくれないが、現実にはそれで十分なことが多いのだ。

相関分析を用いてビッグデータを分析することによって、心臓発作を起こす確率

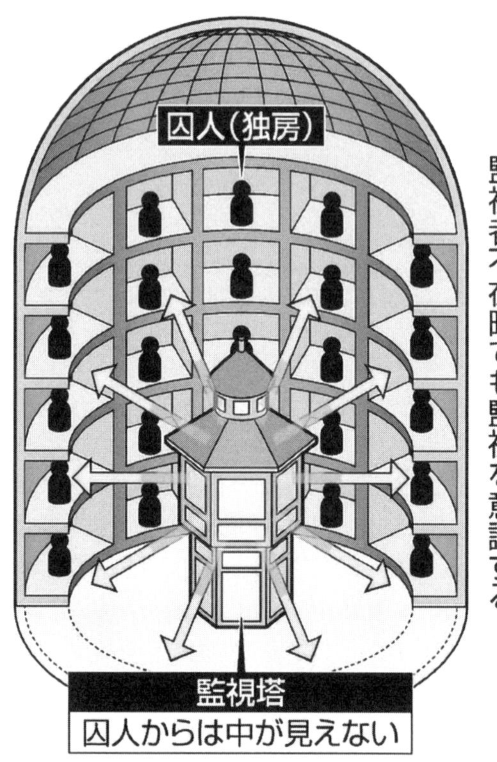


図版6-12：「パノプティコン（一望監視施設）」とは
（出典：テンメイのRUN&BIKE　https://tenmei.cocolog-nifty.com/matcha/2017/04/post-f90e.html）

から、住宅ローンが焦げ付く確率、ある人が犯罪を犯す確率まで、アルゴリズムによって予測することができる。このことが意味するのは、データ中心時代においては、物事の判断を説明する時に用いられるロジックが、因果関係ではなく確率の数字になるかもしれないということだ。これは人間の自由や尊厳に大きな影響をもたらすことになる。「プライバシー」よりも「確率」が優先される、ことになるからである。したがって、ビックデータの活用が当たり前になるデータ中心時代においては、「人間の自由意思かデータの独裁か」という倫理問題が提起されることになり、個人の尊厳を守る新たなルールが必要となる。

実際、インターネット時代には、アマゾンやグーグル、フェイスブックをはじめ携帯電話会社やサービスプロバイダーは日々膨大な個人情報を収集　　計・提供している。このとき問題なのは、「規模の変化」が「状態の変化」につながることだ。プライバシーの保護が極めて難しくなるばかりではない。ビッグデータの分析から導き出された予測により、特定の性質や習慣を持っているだけで制裁を受ける可能性すらある。そして、ビッグデータは、権力者にとって弾圧や抑圧の根拠になりうる。これは、ビッグデータの時代においては、誰もが「データ独裁の犠牲者になるリスク」に見舞われるということを意味している。プライバシー保護や予測の面でビックデータの暴走を抑えられない恐れ、そして、データの解釈でだまされる恐れは常にある。ビックデータの多くには個人情報が含まれているし、一見しただけでは個人情報といえないデータ・匿名化されたデータであっても、容易に個人レベルにまで遡ることは可能なのだ。

## 第6章　注

IoTとセンサーネットワークについては主として（坂村健、2016）（坂村健、2017）に、ビッグデータとクラウドコンピューティングについては主として（城田真琴、2012）（鈴木良介、2011）（野村総合研究所、2012）、統計手法によるデータ可視化については主として（Murray, 2014）（豊浦栄治、2015）（Healy, 2021）（古簾一浩、2014）（Unpingco, 2016）（林真、2016）、ビッグデータ至上主義に対する考察は主として（Madsbjerg, 2018）（Salganik, 2019）（Mayerほか、2013）に依拠している。なおi-modeのサービス開始は1999年、Suicaのそれは2001年であり、PASMOのそれはやや遅れた2007年であった。

第7章

# AIとビッグデータが市場と企業、労働の未来を変える

## 第1節　アルゴリズムから機械学習へ

収集・活用できるデータの量が少なく、かつ粒度が荒かった時代。それはまた、CPUやメモリなどコンピュータを構成する電子部品の性能・容量が低く、活用できる手法やデータの量が限定されていた時代であり、場合によっては分析結果を出すまで数日を要する場合もある時代だった。データの処理はもっぱら、定型化されたデータ処理の手続きを記したアルゴリズム型のプログラムであり、個々のデータの分析結果に対する判断は人間が行う必要があった。こうしたことから、経済活動におけるデータの利用は（現在に比べれば）極めて限定的なものにならざるを得なかった。端的に言えば、規格大量生産の時代から「カスタマイズ」の時代に移行しつつある過渡期の時代においては、コンピュータの利用はパターン化によって「想定可能な範囲」における「マーケットの多様化への対応」という、サプライサイド中心の戦略領域での活用にとどまっていた、ということであろう。

リテール企業におけるPOSシステムの導入、ポイントカードの普及に加え、プラットフォーム企業が成長し、eコマースが普及すると、企業は消費者の購買に関するデータを「大量」かつ「自動的」に収集することができるようになった。POS

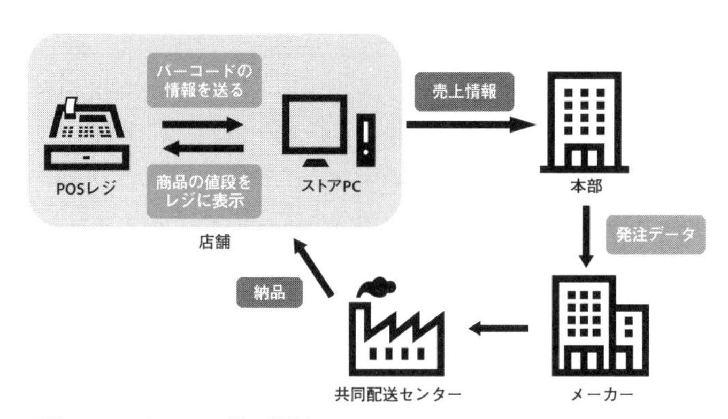


図版7–1：POSシステムが持つ機能とは
（出典：POSシステムが持つ機能とは | メリット・仕組み・種類 - クラウドPOSレジ紹介 https://boxil.jp/mag/a2537/）

システムによって得られたデータにより、各商品の仕入れの量とタイミングが最適化され、その分析が新しい商品の開発に活用されるようになった。ポイントカードによる購買記録の取得と蓄積もまた、顧客の囲い込みだけでなく、広告やマーケティングの最適化に活用され、経営の効率化に貢献した。

しかしながら、インターネットの高度化と商用端末の普及に伴うプラットフォーム企業の台頭、そしてeコマースの浸透により、それまでとは比較にならない粒度をもったデータが、大量に蓄積されるようになると、これを自動的に分析・処理してマーケティングに活用するためのシステムが求められることになる。アマゾンにおけるレコメンドシステムがその典型といえよう。その詳細は不明だが、利用者の年齢や性別などの属性情報と、過去の購入履歴などの行動情報をもとに、似通ったカテゴリーに含まれる人の購買行動を照合して、推薦する商品を決定しているものと、推測されている。商品を購入するたびに、利用者のデータは瞬時に分析され、レコメンドすべき商品がリストアップされる仕組みである。利用者によっては、自分の嗜好が読まれて消費行動を先回りされていることに、気持ち悪さを感じる人も多いに違いない。

ただし、市場に出回る商品は刻々と変化するし、消費者の嗜好も流動的なものであるから、ある時点で通用したレコメンドシステムであっても、状況の変化に合わせてよりよいものに進化させていく必要がある。eコマースの場合、システムの成績は利用者の購買行動データとして自動的に取得・蓄積されるのに加え、利用者をいくつかのグループに分けてレコメンドシステムの複数のバージョンの成果を客観的数値によって評価することも可能。そうしたテストは利用者に知らせることなく行うことができるので、eコマースの現場では、日常的に、システムのバージョンアップ・テストの実施・データの評価による実装可否の判断が行われていると考えてよいだろう。

その際問題になるのは、従来型のルールベースのプログラムを用いて人間が判断するという手法では、多種多様そして時々刻々と変わる大量のデータについて、その都度学び直しモデルを構築しアルゴリズムを作り直さねばならないため、トライアル&エラーを頻繁に行うのは困難だということである。こうしたことから、従来人間が行うよりほかなかった判断をコンピュータに行わせる機械学習の技術が開発され、さまざまな場面で活用されるようになった（機械学習は人工知能を実現する上で最も重要な技術要素の一つである）。

機械学習とは、人間がさまざまな対象について学び、その特徴を理解し、分類や判別を行うプロセスを、コンピュータに行わせるための仕組みの総称であり、大き

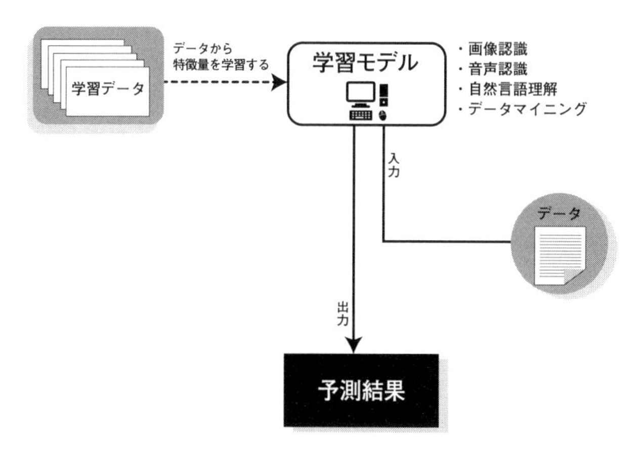


図版7-2：教師なし学習のイメージ
（出典：教師なし学習とは何か？ クラスタリングやアルゴリズムをわかりやすく解説する　https://www.sbbit.jp/article/cont1/46835）

くは「教師あり学習」「教師無し学習」「強化学習」に分類される。従来から存在するルールベースのプログラムと新しい機械学習の手法を組み合わせて使うことによって、これまで人間が一つ一つのプロセスに関わらねばならないような作業の多くを、自動的に行わせることができるようになった。ただし、構造化データであっても多くの場合「前処理」が必要であり、コンピュータを「教育」する段階では、数学モデルとアルゴリズムを理解した人間の関与が必要である。例えば「教師あり学習」においては、一つ一つのケースについて正しい答えを人間の側で用意する必要があるから、十分な精度が得られる状態までコンピュータを「教育」するために必要なデータは、膨大なものになる。また、「教師無し学習」においても、コンピュータを「教育」する段階においては、教育用データの妥当性や、得られた結果が適正であるかどうかの判断を、専門的知識を持った人間が行う必要がある。「強化学習」もまたしかり。学習のプロセスにおいては、非常な手間暇が必要であるし、得られる結果は「確率的なもの」に過ぎない。

ただし、ここで注意しなければならないのは、人間が行う意思決定もまた、本質的には確率的なものに過ぎないこと、そして、意思決定の結果は常に適切であるか否かの二つに一つしかないということである。VUCAと総称される現代社会における社会行動・ビジネスプロセスにおいては、多様であいまい・急速に変化する状況・事象について、迅速な判断が要求される。それに対し、限られた時間・空間の中で人間が処理できるデータの種類・量は非常に限定されているので、速度や精度にはおのずから限界がある。状況の推移の中で「正解」そのものが変化していくという世界においては、個々の意思決定の適切さについて評価することすら難しい。その点、機械学習の仕組みを使えば、人間では不可能な種類・量のデータを迅速かつ自動的に、そして安価に処理できることは確かである。機械学習は、良質なデータと適切なアルゴリズムを選択した上で、上手に学習させることができれば、非常に高い性能を発揮する可能性を持つ。さらに、学習した成果をもとに、結論の正解確率を、数値で示すことも可能である。これは、機械学習の仕組みを正しく使えば、意思決定の内容が間違っていた場合には、その原因の所在がどこにあるか（学習させたデータか、データを処理するアルゴリズムか、出力結果の正解確率の計算方法か、出力結果を評価するヒューマンなプロセスか）を検討し、これを改善することで、その後の意思決定の精度を向上させることが可能であることを意味している。これをビジネスプロセスに適用すれば、それまで既得権構造や人間関係、経験や勘に頼っていた意思決定を、データドリブンなものに変革することもできよう。

さて、人工知能の領域でさらに重要なトピックは、高度なハードウェアの発達により、深層学習の高度な技術を応用した非構造化データの処理が可能となったことである。ニューラルネットワークモデルの応用による非構造化データ認識の手法の

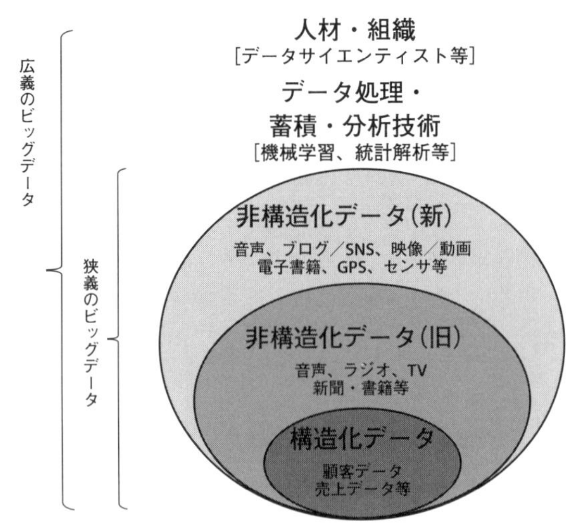


図版7–3：ビッグデータの種類と内容
（出典：特集「スマートICT」の戦略的活用でいかに日本に元気と成長をもたらすか
https://www.soumu.go.jp/johotsusintokei/whitepaper/ja/h25/html/nc113110.html）

実装と、認識精度を上げるためのアルゴリズムの開発により、コンピュータによる画像データ・動画データ・自然言語・音声データの認識が、実用レベルにまで引き上げられつつある。これにより、例えば、画像データによる顔認識、動画データによる監視カメラデータの処理、テキストデータによるSNS分析、音声データによる会議録作成などが可能になった。それに加え、手書き文字認識のテキストデータへの変換、自動運転や癌の画像検診、ドローンによる無人配達やレジ無し店舗など、我々の生活や生命に直結する領域においても、それなしでは考えられなかったさまざまな試みが、社会実装されつつある。

ただし気を付けなければならないのは、深層学習による対象の認識プロセス、最終的な判断に至る情報処理のシステムについて、その利用者たる人間が理解できるような形で、情報処理の過程を示すことが難しい、ということである。(誤差伝搬法や活性化関数など、実際に行われている細かいテクニックは別として)深層学習の過程においては、コンピュータは大量のデータから得られた情報を、あらかじめ設定された階層数に応じ、段階順にいくつかのパターンへと分類し、それぞれの段階のそれぞれのパターンに適切な重みづけを加えて足し合わせることによって、対象認識のための論理モデルを構成する。ただし、認識モデルの構築の過程でコンピュータが自動的に作成したそれぞれの階層における対象認識用のパターンの中身はコンピュータの中にだけ存在するにすぎず、外部から覗き見て確認するとはほとんど不可能なのである。こうした理由から、「意思決定プロセスは不明だが、そのプロセスを活用すれば、意思決定の精度が向上し、経営的に有利になる」という、極めて不可解な現象が発生することになった。すなわち、入力データと前処理によって深層学習させたコンピュータを、情報処理のプロセスをブラックボックスとして不問にしたうえで、その正答率だけを頼りに評価し現実のビジネスに応用するという決断を実行に移した企業だけが市場で成功を収め、プロセスをブラックボックスとして不問に付すリスクを回避した企業は市場で敗退する、という、一種逆説的な現象が、現実には頻繁に発生したのである。

一般社団法人日本ディープラーニング協会の松尾豊によれば、企業に対してディープラーニングを施したコンピュータによる分析結果を示しながら経営戦略を説いたとしても、担当責任者にデータの分析プロセスについて十分な納得をしてもらえず、意思決定の責任が取れないという理由で却下されて外国企業に意思決定の遅れをとり、市場で敗退する日本企業は珍しくない、という。それゆえ、コンピュータ内でのデータ分析プロセスについて事実を忠実に説明するのではなく、重回帰分析や因子分析、クラスター分析や判別分析などといった従来からあるデータ分析手法を用いて「疑似的な」説明を行い、決裁を取るというテクニックが必要となる。ディープラーニングのモデルを用いて学習済みモデルを作成し、精度を向上させるには高度な技術・知識が必要であるが、それを活用するためには日本の企業文化そのものを、リスクを伴う迅速な意思決定を許容あるいは推奨するようなものに変革する必要があるということか。

そして忘れてはならないのは、機械学習は決して万能のツールではない、ということである。機械学習が力を発揮するのは、あくまでも、現象の背後にその結果を発生させる「構造」があり、その要因が適切にデータとして取得されている場合のみ、である。偶発的に起こる現象や、過去のデータが存在しない現象、そして、現象が起こるメカニズムが複雑なものについては、精度の高い予測は難しい。したがって、このような領域については、どうしても人間がデータの収集や処理に関わり、判断を行っていく必要がある。さらに重要なのは、機械学習が有効な領域についてであっても、それが成果を上げるためには、一つ一つの問題に応じたデータの「前処理」が必要であることである。実際の現場では、データの中に異常値や欠損値が含まれることもあり、それゆえ、機械学習のアルゴリズムを適用するよりも、前処理に多くの時間が必要となる場合もある。前処理が適切でなければ、機械学習が十分な精度を達成できない可能性もあるからである。

本書では詳細には立ち入ることを避けるが、機械学習を活用することによって、人間では不可能な種類・量のデータを迅速に処理できるようになったことは確かである。ただし、当然のことながら機械学習による識別・予測の精度を 100% にすることほぼ不可能なので、そうした誤差をどのように管理していくか。どのような種類の誤差であればどの程度許容できるか、あるいは、許容できなかったとしても安全性をシステムとしてどのように担保していくかの判断は、人間が行わなければならない。

このような注意点がありながらも、IoT の進展によるビッグデータの蓄積とデータ処理に関係するハードウェア環境の発達に伴い、機械学習や深層学習の成果の社会実装が進み、成果を上げるとともに、データサイエンティストやビジネスモデル・イノベーションの担い手に対する需要が高まっているのは、事実である。アングリーカーブからスマイルカーブへの変化によって、製造工程の「川下」にシフトした日本の産業界、縦割りの産業構造に横串を通そうとすると、さまざまな規制や業界構造に阻害される日本の産業界であるが、情報処理の革命を起点としたボーダーレスな産業構造の再編という現実の前では、新たなビジネスモデルの構築によるコスト・収益構造の改善とその社会実装なくして、想定不能な経済競争を勝ち抜いていくことは難しくなるということだ。

かつては、「読み書きそろばん」に代わって「統計学とプログラミング」が基本的な技術となるといわれたものであるが、AIそしてロボットとの共生が当たり前となるIoTそしてIoS（Internet of Service）の時代においては、それを前提として、AIとロボットを使いこなす能力に加え、新たなビジネスモデルを構想・構築・実装していく能力が必要となる。そして社会の側にも、そうした変化を受け入れ、社会全体を常にバージョンアップしていくための仕組み、すなわち、法制度や社会文化、経済文化を更新していくための仕組みが求められることになろう。

## 第2節　AIの社会実装による雇用・労働・社会の再編

雇用・労働・社会の変化はさまざまな要素が複雑に絡み合いながら影響するものであるし、技術革新の影響だけを取り出して論じることは難しい。しかし、技術の革新が、そのきわめて重要な要素の一つであることは、否定できない事実である。

そして、技術革新による雇用への影響は、時代によって様相が異なるものとされている。19世紀の産業革命は、機械による熟練工の代替のプロセスであり、熟練工の多くが失職したにもかかわらず、イギリスにおける実質賃金は上昇した。これは、技術的進歩による規格大量生産により利益が増大し、熟練工に支払われていた賃金が浮いたことにより、それまで低賃金であった労働者への分配が増えたからである。20世紀においてオフィスの機械化・電化が進むと、高度な教育を受けた事務職員の雇用が増大する。しかしこの時は、人材の供給が需要を上回っていたため、オフィス労働者の平均賃金は減少したのである。教育に多大なコストをかけなければ職に就けないにもかかわらず、平均賃金が減少し労働者が困窮するという現象は、すでにこの時期に始まっていたということになる。そして、20世紀後半にコンピュータが普及し、導入コストが急激に低下することによって自動化可能な領域が拡大すると、複雑なコミュニケーションと専門的な思考を伴う知識集約型（非定型分析）業務についての需要が増大し、自動化可能なタイプの定型業務の雇用が減少していく。これと並行して、ICTでは行えないルーティングジョブやマニュアルワークへの需要が増え、雇用の受け皿となったが、結果としてICT投資の増大は、所得の二極化をもたらしたのであった。

センサーやカメラなどの機器の性能が向上し普及してデータの収集や蓄積が容易となり、機械学習や深層学習の精度と性能が向上、それにもとづきロボットなどを稼働させられるようになると、これによって代替可能な仕事の領域が増大すること

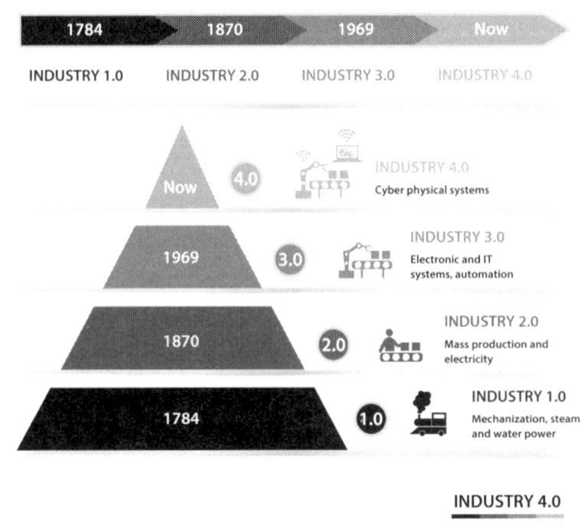


| | 時期 | 変化を一言でいうと |
|---|---|---|
| 第一次産業革命 | 18 世紀 | 石灰燃料を用いた軽工業の機械化 |
| 第二次産業革命 | 19 世紀半ば<br>～ 20 世紀初頭 | 石油燃料を用いた重工業の機械化・大量生産化 |
| 第三次産業革命 | 1970 年代初頭 | 機械による単純作業の自動化 |
| 第四次産業革命 | 2010 年代～ | 機械による知的活動の自動化・個別生産化 |

図版7–4：第一次産業革命から第四次産業革命に至るまでの歴史
（出典：第五次産業革命とは？ 第一次から産業革命の歴史を押さえ未来に備えよう
https://data.wingarc.com/5th-industrial-revolution-24123）

が予想されている。2013 年 9 月英オックスフォード大学のオズボーン准教授によって、米国において労働者が従事している仕事の 47% が 10 ～ 20 年以内に機械に代替される可能性が 70% 以上という推計結果が発表され、大きな話題となった。彼によれば、肉体労働だけでなく、知的労働の領域についても、パターン化が可能な仕事は消滅する可能性がある、とされる。減少していく職業は、一般事務、受付、秘書。総務、人事、経理。製造、生産工程管理。そして事務系専門職、接客・対人サービスの類い。増加するとされる職業は技術系専門職（AI エンジニアやデータサイエンティストを含む）、営業・販売。事務系専門職。接客・対人サービス。管理、監督の類いとされる。そして野村総研との共同研究では、日本の労働人口の約 49% が、技術的には人工知能で代替可能とされた。

AI とロボティクスの社会実装が進むにつれ、付加価値のあるスキルの重要度が増大すると同時に、それを習得するためのハードルは高まっていく。情報技術・情

消えそうな職業

| 仕事 | 奪われる確率 |
|---|---|
| データ入力 | 99% |
| 銀行の融資担当 | 98% |
| スポーツの審判員 | 98% |
| 簿記、会計事務 | 98% |
| モデル | 98% |
| 電話オペレーター | 98% |
| 不動産仲介 | 97% |
| スーパーのレジ係 | 97% |

残りそうな職業

| 仕事 | 奪われる確率 |
|---|---|
| 医師 | 0.4% |
| 歯科医師 | 0.4% |
| 小中学校教師 | 0.4% |
| 学芸員 | 0.7% |
| 服飾デザイナー | 2.1% |
| 弁護士 | 3.5% |
| 作家 | 3.8% |
| イラストレーター | 4.2% |

Carl B. Frey and Michael A. Osborne THE FUTURE OF EMPLOYMENT: HOW SUSCEPTIBLE ARE JOBS TO COMPUTERISATION?

図版7–5：消滅が想定される職業・残存が想定される職業
（出典：職業モデルは絶滅する？　副業としての「週末モデル」の破壊力とは　https://withnews.jp/article/f0180404003qq000000000000000W05910101qq000017044A）

報環境の発達に伴い、雇用に対応できるスキルは従来の教育訓練の延長ではすまなくなる。そして、そうした能力を身につけるためには、高度な教育訓練と不断の能力開発が必要で、それを実現するためには、今まで以上に個人の自発的な取り組みが求められるようになる。したがって人生100年時代においては、生涯学び続ける姿勢を持ち続けることができるか否かが、大きなポイントとなる。

ここで留意しておきたいのは、コンピュータの導入が始まった1980年代に比べた場合、40年を経た今日においては、大学に進学しなくても、あるいは社会人であっても、インターネットを通してさまざまなスキルを身につけるのに必要な情報環境が格段に整備されており、しかも、その利用にかかる費用が非常に低く抑えられるようになっていることである。日本における放送環境を用いた社会人教育としては1983年に放送大学学園により設立された放送大学や、ソフトバンクグループによるサイバー大学が広く知られているが、通信制の学部や学科、課程を持つ大学も少なくない。また､米国におけるMOOCs､日本におけるJMOOCsのような形で、大学の講義内容をビデオクリップの形で無料公開し、よい学生を集めようとする試みを活用することもできる。最近では、人口減少と長寿化・高齢化を受けて、多くの大学で社会人のためのリカレント教育のために多様なコースが開設されるようになったから、本人にその意志さえあれば、「働きながら」受講し資格を取ることも可能であろう。さらに、新型コロナウィルスの感染拡大や緊急事態宣言の発出を受け、リアルな場での講義や実習が困難となったことから、ZOOM など遠隔会議システムを用いた講義・講演・セミナーなどが一般化するようになり、移動時間を気にせずにさまざまな学びの場に参加できるようになっている。インターネット上にある情報は玉石混淆であり、その活用には高度な情報リテラシーが必要となるものの、大量の情報が無料で入手し利用できるようになったことの持つ意義は大きい。

次に、情報技術に関わる学習環境について考えてみることにしよう。1980 年代にプログラムを独習しようとすれば、PC とモニター、OS とプリンターに加えて、高価で分厚い専門書と、プログラミング言語のインタープリターやコンパイラを購入し、インストールする必要があった。当時のハードウェアは現在のものより遙かに非力にもかかわらず高価で、インターフェイスは CUI。プログラムのエラーメッセージは英語で、モニターの解像度が低いため文字も読みにくい。記録媒体は 1.4MB 程度の容量のフロッピーディスク（磁性体を塗布したプラスチック円盤を駆動装置で回転させ、円盤の片面あるいは両面に同心円状に信号を記録し読み出すというもの）であって、記憶量が限られているだけでなく、書き込み・読み出し速度も非常に遅かった。プログラミング言語は、こうした媒体を通して頒布され、決して安いものではなかったし、バージョンアップされるたびに買い直す必要があった。つまり当時は、プログラミング言語を学ぶ環境を整えるだけでも、多大な出費が要求されたのである。これに対して今日では、インターネット環境とブラウザが動く環境さえ用意できれば、機械学習や深層学習に適した Python 言語等のインタープリターそしてコンパイラを、無料で利用することができる。サンプルコードやエラーコードへの対処法なども、インターネット上で簡単に検索・利用することができる。さまざまな機能を実装する際に必要なライブラリの多くも無料で提供され、ライセンスについての制約条件を遵守すれば、誰でも自由に利用することができる。このことは、ブロードバンド環境が普及した日本においては、学生であろうと社会人であろうと、学歴や学校歴、地域や専門などにかかわらず、本人にその気さえあれば、最先端の情報技術に関する情報や知識を収集し、具体的な例題を用いた実習を行うことに通して、さまざまなスキルを身につけることができることを意味している。

さらに見方を変えれば、機械学習や深層学習などによる雇用の減少は、少子高齢化に伴う労働力供給の現象が生じるサービス産業の人手不足の解消に貢献する可能性もある。また、女性や高齢者がこれらの技術を習得することによって、あるいは効率的に使うことによって、生産性の高い仕事を行えるようになれば、正規雇用に就くことも、あるいは自分のライフスタイルに合わせて在宅でフレキシブルに働くことも、不可能ではなくなるだろう。このように考えれば、AIとロボットは、今日の日本が抱えている問題を解決する上で非常に有効な技術的要素であり、従来の仕事を従来通りのやり方で固執し、雇用が失われるという側面だけを殊更に問題視することは、非生産的どころか、社会問題の解決を阻害する結果となるのではなかろうか。

VUCA時代を生き抜く我々は、競争力を喪失したスキルやビジネスモデルに固執することなく、時代に対応できるスキルをいち早く身につけ、自らの中に眠っている能力を開花させながら、新しいビジネス領域・ビジネスモデルの下でそれを発揮するために、絶えずチャレンジしていく必要がある。変化の激しい時代には、過去に学んだ事柄、過去の成功体験が邪魔になることも多い。過去の経験を新しい状況下で活かすためには、一旦過去の経験を捨てるアンラーニングの能力と、新しいビジネス領域・ビジネスモデル・新しいスキルの下で意味を持つ形に過去の経験を意味づけ直す、そして必要ならばそれらを捨て去ることのできる柔軟さが求められよう。そうしたプロセスを、アイデンティティ・クライシスに陥らないでやり遂げるためには、リベラルアーツ、すなわち、それまで自分がとらわれていたものから自分自身を自由にして、さまざまな立場から物事の価値や意味を考察できるようになるために必要な、人文科学的な教養が求められることになる。

さて、オズボーンの研究が労働者の仕事の47%がAIに代替されると推定する可能性を示唆したということと、47%の労働者が現在の仕事を失い次の仕事に移ら

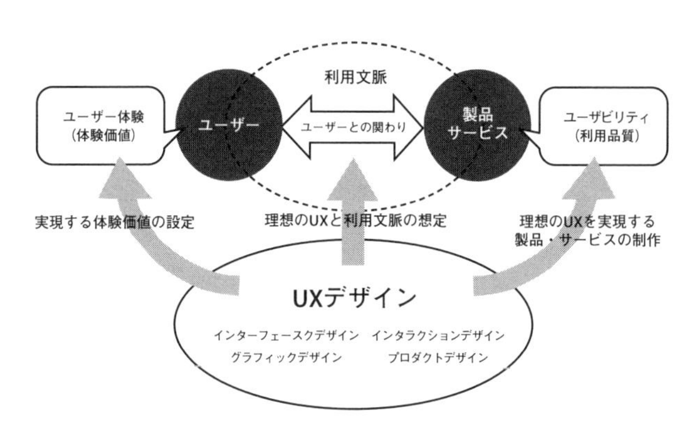


図版7–6：UXデザインの要素とその関係性
（出典：【クジラの眼 – 字引編】第12話 UX/user experience（ユーザー・エクスペリエンス）
https://workmill.jp/webzine/20200319_kujirajibiki12.html）

なければならなくなることは、同じことを意味しているわけではない。現在の労働者の仕事の中には、AI で代替できる部分と AI では代替できない部分が混在しているからである。そして、代替可能な仕事と代替不能な仕事が混在する状態は、国や文化によって異なっている。したがって、AI によって完全に代替され職を失う可能性がある労働者の比率は、例えば日本では 7% 程度といわれている。

ここで気をつけなければならないのは、仕事における AI の活用がどの職場においても同じように行われるわけではないこと、そして、日本においては AI によって仕事量が軽減されたとしても、それだけでは競争力の向上につながらないことである。雇用コストが低い非正規労働者を AI に置き換えることによる費用面の効果は微々たるものであろうし、競合する企業が AI を導入すれば競争力は喪失する。情報機器は陳腐化するまでの期間が短いので、同等の性能を持つ機材であれば「より遅く」導入する企業が有利になる。そのわずかな間に競合他社が回復不能な優位性を確立することは、事実上不可能に近いだろう。

このように考えれば、導入した AI の可能性を最大限引き出すことで効率化を実現しながら、それにより軽減された負担を一人一人の顧客のユーザーエクスペリエンス（UX）の向上に振り向けることによって、競争優位性を拡大し続けることができる人材を有効に活用することのできる企業だけが、AI 導入のメリットを享受することができる、ということになる。そして顧客の UX の向上のためには、サービスを提供するプロバイダーの立場を離れ、サービスを受けるユーザー一人一人の側に立つ必要があり、それを実現するには、自らが置かれた立場を離れる、すなわち、あらゆる拘束から離れて、それぞれのユーザーが置かれている状況を想定した上で、自由な思考を行うのに必要なリベラルアーツが必要となる。AI は手段として有効であるが、サービスを受けるのは生身の人間なのだ。

ICT によって収集されたビッグデータ、そして機械学習や深層学習という革命的な技術により、人間の偏見を取り除き、人間の行動を科学的に分析することによって、革命的な問題解決の方法を創造し、従来のやり方を根本から覆す。その結果、市場を「破壊」することも厭わない。それがシリコンバレー的なやり方である。旧習に縛られ非効率な業界の構造を破壊する段階において、それは非常に有効だったかもしれない。しかし、そうしたプロセスが一段落し、「人間中心」の社会を構築する段階において UX の向上を行うには、データの持つ意味を正しく解釈する必要がある。ユーザーが属する社会の文化と一つ一つの社会的文脈についての理解、それを可能とする人間の感情的な文脈・本能的な文脈に関する「厚いデータ」、芸術的な遺産や歴史、慣習についての理解、アブダクションという非線形の問題解決手法を用いた創造的推論、適切な文脈に沿ったデータの収集に基づくポイントをついた現象の把握。つまりは、人文社会科学的な教養に基づいた、現象理解の方法が、必要なのである。一般に信じ込まれているのとは裏腹に、ビッグデータがすべての面で中立になるなど、ありえない。VUCA ワールドではすでに、「モデルや仮説をもとに体系を説明するこれまでの方法論」が有効な領域は限定的となり、時に「的外れで荒削りの推量」となりつつある、とさえ言われるようになっている。AI とビッグデータそしてロボティクスは、多くの仕事についてパターン化可能なプロセスを代替するが、それによって軽減された負担を、人文科学的な教養に基づいた現象理解とそれに基づく UX の向上に結び付けることができない企業は、生き残っていくことが難しくなった。機械学習・深層学習の発展はビジネスの領域について、コストパフォーマンスに加えて UX が重要となる、新たな段階をもたらしたといえよう。

2020 年 9 月の段階において、日本のデジタル競争力は 63 国中 23 位。デジタルトランスフォーメーションによるパラダイムシフトについていけず、国力の低下が危惧されることが、デジタル庁開設の動きにつながったと思われる。各国の成功例を参考にしながら DX 化を進めていくことは重要である。しかし、IoT やビッグデータ、AI そしてロボティクスといった「目に見えるもの」に固執する、いわゆる「後追い」方式では、競争優位を回復することは困難であろう。日本が DX 後発国としてのメリットを生かすためには、競争力を失った業界の再編と新しいビジネスモデルの構築・実装だけでなく、「おもてなし」という言葉に象徴されるようなきめ細かい配慮に基づいた UX の持続的な向上を、DX 時代にふさわしい形で実現するための新しい試みを行っていく必要があるということである。

## 第 3 節　金融資本主義からデータ資本主義へ

さて、ビッグデータと AI、ロボティクスによる労働の代替という現象は、第一次産業革命による労働力の代替と、その後生じたラッダイト運動を思い起こさせる。ただし、GVC 革命を経た第四次産業革命の様相が、第一次産業革命のそれとは大きく異なっていることには、注意が必要である。高度に発達した情報ネットワークによる、工程別の「解像度の高い」オフショア化と、アングリーカーブからスマイルカーブへの推移に比肩すべき変化が、先進国の中でも発生しているからである。それはすなわち、①一人一人の仕事の、要素への分解と、②代替可能な要素の特定と、IT 技術による置き換え、そして③代替された要素に対する賃金のカット、である。ビッグデータと AI を活用することで、これまでの担当者とのシナジーで収益を向上させられる企業や職種は限定されると想定されるのに加え、ITで代替させることでかえって担当領域の仕事の質が向上するのであれば、シナジー効果ではなく設備投資の効果と見なされるであろうから、AIによるビッグデータの活用の効果が、従来から存在する職業に就いている労働者の賃金の面でプラスに働くとは考えにくい。また、ITによって新たに発生する職業も、代替可能な領域については次第にAIに代替されていくことになり、それに携わる人たちも、さらに生まれる新たな職業へと移動していくことなると思われるので、就業状態の不安定性は常態化するものと予測されよう。

ここで重要なことは、前者と後者の間では、現在以上の賃金格差が発生すると想定されることであり、何らかの形で再配分政策が行われなければ、先進国における中間層の所得の落ち込みは、エレファント・カーブに示される以上に激しいものになると考えられることである。AIによって現在の仕事の幾ばくかが代替されれば、それだけ、賃金の低下の代償として、労働者の時間的負担は減少するはずで、その時間を「人間性を取り戻すためのプライベートな時間」に費やすか、「より多くの賃金を獲得するための、副業の時間」に費やすか、「新たな雇用環境に対応するための、能力開発の時間」に費やすかは、一人一人の判断にゆだねられることになるが、職業構造の変化に対応できる労働人口の確保と、極端な格差の発生による社会不安への対策は、個人ではなく社会の問題であることから、時代に対応した個々人の意識の変革とスキルの習得は教育の問題であり、新たな時代に対応できる法制度の整備および政策の実施は、政治の問題ということができよう。Society 5.0の構想の、社会科学の領域における具体化が期待されることである。

さて、これら大きな問題を抱えるものであるにもかかわらず、今この段階でビッグデータとAIそしてロボティクスの活用に舵を切らなければならないのは、ビッグデータとAI、ロボティクスが発展した結果、現在がエクスポネンシャルな変化の臨界点であると想定されるからである。DX化の遅れが日本の国際的競争力を低下させていることは先に触れた。第四次産業革命と総称される現在の変化に後れを取ることになれば、日本の国際的競争力、すなわち経済力の低下は必至であるだけでなく、長い期間にわたる経済的な衰退を被ることになろう。過去の産業革命のタイミングにおける世界各国の対応の違いが、その後の長期間における繁栄・衰退を決定づけたという歴史的事実が、その可能性を示唆している。

コロナ禍に利用者が激減した航空機会社やリゾート施設の運営会社が、顧客の雇用を守るために他社へと職員を出向させる事例が報じられたことは記憶に新しい。VUCAワールドにおいては、職業構造は常に変化する可能性を持っており、それ

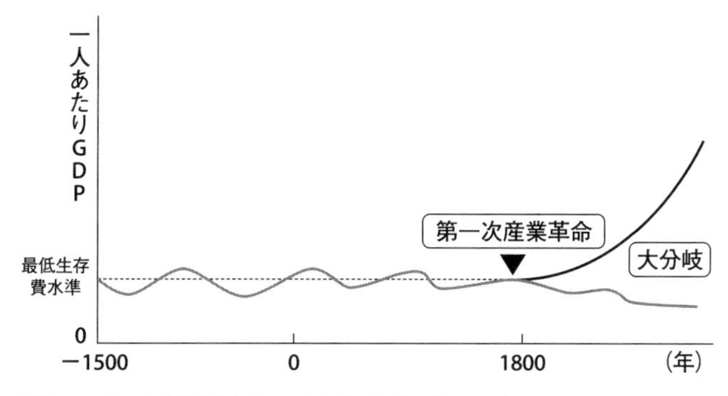


図版7–7：第一次産業革命と第一の大分岐（出典：井上2016）

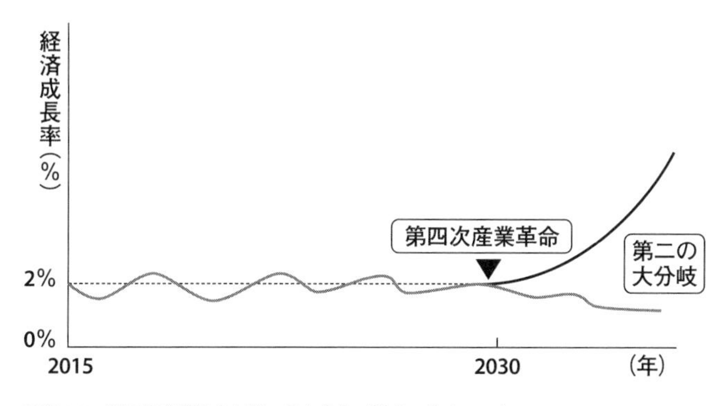


図版7–8：第四次産業革命と第二の大分岐（出典：井上2016）

ゆえ、その時代を生きる労働者には、常に失職・転職のリスクにさらされることになる。そしてAIとビッグデータの時代の難しさは、再就職のためにリカレント教育を受けたとしても、その能力を活かせる十分な雇用が存在するとは限らず、さらには、教育期間を修了したときにはすでに、その能力で対応できる仕事そのものが消滅している可能性すらある、ということである。したがって、就職あるいは再就職を志す人材は自らの責任で､受講する研修や習得する能力を選択する必要がある。つまり、過去の成功体験の記憶や自ら希望する職業に必要な能力ではなく、能力を習得した時点においてその能力が生かせる雇用が存在するか否かを第一に考えて、リカレント教育を選択しなければならない。さらに、どれだけAIが浸透しても、仕事の大多数は生身の人間との関係なしでは成り立たないものであるから、ITに関する知識・技術と人間関係形成能力、およびITに代替されない人文学的な教養が求められることには、留意しておくべきであろう。雇用や社会保障などのシステ

図版7–9：リカレント教育のイメージ
（出典：リカレント教育【人づくり革命】とは
https://www.educedia.org/entry/2018/02/02/232715）

ムについても、終身雇用を前提にしたものから転職の常態化を前提にしたものへと変更していく必要がある。例えば、国際競争力を上げることを目的とした、労働者の能力を尊重するジョブ型雇用のシステムを採用する会社が増えていることは、その一例といえよう。

職業が多様化・細分化・高度化し、社会経済構造が急速に変化する中で転職が常態化するようになり、ジョブ型雇用が増加すると、多種多様な能力を持ちそれぞれ特有の事情を抱えた人々と、さまざまな条件が付随する仕事とのマッチングを、どのような方法で実現するかが問題となる。高度成長期における求職者は、給与水準や労働時間、福利厚生などに代表される労働条件が、重要なポイントであった。雇用する側も、雇用するにあたり、学歴・学校歴、出身学部・学科や資格などの情報以上の、詳細な情報は要求しなかった。雇用した後に研修やOJTによって自社に合った人材に育てるために必要な、基本的な素養だけが問題だったからである。終身雇用が通例であったため、転職市場は小さかった。

しかしながら、今日では、就職時に「大学時代に何をやったか」「どのような能力があるか」が問われるだけではない。公的な職業安定所だけでなく、さまざまなレベルの転職者を対象とした転職斡旋企業が存在し、職歴や経験した仕事の内容、携わった事業や作成したシステムおよび、仕事に何を期待するかなど、詳細な情報を登録できるようになっている。社会経済環境が急速に変化する時代・企業が自ら人材育成をするだけの余裕を持てない状況の下、国際競争力を向上させるために即戦力が求められることから、求職者についてより詳細な情報を収集し、最適任者を採用できるような人事戦略が求められるようになったからである。職業の消滅・生成が常態化し、労働者の転職が普遍化すると、企業と求職者の間に行政や企業などが介在する現在の体制では、企業と労働者の最適なマッチングの行える領域が、高収入層に偏っていくと想定されるが、職業マッチングを効果的で効率性のあるものにするためには、企業と求職者の双方が最適な意思決定ができるような市場の再構築が望ましい。

その際参考になるのは、ビクター・マイヤーらによる「従来型市場」と「データリッチ市場」の比較である。彼らによれば、市場は「限られた資源を効果的に配分しやすくする仕組みであり、「社会問題を解決するための革新的な仕組み」（ソーシャル・イノベーション）として大成功を収め、その結果として80億人もの人口の大半の衣食住が満たされ、生活の質も寿命も大幅に改善されてきた。市場が力を発揮するためには、データが円滑に流れることが前提で、人間にはこのデータを解釈して意思決定する能力が求められるが、情報の流通や評価にコストがかかる時代には、さまざまな情報を集約する手段として「貨幣による価格」を用いるしかなかった。その結果として、中古車市場におけるレモン（買ってから欠陥が現れる質の悪いクルマ）や、世界経済を大混乱に陥らせたサブプライムローン危機に如実に示されるように、情報が少なすぎて最適な選択肢に気づかない事態や、情報が多すぎて圧倒されてしまい選択を誤る事態の発生を避けられなかった。しかし、大量の情報の伝達・処理能力が驚くほど向上している高度情報社会においては、この二つの問題をクリアすることが可能だ。豊富な情報について適切な技術を活用することで、市場は「貨幣価格」に依存する従来型市場から、より多くの人が満足できるような最適な選択肢を特定できる「データリッチ市場」へと生まれ変わる。日本の労働市場が「データリッチ市場」へと転換すれは、企業と労働者のマッチングの精度と速度が飛躍的に向上し、やがて到来することが予測される「一億総転職時代」を支える大きな力になるだろう。

マイヤーらによれば、データ資本主義の本質とは、「貨幣・資本への依存からの脱却」であり、「豊富なデータで豊かな現実を把握することの大切さ」であり、「企業よりも市場を重視する姿勢」であり、「人間が持つ調整能力を向上させる絶好の機会」であるとされる。ガルブレイスのいう「豊かな社会」の到来以来、人間の労働の領域、多くの仕事には、金銭以上に重要なものがあることを誰もが認識するようになった。人は仕事を通じて、社会的な交流の機会を持ち、それがやりがいにつながっている。そしてこれこそ、人間らしさの重要な要素といえよう。そしてAIとビッグデータの活用は、「いろいろな便益をひとまとめにした、“便益の束”」とでもいうべき性格のものだった仕事のセットを、要素ごとに分解し組み替えることができるように変革した。職種や領域によって差異はあるものの、近い将来においては、仕事という概念をもう一度捉え直し、構成要素を組み替えることが可能となるだろう。市場のデータリッチ化が進む中、人間の労働のメリットを考える際、給与の数字だけに目を奪われてはいけない。仕事は、単なる賃金を得るための労働とは異なり、多くの人々にとっては自分らしさ、連帯感、帰属意識をもたらすものである。仕事選びにおいても「金銭面」だけでなく、「同じ価値観を尊ぶ組織でやりがいのある仕事に取り組めるかどうか」、また、「同僚や取引先との意義ある交流の機会が持てるかどうか」など、さまざまなポイントが考慮されるようになった。特にハイテク分野で人材獲得競争を繰り広げる企業の間では、人材採用や人材囲い込みの際に、金銭とは直接関係のない面に力を入れる企業が増えているといわれる。

しかし現時点においては、こうした活動が一貫した形で実施されていないことが多いだけでなく、能力を備えた優秀な求職者であっても、自分に適した仕事を簡単に見つける方法が存在しない。やりがいとか経験とか自分らしさといった目に見えない価値が重要性を増す中、仕事が持つ便益の束の中身が組織の人材戦略全体においてきわめて重要になっていることから、よい人材を確保するためには、企業の側から便益の束について検証しながら従業員に提供し、必要に応じて内容を調整して改善させていく包括的で整合性のある戦略を行っていく必要があるといえる。その際に留意すべきは、企業が求める能力を備えた人材が抱えるさまざまな条件を考慮して、フルタイムに満たない働き方や部分的な在宅勤務制度を用意するなどの形で、雇用に柔軟性を持たせるとともに、さまざまな雇用形態の労働者に能力を発揮してもらえるような人材マネジメントを行うことであろう。仕事の現場で機械が幅をきかせるようになったとしても、人々がよき仕事に出会い、継続できるように手助けすることは、これからも社会の重要な役割なのである。

医療技術の発達により、人生100年時代が到来したといわれるが、情報技術の発達と普及をはじめとする社会経済状況の変化は止まらないどころか、ますます大きくなっていくものと予想される。グローバルレベルでの分業の細分化から、個々の職業レベルでの要素の再編に至るまで、そして労働者が携わることになる仕事の内容にも、さまざまなレベルで大きな変動が発生するであろう。それは、学生時代に習得した知識・技術では対応できない仕事が増え、若い時代に従事していた仕事で培った人間関係やノウハウが、時とともに陳腐化する、あるいは、業界の消滅・再編によって無意味化することが、珍しくなくなることを意味している。つまりこれからは、人生におけるさまざまなタイミングにおいて、社会経済環境に対応する能力を学び直すとともに、自らの才能や能力について詳細かつ正確に言語化することを通して労働市場に参画し、人間としての充足感につながるさまざまな面を網羅する豊かな職業観に基づき、貨幣に換算されないさまざまな条件を考慮した上で、自らの人生を豊かにするための判断に迫られる機会が、複数回訪れる可能性が高いということである。

ただし、ここで留意しなければならないのは、リカレント教育によって時代の変化に対応する能力を習得するのには一定の期間が必要であるのに加え、時間をかけて習得した能力も、習得した時点で労働市場での価値を失ってしまうリスクが、常に存在するということである。そして情報技術が発展・普及した1980年代以降、世界的に労働分配率が低下の一途を辿っていることが、エコノミストたちによって指摘されている。彼らによれば、労働分配率はほぼ全ての産業で落ち込んでいる。これとは対照的に資本分配率が増加しており、その結果、労働者に分配されなくなった資本は、投資家や金融機関にますます蓄積されているというのである。こうした所得の再配分の方法については、課税面・分配面の双方から、さまざまなアイデアが提案されている。

そして、こうしたアイデアの一つに、ユニバーサル・ベーシック・インカム（UBI）という考え方がある。例えば月あたり500ドルのUBIがあれば、低賃金労働者であっても、もう少し柔軟性が持てるようになるといわれている。自分の好きな仕事、家族と過ごす時間やボランティア活動を選んでもよいし、企業の夢を優先するためにフルタイム未満の雇用を選んでもよい。こうした柔軟性があると、ダラけやサボリがなくなる代わりに、不釣り合いなほどのやりがいや自分らしさをもたらす活動が可能になるともいわれている。

## 第4節　産業・労働の本質的変容と人間中心の社会

さて、創造的な仕事を志す人材は、賃金や休暇・福利厚生といった労働条件よりも、仕事そのものにやり甲斐を感じるかどうかを重視する傾向がある、ともいわれる。そして、イノベーションは、さまざまな人材の自由な交流の中でこそ発生しやすい。ITの領域では、さまざまな開発環境がインターネット上で利用できるものの、同じ言語でもバージョンによって仕様が変わる、あるいは、名称が同じライブラリでも利用できないなど、活用にあたってはさまざまな知識が必要となり、そのために躓（つまず）く人は少なくない。こうした問題を解決するために、「トキワ荘」をモデルとした集合住宅をイメージしながら、バーチャル・リアルの両面でコミュニティ形成を行うことで、IT人材の育成とイノベーターの育成を行う試みが、始まっている。小学校におけるプログラミング教室や、地方創生のための人材育成という観点から、自治体による期待も大きいという。イノベーション人材の育成を目的として、企業から社員の入居を求められることもあるらしい。また、すでに家族を持ちながら、ウィークデーの住まいとして入居する技術者もいるという。これはすなわち、住居が学びのコミュニティとなり、さまざまな人的ネットワークの拠点となりうることを示しており、仕事が人間を阻害するものではなく、むしろ自らの成長やネットワークの広がりを実感することを通して人生を豊かにするものになりうることを意味している。

一方、家庭に目を転じてみれば、男女平等参画を背景とした女性の社会進出などにより、住居の掃除・洗濯・料理・整理などの家事労働の負担が問題となっている。企業によるハウスキーパーや家政婦の派遣には多額の費用が必要であり、平均的な共働き家庭にとっては継続的な利用は難しい。一方、高齢者世帯に対する公的な支援の負担も大きく、税収の低下に伴い事業の継続が難しくなっているともいわれる。さらに、「家事」に含まれるさまざまな要素の中には、高度なスキルを要するもの、大きな負担を伴うものがあるにもかかわらず経済的な評価が低く、それが専業主婦に不満を感じさせる原因となっているという指摘もある。そして近年、こうした問題を、シェアリングエコノミーの考え方に基づいたプラットフォーム環境の活用によって、低価格の高品質サービス提供者と家事代行を必要とする依頼者とをマッチングすることを通して解決しようとする試みが始まっている。これは、基本的には「家事代行を依頼したい人」と「家事を行いたい人」のマッチングを行うというものであるが、依頼者と提供者の双方を評価し合う仕組みを提供することで信頼性を担保するほか、提供者は依頼者の住所を見た上で移動時間を考慮しながら仕事を選択することで、時間を効率的に活用することができる。習熟度によって家事の質は大きく異なるが、就業経験のない一般の主婦であっても、提供者として登録することは可能だ。専門性のある職業に就いた経験のある人であれば、それを活かしながらサービスを提供することもできる。このように考えれば、家事代行サービスもまた、学歴・学校歴不問、職歴不問の領域といえる。事業が展開するにつれ、バーチャル空間上で同じプラットフォームに登録するサービス提供者同士の交流の場が形成され、意見やアドバイスが交換されるなどして成長の契機となり、これが提供者たちに生き甲斐や充実感を与えるようになっているという。

こうした事例が示唆しているのは、ビッグデータとAIがこれまでの職業のあり方を大きく変え、代替可能な労働が減少・消滅して、必要とされる職業が多く生まれてくるということだけでなく、社会・経済・文化の変化に対応して新たなマーケットが発生するとともに、新たな方法論にもとづいて高度情報環境を活用することにより、さまざまなスキルを活かしてビジネスを展開し社会的ネットワークを形成する可能性および、それらを通して学歴や学校歴に左右されずに誰もが「より充実した豊かな人生」を送れるようになる可能性が、拓かれたということである。情報技術の高度な発達と情報ネットワーク環境の普及により、グローバル・バリュー・チェーン革命が進み、これによって我々は「豊かな生活」を送れるようになった。しかしそれは、経済プロセスが常に政策リスクの下に不安定化する危険をはらみ、コロナ等の感染症によって社会経済環境が劇的に変動するリスクをはらんでいる。情報技術の発達と普及によるビジネスの再編や消滅は、想定不能な性格のものであるといわれている。このような状況下において、社会・仕事・家庭もまた常に変動する危険性をはらんでいることから、そうしたリスクをヘッジする仕組みとして、社会レベルではコミュニティ・ネットワークやシェアリングエコノミーといった問題解決についての新しい方法論が、そして個人レベルでは、さまざまな形でのソーシャルネットワーキングへの参加と活動という形で新しい相互扶助システムを自ら見出し、必要ならば新たに構築し、積極的に関与していくことが、求められることになろう。

一人一人のミクロな生活史とマクロな社会変動を関連させながら考察できる能力を特に「社会学的想像力」と呼ぶ。これらの事例は、高度情報技術の下、データリッチ市場が成立する条件が満たされた今日において初めて可能になった、世界レベルの変動の中で生きる一人一人の個人の人生を豊かなものにし、人間中心の社会を作っていくための試みといえるが、ここで人間社会から一歩引いて、地球環境・都市環境という観点から、マクロ—ミクロ問題について、いくつか考察を示しておくことにしよう。例えばMaaS。カーシェアが当たり前になり、必要な時に必要なだけ自動運転のモビリティサービスが使えるようになれば、特別な理由がない限り個人による車両の所有がなくなり、道路では常に車両が動き回っているから、駐車場が不要になるともいわれる。そうなれば、空いた土地を使って潤いのある都市空間を構築することも、可能となるだろう。再生可能エネルギーを使えば環境負荷も少なく、ビッグデータとAIをエッジとクラウドの最適な組み合わせで活用すれば、事故の発生リスクは最小限に抑えられるはずだ。コストパフォーマンスのよいロボカーは、少子高齢化・過疎化の進む地方自治体で、QOLの維持に貢献することが期待される。ドア・ツー・ドアでMaaSを活用できれば、医療難民や買物難民、遠距離通勤など、さまざまな問題を最小のコストで解決することが可能であるし、ガソリン車の数が減少すれば二酸化炭素排出量を大幅に削減できるので、地球温暖化防止にも役立つ。一つ一つの車両利用状態をモニタリングし、都市レベルで最適化すれば、消費エネルギーも少なくて済むし、車両にセンサーを付けてデータを収集すれば、車体だけでなく道路のメンテナンスに必要な情報を収集・分析することも

図版7–10：変わる異動の価値とこれからの「MaaS」
（出典：https://i-common.jp/column/corporation/maas/）

できよう。MaaSで収集された個々人の行動データを適切に収集・処理することにより、こうした社会課題の多くを解決できる可能性もある。

総務省によるSociety 5.0の構想では、ビッグデータとAIによるCPSと5G、そしてロボティクスにより、現実世界・サイバー空間がシームレスにつながり、それまでの「情報社会」の到達点であった「部分最適」から「全体最適」の段階に至ることができる、とされている。その領域は、交通だけではなく、農業、食料も含めた産業のバリューチェーン、そして防災、医療・介護から教育、家事育児に至るまで非常に幅広く、かつ、奥深い。これは産業経済から社会・教育そして個人の生活についてDXを行うことで、従来の文化・制度や慣習そして経験を超えた人間性豊かな世界を全ての国民の参加の下で構想・実現していこうとするものだが、その内容は技術的な可能性を領域別に示すものに留まっており、それらについてどのように具体化し生かしていくかは、多様化し流動化する個人一人一人に委ねられている。先の二つの事例は、「会社と仕事の分離と再編」そして「家庭と家事の分離と再編」つまり「既存の社会システムの再定義」の試みといえる。これらのビジネスがマーケットを捉えて社会実装されるということが、それまで当たり前だった会社そして家庭の在り方が変わる、すなわち、再定義されることを意味しているということについては、注意が必要である。例えば先に取りあげた家事代行のマッチング事業は、女性の社会進出そしてIT人材に対する需要という社会状況の変化の下で、既存の事業モデルでは捉えきれなかったマーケットを見出し、顧客満足を高める創意工夫を盛り込んだビジネスモデルを社会実装することにより、成長軌道に乗ることができた。しかしそれは同時に、それぞれのビジネス領域に関係する社会経済の在り方をディスラプトするプロセスであり、既存の社会システムを作り変えるプロセスであり、その社会システムを支えていた人間関係や社会文化の存在基盤を喪失させる可能性があるものなのだ。その結果として、自らの意思でそのプロセスに参加した人々からも、気が付かないうちに自らの経済基盤やアイデンティティーの基盤を喪失することになる人々や、社会的アノミーに陥る者が大量に生み出される可能性は、否定できないのである。

そして、より一層注意が必要なのは、高度情報化によるディスラプションが、社会経済の領域だけでなく、地域や家庭、医療や福祉など、生活や命に直結する領域にまで、及んでいくことである。それは我々の生活や生命に関する領域におけるさまざまな人間関係や文化価値観の多くが、いわゆる問題解決の方法論の変革とともに、大きく変わっていくことを意味している。高度成長期における「都市化」は、同じ地域に住む人々の共通問題の解決のスタイルを相互扶助型から専門機関依存型へと変化させてきたといわれる。そして情報ネットワーク環境の高度化と普及は、時間と空間を超えた人的ネットワークの形成と、それを通した資源動員による問題解決を可能とした。超高速・無遅延の情報網と、ビッグデータおよびAIの活用、そしてロボティクスは、現代社会が直面するさまざまな問題（人口減少・少子高齢化、消滅可能性自治体から資源問題、地球温暖化、そして感染症問題に至るまで）の解決に貢献するものと想定される。しかし同時に、さまざまな地域・階層にわたって社会的な疎外感を感じ、アノミーに陥る人が発生することも想定しておく必要がある。逸脱者や自殺者の増加による社会的混乱を最小限に抑えるうえで、さまざまな文化・価値が共存できるような社会の実現と、こうした環境を活用した事業を展開する事業者や業界団体による社会経験（Social Experience）および文化経験（Cultural Experience）・価値経験（Value Experience）のデザイン、および、ユーザー間あるいはユーザーコミュニティ単位での学び合いが、今まで以上に重要になることは間違いない。

さて、ここで忘れてはならないのは、AIに可能なのは、得られたデータの統計的な分析と、確率的な判断を示すことまでである、ということである。そのことを理解する上で、19世紀欧州における統計学万能時代の経験は、示唆に富む。天体観測データへの誤差管理への適用からその有用性を確認された統計学モデルは、人間の胸囲の分布を理解する上で有用性が認められて以来、生物学的現象から社会現象へと応用されていったが、さまざまな社会法則が発見されるにつれ、統計的決定論の前では人間の自由意思は意味を持たない、とまでされるようになってしまった。その後ニュートン力学のパラダイムを覆す気体分子論のモデルが提起されるとともに、統計的決定論はスカトスティックという概念に取って代わられ、人間の自由意思の尊厳が回復されるとともに、選択の責任が個人のもとに引き戻されることになる。ビッグデータとAIにより、広い領域で精度の高い制御が可能となった今日、再び我々は、同じ轍を踏もうとしているのではないか。そしてこれとは逆説的に、意思決定における人間の自由は、統計的法則で説明できない残余または、統計的法則から逸脱した現象あるいは振る舞いにこそ、現れると見なされている。それは、19 世紀欧州の統計法則についての論争における最大の論点であり、その結果生まれたスカトスティックという概念こそは、統計的な社会法則から人間性を守る哲学的な盾であった。ビッグデータと AI の時代においては、それと同様の社会哲学的問題が、それと認識されにくい形で発生し、情報化の進展とともにさまざまな様相を示すようになるだろう。

さらにいえば、ビッグデータと AI は一人一人の日常行動を合理化し効率化する・個人の行動と社会システムの最適マッチングを可能とするが、それは逆に、最適ではないモノやコトを、そして想定外のものごととの出会いを、社会から排除することになる。そして、そのこと自体によって、人と社会が失うものは、決して少なくない。冗長性の排除は社会から柔軟性や危機対応力を喪失させ、ノウハウ教育は若者から学びの楽しみや創造性を奪う。これと類似した事象は歴史上社会のさまざまな場面で認められ、人間そして社会はそのたびに活力を削がれてきたのである。そのようなことを考慮すれば、人間中心の高度情報社会を構築し、人間性豊かな生活を送るために、人文科学・社会科学に関する深い教養、すなわち、リベラルアーツが求められることは間違いない。ビッグデータと AI が、人々による日々の活動の中から「想定外」の事態の発生を極力排除すれば、その環境に慣れた人々は、自らが想定していない現実を「存在しないもの」あるいは「自らには関係のないもの」と認識するようになり、その結果、多様な他者に対する意識や、想定外の事態に対処する能力、そして、さまざまな現象についてその背後にある多様な意味を想定し、新たな価値を生み出す能力を喪失する可能性がある。それは換言すれば、人間性豊かな生活とは対極にある社会において、社会からの人間疎外を甘受することにほかならならず、そのようなものが、人間にとって望ましい社会の在り方であるはずがない。

そうした事態を招かないようにするために、人文・社会科学の教養に基づいて新しい時代にふさわしい社会哲学や文化・価値観の在り方、組織や人材育成の方法論をイメージしながら、IoT とデータサイエンス、アルゴリズムやプログラミング技術を、さまざまな社会課題・社会問題の解決について、具体的に役立てていくことが、極めて重要なのである。

## 第7章　注

機械学習については主に（橋本泰一、2017）（保科学世ほか、2020）、深層学習の精度向上については主に（Raschka, 2016）（Albon, 2018）、データ資本主義については主に（Mayer, 2019）、人間中心社会については主に（日立東大ラボ、2018）、VUCAワールドについては主に（柴田彰ほか、2019）、大分岐については（Clark, 2009）、統計万能時代については（Hacking、1999）に依拠している。

第8章

# 現象の本質を突く調査・洞察の方法とは

## 第1節　悉皆調査と標本調査

社会に関するデータを集めようとする最初の試みは、人頭税や所得税など、時の支配権力が税金を徴収するために行うものであった。その国にどのくらいの人口があり、人口構成や世帯構成はどのようなものか、そして、どのような資産財産を持っているか。これらについての正確かつ詳細な情報を集めた上で、適切な税金を課すことが、国の政治の基礎をなすという発想のもと、紀元前の時代から、税の徴収システムは制度化されていたのである。

ただし、社会現象についてのデータを集めることの重要性が広く認識されるようになったのは、それからはるか後の、統計学が誕生し自然科学の領域に応用されるようになってからである。社会現象に関するデータについて確率統計のモデルを適用することで、いわゆる「社会法則」を見出せるという考え方の下、ありとあらゆる社会現象について測定が試みられ、数値化されるようになった。その中でも最も基本的なものは、国勢調査であろう。ペストの大流行時に各教会から発行された死亡表に記された数字を基に見いだされた「死亡の法則」は、当時イギリスで定着していた生命保険システムにおいて、適正な料率を算定する上で大きく貢献した。「社会についての客観的データ」を収集し、そこに特徴や法則性を見出すことで、よりよい政治を行うことができる。イギリス政治算術やドイツの国状学は、背景となっている事情や思想こそ違え、社会統計を政治に生かす点では一致している。

生産年齢人口の規模は、兵士として動員可能な人口の大きさすなわち、その国の軍事力に関する情報であるから、調査結果を秘匿する国が多かったといわれる。そして、利用できる数字の中でも特に自殺者の数に注目し、さまざまな変数を設定して国別・年次別の自殺者数の違いについて説明を試み、社会的アノミーという概念を生み出して、社会学という学問の対象領域や方法論について大きな影響を与えたのはデュルケームであった。数字の出所は各国政府であり、調査方法は「全数調査」であって、デュルケーム自身がアンケートなどの方法を用いて調査をおこなったものではないが、全てのケースについての数字を扱ったという意味では国勢調査と同じ全数調査＝悉皆調査による研究ということができよう。

さて、選挙で政治家を選び国政を委ねる形の国家である「民主主義国家」が成立

WARWICSCIRE

図版8–1：ドゥームズデイ・ブック（Domesday Book）
（出典：「ドゥームズデイ・ブック（Domesday Book）」とは何か
https://call-of-history.com/archives/18692）

すると、国のリーダーを選出するための選挙が、重要なイベントとなる。そして公正な選挙を行うためには、全ての国民の住所氏名を把握したうえで、選挙権を持つ人一人について平等に、一票を投じる権利を保障する必要があった。日本の場合は住民基本台帳をもとに、住民票を移してから三か月以上経過した18歳以上の日本国民に選挙権が与えられ、選挙の前に投票用紙が送られることになっているが、選挙の仕組みは国によって異なるから、一般化は難しい。ただし大抵の場合、政治家の当落は政策の転換を意味し、政策の変化をいち早く察知して行動を起こすことがビジネスの成否に大きく影響することから、いかにして選挙結果を正しく予想するかは、国民にとって大きな関心事になることが多い（トランプvsバイデンの選挙戦の結果が、世界中の大きな関心を集めたことは、記憶に新しい）。

選挙は有権者の意思を投票で示すものであるから、投票率の数字を気にしなければ、全数調査（悉皆調査）の一種であるといえる（ただし、世上悉皆調査といわれているものであっても、不在や調査拒否の数値は、決して低いものではないことに、注意しておきたい)。選挙結果の予想のために行う調査は有権者の社会意識に関する調査であるから「社会調査」の一種といえる。ただし、有権者全員を対象とするものではなく、有権者の一部について、有権者全体の特性を代表するものと見なした調査を行い、その結果をもって有権者全体についての調査結果を推測するという方法論を用いることから、悉皆調査ではなく標本調査である。そして、アメリカ大統領選の選挙結果の予想を目的としたさまざまな調査の試みは、標本調査において正確な調査結果を推測する上で重要なポイントが、標本の規模でも回答者の質でもなく、サンプリング方法であることを実証したという意味で、社会調査史上、極めて重要な意味を持っている。

選挙結果を予想する最初の試みは、雑誌の読者に対するアンケートによるものだった。数十万の読者から送られてくるハガキは、有力なデータと思われた。しかしながら読者層が、有権者全体の属性分布とは乖離した「高学歴・高収入層」に偏っていたため、失敗の憂き目に遭う。その次に試みられたのは、住民属性を考慮しながら全米から住所ブロックを抽出し、調査員を派遣して訪問アンケートを取る、という方法であった。このような方法を用いることにより、すべての有権者をまんべんなく代表するような標本が得られることが期待された。しかし、現場の調査員が自分の判断で「割り当てられた区画」にある住宅・対象者を選択できたことから、調査員が調べやすい対象者にサンプルが偏り、それゆえ、またしても選挙結果の予測に失敗する。こうしたことから、正しい結果を得るためには調査規模とともに調査対象者の選択方法も重要であるということが理解され、さまざまな標本抽出法が考案されるようになるとともに、調査結果に求められる精度を満たすための標本規模の計算方法が確立することになった。標本抽出台帳が整備されており、正しい手続きによって標本が抽出されたとしても、調査拒否や調査不能の割合などによる偏りによって標本の代表性が疑わしくなる可能性は皆無ではない。しかし、統計的な手続きの意味をきちんと理解して誤差を管理することができれば、費用と時間を節約しながら、正しい結果を推測することができるというメリットは大きい。手計算による集計作業しかできなかった時代はもちろんのこと、パンチカードの時代、手回し式コンピュータの時代、そして電子回路によるコンピュータが生まれたのちも、CPUやメモリのパワーが小さくかつ高価であった時代には、標本調査こそは最も実用的な社会調査の方法であった。価値観やライフスタイルがさほど多様化・細分化していない時代には、殊更、データをさまざまな変数によって細分化した上で分析する必要はなかった。こうしたさまざまな事情から、標本調査の手法が洗練されていったのである。

国勢調査や経済センサスなど、国の政策に関する基本的なデータを収集するには、「一つ残らず全部調べる」悉皆調査を行う必要がある。所得税や法人税などの額を算定する上では、全ての対象者についての必要な情報を集めて、評価する必要がある。これに対して、社会現象を統計的に捉えることで必要十分なケースについては、悉皆調査ではなく統計調査を用いるのが、適当であり妥当だったといえる。

しかしながら、VUCA化が進み、価値観やライフスタイルが多様化した今日では、標本調査を行う際にはさまざまな注意が必要であるのに加え、その有効性は限定される。例えば、想定する母集団と検証すべき仮説を限定し、かつ、分析結果を一般化する上で必要な情報に関する考察が存在しており、その仮説に関する考察が統計的な判断で済ませられる問題についての、学術的な調査。確率・統計のモデルに従って、条件を操作することにより、母集団に関する分析を、厳密に行うことが可能だからである。ただし、これらの条件が満たされるためには、調査テーマや仮説に関する先行研究についての深い考察、完全な標本抽出台帳の存在、母集団特性とデータ分析戦略を考慮した標本抽出法の選択、対象者の全てが回答に応じてくれること、適切なエディティングとコーディングおよびデータクリーニングそして合成変数の作成と欠損値の処理、および変数の性格に対応した分析手法の選択と統計的検定についての適切な解釈が必要となる。このように考えれば、標本調査によって得られる情報は限定的なものであり、かつ、確率論的なものということになる。少なくとも、標本誤差や信頼区間という概念に対する十分な理解抜きに、最尤推定値を用いた可視化の結果の評価だけで、社会現象の本質を把握したと考えると、判断を誤る可能性が高い。

一方、悉皆調査は対象のすべてを調査する全数調査であるため、標本誤差が発生することはなく、信頼区間を設定する必要もない。また、規模が大きいので、複雑かつ多様な分析が可能となる。導き出された分析結果についての、統計学的な配慮も必要ない。調査時に発生する誤解や表記ミス、そしてデータ作成時のタイプミスの可能性などを排除すれば、費用と時間さえ許せば悉皆調査から得られるデータは最も信頼できるものと考えることができる。ただしほとんどの場合、悉皆調査は国や自治体が主体となって行うものであり、統計的な分析が行われる以前の、プライバシーに関わる情報が付随している場合が多い。また、調査によっては、個別的・具体的・質的な側面に限界があるともいわれている。そして、統計としてまとめられる際であっても、地域や単位によっては、対象者個人が特定される可能性が生じることについては、注意が必要である。こうした特徴を考慮すれば、国勢調査や経済センサスなどといった悉皆調査のデータは課税や支援など特定の政策目的での利用を除けば、個人が特定されないように統計的な処置を施したのちに、標本調査における母集団の設定や、母集団に対する標本の代表性の検証などのために活用されるべきもの、ということができよう。

さて、悉皆調査で得られた情報と組み合わせることで、標本調査をよりよいものにすることができる。標準化調査だけでは統計的な事実を明らかにすることはできても、そこに含まれる一つ一つのケースについて深く理解することは難しいからである。ライフスタイルや価値観が多様化した今日では、それまでの理論枠組みによって設定された類型だけでは、社会現象の本質を把握できないケースが少なくない。そして、調査データの分析によって把握した社会現象のイメージと、実際の社会現象の本質との乖離が大きければ、世論形成や政策決定を大きく誤らせる危険がある。アカデミックな研究の比較可能性だけを焦点として、同じ文言・同じ変数を用いて継続的な調査を行っている場合においても、時代・文化・社会・状況の変化により、質問文や変数の持つ意味が大きく変わることには、特に注意が必要である。

例えば、学歴の格差が社会経済的格差を拡大させている、という考え方に基づいて、大学までの学費を無償化すべきである、と主張するケースを考えてみよう。社会経済的格差の拡大は、社会的統合を難しくし、社会不安につながることから、社会問題として取り組むべき問題であろう。しかしながら、大学までの学費を無償化すれば、社会経済的格差が小さくなり、貧困の再生産という問題が解消されるのだろうか。高校卒でも社会経済的な成功を収めている人が存在する一方で、大学・大学院卒の学歴を持ちながら不遇の人生を余儀なくされている人も少なくない。大学の大衆化の一方で、女性の高学歴化・社会進出などを原因として、高卒の男性や非正規の男性が増えている。高収入・共働き世帯の増加が、所得格差の一因になっている可能性もある。IT 投資により雇用構造が激変し、職業による給与水準の差は大きくなった。VUCA 化が進んだ社会においては、大学で習得した技術や知識・教養や人間関係が、就職時にさえ役立つとは限らない。人生 100 年時代となれは、一生のうちに数回のリカレント教育が必要となる。ビッグデータと AI の活用が一般化する時代に対応するには、高度な教育を受ける必要があるといわれるが、大学の学費を無償化しさえすれば確率理論や統計学の理論を理解し、アルゴリズム作成能力を身に付け、職業遂行のために必要な人的ネットワークを構築し、イノベーションによる職業構造の変化に対応した学び直しを自ら行っていける人間が、育っていくと期待できるのだろうか。こうした疑問は、社会経済的格差の原因とされる学歴という変数が、大学で習得する高度な専門的知識・技術だけではなく、出身階層の文化や人間関係に関する資産、高校までとは異なる異質な人々・専門家としての教員との交流、高校までとは異なる世界の広がりや知識・情報へのアクセス、大学生活に付随する自由な時間を活用した恋愛・友情・裏切り・失恋・挫折と成功などの経験など、さまざまな要素を含んでいることに起因するものであるから、社会経済的格差の再生産を解消するための政策を考えるのであれば、学歴だけを独立変数と想定する分析モデル・調査項目を改め、既存の研究成果にとらわれない自由な発想でさまざまな仮説を盛り込みながら根本的に調査内容を見直した上で、改めて調査を企画し実行する必要があるのではないか、という反論を提起させることになろう。

さて、プラットフォームを活用した消費者についての継続的な情報収集や、IoTを活用したさまざまなセンサーからの情報収集などが可能となり、さまざまな領域で、AIによるビッグデータの活用が行われるようになった。さらに、PCの機能の高度化により、ベイジアンネットワークの手法を用いた分析モデルの評価や、特定の条件を設定したシミュレーションなどが、簡単に行えるようになった。利用可能なデータの状況および利用可能な分析ツールの状況の変化は、分析対象となる社会現象のベースとなっている社会状況の変化とともに、悉皆調査及び標本調査の意味合いを、大きく変えていくことになるだろう。ただし、プラットフォームを用いた継続的な情報収集と、AIによるデータ解析が、一つ一つの変数の組み合わせにより作成される膨大なクロス集計表の評価・解釈という煩雑なプロセスの省略を可能にしたとしても、そのプロセスをブラックボックス化せずに、絶えず確認しながら、VUCAワールドにおける社会現象の解釈を誤らないようにする努力は、継続されるべきであろう。

## 第2節　ビッグデータの長所と限界

情報（通信）環境の発達により、販売データや在庫データなどに加えて、ウェブのログデータ、コールセンターの通話履歴、ツイッターやフェイスブックなどソーシャルメディア内のテキストデータ、携帯電話やスマートフォンに組み込まれたGPSから発生する位置情報、時々刻々と生成されるセンサーデータ、さらには画像や動画など、企業が収集し、分析の対象とするデータの種類そしてデータの量は爆発的に増加している。さらに、さまざまなセンサーネットワークによって構築されるIoT（全国の道路に設置された渋滞検知センターや路面状況センサーなど）に加え、SuicaやPASMOなど交通系ICカードから生み出される乗車履歴データや電子マネーの決済履歴も、日々膨大な量のデータを生み出し続けている。こうしたデータは、①膨大な量（Volume）、②多様な種類（Variety）、③発生頻度や更新頻度の速さ（Velocity）という「三つのV」で特徴付けられ、3Vの面で管理が困難なデータ、および、それらを蓄積・処理・分析するための技術、さらに、それらのデータを分析し、有用な意味や洞察を引き出せる人材や組織を含む包括的な概念として、ビッグデータという言葉が用いられるようになった。

IoTによるビッグデータとしては、例えばボーイングのジェットエンジンから30分ごとに10テラバイトもの運行情報に関するデータが生成され、コマツのコムトラックが自社の重機から継続的にさまざまなデータを収集し、サービスの向上に結びつけていることを思い浮かべる方も多いことだろう。IoTによるビッグデータの収集とAIによる解析は、多くのメーカーを「モノ売り」から「サービス売り」へ、すなわち、売り切りモデルからサブスクリプションモデルへと転換させている。照明器具のメーカーは電球ではなく「照明そのもの」を販売する企業に転じ、「重機メーカー」は重機ではなく「重機を使って解決したい課題の遂行」を行う企業へと転じつつある。音楽や動画などのコンテンツ産業では、CDやDVDなどの媒体を用いた「売り切り」から、情報ネットワークを使った「オンデマンド配信」に転じるだけでなく、サブスクリプションモデルを用いて定期収入を確保すると同時に利用者情報を集め、利用者の趣味・嗜好を分析してキャンペーンやレコメンデーションを行うことで、ユーザーの離反を防ぐ試みが続けられている。こうした動きは巨大企業だけに限られたものではない。コンピュータ性能の急激な向上や記憶媒体価格の下落、大量データを汎用品のサーバで高速に処理できるソフトウェア技術の開発と、こうした環境を安価に活用できるクラウドコンピューティングなどによって、ビッグデータの蓄積・処理に必要な費用が急激に低下したからである。米国ではネット広告企業のレイザーフィッシュや飛行機の出発便の後れを予測する「フライト予報」サービスを提供するフライトキャスターなど、ベンチャーや中小企業によるビッグデータを利用したさまざまなビジネスが生まれてきている。

さて、近年増加しているデータ分析の特徴は、インターネット上のテキストデータ、位置情報、センサーデータ、動画など、これまで企業で主流であったリレーショナルデータベースに蓄積することが難しい、構造化されていないデータ（非構造化データ）が大量に蓄積・利用されるようになったことである。非構造化データを蓄積し分析することにより、小売業の領域では、単に「モノが売れた」「顧客の一人が契約を解除した」といったトランザクションデータから得られる“点”の情報を集計して終わりにするのではなく、「何故それが売れたのか」「何故顧客は離れてしまったのか」といったコンテキスト情報を、顧客とのインタラクションデータという“線”の情報を用いて探ることができるようになった。ECサイトを運営しているのであれば、ウェブのクリックストリームデータからユーザーのウェブサイト内での行動を追跡し、購買に至までの動機の分析を行うことができる。会員制の通販事業者であれば、購買履歴、コールセンターへの問い合わせ履歴などと会員の属性情報を関連させながら分析をすることによって、顧客が自社から離れる原因を明らかにすることができる。こうした情報を活用することで、自社の事業を改善することができるようになったのである。それだけではない。ビッグデータの活用は、実店舗においても非常に有力である。例えば、全世界にスーパーマーケットを展開するカタリナマーケティング社は、顧客の持つポイントカードとPOSなどを連動させて購買データを蓄積し、累積買い物金額に応じて顧客のランク付けて特典を付与したり、レジでの精算時に顧客の購買パターンを参照しながら関心を引きそうなクーポンを発行するなどの工夫を行っている。顧客を「高級志向」「低価格志向」「健康志向」といったクラスタに分け､顧客の購買行動を正確に予測し､「的確な顧客に、的確なタイミングで的確なメッセージ」を届け、顧客満足度を向上させるとともに自社利益の増大を図っているのである。

さて、交通系ICカードは、人々の「動き」についてのデータの収集・利用という点で、大きな強みを持っている。SuicaやPASMOなど店舗での買い物にも使用できるICカードからは、電車・バスなどの乗車履歴と店舗での購買履歴のデータを収集することができるので、これらを掛け合わせた分析を行うことが可能だからである。クレジットカードと連携したり、ポイント付与のために会員の属性が登録されているICカードから得られたデータを使えば、属性と乗車履歴と購買行動の関連を分析することも可能である。例えば、乗車履歴と駅ビルや駅に隣接するスーパーなど店舗での購買履歴と付き合わることにより、「20代女性は、××駅を使って○○駅に到着し、駅ビルで買い物する傾向が強い」「50代男性は、××線を使って○○駅に到着しても、駅ビルではほとんど買い物をしない」といった行動分析ができれば、それを活用することで店舗の品揃えを改善し、良いものをより安く販売しながら利益を向上させることもできるのだ。

そして今後は、実店舗の領域でも、センサー技術を活用したIoTにより収集されるビッグデータの収集と活用が進むだろう。スーパー内のカートにICタグを取り付ければ、店舗内のLANを通して顧客の動線データを収集することが可能になる。これとPOSなどの売上げデータを付き合わせれば、顧客がその店舗で特定の商品の購買に至った理由､至らなかった理由を分析することができるようになるだろう。顧客にICタグ付きの会員権を発行し、属性情報を登録してもらうことに成功すれば、分析の精度を向上させることも可能となる。SuicaやPASMOなど交通系ICカードによるデータ分析結果と合わせて利用すれば、顧客の属性に応じた最適な商品を、最適な動線に配置するための戦略を作ることもできる。商品と価格以外の面で、ユーザーの満足度を上げることにより、顧客の離反が減少するだけでなく、新たな顧客の獲得をも期待できるだろう。最近では、万引きなどの犯罪対策として設置されていた監視カメラの映像を、店内の顧客の行動を分析するために活用する試みが、始まっているという。動画の認識には学習済みのAIが活用されるが、日々蓄積される膨大な量のデータを用いて「再学習」を積み重ねることによって、人間の目によっては気が付くことのできなかったさまざまな情報を引き出すことができれば、店舗内におけるユーザー体験を向上させられるようになるものと期待できよう。

さて、今日では、eコマースやインターネットオークション、小売店舗だけでなく、電力会社やゲーム会社などにおいてもビッグデータの収集と活用が進められている。その中でも興味深いのは、電力会社そして、意外なことに、ソーシャルゲームの会社におけるビッグデータの活用である。電気会社は契約各戸および契約企業にスマートメーターを取り付けることで、顧客の電力利用の状態を、リアルタイムかつ高い粒度で把握することができる。スマートメーターは、各契約者の電力使用状態の数値をデジタル化するだけでなく、エネルギーの消費量を入手を人手を介さず自動で電子的に計測し、毎日あるいは30分ごとといった頻度で電力事業者に送信できるからである。また、双方向の通信機能を持っているので、電子機器や家電、

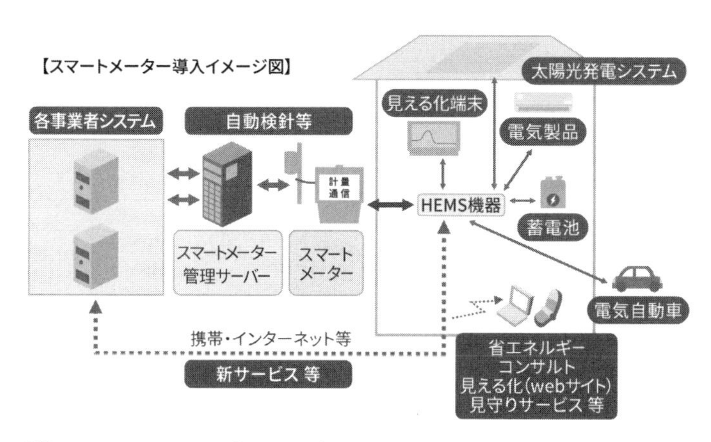


図版8-2：スマートメーター導入イメージ図
（出典：https://www.tepco.co.jp/ep/private/smartlife/smartmeter.html）

製造装置の管理をも行うことができる。消費者は自宅内LANに接続されたディスプレイでエネルギー消費量を可視化することができ、電力会社はピーク時の電力需要動向のリアルタイム把握、それに基づく電力需要の抑制やピークシストといったデマンドレスポンスの操作までを自動的に行うことができるだけでなく、「使用データに基づくユーザーのカテゴライズ」や「料金メニューの開発」、「メーターから収集したデータの妥当性の確認」そして「将来の消費動向予測」などに活用することで、安定した電力供給と顧客満足度の向上を両立させることができるようになる。ここで気をつけなければならないのは、スマートメーターにより電力会社が個々の顧客のエネルギーをきめ細かく把握できることは同時に、電力会社が個々の顧客の世帯構成、所有している家電製品・電子機器の種類、一つ一つの機器の利用のタイミングや利用時間をこと細かに推測できることを意味し、したがって個々の契約者の生活パターンやライフスタイルそして所得水準など、プライバシーに関わる情報が電力会社に把握されてしまうことである。現代社会において電気を使わずに生活していくことはほとんど不可能なので、日本の住戸全部にスマートメーターを取り付けることは、プライバシーに関する情報を悉皆調査で収集することに等しいだろう。

さて、意外なところでビッグデータを収集·分析を経営に活かしているのが、ソーシャルゲームの運営会社である。例えばフェイスブック上で人気ランキングの上位を独占するゲームを開発するジンガ社。ユーザーはゲームをインストールする際、自分の名前、性別、フェイスブック上の友達リストなどの情報を記録する許可をジンガに与えることになっているが、ジンガ社はこれらの情報を使って、ユーザーが

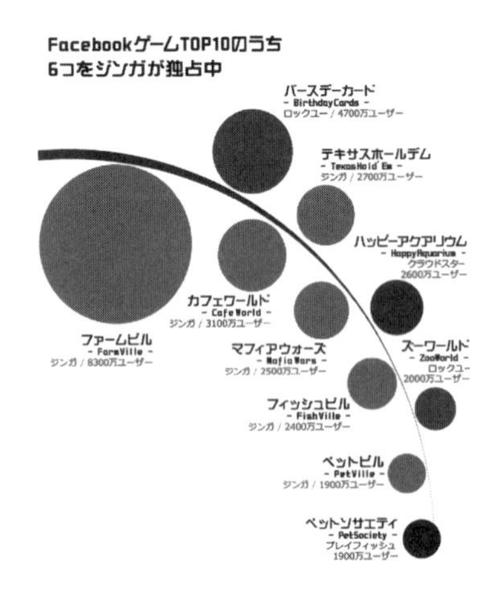


図版8-3：Facebookゲーム Top 8
（出典：ソーシャルゲーム最大手「ジンガ」の全てが一枚の絵で分かるインフォグラフィック
https://www.seojapan.com/blog/ジンガのインフォグラフィック）

友達を誘ってゲームに参加させる仕組みを作り出した。月間アクティブユーザー数が2億人を超える現在、各プレイヤーの友人とのつながりを表すデータや、ユーザーがどのようにゲームをプレイしているのかといった行動履歴データは、1日あたりの5テラバイトに上るという。これらを分析して事業に活かすことにより、ジンガはユーザー満足度の高いサービスを提供し続けることができるのである。同社では経営理念の一つに「ゲームはデータ・ドリブンであること」を掲げ、日々計測したデータをベースにプレイヤーへ随時フィードバックを行うライブサービスとして、ゲームを開発・運営することを宣言している。同社は自らを、「ゲーム会社の皮をかぶったデータ分析会社」と位置づけているが、これはユーザーの拡大と離反防止のためには、経営者やクリエーターの持つ理想や勘ではなく、良質かつ大量のデータの収集とその的確な分析・評価が重要な意味を持つことを、正しく理解していることを意味している。ただし、ここで気をつけなければならないのは、単なるエンターテイメント会社に過ぎないゲーム会社が、ユーザー間の友人関係についての詳細なデータを蓄積・分析し、その意味を理解していること。そして、ゲーム空間内でのユーザーの振る舞いについての詳細なデータを収集・蓄積して、ユーザーの基本属性や友人関係と関連させながら分析することができるということである。さらにそのデータの規模は、悉皆調査にこそ及ばないものの、一般的なサーベイとは比較にならないほどのものになっているということである。

しかしこれらのビッグデータは、あくまでビジネスを最適化するために集められたものにすぎない。事業者はあくまで、顧客の離反を防ぎ、顧客の拡大のためにビッグデータを収集・活用しているに過ぎず、あるときはいくつもの条件によって類型化し、統計的存在として扱うことで、顧客満足度を向上させながら、事業効率を向上させようとする。またあるときは、その特性に合わせたゲーミフィケーションにより顧客の離反を防ぎ、顧客の拡大をはかる。あるいは、顧客が自らの意思で属性情報・行動情報・人的関係に関する情報を提供するように仕向けていく。こうして集められた情報によって個別最適化されたサービスは、人々をそれと気がつかない形で支配する環境管理型権力として機能し、予定調和的な心地よいサービス環境に慣れ親しんだ顧客たちから、想定外な事態に対する対処や異質なものを受け入れる寛容性など、社会の活力の源となるさまざまな現象に対する感性と対応力を失わせてしまう可能性がある。さらに、こうしたデータが市場に流通する、あるいは漏洩することがあれば、特性の属性を持つ人に特化したマーケティングだけでなく、空き巣や強盗などの犯罪、世論誘導、選挙運動などの政治活動などに用いられ、社会的安定や健全な民主主義を脅かす可能性もある。バーチャルコミュニティは匿名性の世界であるが、これに対して、ビッグデータは人間を統計的存在に変換するだけでなく、パノプチコンの囚人と化すことすらできる。しかも皮肉なことに、人々は多くの場合、自らの意志で、時には喜んでそうなることを選択ながら、そのことの本質に気が付くことすらないのである。同調圧力の高い日本では、特に、そのような事態が発生する危険性を考慮しておく必要があるだろう。それは一見、持続可能性を備えた環境共生型のライフスタイルのように見えながらも、実は人間性豊かな充実した生活とはいえないのではなかろうか。

サーベイを含めた社会調査には、ビッグデータの持つさまざまな限界そして問題を克服し、人々が人間性豊かな生活を送れる社会の実現に貢献するための、変革が求められている。

## 第3節　ビッグデータ時代におけるサーベイの社会的意義

統計理論の発達により標本から母集団の状態を推論する技術が発達したのとは裏腹に、回答率の低下や調査拒否・調査不能な対象者による回答者の偏りは、さまざまな補正を施してもなお、母集団の状態の推測を困難にしている。調査に回答するか否かは回答者の自由意志によるものであるから、回答率自体を上げるのは難しい。この状況を改善するために、ビッグデータの特徴を正しく認識した上で、ビッグデータ活用との連携を考慮しながら、これまでのサーベイの在り方を再構築していくことが求められている。そう、アナログ時代からデジタル時代への移行によってはるかに大きな影響を受けるのはサーベイの方なのである。なぜならば、ビッグデータを活用することにより、サーベイには、①データを素早く安価に収集すること、②従来とは異なるタイプの質問をすること、③ビッグデータを使ってサーベイデータの価値を高めることなど、多くの可能性が拓けることになるからである。

さて、ビッグデータの一般的特徴としては、研究目的で作られたものではないために、不完全であること、アクセス困難であること、非代表的であること、ドリフトすること、アルゴリズムからの交錯があること、汚染されていること、センシティブであることがあげられるが、それに加えて10の特徴があることが指摘されている。

その第一は、データの規模が巨大であるということである。データが巨大であれば、ランダム誤差を考える必要は減少するが、系統誤差について考える必要性が増す。これを正しく考慮しなければ、母集団の特性の推測を誤ることになる。

第二は、常時オン、つまり、絶えずデータを収集しているため、時系列データを収集できるということである。この特性によって、予期せぬ出来事の研究やリアルタイム推定が可能となるが、超長期の変化を追跡するには難があるという点には注意が必要である。

第三は、非反応性である。一般的に人は、研究者に観察されていると分かると、行動を変えてしまう。ビッグデータの収集においては、人はデータが採られていることに気がつかないか、データ収集に慣れきっているため、行動を変えることがないことが期待されている。ただし、社会的望ましさのバイアスやアルゴリズムによる交錯問題の存在には、注意が必要である。

第四は、ほとんどのビッグデータが、社会調査を行うものにとっては、不完全なもの、すなわち、研究で使いたい情報を完全に含んでいるわけではない、ということである。特に致命的なのは、社会調査にとって有用な三種類の情報、すなわち、利用者の人口学的情報、他のプラットフォームでの行動、理論的構成概念の操作化のためのデータが、抜け落ちてしまう傾向があることである。そして、このうち理論的構成概念の操作化のためのデータに関する問題は、解決が極めて難しい。

第五は、企業や政府の所有するビッグデータに、研究者がアクセスするのは難しい、ということである。ビッグデータの多くはセンシティブな情報を含んでいるのに加え、データへのアクセスを妨げる深刻な法的、倫理的、ビジネス上の障壁が存在することがある。しかし、政府がアクセスを申し込むために研究者の従うべき手続きを用意している場合、そして、企業との関係が成功すれば、企業の持つデータにアクセスできる場合もある。研究者の工夫が求められている。

第六は、非代表性である。サーベイにおいては、よく定義された母集団から抽出された、確率的ランダムサンプルによるデータを用いて研究すること求められる。この場合、サンプルがより大きな母集団を「代表」していることから、この種のデータを特に、代表的データという。しかしながら、多くのビッグデータはよく定義された母集団の代表的サンプルとはなっていない。つまりビッグデータは代表性を備えたデータではないので、その分析結果をそのまま、想定されている母集団の特性と見なすことはできないのである。ただし、サンプル内における比較については、非常に有用である。つまり、ビッグデータは、その中で設定されたさまざまな層間の比較によってパターンを見いだす上では、非常に有効なのである。それゆえビッグデータの分析においては、サンプル内比較についての問いと、分析結果のサンプル外への一般化に関する問いを、明確に分けて考える必要がある。非代表的データを扱う研究者はしばしば、不用意に一般化を行い失敗することがある。しかし、サンプル内比較に関する問いについては、研究者がサンプルの特徴について明確に理解し、かつ理論的ないし経験的証拠に基づき移転可能性を主張できるのであれば、ビッグデータは強力なデータになりうることから、ビッグデータを用いて多くの異なる集団からの複数回の推定を行えば、確率的ランダムサンプルからの単一の推定よりも、社会調査を先に進めるためにより役に立つはずと考えられている。

第七は、ドリフトである。ビッグデータはさまざまな企業によって継続的に収集されるが、それぞれの企業のサービスを利用するユーザーは、常に変動している。これを母集団ドリフトという。また、それぞれの企業のサービスの利用の仕方は、常に変化している。例えばツイッターのユーザーがつけるハッシュタグの使い方は状況によって変わるが、それによりユーザーの振る舞い方、システムの利用形態が変わってしまう。こうした変化は、行動ドリフトと呼ばれる。さらに、企業は常にユーザー体験を向上させるためにサービスの内容を変化させているが、こうしたシステム自体の変化が、収集されるデータの質を変化させることになる。こうした変化は、システムドリフトと呼ばれる。ビッグデータを活用する際は、これら三種のドリフトの影響を正しく理解し、データ分析の際に考慮しておく必要がある（なお、システムドリフトは、次に挙げるアルゴリズムの交絡と、深く関係している）。

第八は、アルゴリズムの交絡である。ビッグデータとして収集されるデータは、ユーザーの行動をありのままに示すものではなく、ユーザーの行動そのもの、そしてデータを収集するためのアルゴリズムによって大きく影響されたものとなる。アルゴリズムによる交絡は目に見えないことが多いが、オンラインシステムは広告へのクリックや書き込みなど、特定の行動を促すよう高度に設計されていることがあり、こうしたことに影響されることで、データ上にある特定のパターンが生じるのである。そして、オンラインシステムの設計者が社会理論を知っており、その理論をシステムの動作に組み込んでしまう場合には、注意深い研究者でなければ気がつかない可能性が高い。オンラインシステムの多くの特徴は企業秘密で詳細は明らかにされておらず、常時変更されているので、アルゴリズムによる交絡に対処することは難しい。それゆえ、分析者はさまざまな可能性を考慮しながら分析を行う必要がある。

第九は、汚染、すなわち、ジャンクやスパムで汚染される可能性である。汚染には、メッセージを大量送信するメッセージによるもののほか、積極的にフェイクデータを生み出す、あるいは、スパムであることを隠そうと巧妙な工夫を重ねる業者によるものもある。こうしたデータは、クリーニングされやすい形では収集・保存・記録されていないため、ビッグデータのクリーニングはサーベイにおけるそれよりも遙かに難しく、しかも、汚染されたデータを十分クリーニングできたと保証するような単一の統計的テクニックや方法は存在しない。したがって、ビッグデータを活用するには、データがどのように生み出されたのかを可能な限り理解して、汚染されたデータに騙されないようにするように務める必要がある。

ビッグデータの十番目の特徴は、センシティブということである。多くのビッグデータにはセンシティブな情報が含まれていて、だからこそアクセスできないようにしている場合も多い。ただし、どんな情報が実際にセンシティブであるかを決めることは非常に難しいことが分かってきている。一見無害に見えるデータベースの中にもある種の人々がセンシティブだと考える情報が含まれている場合もあるのに加え、研究者がセンシティブなデータを守るために用いる主要な防御手段、すなわち非特定化のためのデータ処理が、予期せぬ仕方で失敗することもある。さらに、センシティブな情報を本人の同意なしに集める・利用することは、プライバシー上の問題など、倫理的問題を発生させる可能性が高い。

これら10の一般的特徴を理解することは、ビッグデータからさまざまなことを学ぶ上で、非常に有益で不可欠なことであり、母集団の状態を正しく推定するためにサーベイの在り方を再構築する際には、これらのポイントを踏まえておく必要がある。

さて、ビッグデータを活用してサーベイの質を上げるためには、①総調査誤差というフレームワーク、②代表性の問題に対する新たなアプローチ、③測定の問題に対する新たなアプローチ、④サーベイデータをビッグデータに結びつける研究テンプレートが必要とされる。このうち総調査誤差は、母集団について良質な推定値を得るためには、バイアスとバリアンスの双方を考慮しなければならないということを示唆している。これは、よい推定値を得るためには、測定と代表性の両方について、理にかなったアプローチが必要という考え方である。次に代表性の問題について。調査拒否・不能のケースの増大により、確率サンプリングの遂行がますます困難になっているのに対し、非確率サンプリングはより速く、より安価に、よりうまく実行できるようになっている。母集団についてよりよい推定値を得るという目的だけでなく、費用や効率性を考慮すれば、確率的な信頼性を実現するために時間とコストをかけるよりも、非確率サンプリングによって得られたデータに含まれるバイアスを、データ収集の具体的プロセスを理解した上で必要な統計的調整手法（事後層化とマルチレベル回帰の併用など）を用いて調整した上で活用した方が、母集団の状態をよりよく推定できる、という事例も認められるようになった。さて、社会調査における測定、すなわち、質問の仕方については、インタビューアー記入式ではなくコンピュータ記入式の方が、社会的望ましさバイアスが取り除かれることにより、質のよいデータを生み出すことが明らかとなっている。インタビューアーの属性による回答の偏りが除去できるのに加え、回答者が自分の都合のよいタイミングを選んで回答できることから､回答拒否を減らすことも期待できるからである。ただし、ラポール形成による参加率の向上や、分かりにくい質問の明確化、そして回答者のインセンティブの維持という点については、従来の手法の方が勝っているといえるだろう。

最後に､サーベイデータをビッグデータに結びつける研究テンプレートであるが、これには①測定項目増加法と②調査対象拡張法がある。前者は、ある種の重要な測定値を含む一方で、別の重要な測定値を欠いているビッグデータのために、サーベイデータで文脈を補うものである。ユニークな識別子がビッグデータあるいはサーベイデータのどちらかで欠けている場合、二つのレコードを関連付けることは難しい。また、データが生み出される過程が企業秘密であるのに加え、その他さまざまな制約から、ビッグデータの質を研究者が評価するのは難しい場合が多いからである。しかし、多数の異なるデータを集め合わせて一つの正確なマスターファイルを作り出す技術と、サーベイデータをマスターファイルに結びつける技術があれば、ビッグデータとサーベイデータを結びつけることにより、個々のデータでは不可能だった分析が可能となる。ただし、これらの技術は非常に難しく、そのプロセスに誤りがあった場合には、研究者は間違った結論に陥ることになるため、一つ一つのステップについて段階を踏んでチェックする必要がある。

これに対し、調査対象拡張法は、予測モデルを使って少数の人から得られたサーベイデータを多数の人のビッグデータに結びつけようとするものだ。この試みは、機械学習の応用によって可能となった。機械学習では一般的に、①特徴量エンジニアリングと②教師付き学習という段階を踏むが、まず前者の段階ですべてのデータ

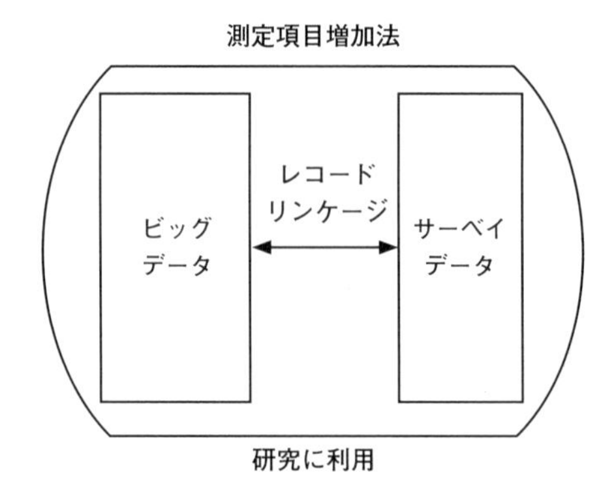


図版8-4：測定項目増加法（出典：サルガニック）

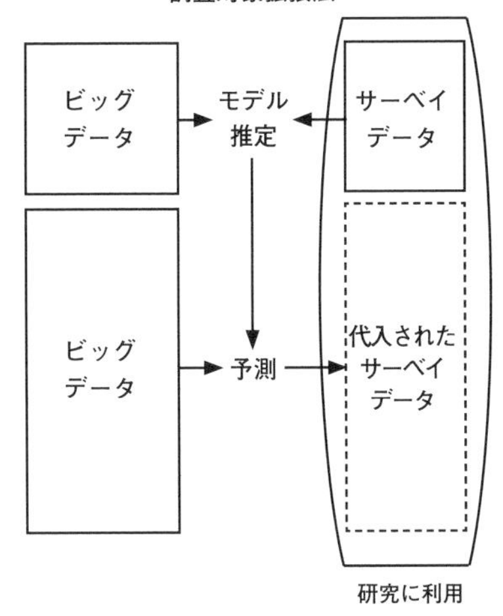


図版8–5：調査対象拡張法（出典：サルガニック）

をそれぞれのケースに関する特徴の集まりへと変換し（この作業には、調査対象に対する深い知識が必要となる）、次に後者の段階で、特徴量に基づいて一つ一つのケースにおけるサーベイの回答を予測するモデルを構築する（複数の独立変数の値から一つの従属変数の値を予測するモデルでは、重回帰分析やロジスティック回帰分析が用いられる）。なお、予測の精度の評価には、クロスバリデーションを用いるのが一般的である。

調査対象拡張法についても、分析結果の評価を行い、モデルの精度を上げていくためのプロセスは必須であるが、予測対象を的確に設定しモデルを洗練させていくことによって、非常に早くしかも安価に、従来のサーベイと同等以上の精度で、母集団の状態を推測することに成功する事例も、生まれつつある。このことは、①大きいけれど薄いビックデータ、②小さいけれど濃いサーベイの二つが存在し、それらを①両方のデータに存在する人々について、サーベイの回答を予測するために、デジタルトレースを用いて機械学習モデルを作る、②そのモデルを用いて、ビッグデータに含まれる全ての人のサーベイの回答を推測する、という二つのステップで組み合わせるという方法により、さまざまな異なる研究状況においてビッグデータとサーベイを組み合わせることで、母集団についてのよりよい推定値が、より早くより安価に獲得できる可能性が生まれていることを示している。

ただしこの種の調査対象拡張法については強力な理論的裏付けがまだ存在せず、

さらに、推定値の不確実性を量的に見積もるためのよい方法もまだ存在しない。今後、さらに研究が進むにつれて、そうした問題が解決されていくことが期待される。

## 第4節　ビッグデータとAIの時代に求められるセンスメイキンク能力とは

AIによるビッグデータ解析とサーベイの連携、そして社会調査の更新は、社会現象の理解について新たな段階を拓く可能性がある。ただし、ビッグデータの多くは特定の目的のために収集される、数量化可能なデータである。そしてそもそも、自然言語などの非構造化データでさえ、AIによって解析される際には客観的な数値からなるパターンに置き換えられ、分析結果は数式あるいは数値によって表現されることになる。サーベイによって収集される科学的データも、調査票を通して社会現象を数値で置き換える、あるいは、対象者に関する何らかの状態を文字の集まりとして収集する点では、基本的に同様である。たとえ設問に自由回答欄が設定されていて、回答者が自由に書き込むことができるとしても、エディティングとコーディングを通して、最終的には数値に置き換えられてしまう。そのようなプロセスを経て生成されるデータは、厳密な手続きをとっているという意味で、客観的あるいは科学的データと見なすことができるから、これを理論的に正しい手続きを経て分析・考察することにより、客観的データに基づく科学的・統計学的に正しい結論を導くことができよう。しかし、VUCAワールドを生きる我々は、そうして得られた答えが、社会現象の本質を正しく把握するために役立つものであるか、そして、現実に生きて生活している人々にとって望ましい推論結果であるかは、また別の話であることに留意しておく必要がある。

科学的な手法によって客観的に測定されたデータと洗練された分析手法によって、常に正しい社会現象および経済現象の把握が可能という思い込みが、現実社会そして経済に混乱をもたらした例は少なくない。例えば1987年のブラックマンデー。ダウ平均株価は22.6%という過去最大の下げ幅を記録したこの事態に、名だたるファンドマネジャー達は対応できなかった。既存の数学的モデルと、数量化されたデータによる分析では、この事態を予想できなかったからである。

ここで注目すべきは、こうした市場の混乱に対して正面から立ち向かったジョージ・ソロスのヘッジファンドであろう。彼らだけがそうした手法を盲信せず、さまざまな角度からの情報をセンスメイキングという手法を用いて考察し評価することができたからである。そして、これと同様のことが、1992年のブラックウェンズデーに繰り返される。マーストリヒト条約締結後、欧州主要国の中央銀行が統一通貨ユー

図版8-6：ブラックマンデーにおける株価の大暴落
（出典：https://www.ifinance.ne.jp/glossary/world/wor024.html）

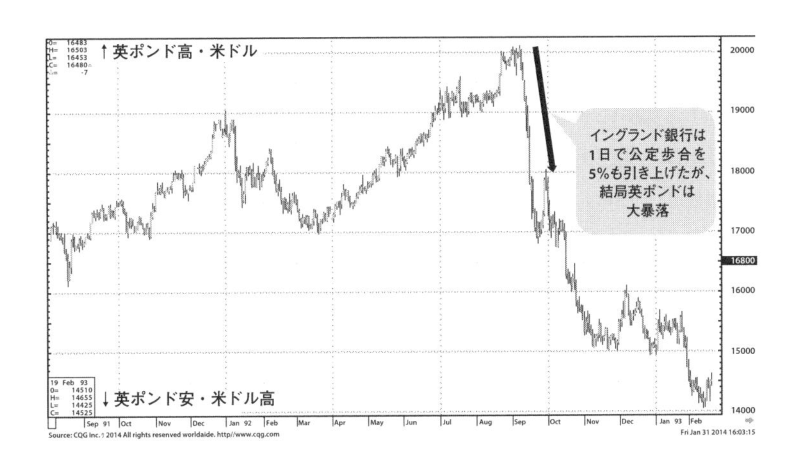


図版8-7：新興国市場混乱で相場は荒れ続き
（出典：https://zai.diamond.jp/articles/-/157043?page=2）

ロの実現に向けて動き出したとき、ジョージ・ソロスは150億ドルに及ぶポンドの空売りを行って巨額の利益を上げ、英国政府を屈服させて、欧州為替相場メカニズムからの離脱に追い込んだ。さまざまな情報が公開され、高度な数学的手法を活用して利益を上げる投資家は、世界中に存在する。そして、世界中の金融機関が一連の出来事を注視していたにもかかわらず、売りのタイミングを正しく見抜き、行動を行うことができたのは、ソロスたちだけだったのである。為替相場のメカニズムを知り、基本的な数学的知識を学び、強力な分析モデルを使うことができれば、市場原理に任せるだけでそれなりの利益を上げることはできる。だが、想定外の事態が発生してしまえば、こうしたスキルは完全に機能しなくなってしまう。事実、さまざまな想定外が発生する中、ゴールドマン・サックス内で一貫して優れた成績を上げていたのは、高度な統計モデルを駆使する社内一の秀才グループではなかった。では、想定外の事態が発生したとき、彼らはどのようにして市場の動きを把握し、相場の動きに対処してきたのか。そこに、VUCAワールドにおいて発生するさまざまな社会現象の本質を把握する上で、極めて重要なポイントが隠されている。

彼らは原油や石油製品の商品相場を担当していたが、誰一人として数学モデルを使っていなかった。その代わりに、市場の動きにどっぷり漬かっていたのである。つまり彼らは、数値データや数式に熟練するのではなく、原油の掘削施設がどこにあるか、どの掘削施設からどの精製所に原油が持ち込まれているかなどの情報を完全に把握しており、ハリケーンという異常な事態が発生しても、その規模と進路が分かれば、どの施設がどのような影響を受けるかを、完全に予測できた。それをもとに、担当する商品の相場を予測し、取引を行うことで、大荒れの市況の中で最高の成績をたたき出すことができたのである。これは、客観的データを数学的モデルによって分析して得られる情報だけでは、現実に起こっている現象の本質を理解することができないという事態が、珍しくないことを示唆している。そう、経済学の公式を理工学部の研究で応用すれば完璧に使えるかもしれない。しかし、労働市場の分野で応用した途端、結果が全く意味をなさなくなることがある。なぜなら、労働市場は論理的・合理的に動く機械ではなく、感情を持った生身の人間で構成されているからである。

同様のことは、さまざまな領域で発生している。例えば高級車のブランドとして名高いリンカーン。1940年代に「リンカーン・コンチネンタル」が量産体制に入ると、旅好きな富裕層が次々に購入。1961年、ダラスでパレード中に暗殺されたジョン・F・ケネディ大統領が乗っていたのは、黒のリンカーンだった。しかし、1970年代に入ると次第にシェアを失い、90年代になると高級車市場におけるシェアは微々た

図版8-8：リンカーンコンチネンタル
（出典：ケネディ大統領に因んだ2台のリンカーンがオークションに登場…1台は、あの日の朝に乗った車 https://www.businessinsider.jp/post-221838）

るものになってしまう。その原因は、科学的データに基づく戦略そのものにあった。製造企業のフォードはリンカーンの市場シェアや既存顧客・想定顧客については十分にリサーチしていた。リンカーンブランドを復活させるためには、従来のリンカーンのユーザー層よりも、若手教育水準が高く、グローバル思考で独創性がある人たちを新たな消費者層と設定し、彼らの需要に応える必要があった。彼らはいわゆるアッパーミドルクラスと呼ばれる層であるが、元々物質的な豊かさの中で育った世代であり、1940～60年代の顧客とは、そもそも「高級」という概念そのものが違っていたのである。しかし、それまでフォードが持っていた数値化されたデータでは、それを理解することは不可能だった。そこでフォードは、「この特定集団にとって、クルマに乗るとはどういう意味を持つのか」を見極めるため、大規模な民俗学的調査プロジェクトを行うことになる。そこで明らかとなった「クルマと人間の関係」そして「クルマ体験」は、「技術的な特徴やオプションの種類があるからこそ、クルマに乗る意味が生まれる」というフォード社経営陣の従来の思い込みとは、全く違ったものだったのである。

例えばモスクワの男性は「一人で車に乗ると気楽で自由を感じる」という。ヒップホップミュージックを爆音で流し、リズムに合わせてダッシュボードを手で叩いて楽しむ。人前では見せない、愛車の中だけでの楽しみだ。彼にとってクルマは、「完全に一人で自己表現に没頭できる空間」であり、それこそが高級感や上質さの根源だった。一方、インド・ムンバイに暮らす女性は、親友や家族を乗せてドライブするひとときが大切だという。この女性にとっては、美しいデザインの空間に身を置き、絆や友情を確かめたり、友人・家族をもてなせることが上質なのだった。さらに、ムンバイに住む宝石商の男性にとっては、クルマは「やり手の経営者が遠く離れた土地の顧客を丁寧にもてなすことができる“動くオフィス”」であった。彼にとっては、こうした空間を持っていることが上質なのだ。こうした事例を集めていくことで、高級車に対して顧客が求める多様なニーズが明らかとなると、これらの調査結果を基に、フォードは高級車の設計プロセスを抜本的に刷新するだけでなく、全社的な職務やプロセスの再編を加速させた。経営陣が中心となって、組織構造全体を完全に再編したのである。その結果、従業員は自分たちの仕事を「技術ありき」で捉えるのではなく、「技術を使って人々やその経験に寄与するにはどうすべきか」を中心に据えるようになった。こうしたプロセスを経て初めて、リンカーンブランドは復活することになる。

次に、生命保険・個人年金の領域について考えてみることにしよう。ある時期、この分野で北欧最大の企業は、毎年10%も顧客を減らし続けており、その大部分が55歳前後と中高年層だった。個人年金では古い顧客ほど会社にとって旨みがあるので、この現象は大きな問題である。同社は銀行･金融業界の会社と同様の文化、すなわち、数学的モデルや論理が最優先される体質であり、顧客は記号として扱われ、数字で評価されていた。また、販促資料では、健康で幸せでおしゃれな白髪の人々が人生を謳歌する、悠々自適な老後のイメージが強調されていた。老いとはどのようなものか、顧客の現実はどのようなものかを理解せず、「老後はこの世の楽園だ」とでもいわんばかりのモデルを描き伝えることが、実際に老いを迎えようとしている顧客からどれだけの反発を招くか、この会社がそれまで持っていた科学的データだけを見ていた経営陣には、全く理解できなかったのである。年金商品を根本から設計し直すためには、「人々が老いにどういう実感を持ち、それがどのような『意味』を持っているのか」について、詳細に調べてみる必要があった。

図版8-9：スーパーマーケットのイメージ
（出典：https://jp.123rf.com/photo_90490164_ベクトルイラストのスーパーマーケットの人々.html）

その結果明らかになったのは、「55歳頃に、多くの人々が「人生は自分の力ではどうにもならないもの」という思いを抱くようになる」ということであった。独り立ちする子供の姿を見て、「人生に新たな意味を見いだすべきか」「今後も大きな家に住み続けるべきか」「今も夫を愛しているのか」といった疑問を持つようになり、生きる意味を失いかけたという人々。職場で昇進の芽はないと自覚し始めたときに老いを感じ始め、「もう社長にはなれない」「もはや遅れを取らないように頑張るだけ」「部下だった若い人たちがどんどん昇進していて、自分は転がり落ちるばかり」と感じる人々。職場で「あの人は、頭の堅い長老グループだから」と陰口をたたかれる人々。街に出て、「ほら、あそこにおばあさんがいるから気をつけるんだよ」などといった声を耳にして、自分が年寄り扱いされていると感じる人々。この会社はそういう人々に対して、契約後30年間も連絡せずに、ある日突然、「55歳になったのでそろそろ個人年金の支給方式の希望を考えておくように」という手紙を送っていた。その手紙は顧客にとって、「あんたは、もう老いぼれ」といっているように感じられたという。これでは、銀行をはじめとする他の金融機関に顧客を奪われるのは、当然である。

こうした事実が分かると、この会社は経営資源の配分を根本的に転換した。社会人になりたての22歳前後の若い顧客に集中していた営業活動をデジタル化によって大幅に省き、財産管理の話題に真剣に耳を傾ける中高年顧客に経営資源を集中させた。こうした形で中高年の、顧客との関係強化を行うことにより、解約率を80%も減少させることができたのである。

さて、こうした調査方法は、私たちが日常的に使っているスーパーマーケットの食品売り場にも応用できる。ある食品販売ブランドは、進出地域で一時は40%のシェアを確保していたが、徐々にシェアを落としていることに頭を悩ませていた。同社には経営的な手法に基づく膨大な知識があった。店舗で買い物をする顧客の動きも、売値による顧客単価の変化も把握していた。混み合う日曜の午後に対応できる駐車場の収容台数も押さえていた。顧客区分毎に抽象的なセグメントモデル、客単価を最大化するための通路幅、商品に振り分けるフロアスペースの割合など、スーパーマーケット関連の数量化されたデータの扱いには優れていた。しかし、買い物客の「体験」についての理解は、十分ではなかったのである。そこで、「人は料理をどのように体験しているのか」という視点からの調査を行うことになった。

その結果明らかとなったのは、都市部に暮らす母親にとって、食卓を囲む家族に新鮮で健康的な夕食を出すのが夢であるにもかかわらず、実際にはテーブルの上が仕事関係のものであふれているという事実だった。彼女たちにとって生活と仕事はいつも流動的であり、合理的に順を追って献立を考えることなど不可能だった。スーパーマーケットを訪れる客は、意識的にあらかじめ決めた形で買い物をするのではなく、その時々の気分に応じて直感的に買い物をしていたのである。買い物客は買い回りしやすくて、どこに何があるのか分かりやすく、簡単で健康的な夕食の材料が豊富な店に足を運んでいた。そして、夕食に来客がある場合、スーパーマーケットにシェフ役を期待し、見本になる料理を作ってもらいたいと考えていた。わくわくするような商品を並べ、見本になるような料理を作って欲しい。変化や迫力、目利きによる品揃え、魅力的な語り等々。買い物客はスーパーマーケットに、「料理に関する文化的な語りが展開される舞台装置あるいは舞台背景」つまり「劇場」として、さまざまな雰囲気を伝える場としての役割を期待していたのである。こうした調査結果を受け、同社は「買い物客の気分」に焦点を絞った戦略の下、2016年度には実験店舗三軒を開設。翌年には40店舗を開店する計画を立てる一方、デジタル技術の活用方法を見直し、食を軸にしたオンライン交流の場を開設するとともに、自社ブランドの整理統合を行った。

これらの事例が示すのは、科学的データの数理モデルによる分析・可視化だけでは、社会現象の持つ本質的な意味を理解することは不可能であり、量的・質的データの収集と、それぞれの分析結果について、アブダクションという方法を用いなが

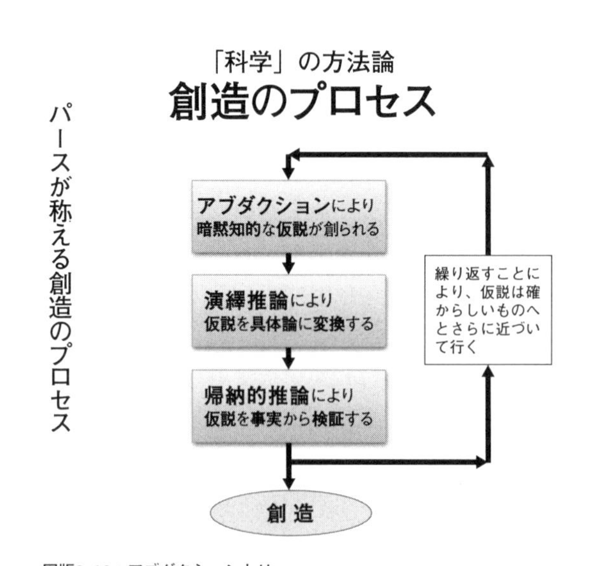


図版8-10：アブダクションとは
（出典：椎塚感性工学研究所 2020/3/28　https://www.facebook.com/SKEL.shiizuka/posts/2455991441317856）

ら、センスメイキングを行う必要があるということである。それを通した理解に基づいて戦略を立て、企業文化そのものを作り直していかなければ、社会そして市場の変化・多様性に対応するとは難しい。ビッグデータ＋AIの時代には、今まで高度な数学的知識がなければ不可能だった数量データの分析と可視化を、誰でもできるようになる。社会調査はその時代の先を見据えて、社会現象の本質を把握する技法として、進化あるいは革命的変化をする必要があるということだ。

## 第8章　注

第1節と第2節は主に（Salganik, 2018）に依拠し、第3節はこれに加えて（Hacking, 1990）を参考にしている。なお、第4節は主に（Madsbjerg, 2018）に依拠している。なお、アブダクションについては（米盛裕二、2007）を参照されたい。

第９章

# 文理融合とリベラルアーツ――「AI＋ビッグデータ時代」に必要な人間のスキル

## 第１節　アルゴリズム作成能力の重要さとアルゴリズム万能主義の危うさ

ビッグデータとAIによるデータドリブンの問題解決方法は、科学的・客観的に測定されたデータを数学的モデルによって分析することにより、新たな価値を生むことができるという発想に基づいている。例えばフェイスブック創業者のマーク・ザッカーバーグは、「世界を理解する」というビジョンを掲げている。日々ユーザーから登録される何十億件ものコンテンツや交友関係を、自社のアルゴリズム検索プログラムである「グラフ」に反映させることにより、世の中のことを網羅するかつてないほどに明確なモデル作りが可能となる、という。この種の大言壮語は、シリコンバーでは珍しくない。例えばグーグルが、「世界の情報を整理し、誰もがアクセスして使えるようにする」ことを使命として掲げていることは周知のとおり。そうしたスローガンの根底に流れる考え方は、「何事も技術が解決してくれる」ということであり、「その解決策は必ずや革命的なものになる」すなわち、過去とはきれいさっぱり縁を切り、未来へと一気にジャンプする「破壊的な創造」という考え方である。

成功する起業家は、単に製品を売るのではない。従来のやり方を根本的に覆す、すなわち、市場を「破壊」するのである。そして、この「破壊」という言葉こそが、シリコンバレー流の考え方の肝といえる。そこでは「未経験者」の「新たな発想」こそが尊重される。彼らにとって知識や経験の代わりになるものが、「あらゆるものを数値に置き換える」数値化であり、その典型が、自己定量化（Quantified Self）といわれるムーブメントである。そして、ビッグデータは、そうした考え方の延長線上にあるものだ。デジタル機器により、社会に発生しているありとあらゆる領域、例えば、医療、教育、政府から私生活に至るまでの、あらゆる行動について定量化して記録する。そうしたプロセスを経て収集されたビッグデータを数学的モデルを用いて分析することにより、人間の偏見を取り除き、演繹的な思考に基づいて、それまで誰も気がつかなかった変数間の関係を見いだし、それに基づいて新たな問題解決法・新たなビジネスモデルを考え出すことができる。言語学から社会学まで、人間の行動に関する理論は不要だ。分類学や形而上学や心理学など、人間の行動の理由を考察する学問も不要。人間の行動の理由など、いくら考えても分かるはずがない。重要なのは、人間が実際に行動しているということだ。我々ができるのは、その行動をかつてないほどの精度で追跡･測定することであり、十分なデータが揃い応用数学を駆使すれば、数字が全てを物語る、というわけである。

さて、情報通信技術の発達・普及により、さまざまな種類のデータが膨大に蓄積されるようになった。GPSにより収集される位置情報、温度・湿度・日照量などの環境情報、機械やプラントなどの運用情報、体重や血圧などの健康情報。プラットフォーマーによって収集されるサイトの閲覧履歴や商品の購入履歴、情報検索の履歴、動画・静止画コンテンツの視聴履歴といった構造化データ。そして、商品やサービスに対する評価やコメント、顧客相談窓口への質問や苦情。これらはテキストや画像などさまざまな形態をとる、非構造化データである。これら異なる性質を持った大量のデータの分析は、クラウド技術や分散高速処理技術、統計解析や言語処理など、最新のコンピュータ技術によって可能になった。例えば、①利用者の商品購入履歴やサイトの閲覧履歴などの行動履歴情報から当該利用者の思考やニーズを予測し、おすすめ商品を表示あるいはメールで案内するビジネスモデルを確立したアマゾン（リアル世界でも、ご近所の魚屋や八百屋は、日頃の会話や噂話を通して利用者一人一人の好みや財布の中身、家族構成などを把握し、そうしたなじみ客に対して、おすすめ商品を知らせて売り上げを伸ばしていたが、アマゾンはそれをアルゴリズム化して、グローバルに展開したことになる)。②世界各地で稼働する自社製の建設機械28万台超（2012年9月現在）の車両の現在位置、オーバーヒートやエンジンオイルの油圧低下といった各種警報の有無、稼働状況、燃料の状況などの情報を通信衛星回線や携帯電話回線を通じてサーバーに集め、「見える化」し、利用者に無償提供することによって、故障に先立った部品の交換や盗難防止、効率的な配車計画や作業計画の作成支援、燃費改善方法を提案するする遠隔車両管理システムを構築したコマツ。③大量の対訳例をもとに、翻訳したい文章を統計的に分析して、類似度などの情報や単語の辞書を使って翻訳したり、さまざまなパターンの話し言葉を文字情報に変換する対話サービス。④ビッグデータ内から抽出されたさまざまなパターンに基づき、「正常なパターン」と「異常なパターン」を見つけ出すことによって、新たなデータがどちらに属するのかを判断し、クレジットカードの不正利用を防止するサービス。⑤インターネット上にある膨大なニュース記事と株価との関連を､各種経済データや景気の先行き予測データ､そしてインターネット上の口コミやニュース記事のインパクトを評価しながら分析し、アナリストとほぼ同等の精度の予測を実現するサービス。⑥コールセンターに寄せられる顧客の声やソーシャルメディア上の口コミデータを分析し、言葉の使い方や口調などから顧客満足度のパターンを作り出し、その変化を常時把握することにより、商品に対する不満や不具合などの予兆を早期に検出し、リスクに備える企業、⑦工場や建物に数多くのセンサーを設置し、正常な稼働状態とそうでない状態のパターンを学習させて、異常発生の予兆を検知したり、問題箇所を特定するのに必要な時間を短縮させている企業など、さまざまな形でビッグデータ活用の取り組みが広まっている。

また、さまざまな社会インフラにセンサーを取り付けることにより、常時監視してデータを蓄積・分析することによって、構造物の劣化などの問題点や危険度を把握し、更新投資を最適化することで、維持運用のコストを低減させる。そのような考え方を、電力などのエネルギー供給、交通管理、水道供給、ゴミ処理、環境保全、治安維持などに応用する動き。都市に必要な各種インフラと情報通信技術を融合し、都市が持つ機能を有機的に結合する。あるいは、都市のさまざまな機能に関するデータを収集・蓄積し、集積したビッグデータを分析・活用することにより、その機能の最適化を行う。中でも、スマートグリッドという概念で提唱されている電力利用の最適化には、大きな意義がある。都市全体でビッグデータを活用する「スマートシティ」の概念は IBM をはじめとする米国企業によって構想され、具体化されてきたが、TRON フォーラムや Society 5.0 でも提唱されている。

さて、ビッグデータから有用な意味や結果を効率的に引き出す際に重要な役割を果たすのが、統計解析や機械学習などの技術である。構造化されたビッグデータを対象として、その中に含まれている変数間の相互関係やパターンなどを探し出す手法を総称して、「データマイニング」と呼ぶ。具体的には、クラスタリングやニューラルネットワーク、回帰分析や決定木、アソシエーションなどの手法である。これらは大規模データの中から知識やパターンを「機械的」に見つける手法であり、分析のためのアルゴリズムはすでに確立されている。その中でも、効率的にレコメンドを行う際に用いられるのは、クラスタリングという手法である。これは、特定の変数群をもちいることで、ビッグデータに含まれる膨大なサンプルを、似たような特徴を持ついくつかのグループに分類する手法であり、あらかじめ趣味嗜好が似ているユーザーをクラスタリングしておけば、特定のクラスターに対して効果的なレコメンドができるようになる、ということである。例えばマンションの家賃は、部屋数、総面積、セキュリティ対策、駐車場の有無、駅からの距離、築年数など、さまざまな条件によって決定されると考えられるが、原因と想定される複数の変数と結果と見なされる一つの変数間の関係を表す具体的な数式を求める際には、重回帰分析という手法が用いられる。購買パターンの分析を行う際に、二つ以上の商品について一緒に買われている商品の組み合わせ、つまり、「商品Aを購入する人は商品Bも購入する傾向がある」というような形で、二つの変数同士の関連の強さを分析する際には、相関分析が用いられる。

また、機械学習や深層学習など人工知能の技術を応用することで、音声認識や画像認識、メールのスパムフィルタ、レコメンデーションエンジン、天気予報や渋滞予測、機器の故障予測、遺伝子分析など、それ以前には困難だった非構造化データをも活用した分析ができるようになり、分析の精度も向上している。そして、こうしたデータ処理に共通しているのは、「データ万能主義」そして「アルゴリズム万能主義」ということができよう。グーグルの検索システムやフェイスブックの投稿システムは絶えず、蓄積されたデータとA/Bテストなどを用いた検証を経て、変化し続けている。サービスを提供する側にしてみれば、最も効率のよい検索のアルゴリズム、そして、最もユーザーから活用してもらえるアルゴリズムこそ大切で、ユーザーの活用状況を示すデータをもとに最適化を行っているだけであるが、サービスを利用する側からしてみれば、このアルゴリズム次第で、友人や世の中の出来事、自分の健康や幸福について得られる情報が大きく変わってくることになる。これは、ユーザーのニーズや好みに最も的確に合わせる「パーソナル化」という経営側の最適化戦略が、ユーザーのアクセスできる情報を決定するだけでなく、人と人との断絶を招き、我々の思考を誘導する可能性すら持っていることを意味している。なにせ、データのおかげで、すでに固まっている見解や好みが正しく反映され選別された情報が自動的に提供されるのだから、ユーザーとしては、新しい情報を探す理由も人と違うことを学ぶ理由も、討論の枠組みや社会通念の枠具を再考し押し広げる試みをする理由も、特に必要性を感じられなくなるだろう。そしてこうした現象こそ、ジャーナリストや解説者、政治評論家の指摘する、「ポスト真実の時代」の正体である。言い換えれば、「データ万能主義」と「アルゴリズム万能主義」は、我々の知的生活をじわりじわりと犠牲にしつつある、ということだ。技術が救世主だとか、過去に学ぶものはないとか、数字が全てを物語るとか、数理モデルやアルゴリズムこそが万能だという言葉を軽々しく信じてしまうと、知らず知らずのうちに社会が大きな混乱に陥る危険性すらあることを、我々は正しく認識しておかなければならない。

さらに我々が気をつけなければならないのは、データやアルゴリズムは測定された変数を通してという制約はあるものの、社会的事実を正しく把握する上では非常に有効だが、それ以上のものでもそれ以下のものでもない、ということである。例えば良いワインをつくることは、生物学と科学の領域でもあるが、同時に「錬金術」

図版9–1：ワイン（葡萄酒）のイメージ
（出典：https://www.pinterest.jp/pin/152559506116709582/）

でもあるという。ワインの熟成は年によって始まる条件が異なり、データはその一部に過ぎないといわれる。ワインの特性をブドウの糖度、酸、PHで示しても、それは「芳醇な味わい」の一部を説明しているに過ぎない。また、ブドウの木が備える「気品と品格」は、土壌のPHや塩分濃度、石灰岩料といった科学的な特性で測定することはできない。例えば、ワイン専門のコンサルティング会社であるエノロジックスは、ワイン造りにおける完全データ主義を掲げ、世界最大のデータベースを持ち、年に何百ものテイスティングを行って個々の構成要素について詳細なデータを蓄積している。データベースには降雨量や水量のほか、醸造に使用する樽の種類、発酵期間などのワイン製造プロセスの詳細も含め、ワイナリー固有の条件なども加味されているから、さまざまな条件を変更しながら最良のワイン醸造のパターンを見つけることができるという。

彼らは完全に客観的な方法でデータを扱い、ワインボトル内の構成要素を、その背後にある大きな文脈から切り離して徹底的に切り刻んで細分化することで、良いワイン造りを支援するあらゆる可能性を追求している。しかし彼ら自身はワインに対して愛情を持っていないどころか、関心を持っているわけでもない。関心がなければ、「正確さ」がすべてであって、「真実」はなくなってしまう。ここでいう「関心」とは、「自分にとって重要なもの、意味のあるもの」という意味であるが、これがあるからこそ、人は非常に複雑な方法で物事との相互作用を持つことができ、世界との関係を持つ新たな方法を見いだすことができる。そして関心がなければ、人は意味や洞察を大きな視野で捉えなくなり、ただ単にデータが発生する地点や原因としてしか捉えなくなってしまうのである。伝統的ワインをつくるベテラン醸造家は、ワインやブドウ、そしてブドウの木に深く関心を持つ。「ブドウの木が感じている疲労」やワインの持つさまざまなエピソード、例えばブドウが育てられた土地の文化や歴史、それらを含めた伝統こそが、ワインに対する永続的評価の基盤になる。ワインは時間と場所を物語っていて、しかも、時間と場所を物語りながら、前に進んでいる。そして良い醸造家は、土壌が全てを物語っているようなワイン造りをすることに、道義的責任を感じているものなのだ。そして愛好家がワインに望んでいるのは、一口のワインの中に込められている、真実のコンテンツなのだ。

コンピュータには「関心を持つ」という概念がない。それはビッグデータとAIの時代になっても変わることがない。我々はそのことを、忘れてはならない。

## 第2節　STEMからSTEAMへ　理系中心の教育の可能性と限界

1957年、当時のソビエト連邦がスプートニクの打ち上げに成功すると、西側諸国にいわゆる「スプートニクショック」が走る。科学技術力の重要性の認識や産業競争力への危機感から、科学技術系人材育成のニーズの高まったのである。今世紀に入ると、ITを中心としたハイテク産業の隆盛によって、再び理工系人材に対するニーズが高まることになる。2007年に国家競争力法が成立し、アメリカが科学技術工学数学分野で国際的競争力を維持し発展するため、そして国家的な危機を打開するための、教科横断的な新たなパラダイムとして、STEM教育改革の推進が具体的に示された。2008年にウォール・ストリート・ジャーナル誌が「STEMとしてくくられる理系学位を持った学生は、総じて給与水準の高い職に恵まれていることが分かった」との記事を掲載。STEM教育はその後、イギリス・ドイツ・韓国・タイ等、多くの国において国家的規模での教科横断的な科学技術改革運動として展開されることになる。

では、STEM教育とは何か。STEM教育の定義はどこに重点を置くかによってさまざまであるが、総合的に捉えた定義としては「科学、技術、工学、数学の教科を分断する伝統的境界を取り除き、それら四教科を実世界の、厳密な、意味のある生徒の学習体験に統合すること」がある。VUCAワールドを生きていかなければならない若い世代に必要なスキルは21世紀型スキル、すなわち、「深い理解と知識の転移を養う、認知能力や、個人的能力、社会的能力の融合」であり「認知能力には批判的思考力や創造性が、個人的能力には自主性やメタ認識が、社会的能力にはコミュニケーション能力や協働が含まれる」という。STEM教育には、現象を直接扱い、解かなければならない問題に正面から取り組む分野、問題の解析の基礎と

図版9–2：STEMとは
（出典：https://pixta.jp/illustration/32982409）

なるモデルを提供する分野、人と人、人とコンピュータの間の意思疎通のために必要となる言語やプログラムを学ぶ分野が互いに連携する社会を見据えた、異分野連携の思想、あるいは協働の姿勢が含まれている。そして、そのような広がりを持ったSTEM教育には、21世紀型スキルの習得をはじめとして、教科横断的な理解能力や雇用の確保など、さまざまなレベルにおける効果があるものと想定されたのである。

イギリスでは、過去40年間にわたり、生徒の科学への態度に関する研究が行われ、科学への生徒の態度の低下が論じられてきた。そのなかでは、理系の高等教育機関に進学する生徒数が減少し、将来における経済繁栄に深刻な脅威をもたらすとの指摘があった。さまざまな調査によって、①科学が難しい教科であり、大部分の人々との生活に関連がないと認知されていること、②科学における興味は中等教育段階の数年間に下落していること、③物理が最も深刻な問題となっていることなどが明らかにされた。イングランドでは、A－レベル物理を学ぶ生徒数が1991年から2000年の間に21%低下し、履修者数の減少に歯止めがきかなかったために、科学者やエンジニアの深刻な不足をもたらしていたのである。

こうしたことを受けて、英国では、STEMリテラシーという概念が提唱された。STEMリテラシーの定義は文脈によってさまざまであるが、「複雑な問題を理解するために、そしてそれらを解決し、革新するために、科学、技術、工学、数学から概念を特定し、適用し、統合する能力である」と定義され、以下の四つのリテラシーによって構成されるとされている。

・科学的リテラシー

自然界を理解し、それに影響を与える決定に参加するために、物理、科学、生物、地球と宇宙科学における知識を用いる能力である。

・技術的リテラシー

新しい技術を用いて、どのように新しい技術が開発されるかを理解し、どのように新しい技術が我々に、そして我々の国と世界に影響を与えるかについて分析するスキルを有する能力である。

・工学的リテラシー

例えば、デザイン、製造業のように、科学的、数学的な原理を実際的な目的に対して体系的に、創造的に適用し、効率的、経済的な建造物、機械、プロセス、システムを運用する能力である。

・数学的リテラシー

さまざまな状況の中で、数学的な問題に対する解決を提起し、定式化し、解決することを通じて、効果的に考えを解析し、理論的に考え、そして伝達する能力である。

STEMリテラシーはこれら四つのリテラシーの相乗作用であり、その総計は各リテラシーの合計以上のものである。STEMリテラシーは、ただ単に四つの各リテラシーを各科目において獲得させるのではなく、獲得した四つの各リテラシーを統合させることに大きな意味を持つ。そして全ての生徒は、科学技術が発展した社会において、個人として、市民として直面する科学に関連する諸問題に意図的に取り組むことに必要となる知識、スキル、適性を身につけなければならないとされた。

こうした能力は全ての生徒が将来市民として生活する際の準備という側面だけでなく、STEMスキルを有する労働力の供給という観点からも、必要とされる。VUCAワールドでは、諸問題が直面している多くの技術的な挑戦について個人が判断することができるように、STEMに関連する諸問題に対する十分な知識と理解を国民に身につけさせることが重要である。中でも若者がSTEMスキルを活用して活気あふれる事業を展開する企業に触れることで、地域経済におけるSTEMの貢献について理解すること。そして、社会が新しい技術を活用する上で、さまざまな倫理的・道義的な諸問題に直面し、それらについて適切に処理していかなければならないことを理解することは、必須であるといえる。その一方、STEMを基盤とするビジネスを成長させるのに必要となるスキルと技能を十分に有する人々を創出することは、将来において国家や地域の経済成長と繁栄に不可欠な条件となる。こうしてSTEM教育の基盤となるSTEMリテラシーは、科学技術が発展した社会において必要とされ、全ての人が身につけるべきものと見なされるようになった。

このような観点から、イギリスでは、「何故全ての生徒に科学を教えるのか」という科学教育の目的に関する問いが、若者にどのような科学を提供するか、そして科学に関してどのような点が強調されるかを決定する際に重要とされ、科学教育に対して、実用に関する議論、経済に関する議論、民主主義に関する議論、文化に関する議論の四つが行われてきた。それらは大略、次のようにまとめられる。

1. 学習者が実践的な意味において科学（科学的知識と科学の方法）を学ぶことから得るという、実用的・功利的価値
2. 高度科学技術社会では経済の国際的競争を支えるための科学者や技術者を供給する必要があるとする、経済的・国家的価値
3. 人類が営々として築いてきた文化としての科学を認識し享受する、教養的・文化的価値
4. 現代社会に顕在化している多くの問題が科学や技術に関連しており、いわゆる科学の社会的問題の議論に参加し、意思決定を行うために必要であるとする、民主的価値

さて、高等教育における人材育成の観点からは、STEM 教育を科学技術人材の育成とみなすべきか、あくまでも科学教育と見なすべきかが問題となる。科学技術人材の育成では、科学者、技術者、研究者といった、社会や組織の中での機能あるいは職能に焦点が合わせられているが、科学教育では、それよりも、一人一人の個人の資質開発、能力開発、キャリア形成、キャリア・プランニング、あるいは広義の人間形成の方に焦点が置かれるからである。この点、イギリスの STEM 教育は、これら二つの観点を織り込んで展開されている。全ての生徒を対象として STEM 教育を行うことは、全ての生徒に STEM リテラシーを獲得させ、STEM 教育に興味・関心を示す生徒を増加させるとともに、その中から STEM 資格を取得することを目指す生徒を育成することが、国の経済成長で必要とされる STEM スキルを有する人材育成を図っていくことにつながっているからである。

STEM 教育も含めて、イングランドにおける科学教育についてのさまざまな努力により、イングランドにおける理系人材は、次第に回復していく。イングランドにおける A－レベル STEM 科目の学外試験の成績優秀者の割合について 2002 年度と 2012 年度を比較すると、10 年の間に、数学で 18.5%、物理で 18.0%、科学で 19.5%、生物で 22.9% の増加が見られた。こうした成果は、STEM 教育によるもの

だけではないと思われるが、STEM 教育が構想した新しい教育方法も大きな要因になっていると考えてよいであろう。イギリスでは、STEM 教育に関連する分野から去って行く人材を減少させるために、詳細に課題の分析がなされ、STEM 教育の推進を求める提言・報告書が作成されていたし、これらの提言・報告書によって、STEM 教育の重要性が認知され、その結果、STEM 教育が国家の重要なプライオリティとして位置づけられたからである。そしてその上で、学校、大学、慈善団体、政府、専門機関、産業界など STEM 教育に関係する各種団体が連携した取り組みが行われてきた。これら、国家を挙げての「科学教育復興活動」によって、多くの STEM 人材が育成され、国家や社会経済の屋台骨を支える人材が育っていったことは、ほぼ間違いないものと推測される。

若者たちがSTEM教育によって科学技術工学数学分野に関心を持つようになり、多くの人材が輩出されるようになった大きな原因は、①科学、技術、工学、数学の教科を分断する伝統的境界を取り除いたこと、そして、②それら四教科を実世界の、厳密な、意味のある生徒の学習体験に統合したことにあると考えられる。しかし統合といっても、生徒にとっては未知の領域であり、それまでの伝統的境界に慣れた教員たち全てがすぐさま対応できるわけでもない。STEM 教育においては、これら教科の統合について、実現可能なシナリオが想定されていた。すなわち、STEM 教育における統合の度合いとしては、①各教科で個別に概念とスキルを学習する "Disciplinary" アプローチ、②共通の主題やテーマに関して行うが、各教科で個別に概念とスキルを学習する "Thematic" あるいは "Multidisciplinary" アプローチ、③知識とスキルを深めるために、二つ以上の教科から深く結びついた概念とスキルを学習する "Interdisciplinary" アプローチ、そして最も統合的な段階として、④実世界の課題やプロジェクトに取り組むことで、二つ以上の教科の知識やスキルを活用し、学習経験を形成する "Transdisciplinary" アプローチがあるとされた。この "Transdisciplinary" の段階では、教師によって知識、21 世紀型スキル、そして態度が、実世界への応用や問題解決の方策と関連付けられるとされる。それぞれの教科の概念やスキルを獲得しながら、複数の概念・スキル等を活用して問題解決を行う「問題解決型／プロジェクト型学習」により、より深く、生徒に関連した学習経験を提供するものとされたのである。このような段階的な教育プログラムにより、生徒は教科の知識だけを提供されるのではなく、探求活動や問題解決のスキル、実世界における適用と社会への影響への理解を深めることができる。そうすることで、低下していた科学への生徒の態度を、回復することができると考えられたのであった。

ただし、STEM 教育は理工系の教科に偏っていたため、実社会における複雑で多種多様な問題に対応する上で難があるという指摘を受け、より広範囲の教科間の連携や総合的な学びの中で汎用的な資質・能力を育成するために、STEMにLanguage ArtsやLiberal/Social ArtsなどのArtを加えたSTEAM教育が提唱されることとなった。Artが適切に加わることによって、問題発見・解決に対する資質・能力に関して、より自然な教科間の連携や統合が実現するという考え方である。Artについては、狭い意味での芸術と捉える考え方もあり、STEAM教育の考え方もまた多様である。

STEM教育・STEAM教育の先進国であるアメリカでは、全米教育協会により、これからの世界を生きる若者には自由に発想し、「前例のない問題」に創意工夫で解を見出す能力が求められるとのビジョンが示され、生徒が主体となって積極的に問題解決をし、必ずしも明快な解答の出ない状況にも対応するための学習トレーニングが必要という考え方の下、①プロジェクト・ベース学習（PBL）、②プロブレム・ベース学習、③デザイン・ベース学習が取り入れられるようになった。STEAM教育は、何よりもまず、人間の潜在力を伸ばすことを目的としており、生徒は自活的な学びの中で「発見」をし、自分たちの経験から知識を再構成し発展させることで、体験的に学んでいく。そこでは文系理系の区別はなく、複数の領域を融合し俯瞰して考えようとする、シナジー効果が期待できるメタレベルの教育アプローチが採用され、プロジェクト学習や実地体験型学習といった方法論が用いられている。

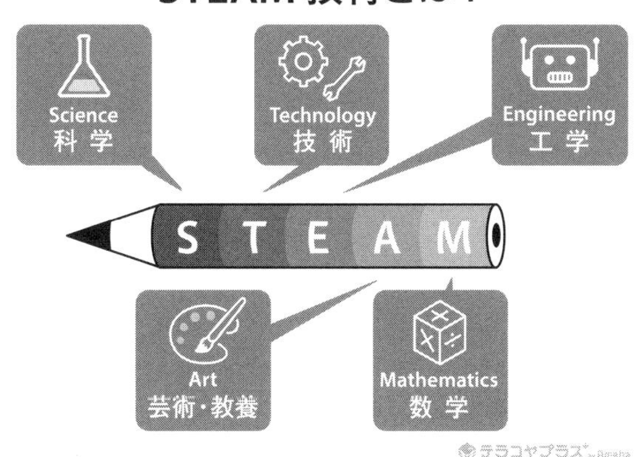


図版9-3：STEAM教育とは
（出典：STEAM教育とは？【文部科学省推進】中央教育審議会委員に事例や今後の課題について徹底取材　https://terakoya.ameba.jp/a000001304/）

## 第３節　文理融合　文系のセンスに基づく理系の技術の活用

ビッグデータが活用され、その威力が認識されるようになるにつれ、データサイエンスに携わることのできる人材、AI の開発・活用ができる人材の重要性が認知されるようになった。Society 5.0 が実現する環境を創造的に活用できる人材を育成するために、日本でも STEM 教育が注目を集めたことは、記憶に新しい。高度成長期型の教育方法を見直し、VUCA ワールド・高度情報社会に対応できる人材の育成のために、さまざまな試みがなされることは意義深いが、STEM や STEAM という言葉が人口に膾炙し、ロボットやプログラミングなど目に見えるもの、分かりやすいものに話題が集中するのとは対照的に、欧米で経済的な成功を収めている企業の経営陣の多くが、リベラルアーツに対する造詣が深いこと、そして、人間中心の社会を実現するために理工系の技術を応用・発展させる上で、人文社会科学的な知識と教養さらにはそれに基づく経験から学ぶ能力が、これまで以上に求められるようになっていることについては、ほとんど認知されていないのが現実であろう。

理系的知識・技術の多くは、具体的な問題解決を目的としたものであり、その意味で、現実に存在する問題そして、その問題の背景にある社会的文脈と、密接に結びついている。近代科学が「呪術」と袂を分かって発展していく過程において、計測可能性・反復可能性・客観性・論理性などの原則が確立され、問題そのものの理解およびそれに基づく問題解決の方法論は、社会的文脈や文化・価値からは切り離され、「科学的」な手続きによって構築されるようになった。そして、理系的な知識・技術のアドバンテージとディスアドバンテージは、まさにそこに起因している。理系的知識・技術が有効なのは、文化や価値・社会的文脈から影響を受けない範囲・前提となる条件がすべて満たされている限りにおいて、であるが、文化や価値・社会的文脈から自由な社会現象（仮に物理的な現象であっても、社会の中で発生するすべての事象は、社会現象と呼ぶことができる）などありはしない。つまり、理論や技術が有効なものとなるのに必要な前提条件が、常に満たされるとは限らない。そして、理系的な技術・知識は、問題の解決に資するとしても、そのこと自体が価値を生むわけでも、新たな価値を創造するわけでもない。理系的な理論・技術が眼前の問題を解決したとしても、そのことに対して意味や価値を付与するのは、人文社会科学的な知によるものだからである。

しかしながら、日本においては、人文社会科学の側からの文理融合型教育を実現することは、きわめて困難だ。教員、教育システム、入試システム、父兄、研究者、そして、文理融合型の人材の雇用・人事処遇を行う企業など、さまざまなレベルで、

図版9–4：リベラルアーツとは？アメリカのリベラルアーツカレッジの現状
（出典：https://news.line.me/articles/oa-rp14980/6b3dd08dd460）

そうした人材を育てるためにどのような教育を施し、どのような基準で評価を行い、どのような部署に配置し、どのような処遇を行うべきか、社会的合意の得られる基準など存在しないからである。VUCAワールドを前提にすれば、そのような基準を作れるのか、作って意味があるのかを判断することすら難しい。そして、トライアル・アンド・エラーを前提とした理工系の研究スタイルに培われたカルチャーと、論理的整合性および無誤謬を前提とした人文社会科学系の研究スタイルに培われたカルチャーとは、本質的な違いがある。それゆえ、理工系と人文社会科学系の研究者が合意を形成した上で、文理融合型人材を養成していくことは不可能。したがって、日本で文融合型人材を育成するには、理工系で学位を取った人材に、人文系の学位を取ることを進めていくという方法しかない。そのような想定の下、理工系の専門領域の側から文理融合人材の育成の試みを行う動きが、見られるようになっている。文系の側からAIを活用できる人材を輩出するために、数学を受験で必修にした文系学部の志望者が激減した事実は、人文社会科学系からの文理融合型人材輩出の困難さを如実に示すものといえよう。

しかしながら、日本では、現実にプログラマーとして働き、実務に携わっている人の多くは、人文社会科学系の学部・学科の出身であるといわれている。これは、大学に至るまでの人文社会科学系の学校教育の改革の遅れに付き合うことなく、時代の要請に対応するために自ら学び、先進国では日本にだけ存在するともいわれる文理の壁を自ら乗り越え、自力で能力を身につけた人が確実に存在し、社会経済システムの中でもはや不可欠の人材として活躍していることを示している。それにもかかわらず、日本のDX化が遅々として進まないのは、人文社会科学的な発想を頑なに守り変化を嫌う層が経営責任を担う地位そして、事業の現場に携わる人々に数多く存在し、また、DX化に対応できない顧客が大半であることが、大きな原因であると推察される。自らの業務をITに奪われるのではないか、という労働者の恐れ。システムの要件定義すら満足にできない現場担当者。セキュリティの知識を持たないまま、いたずらに情報漏洩を恐れ、責任の回避を前提に行動する管理職。自ら培ってきた人間関係を情報管理の信頼性の根拠としてビジネスを展開してきたがゆえに、IT機器や情報ネットワーク、サービスプロバイダーの介在を警戒する経営者。いまだにウォーターフォール型の開発に固執し、アジャイル型のプロジェクトを理解できない責任者。その他、人文社会科学的な領域に関わるさまざまな要因によって、日本の社会経済システムはDX化に対応できないだけでなく、DX化を拒絶しているのではなかろうか。業界の慣習や法制度によって、社会経済システムのハッキングが不可能に近い日本においては、情報通信技術や理工系の理論・技術がどれだけ進んでも、それだけではDX化を推し進めることは不可能であることから、人文社会科学的な領域からAI人材やプログラマー、そしてリード人材を育成し、活躍できる環境をつくっていくことが求められている。それを実現するには、文系出身の社会人が理工系の理論・技術を身につけられるような社会人教育のシステムを構築し、自ら望んでリカレント教育を受け、高度情報社会に必要な人文社会科学領域からの文理融合型人材が輩出されやすくすること、および、そうして育成された人材が、広く社会の中で活躍の場を得、評価されるようにすることが、必要であろう。

1991年の規制緩和ののち現在に至るまで、日本では多様な学部が設立されるようになった。その大きな要因は、これまでの学問領域では解決できない社会課題が増えてきたこと、そして、その課題について研究する役割・実際に社会でその課題に取り組む人材を養成することが、大学に求められるようになったことだといわれている。AIやビッグデータを活用した第四次産業革命に対応するため、日本で初めてデータサイエンス学部を開設した滋賀大学では、文理融合型の教育に取り組んでいるという。データサイエンスは①データ収集·加工·処理、②データ分析·解析、③価値の発見・創造という三つの要素から構成されるものと捉え、理系的な領域である①②を汎用的な技術として習得するとともに、文系的な領域である③についても基礎を学ぶことで、現場での課題解決力を養成しようというわけである。2019年に国の施策として策定された「AI戦略2019」では、「数理・データサイエンス・AI」がデジタル社会の「読み・書き・そろばん」と位置付けられ、すべての国民がリテラシーとして身につけることが目標として掲げられた。そこでは、数理・データサイエンス・AIの基礎となる理数素養や基本的データ活用知識を習得したリテラシー人材だけでなく、データサイエンス・AIを理解し各専門分野で応用できる

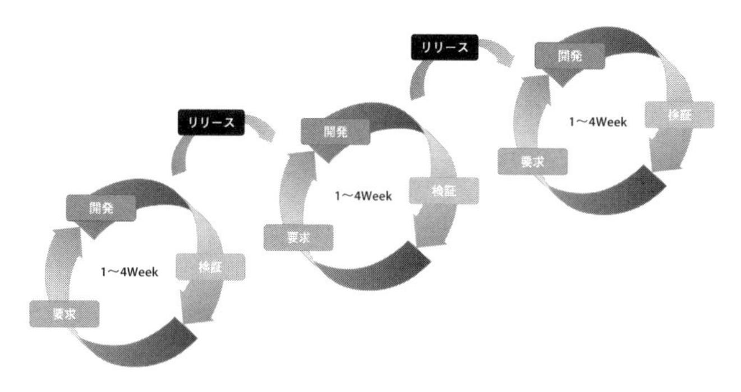


図版9–5：アジャイル型開発のプロセス
（出典：銀の弾丸ではない　アジャイル開発を正しく理解をしよう　https://www.isoroot.jp/blog/661/）

応用基礎習得人材、そして、データサイエンス・AIを駆使してイノベーションを創出し、世界で活躍できるレベルのエキスパート人材の発掘・育成が謳われている。これは、「新しい価値の発見・創造は、理工系の知識や技術と人文社会科学系の教養が融合されてこそ可能になり、現在の日本において、それができるイノベーティブ人材の育成が急務である」、という考え方に基づいているものと考えられる。

では、そうした人材に求められる能力はどのようなもので、そうした人材を育てるにはどうすればよいのか。データサイエンティストには、ビッグデータ処理技術、データ可視化、データ解析法という三つの要素技能とセキュリティの知識や研究倫理に加え、次のような能力が求められるとされている。

・戦略立案能力、問題発掘能力・企画能力、問題解決能力
・データ収集能力
・データの裏にある真実を見抜き、関連するデータを見出す力
・キュレーション能力（データの選択、前処理、クレンジング）
・データ分析結果の業務や事業への実装能力
・異分野研究者・事業者との連携能力

これらの能力はあわせて、データリテラシーと呼ばれ、このようなデータリテラシーを備えた研究者がデータサイエンティストと呼ばれる。

データサイエンティストには、データ中心科学の方法を駆使して、諸科学分野や

社会の問題を解決することが期待されることから、その育成には、ビッグデータ解析のための要素技術とともに、領域分野の知識と経験が不可欠となる。それゆえ、情報処理、機械学習、統計数理などの横断型の方法論を主専攻とし、領域分野を副専攻とする教育組織・プログラムの編成が求められる。異分野領域をつなぐコミュニケーションを実現するには、理系・文系の領域に最低でも一つずつの専門をもつダブル·メジャーであることが、前提となるからだ。同様に、ビジネスの領域でデータサイエンティストに求められるスキルセットには、単にデータサイエンス力（情報処理、人工知能、統計学などの情報科学系の知識を理解し、活用する力）だけでなく、データエンジニアリング力（データサイエンスを意味のある形で使えるものにし、実装、運用できるようにする力）や、ビジネス力（課題背景を理解した上で、ビジネス課題を整理し解決する力）も含まれる。これは、社会的な課題だけでなくビジネス上の課題を解決する上でも、単に理工系の知識技術だけでは実質的あるいは効果的なソリューションは困難であり、人文社会科学系の知識と教養が不可欠であることを示すものといえる。

日本におけるこうした動きは、データドリブン型の発想ができる人材、そしていわゆるDX人材の育成という点では、まさに的を射たものということができよう。しかし、新しい意味や価値を創出する、いわゆるイノベーション人材の育成という点では、どれだけの効果が得られるかは疑わしい。データサイエンティストの定義や育成方法では文理融合が謳われており、意味や価値の創造には人文社会科学系の

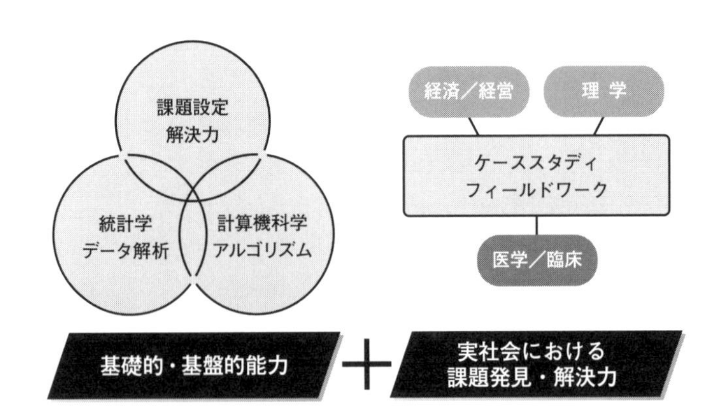


図版9–6：横浜市立大学データサイエンス学部の特徴
（出典：首都圏初のデータサイエンス学部　データの力で世界を変える　https://www.yokohama-cu.ac.jp/academics/ds/index.html）

知識と教養が必要であると認識されてはいるものの、それはあくまで情報処理、機械学習、統計数理といった理工系の知識や技術が中心であって、人文社会科学系の知識や教養は、それによって発見された課題解決の方法に意味や価値を付与する、補助的な役割をするもの、と位置付けられているからである。日本の統計学教育にさまざまな問題があることを認識し、これを再編成して現に存在する課題の解決のために活用できるようにすること、ビッグデータと確率統計のモデルを用いて社会課題やビジネス課題をよりよい形で解決できるようにするため文理融合を前提とした教育システムが不可欠であることを明確に示したことは素晴らしいが、それは同時に、教育だけでなく実社会をも含めた現在の日本社会の限界を認識した上で、実現可能なシナリオを示しているだけに過ぎないのだということは、認識しておきたい。こうした変革は、現在の日本に必要不可欠なものではあるが、本質的なものではないと思われるからである。

例えば、確率・統計理論の歴史を持つ欧州の大学には、それらが社会的技術として認められ、社会実装されていくまでの歴史的・社会的背景やさまざまなエピソードをも含めて学ぶ、統計学部が存在する。これは、理工系の領域における知識・技術について、それがどのように社会的に受容されていったのか、人文社会科学的な考察を行うことが、一つの独立したアカデミックな領域として、社会的な意義のある学問領域として認められていることを示している。理工系の知識が生まれ、それに基づいた技術が社会に実装されること自体が、実は極めて人文社会科学的な現象であり、深みのある人間的な営みである。そして、理工系の知識・技術について、人文社会科学的な考察ができるか否かによって、その応用に際しての発想の豊かさには大きな差が生じてくる。イノベーションが「新結合」であるとすれば、組み合わせる要素技術の候補の数が異なるだけでなく、その時点でその社会に実装可能なイノベーションを構想する能力そのもののレベルが異なるからである。

それだけではない。会社や社会、業界や国がイノベーションにつながるアイデアを受け入れ、イノベーションの成果を社会実装できるかどうかもまた、それによって大きく左右される。最近の日本におけるデータサイエンスを巡る一連の動きが、中体西用あるいは和魂洋才という言葉を想起させる、差し当たって目の前の問題を解決するために、役に立つものを表面的に受け入れることを目的とした浅薄なものにすぎないとしたら、VUCA ワールドを生き抜いていかなければならない世代はそれを超えた未来、人文社会科学的な知識と教養を背景とした、意味や価値を起点とするイノベーションが可能になった世界を見据え、その時代に対応するだけでなく、その環境を活用した人間中心社会の構築に貢献する能力を培っていく営みを、自らの意思で行っていく必要があるだろう。

## 第４節　リベラルアーツに基づく問題発見・意味創出能力の養成に向けて

先の考察によれば、データサイエンスは個別事象についてのデータに基づく業務改善という意味合いが強い。それゆえイノベーションというよりはインプルーブメントを目的としたもの、ということができよう。ダブル・メジャーを基礎とした異業種との交流を通して「新結合」を促し、新しい意味や価値を創出することを謳っているものの、異業種コミュニケーションを活性化させるための方法論は、いまだ試行錯誤の途にあるとされることから、データサイエンスがイノベーションにつながるか否かは、未知数といわざるを得ない。ただし、コンピューティング環境の充実とコンピューティング能力の高度化により、豊富なデータと分析評価の方法論が存在すれば、AI技術を応用することで、多くの場合、問題解決の方法を導き出すことは難しくなくなっている。現実に存在する問題の数・種類に対して、問題解決方法が過剰な状態なのである。ただし､これは､解決されるべき問題が数少なくなったことを意味しているわけでは、決してない。むしろ社会には、解決されるべきものと認識されずに放置されている問題があまたあり、それらは相応しい意味や価値の下で問題として定義され、社会的に認知されるのを待っている、と考えるべきであり、VUCAと呼ばれる社会状況の下においては、多様な問題が存在する、一つ一つの問題が小規模である、時々刻々と様相を変えていく、などの特徴によって、ますます見えにくいものになっている可能性が高い。現代における問題発見とは、そうした「見えにくい」問題を、当事者の文化・価値観とその文脈そして置かれた状況を理解した上で意味づけていくことであり、そのためにリベラルアーツが不可欠なのである。事実、独自の知的活動・創造的活動によって社会にインパクトを与えるようなリーダーには、リベラルアーツ系の学位を持つ傾向がある。人がどのように生きるべきか、社会がどのようにあるべきかを考察するには、リベラルアーツに根差した人文社会科学的な思考が必要だからである。

次に、ビジネスの現場についてみることにしよう。ハイアラキー型組織からネットワーク型組織へという組織形態の転換は、コマンド駆動型組織からビジョン駆動型組織へという組織文化の転換の転換があってこそ、機能するとされる。ここでいうビジョンとは、各企業が「企業理念」をベースに、事業を通じて将来的に成し遂げたいことや成し遂げたい状態を指したものであり、会社の目的や存在意義、使命を表現した企業理念の下に時間軸を入れて策定し、時代に合わせて変えていく性格のものであるとされるが、ここではいわゆるミッションと同義とみなすことにしよう。その具体例を挙げれば、例えばグーグルのビジョンは「1クリックで世界の情報へアクセス可能にする」であり、アップルのビジョンは「普通の人々にコンピュータを届ける」であった。アマゾンのビジョンは「地球上で最もお客様を大切にする企業であること」、フェイスブックのビジョンは当初企業のミッションとして「世界をよりオープンにし、つなげる」というものであったが、その後「世界のつながりをより密にする」へと更新された。こうしたビジョンは、社員に共有されるものであるだけでなく、投資家にアピールして資金を調達するためのものでもある。それゆえ、当該企業が実現しようとしている社会的価値を分かりやすく、しかも人々にアピールする文言で、表現したものであることが多い。ここで重要なのは、こうしたビジョンあるいはミッションが、企業が実現しようとしている社会的価値や企業の社会的存在意義をアピールするものである以上、その策定においては人文社会

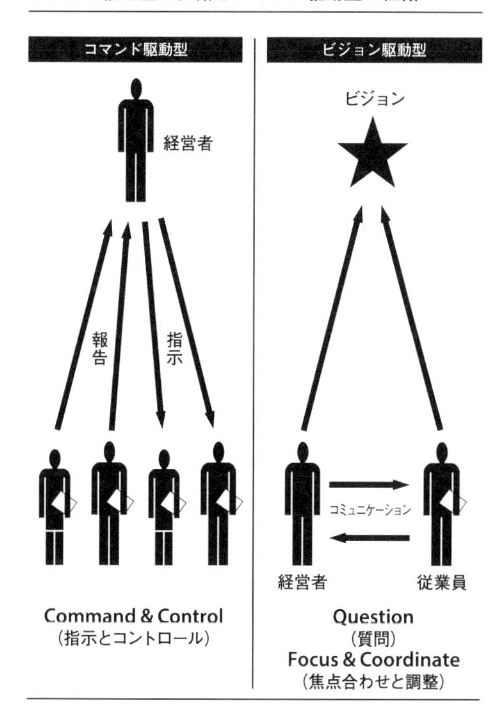

図版9–7：組織のタイプに対応したリーダーシップの在り方
(出典：坪田)

科学的なセンスが必要不可欠である、ということである。

GAFAが掲げるビジョンやミッションに共通しているのは、企業設立時の情報技術や情報ネットワークの条件に縛られることなく、自らが目指すべき未来を描いていることであろう。そしてこれらの企業は、自らが掲げた目標の実現に向けた活動を展開し、成し遂げてきた。このように考えれば、これらの企業は「価値起点のイノベーション」の好例、ということができる。だが、これをはるかに超える規模での、価値起点のイノベーションの試みが、世界規模で始まっている。それが、SDGsである。

SDGsとは2015年9月の国連サミットで採択された、『我々の世界を変革する：持続可能な開発のための2030アジェンダ』（Transforming our world: the 2030 Agenda for Sustainable Development）と題する成果文書で示された2030年に向けた具体的行動指針「Sustainable Development Goals（持続可能な開発目標）」の略称であり、国連加盟193か国が2016年から2030年の15年間で達成するために掲げた目標のことである。そこでは、経済成長・社会的包摂そして環境保護を調和させることが地球社会・人間社会に必要だと謳われ、17の分野別の目標と、169項目の達成基準が定められている。そしてそれらは、先進国だけでなく発展途上国までをも含めた、達成すべき目標とされた。まさに、価値起点で、世界的に達成すべき目標をデザインし、国際的に承認を受けた「ビジョン」ということができよう。ここで注意しなければならないのは、これが単なるスローガンではなく、現実の社会経済の在り方にも大きく影響し始めているということだ。

2018年時点ですでに、技術力のある日本の中小企業においても、顧客となっているグローバルブランド企業との契約更新の際に、「下水はどこに捨てているのか」「$CO_2$の排出量はどのくらいか」「子供を働かせていないか」など、SDGsの目標・達成基準に即しているか否かを確認するための質問攻めに遭っていることが報告されているが、これは、SDGsがすでにグローバルビジネスの制度・ルールの原点となりつつあることを意味している。これは、大変重要な事実である。企業がブランドイメージを維持するためには、自社のみならず自社が主催するバリューチェーンの前後に位置する企業までもが、SDGsに対応している必要がある。したがって、その企業がどれだけ優れた技術を持ち、どれだけ製品の品質が素晴らしくても、SDGsの趣旨に沿った生産や管理をしていなければ、世界のサプライチェーンから外されてしまう可能性が高い。これから先、ブロックチェーンによってエネルギーの出自がトレースできるようになれば、火力発電によって作られた電力を用いた工業製品は、買い取ってもらえなくなる可能性もゼロではないだろう。世界中で、そ

図版9–8：SDGs
（出典：一時間でわかるSDGsとISOの関係　https://www.bsigroup.com/ja-JP/our-services/seminar-events/seminar/SDGs/）

のような認識が広まれば、再生可能エネルギーへの転換、そして、より効率のよい発電技術や蓄電技術の開発が進むのではなかろうか。

このように考えれば、SDGsは、地球規模で「価値起点のイノベーション」を社会実装することを目的とした、世界的なムーブメントとみなすことができよう。そして、先に考察したように、データ中心科学を基盤とするデータサイエンスからは、この種のムーブメントが生み出されるとは考えにくい。それは、意味や価値のレイヤーがデータや情報のレイヤーより上位にあるという理由からだけではない。意味や価値の源泉はデータや情報ではなく、リベラルアーツの中にあるからである。

さて、価値や意味に基づくイノベーションは、先に見たような世界規模あるいは全社規模のものに限るものではなく、また、技術開発に限られるものでもない。顧客体験を起点とした、ビジネスにおける財そのものの在り方の転換や、ビジネスモデルの創造など、さまざまなものを考えることができる。ロールスロイスは、ジェットエンジンを売らない。ブリジストンはタイヤを売らない。重機メーカーのコマツは、重機を売らない。顧客は、飛行機による旅客ビジネスを、車両を使った移動を、重機を使った作業の結果を、求めているのであって、そのための手段を所有することを求めているわけではない。そういうことであれば、顧客の要求を満たすためには、モノを売って対価を得ることが最善の策ではなく、それを使用することで得られる結果に課金する方がより望ましい、と考えられるからである。使用する機材は、使われてこそ価値を生み出すから、使用中あるいは使用直前に故障すれば、価値を生み出せないばかりか、顧客の不利益となることは明らかだ。しかし、顧客と機材によって使用頻度はそれぞれ異なるから、定期点検ではムラがありすぎる。そこで、一つ一つの機材に大量のセンサーを組み込み、情報ネットワークを通して常時監視し、故障の予兆を察知した時点で顧客に通知して、故障が発生する前にメンテナンスを行う。一つ当たりのセンサーの価格が低廉化し、世界中をインターネットがつなぎ、大量のデータをAIによって処理できるまで、高度情報技術が発達したことが、それまでは考えられなかったきめ細やかな対応を可能としたのである。メーカーはよいものを作り、それを適正な価格で顧客に販売して、販売後はメンテナンス契約により対処するというのは、メーカー側の都合に基づくビジネスのやり方である。しかし顧客の立場に立ってみれば、最も大切なことは予定したスケジュールで作業を行い、所期の結果が得られることであって、機材を所有することは目的でないばかりか、経営上の負担にさえなるものなのだ。したがって、コマツが「モノ売り」から「サービス売り」に転じたことは、顧客にとって歓迎以外の何物でもなかったことだろう。

これらメーカーのビジネスモデルの転換は、顧客本位のサービスを実現するためのイノベーションであり、それを可能としたのは、自らの発想を目の前の状況による拘束から一旦解放し、顧客経験を起点とした発想・構想に導く、リベラルアーツの力と考えることができよう。こうしたことを敷衍すれば、情報技術・情報ネットワーク環境の発達と普及をどのような形で自社ビジネスに取り入れていくか、GVCをどうデザインしどのような形で関わっていくか、といったマクロレベルの領域から、ユーザーエクスペリエンスの向上と自社ビジネスの発展をどのような形でバランスさせながら具体化していくか、そして、自社のビジョンを実現するためにどのような技術開発あるいは新結合を行っていくか、ビジネスモデルの転換を行っていくか。その全てにおいて重要な役割を果たすのは、問題解決の方法論ではなくむしろ、問題発見の能力、その中でも、自らが置かれた立場・状況から自由になり、さまざまな立場・状況に置かれた人の目線から問題を発見し意味づけていくことのできる能力と、そうしたものの中で特にどのような問題が重要であるかを見極める能力であろう。最後に、急速に進む情報化を背景とし、ユーザーエクスペリエンスの向上を目指して展開する、中国におけるスターバックスの事業展開を例に、リベラルアーツの力について考察しておくことにしよう。

スターバックスは中国市場に注力し、1年で500店のペースで店舗を拡大。2017年度は売り上げが7%増加したものの、2018年度は2%落ち込んでいた。そしてその背後には、中国の生活インフラレベルで使われているデリバリーフードおよび、スタートアップ企業ラッキンコーヒーによる、コーヒーデリバリー事業の展開があった。ライバル企業であるラッキンコーヒーの顧客体験は素晴らしく、家を出るときに注文して会社に届けてもらうことも、先に買っておいて会社に行く途中でピックアップすることもできる。二杯分のコーヒーチケットを買うと一杯分無料になる価格上のインセンティブもあって、スターバックスは多くの顧客を失った。実店舗「サードプレイス」の価値に固執したスターバックスは、デリバリーサービスへの参入を行わなかったからである。その後、スターバックスは、売り上げ減少という現実を前に、ユーザーの需要が自社の想定している価値とは違うところに移行している事実を認識し、それまで固執していた価値を見直し、「アフターデジタル型のスタバが提供すべき価値とは何か」を問い直した上で、「スタバらしいデリバリーとは何か」を問い直す。そして、彼らがたどり着いた「新しい価値」は、「いつでもどこでもサードプレイスが手にできるという価値」であった。

通常のデリバリーでは配達員が配達ルートを決定するため、概ね30分前後で届く。これに対してスタバ専属の配達員は1on1配達を実施するため、注文後10～15分で届くのである。配達費用は多少高く設定されているが、コーヒーは温かいまま届き、味も損なわれることがない。フードを頼んでも暖かい状態で届き、味自体が普通においしい。しかも、専属配達員がコーヒーを届ける際には、他のデリバリー配達員と異なり、両手をそろえて商品を手渡し、お辞儀をする。こうしてスタバは、競合にない顧客体験の提供に成功したのである。この事業展開により、一度離れた顧客を再び呼び戻すことに成功したスタバは、デリバリーとピックアップのみの店舗を増やしているという。

もともとスタバには大きなブランド価値があった。そして、利便性はコピーできても、ブランド価値はコピーできるものではない。しかし、高度情報環境の活用が当たり前になったアフターデジタルの時代においては、ブランド企業であっても、それまで大切にしてきた価値に固執していては、社会に求められる存在として存続し続けることは難しい。このケースについていえば、ブランド価値という点においても、コーヒーの味という点においても、スターバックスはラッキンコーヒーに勝っていた。にもかかわらず、デジタル化によって顧客視点による提供価値の評価が逆転したために、スターバックスは市場で敗北する危機に陥ったのであった。ここから分かるのは、デジタルによる業界破壊に対抗するには、デジタルによる顧客との関係性の変化を把握した上で、顧客に提供する価値の在り方を新たに構想し、それにもとづいた事業を展開していくことが求められる、ということだ。

ここでも成否の鍵を握るのは「価値の再定義」であり、そのためには、「自らが置かれている状況から離れ、社会や市場環境の変化を考慮しながら、顧客の目線に立って、提供価値の在り方を再構成する能力」が求められる。そうした営みの基礎

図版9–9：中国北京のスターバックスモバイルオーダー専門店舗
（出典：https://coffee.ism.fun/article/b12fab10-ada7-4ea9-a342-1782ac802148）

となるものが、リベラルアーツである。VUCA化が進む今日において、リベラルアーツの重要性は、ますます大きくなっているものと考えられる。

## 第9章　注

第1節は（Madsbjerg, 2018）（Hacking, 1990）に依拠している。第2節は（ヤング吉原麻里子、2019）に加え、リストに示した一連のSTEM/STEAMに関する論考に依拠している。第3節・第4節は（山口周、2019）（山口周、2021）に依拠している。なお、スターバックスの事例は（藤井保文、2020）に依拠している。

# 第10章

# 情報システムの構想・構築と社会のデザイン

## 第1節　開発環境の低廉化と既存モジュールのマッシュアップ

我々が生きている社会では、一人ひとりが異なる文化背景を持ち、異なる性格を持ち、異なる能力を持ち、異なる人生を生きている。VUCAワールドになっても、そうした事実は変わらない。マクロな社会経済の状況から、一人一人の個人が属する社会集団そして社会関係など、さまざまなものが関連しながら個人の生活史に影響を及ぼす。そして一人ひとりの個人にとって、自らとの関わりで見えている社会の姿はそれぞれ異なるものであり、それぞれの理解と意志に基づいて社会と主体的に関わっていく中で、自分の人生を切り開いていくことになる。

このように考えれば､社会と個人は相互規定的な関係にあると同時に､個人にとって自らが経験する社会事象は極めて具体的で、歴史や文化、組織や社会関係、さまざまな思想や感情、置かれた状況の特殊性など、さまざまな要因によって性格づけられるものであるし、その事象の持つ意味はさまざまな文脈の中で理解されるべきものであるから、理解の在り方にもさまざまな視点と方法がありうるわけで、そうしたものの中からどのような方法を選び、事象の持つ本質的な意味をどのように把握するかは、実は極めて難しい知的な営みであるといえる。さまざまな文学作品やフィールドワークによる人類学・社会学の研究、インタビュー調査による生活史研究などといった、人文社会科学の領域における作品・研究成果には、理工学的な知識・技術だけでは到達し得ない、人間社会の持つ意味の深みを感じさせるものも多い。STEM教育が重視される時代にあっても、リベラルアーツの重要性が揺るがないのは、人間社会が本質的に「要素還元主義」では捉えきれない性格を持っているからであり、社会現象について科学的に分析する過程において行われる「形式論理による抽象化」によって、その本質的な要素が捨象されてしまう可能性が高いからである。

自然科学の分野で用いられてきた「要素還元主義」による分析手法は、デカルトが提唱し近代化の過程で普及した思考様式で、「どんなに複雑な事象でも、それを構成する要素に分解し、それぞれの要素について理解して、その理解を足し合わせれば、事象全体の性質や振る舞いをすべて理解することができる」と考える。そのために自然科学では客観的で精密な観測・測定が求められ、数学的モデルの構築と

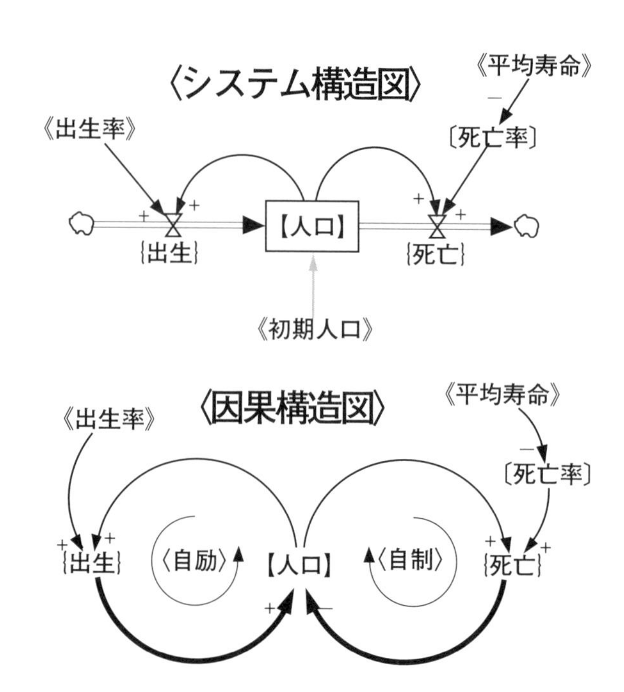


図版10–1：システムダイナミクスにおけるシステム構造図・因果構造図
（出典：ビジネスモデル・ダイナミクスの理論と応用　http://akirabee.blog.jp/archives/14730112.html）

データによる実証が重視される。ラプラスやガウスによる数理モデルがケトレーによって生物学への応用を経て社会現象へと適用された後、さまざまな形で、「社会の法則」と称されるものが発見されるようになった。その嚆矢は、デュルケームの『自殺論』であろう。しかしながら、人間社会だけでなく、自然界の事象であっても、実にさまざまな要素が常に複雑な関係によって有機的に繋がっているから、事象を相互に関連する要素の全体として捉えなければ、理解することができない。それが社会システム論につらなる考え方である。そして、社会現象をそれを構成する要素間の関係とみなし、要素同士の関係を関数で表した上で、システム全体のふるまいを描き出すシステムダイナミクスの手法がローマクラブによって採用され、「世界システムの破局は再生不能の天然資源の枯渇によって発生する」こと、すなわち、「地球は有限である」ことを示した『成長の限界』は世界に大きな衝撃を与え、SDGsへと展開している。

これらのことから分かるのは、社会現象を要素に還元し、各要素の分析結果を足し合わせることで理解しようとする試みは決して万能ではないが、社会現象を要素に還元し、要素間の関係の総和として理解しようとする試みは、その目的が妥当でありそのプロセスが適当であれば、その限りにおいて有効であるということである。そして、社会現象を構成する要素を変数に置き換え、要素間の関係を関数に置き換えて適切にコーディングしコンピュータに記憶させて、必要なデータを用いて計算を行わせれば、作成したモデルを用いて未来の時点の状態を算出することができる。約半世紀の時を経た現在では、計算機環境は飛躍的に向上しているから、当時よりはるかに多くの変数を設定し、さまざまな関数を用いたモデルによって、大量のデータを高速に処理することが可能だ。GUI を活用したインターフェイスを用いて、手軽に対話型の分析を繰り返すこともできる。

その際にポイントとなるのは、適切なアルゴリズムの構築と、それを反映したプログラムの作成である。ここでアルゴリズムとは一般的に、問題を解決するための方法や手順のことを意味している。それを導き出すためには、解決を求められている問題がどのようなものであるかを分析・検討した上で、それを構成する要素とその関係、すなわち変数および変数間の関係を表す計算式そして最終的なアウトプットを導き出す上で必要な条件分岐を明らかにし、それらを組み合わせて一連の手順とする必要がある。人間中心社会の実現という観点から考えれば、すべての課題を抽象的なアルゴリズムに置き換え、情報システムの構築により効率化することが望ましいか否かは、慎重に検討されなければならないが、少なくとも ICT 環境を活用して効率的な課題解決を行うことで、大量かつ複雑な作業が必要な課題について、ヒューマンエラーを排除しつつ高速な処理が可能になるケースが少なくないこと、および、情報システムにそうした作業を代行させることによって、人間の労力をより高度な作業・創造的な営みに振り向けられるようになることは確かである。

さて、さまざまな問題を解決するためにプログラミングやソフトウェア開発を行う際、さまざまなデータについて同様の処理を施すような事態が、頻繁に発生する。そのような場合には、全く同じ処理を何回も繰り返し書き込むよりも、繰り返される処理内容をプログラムの中で一つの関数として定義し、処理のたびにこれを呼び出す形にできれば、コーディングの手間も省けるし、同じコードに対するデバッグを繰り返さなくても済むし、プログラム自体もシンプルで見やすいものにでき、エラーへの対処も行いやすくなる。個人が作成したプログラムの著作権は作成者に帰属するが、印刷物の形で、あるいは GitHub などで公開してインターネットを通して配布し、多くの人に使ってもらうことも可能である。その際、使用にあたってのさまざまな条件を付けておくことも可能だ。そうしたコードはすでに動作確認済みであるから、動作環境及び使い方を習得すれば誰でも使うことができ、プログラムやシステムの開発コストを大幅に削減することができる。

また、システム開発に用いるプログラム言語にはさまざまなものがあるが、作成したプログラムをシステム上で実行する際には、計算機資源を消費することから、メモリ上に展開される関数はおのずから限定されたものになる。そして、課題解決のために必要となる複雑な計算の手続きの中には、対象となる問題の種類や各々の研究領域で共通するものが多い。それぞれの言語について、こうした共通のデータ処理の手続きについての関数を、それぞれのソフトウェア開発者が個別に作成して使用することは効率が悪いだけでなく、検証作業がおろそかになってバグが放置されれば、重大な問題が発生しかねない。こうしたことから、各言語について、問題の種類や研究領域ごとに頻繁に使用されると想定される機能を実現する関数をパッケージとして公開し、その言語の利用者の活動に資するとともに、バグの報告やアルゴリズム改善の提案などをフィードバックしてもらい、よりよいものにしていこうという動きがある。こうした関数のパッケージは特にライブラリと呼ばれる。プログラミング言語はたびたびバージョンアップし、デフォルトで組み込まれている関数が改変されることもあるが、それに応じてライブラリもバージョンアップされることが多い。プログラミング言語にはさまざまなものがあり、それぞれ得意とする領域があるが、提供されるライブラリの種類はそうした言語の特性やユーザーの特性に応じて異なるので、自分がどのような言語を用いてシステムを開発するかを決める前に、その言語の特徴をよく調べておくことが肝要である。

さて、自らが作成したプログラムやアプリケーションをフリーウェアやシェアウェアの形で配布する活動は、インターネットが普及するずっと以前、パソコン通

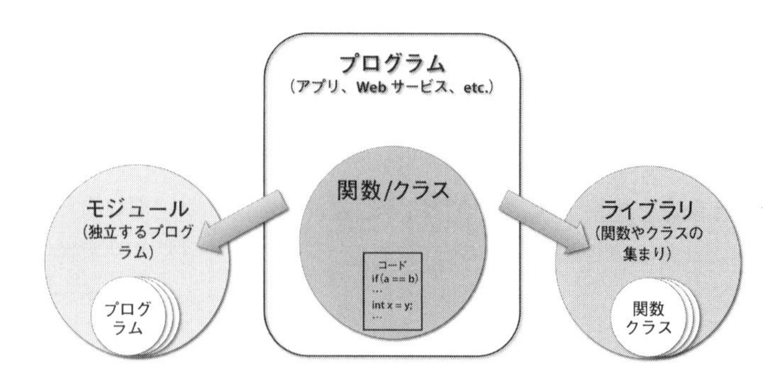


図版10–2：プログラムとモジュール、ライブラリの関係
（出典：プログラミング初心者が知っておくべき考え方の基本　https://codeaid.jp/prog-base/）

信の時代から存在した。日本においても1980年代後半になると、PC-VANやアスキーネットなどで、フリーウェアやシェアウェアを提供するコーナーが設置され活用されるようになった。その中には、JW-CADなど、市販のアプリよりも使い勝手がよく、広く使われるようになったものも多い。インターネットが普及すると、さまざまなフリーウェアやシェアウェアが開発され、ダウンロードされ使用されることが多くなった。本格的なテキストエディターや、FTPソフト、使用頻度の高い圧縮・解凍ソフトそして、便利な小技を実現するユーティリティ系まで、多種多様しかも膨大な数のソフトウェアが公開されているほか、それらを集めて分野ごとに分類してダウンロードできるサイトも開設されている。こうしたアプリを組み合わせることにより、PCを使った業務のたいていの部分はカバーすることができる。また、スマートフォンやタブレットについては、iOSに対応したアプリを配布するApple Store、アンドロイドに対応したGoogle Playが開設されており、それらを通したアプリの配布が行われるようになっている。IT業界では、ポータルサイトや企業のウェブサイトが提供する既存のウェブサービスを組み合わせ、新しいウェブサービスを作ることを特にマッシュアップと呼ぶが、今や我々は直面する課題の大半について、すでに公開されているさまざまなモジュールを組み合わせることにより、それを遂行するために必要な情報処理を行うためのプログラム開発を、効果的・効率的に構築し、活用することができるようになっている。

そして通信費用とサーバー利用料金を除けば、サーバー構築のために必要なOSやプログラミング言語、そして開発に必要なインタープリターやコンパイラなども無料で利用することができる。こうした技術に関する情報はインターネットで公開されているから、誰でも自由に学び身につけることができるし、自力で解決できない問題についてはインターネット上のコミュニティに参加することで、熟練者のコメントやアドバイスを受けることもできる。このような事実を考慮すれば、現在

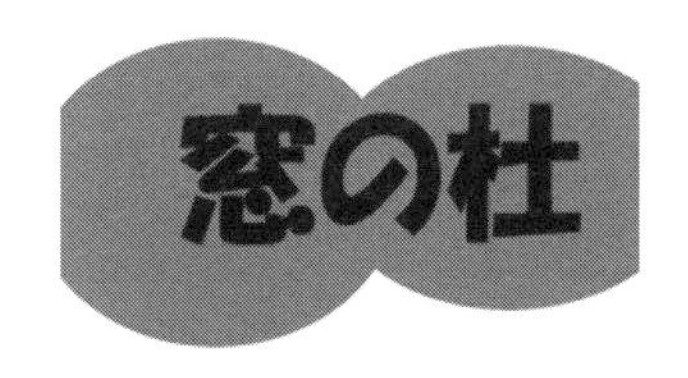


図版10–3：「窓の杜」ロゴ（出典：https://smile-may4.com/madonomori/）

の日本は情報システムの開発者そしてプログラミングを学ぼうとする者たちにとって、最適な環境が整っているといえよう。

情報技術の発展と普及が進み、ハードウェアの性能の向上と低価格化が実現した。パソコン通信の時代から存在するフリーウェアやシェアウェアはより高度化し、さまざまな領域について多様な機能を持つアプリケーションが作られ、配布されるようになった。高度情報ネットワークの普及とビジネスモデル革命によりアプリケーションや情報システムの開発・流通環境の高度化・民主化が進んだ。IaaS、PaaS、SaaS など、高度情報ネットワークを前提としたシステム開発が構築され、オブジェクト指向の考え方に基づいたプログラミング言語が開発されて無料で配布され、それを活用して研究開発を行う機関によってさまざまなライブラリが開発・公開されて、使われるようになった。それらは全世界に広がるユーザーによって試用・検証されることを通してよりよいものへとブラッシュアップされ、より多くのユーザーに活用されるようになっていく。インターネットの中で、こうした好循環を実現するコミュニティが、さまざまな形で形成されるようになっているのだ。

したがって、今日我々が解決を迫られる問題の多くは、それを定義しさまざまな課題へと分解してアプリケーションや情報システム上で処理できる形へと抽象化する過程で、一つ一つの課題の遂行に必要とされる機能のほとんどが、独自に開発する必要のない性格のものである。なぜならばほとんどのケースについて、我々が必要とする機能の多くがすでに、プログラミング言語に組み込まれている関数や他の機関によって開発されたライブラリに含まれる関数として用意され、多くのユーザーによって検証済みだから、である。ライブラリの中には、常に改良を繰り返し、バージョンアップが重ねられているものもある。一人一人のユーザーが必要な関数を独自に開発・検証するよりも、世界中に広がるコミュニティの中で開発・検証されたライブラリを活用する方が、開発スピードそして信頼性の面で、はるかに効率的だ。

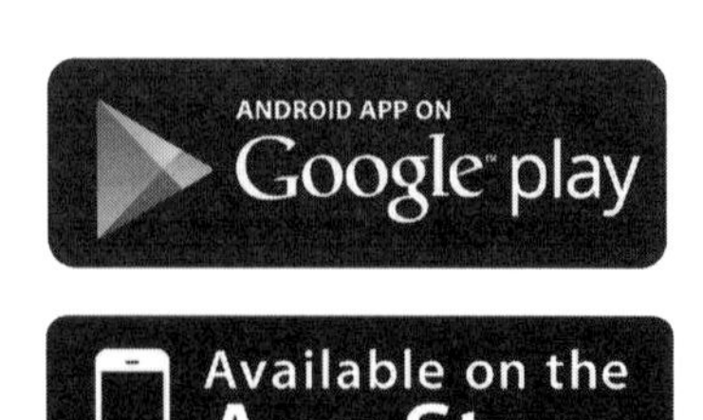


図版10–4：Google Play, Apple Storeのロゴ
（出典：ttp://www.tatsuojapan.com/2016/02/appstore.html）

こうしたことを考慮すれば、課題遂行のための情報システムの開発コストは、要求水準が上昇していることを考慮しても、時間的にも労力的にも金銭的にも、以前に比べてはるかに低くなっていると考えることができる。ただし、それが直ちに、情報システムの開発が容易になっていることを意味するわけではないことには、注意が必要である。現在のシステム開発におけるポイントは、プログラム言語の基本的な機能や文法の習得から、課題遂行のための開発環境や言語の選定、そして、ライブラリの機能およびライセンスの内容の理解へと大きく推移しており、この状況に対応するためには、以前とは異なる能力が必要だからである。現代におけるシステム開発は、ソフトウェア技術者が単独であるいは一つの会社内で行う時代から、技術者同士のコミュニティで情報を共有して品質と効率を向上させたり、さまざまな企業が提供するモジュールを組み合わせてユーザーの多様な要望に迅速に応えるサービスを組み立てる時代へと移行しており、こうした変化に対応するためには、情報システムの構想・構築とその社会実装の双方において、人文社会科学系の知識と教養に基づく理工学的な知識・技術の活用が求められるからである。

## 第2節　DX化とリベラルアーツに基づく問題解決のための社会デザイン

ソーシャルデザインとは、そもそも、社会をどう築いて行くかという計画である。デザインの対象は､「I Love NY」のTシャツのようにモノであることもあれば、社会そのもののこともある。そしてその領域は、インフラ整備から社会制度まで、非常に幅広い。SDGsに示されるまでもなく、現代社会は食糧・エネルギー・生産などの経済資源や環境資源の問題を抱えている。そして、情報環境の発達によりGVCが変化すれば、社会経済システムそのものが変わる。しかしながら、社会組

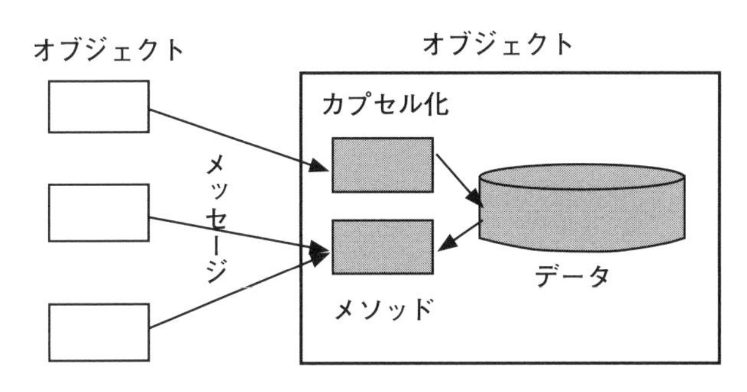


図版10–5：オブジェクト指向プログラミングのイメージ
（出典：http://www.kogures.com/hitoshi/webtext/kj2-object-shikou/index.html）

図版10-6：オープンソースの世界
（出典：OSSによる共創関係（エコシステム）の進展　https://www.nttdata.com/jp/ja/data-insight/2014/092501/）

織、社会意識、社会規範、そして社会制度は、そう簡単に変わるものではない。それらの矛盾が、さまざまな問題を社会に引き起こす。そのため、状況や環境の変化によって生じた社会の機能不全を解決するために、新たな社会像の構想そして処方箋の具体化が求められる。そのための具体的な知のことを特に、社会デザイン（social design）と呼ぶのである。したがって、社会デザインを行う上では、人文社会科学的な知識と教養であるリベラルアーツを用いたセンスメイキンクによって、対象となっている問題の本質を深く理解した上で、それを解決する手段として理工学的な知識・技術を応用するという形が望ましく、問題解決の方法が社会に実装されていくプロセスまでを含めたデザインおよびアジャイル的な試みがなされていくことが望ましい。

さて、社会デザインが内包する領域は非常に広いが、本章では高度情報化という視点から考察することにしよう。地域産業、高齢化問題、コミュニティ、自然災害、感染症、さらには、地球環境や人権問題など、我々が直面する問題は多岐にわたっている。そして、そうした問題に対し、新しい価値を創出しながら画期的な仕組みを作ることで、解決を図ろうとする動きも出てきている。そのための方法論として、非常に有力とされているのが、デジタルの力である。インターネットをはじめとした高度情報環境の普及は、これまで当たり前とされていたあらゆるセクターの垣根を取り払い、新たなつながりを生み出そうとしている。それだけではない。サイバー空間とリアル空間の結合は、さまざまなかたちで、新しい結合を通した新しい価値

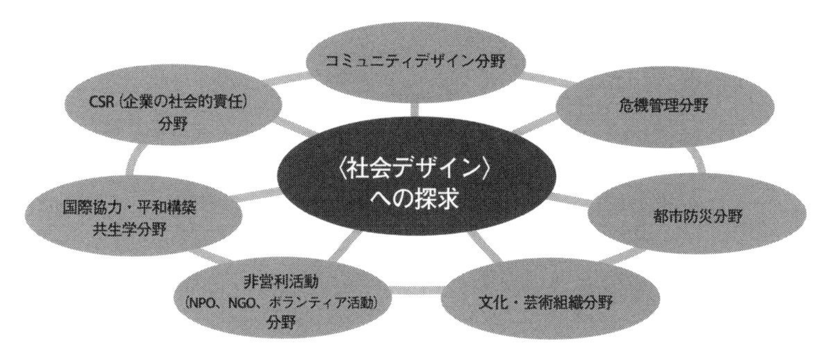

図版10-7：社会デザイン学会の対象領域
（出典：社会デザイン学会　活動内容　http://www.socialdesign-academy.org/study/act.htm）

を生み出そうとしているのだ。ここでは、発展やまぬ中国を例に考察していくことにしよう。

偽札が多い中国では､信頼のおける決済方法として､モバイル決済が急速に広まった。例えば「アリペイ」は、タオバオをはじめとしたECサイトを中心に2004年から利用されていたエスクローサービスにはじまり、2017年には中国モバイルペイメント業界で約54%のシェアを占める世界最大の第三者決済サービスになった。「ウィーチャットペイ」はウイチャットというコミュニケーションアプリの中にある決済機能だが、2018年にはアクティブユーザー数が10億人に達し、リアルの小売店だけでなく、個人間送金を中心に利用されている。中国ではショッピングからタクシーや電車の交通費、自動販売機、割り勘などの個人間のお金の交換まで、この二つのアプリですべて完結できる。そして、こうしたアプリの浸透により、あらゆる消費者の購買行動から収集されたデータが、次のビジネス展開に活かされるようになっているのである。

さて、アリペイは高級ブランドの店舗から商店街の個人商店、屋台、タクシー、映画館、水道代、電気代、携帯代、そして税金まで、すべての決済を行うことができるだけでなく、オンラインの購買データも蓄積している。アント・ファイナンシャルはこうしたデータを活用し、ユーザーの支払い能力を可視化することで、一人一人のユーザーについての信用スコア「シーマ・クレジット」を算出するサービスを行っている。このサービスが広く受け入れられているのは、中国にはそれまでまともな与信管理がなかったからだ。シーマ・クレジットは出身大学や職業を自分で登録することで点数を上げることもできることから、社会的な信用度を表す数字にもなっている。点数に応じてアリババ・グループやその提携企業、団体が提供す

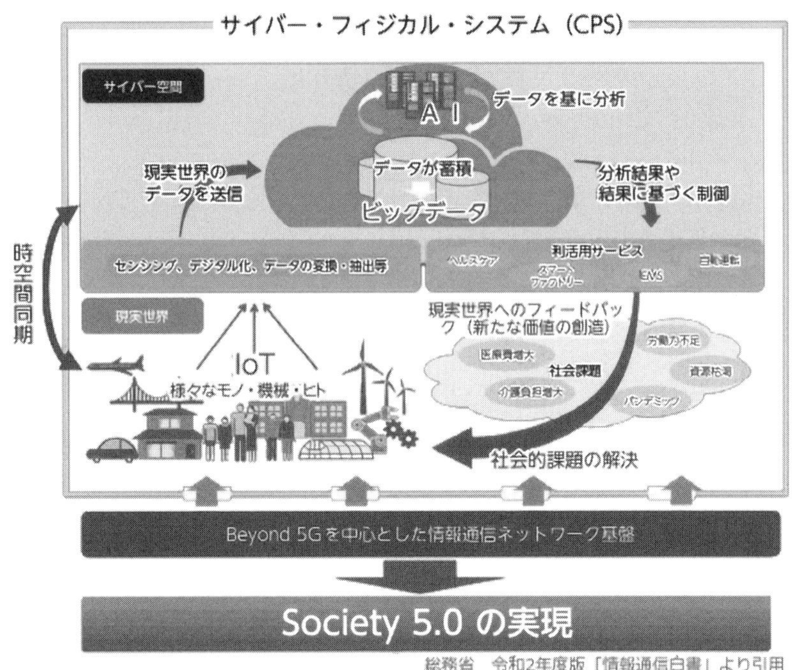


図版10–8：サイバー・フィジカル・システム（CPS）
（出典：https://www.soumu.go.jp/johotsusintokei/whitepaper/ja/r02/pdf/index.html）

支付宝
ALIPAY

図版10–9：「アリペイ」のロゴ
（出典：https://cashlesspayment.jp/cashless-business/282/）

るサービスを利用する際に特典を受けられることから、ユーザーたちは自ら情報提供して点数を上げようとする。そして企業は、「シーマ・クレジット」のような信用スコアを、与信審査の一環として活用することができる。信用スコアを活用することで取引上問題を起こしそうな人物を事前に避け、取引コストや与信の確認に伴うチェックや人件費を減らすこともできるようになった。信用スコアは、ユーザーにも企業にもメリットをもたらしたのである。

サイバーとリアルの融合は、保険の世界にも革命をもたらした。従来型の保険事業は、顧客がいったん購入したら、被保険者がけがをしたり入院したりすることがなければユーザーと会う機会はなく、自動更新化されていればユーザーと企業の接

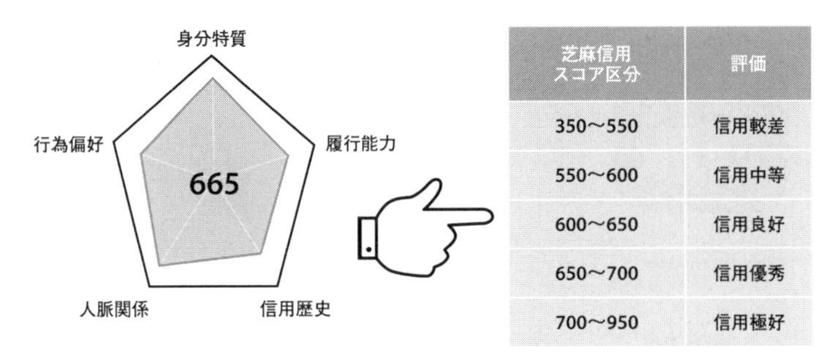


| 芝麻信用スコア区分 | 評価 |
|---|---|
| 350〜550 | 信用較差 |
| 550〜600 | 信用中等 |
| 600〜650 | 信用良好 |
| 650〜700 | 信用優秀 |
| 700〜950 | 信用極好 |

図版10–10：シーマクレジットとは
（出典：平成30年度情報通信白書　https://www.soumu.go.jp/johotsusintokei/whitepaper/ja/h30/pdf/n2700000.pdf）

点はほとんどなかった。2013年、平安保険は、中核だった金融ビジネスの枠を超え、デジタルサービスを使った生活圏へとビジネスを拡大する。医療、移動、住居、娯楽、飲食の領域である。その中でも特に成功したのが「平安グッドドクターアプリ」という医療系アプリであった。当時の中国の医療事情を上海を例に説明すれば、上海には沢山の開業医がいたものの、医療サービスの質はまちまちであり、良い医者と悪い医者の落差が激しかった。そのため開業医全体の評判が悪くなり、患者は総合病院のような人気の病院に殺到。真っ当な開業医に患者が来ないという状態が続いていた。平安保険は医師のネットワークと協力関係を結んだうえで、「平安グッドドクターアプリ」を通じて①アプリ上で開業医に無料で問診できる機能（今すぐ病院に行った方がよいのか、安静にしておけば大丈夫なのかを、適切に判断できる）、②アプリでの病院予約機能（病院にいる医師のプロフィールまで提供し、信頼できる医師かどうかを判断して選べる。これにより信頼できる開業医を選べるようになり、総合病院への患者の集中が是正された）、③ユーザーが歩くだけでたまるポイントシステム（たまったポイントはアプリ内の健康食品、美容品、医薬品の購入に使えるが、一日が終わる前にアプリを開いてボタンを押す必要があることから、ユーザーとのタッチポイントを維持することができる）を提供することで、顧客接点の維持に成功したのである。

さて、これらはいずれも、それまで中国で大きな問題であった事柄について、それを解決するための具体的な方法をデザインし、それをアルゴリズムという形で抽象化した上で、アプリの構築を通したサービスの提供を行うことで、解決を行った好例ということができよう。アプリを通してサイバー空間上にデータが蓄積されることから、それらを活用することによりサービスのさらなる向上も期待できる。

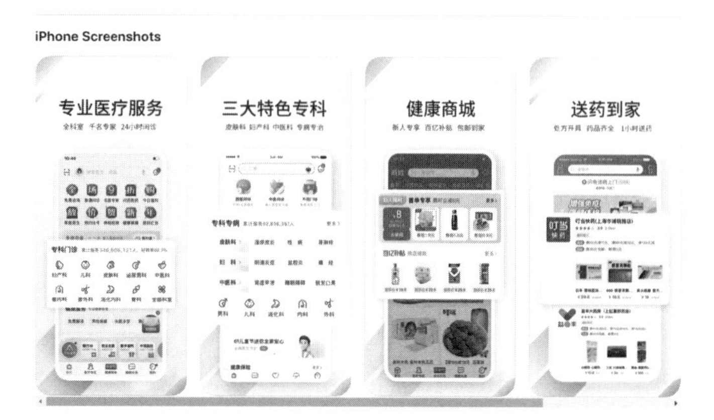


図版10–11：平安グッドドクターアプリ
（出典：https://apps.apple.com/us/app/平安好医生-在线咨询挂号购药平台/id923920872）

さて、モバイルやIoT、センサーが偏在し、現実世界でもオフラインがなくなるような状況になると、リアル世界がデジタル世界に包含されていく形で、現実が再編成されていくものと考えられる。このような現象の捉え方は特に、「アフターデジタル」と呼ばれる。そしてその本質は、デジタルやオンラインを「付加価値」として活用することではなく「オフラインとオンラインの主従関係が逆転した世界」という視点転換にある。デジタルトランスフォーメーション（DX）という言葉は、社会インフラやビジネスの基盤がデジタルに変容していることを意味している。したがって私たちは、その前提に立って戦略を組み立てていかなければならない。アフターデジタル時代に成功する企業は共通して、オンラインとオフラインを融合した一体のものと捉えた上で、これをオンラインにおける戦い方や競争原理として考える、OMO（Online Merges with Offline、またはOnline-merge-Offline）という思考法を持っている。中国の企業はすでに、デジタル起点でビジネスを考えており、「オンラインが起点でありベースである」「リアルチャネルは、より深くコミュニケーションできる貴重な場である」とされる。オンラインとオフラインは融合してボーダーレスとなり、どこでもオンライン化した状態になるため、デジタル起点の考え

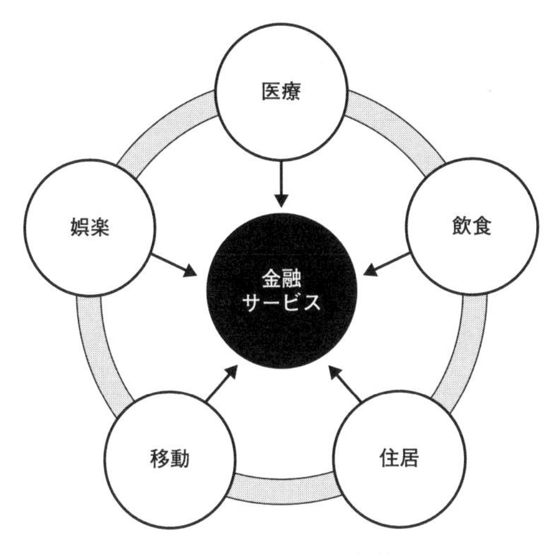


- 医療「平安ドクターアプリ」
- 移動「平安好車主」
- 娯楽「ポイントサイト平安万里通」
- 住宅「平安好房」
- 金融「陸金所（Lufax）」etc.

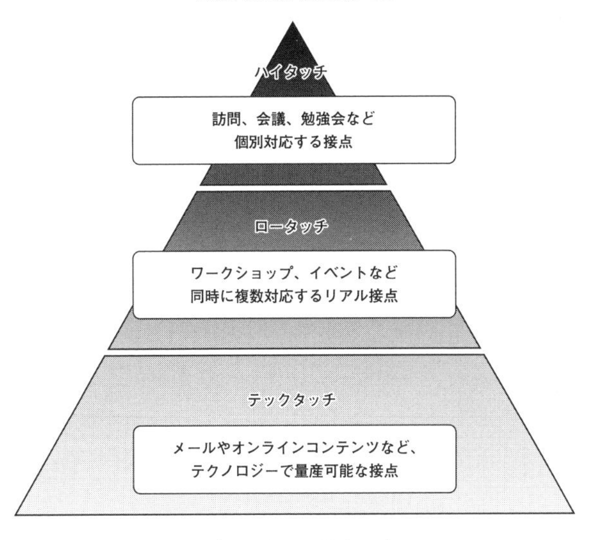


図版10–12：平安保険のビジネス（出典：藤井2020）

図版10–13：OMOのイメージ
（出典：OMOとは？最新マーケティング用語の意味から事例まで解説　https://www.makeshop.jp/main/know-how/knowledge/omo.html）

方が必要なのである。

例えば、中国で有数の自動車業界向けオンライン媒体「ビットオート」(易車)は「免許を取る、車を買う、車を売る、そしてまた買うというプロセス」を「カーライフサイクル」と呼び、このカーライフサイクルのすべてをデータで明らかにして、より顧客中心のものにしていきたい、と考えている。その際最も重要なのは、いかに高頻度低価格でユーザーのタッチポイントを多く生み出して、データを取得できるかということだ。なぜならば、これからのビジネスはデータをできる限り集め、そのデータをフル活用し、プロダクトとUX（顧客体験、ユーザーエクスペリエンス）をいかに高速で改善できるかどうかが競争原理になるからである。

アフターデジタルという社会変化に大きな影響をもたらすのは、「属性データの時代から行動データの時代になること」といわれる。行動データがリアルタイムで利用できるようになると、人を「状況」単位で捉えることができ、「必要なタイミングに必要なコンテンツを最適なコミュニケーション方法で提供できる」ようになるからである。それにともない、これまでのバリューチェーンモデル、すなわち、「機能が豊富で、性能がよく、すぐ手に入る、といった要素が競争力になり、これにブランディングを乗せて販売する」というモデルから、バリュージャーニーモデル、すなわち、「すべての接点が一つのコンセプトにまとめ上げられ、その世界観を体現したジャーニーに顧客が乗り続け、企業は顧客に寄り添い続ける」というモデルへと変化する。そこでは製品販売がゴールではなく、顧客が成功すること（自己実現を果たしたり、今よりよい生活を送れるようになること）がゴールとなる。そしてバリュージャーニーモデルによるビジネスでは、顧客を状況レベルで理解している方が強い。それゆえ、デジタルによって顧客の状態が可視化できるかどうかは、ビジネスの帰趨を決定づける重要な要因となるのである。

さて、UXの向上の在り方は、業種によってさまざまである。例えば中国のNIO（ニオ、上海蔚来汽車）では、自らが提供するのはライフスタイル型高級サービスのようなものと定義し、その会員チケットを買うために車を買ってもらう、という考え方でUXを設計している。その中でも特徴的なのは、会員制ラウンジであるNIO Houseで、カフェスペース、図書館、ベビーシッター用のスペース、イベントスペースなどさまざまな特典があり、子供を預けて買い物に出かけることもできる。さまざまなイベントも開かれ、交流が生まれている。このサービスは、NIO Appというアプリと連携しており、SNS機能による交流、イベントの参加予約、新車の試乗予約ができる。イベントにはNIOの世界観に共感し、かつ600万～700万円する車を購入できる生活水準の人々が集まり、参加者同士でのつながりが形成されて

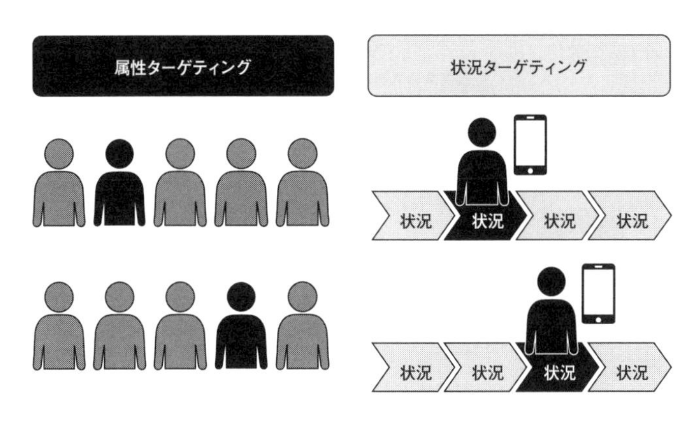


図版10–14：属性ターゲティングから状況ターゲティングへ（出典：藤井2020）

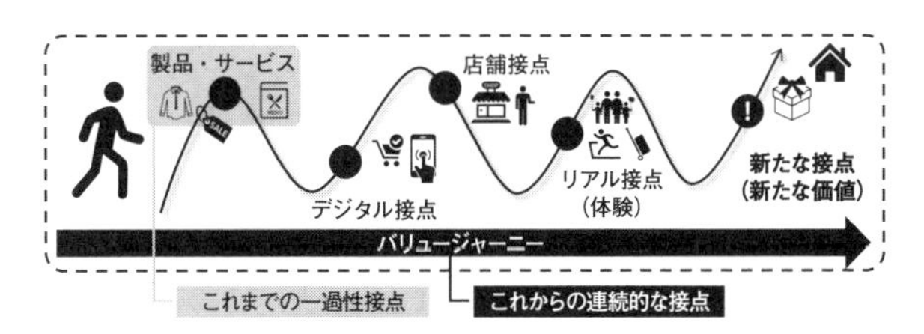


図版10–15：バリュージャーニーの全体像
（出典：DXで実現する顧客と企業の価値創造型コミュニケーション　https://cu.unisys.co.jp/hairpin/bits2019_s-9_smart_town_digital_acceleration/）

いる。リアルとバーチャルの連携させることにより、双方をさらに使うようなジャーニーが作られて、アプリとイベントそして友達作りがうまく回っているのである。

メーカー以外の事例では、若者向け賃貸サービス自如（ズールー、ZiRoom）が興味深い。中国の賃貸物件にはすぐに気が付かない品質のムラがあって後悔することもしばしばといわれるが、自如の物件にはそれがない。しかも、ルームシェアをしている場合は、同居人全てが別々に支払うこともできる。また、賃料8%を上乗せすることで、定期的な清掃や家具の修理をしてもらうことさえできる。さらに、住居・賃貸のビジネスドメインの枠を超え、中国国内で旅行するときには、自如が自社で抱えているマンションの空き部屋を安い宿として借りることができるサービ

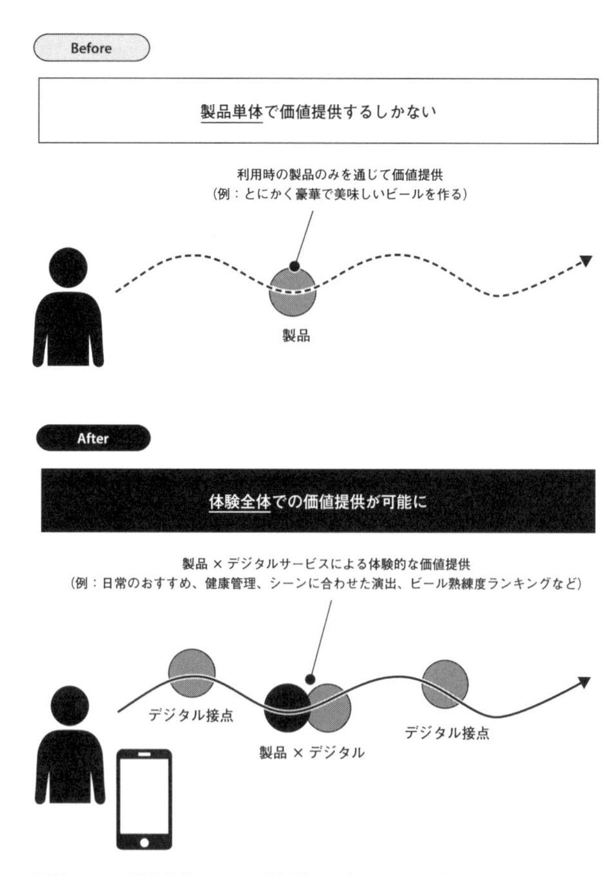


図版10–16：製品単体による価値提供から体験全体での価値提供へ
（出典：藤井2020）

スや、マンションの中でのイベントサービスも提供されている。そうすることで提供価値を高めるとともに、ユーザーとの接点をより高頻度かつ長期のものへと転換し、顧客にずっと寄り添う高品質な「体験型サービス」を実現しているのである。

保険の業界でも、ユニークなビジネスが誕生している。衆安保険は2013年にアリババ、テンセント、平安保険の三社が中心に作られたジョイントベンチャーであり、中国初のオンライン専門保険会社だが、一風変わった商品を展開することで知られている。飛行機の遅延についての「飛行機遅延保険」、住んでいる都市で37度以上になる日の累積日数が規定日数を超えると支払われる「高温保険」、IoTとダイナミックプライシングを使ったインシュアテックである「糖尿病保険」、アリババで商品を購入する際、偽物や気に入らないものを返送する代金をカバーする「返

図版10-17：NIO（上海蔚来汽車）が提供するNIO App
（出典：中国は電気自動車充電インフラのカバー率でアメリカを大きく上回る　https://blog.evsmart.net/electric-vehicles/china-ev-charging-infrastructure-much-denser-than-usa/）

品運賃保険」など、さまざまな商品を展開している。これはサービサーが乱立する時代において、そのサービサーが保険を作りたい、付加価値を増やしたいと考えた時に、高速でそのサービスにおける保険商品を作る、新時代型の保険OEMといえる。保険の商品設計にあたっては、保険の専門家ではなくその業界の専門家を責任者に据え、顧客の体験価値を強化するためのサービスを目指して、高速にアジャイルで商品開発を行う。その根本思想は、保険の起点が顧客のシチュエーションやニーズの把握にあり、顧客の置かれている状況を掘り下げて把握するテクノロジーが保険を変えていくという信念にある。衆安保険では、顧客の状況をとらえて設計するUXの考え方が通底しており、それがさまざまな保険商品の開発・販売へと結びついている。その目指すところは、保険のバリューチェーンのリビルドにある。

### 第3節　新たなUXを提供するためのDXの活用

体験提供型ビジネスをOMOの思考法で運営し、エクスペリエンス×行動データのループを回す新たなビジネスモデルは、「バリュージャーニー」と呼ばれる。従来の代表的なビジネスモデルは、「商品を企画して、それを生産して、チャネル

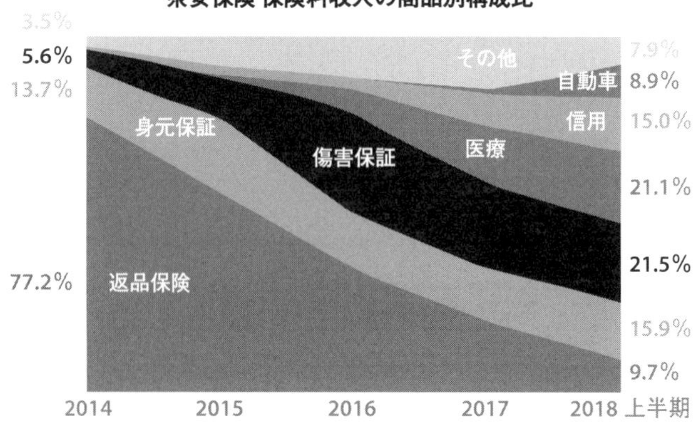


図版10-18：衆安保険：保険料収入の商品別構成比
（出典：アリババ、テンセント、平安保険の「三馬」が設立！100億件以上の保険を販売するInshurTech企業「衆安保険」https://strainer.jp/notes/4790）

型で売っていく」、という形、つまり、商品中心型で構成されていたといえる。これに対してアフターデジタルでは、「なるべく高頻度で良い体験を提供すること」が重要となる。製品はただの接点の一つという位置づけになり、企業にとってはどうやって継続的に顧客に寄り添うかの方が、大切なポイントとなる。顧客の体験を一から十まで追う、というイメージに注目すれば、ビジネスがバリュージャーニー型に変化したということができるだろう。顧客に寄り添い続け、顧客を知り続けるからこそ、その顧客に良い体験が提供できる。それが企業の競争力の源泉となる時代が訪れたということである。いわゆるサブスクリプションビジネスも同じ潮流の中にある。高頻度で有用なデータを採れる接点を確保した後は、そのすべてのデータを集めて各タッチポイントに返していく。それが速ければ速いほど顧客の吸着度が上がり、離脱を防ぐことができる。そしてこのような「ジャーニーファースト」な運用の仕組みを作ることが、これからのビジネスの肝になる。

ここで重要なことは、バリュージャーニー型ビジネスが、多様な接点をジャーニーとしてつなげる「時間軸を持つビジネス」であるということだ。ユーザーから見た体験や価値がいつもそろっているようにするためには、提供価値を分かりやすく定義した上で、そこに携わる企業側のメンバーがそれぞれで正しく認識し、解釈をして動ける状態にする必要がある。それはつまり、情報環境を含めたビジネス環境の変化、特に競合他社の動きを踏まえたうえで、自らのビジネスが提供する顧客提供価値を再定義し、それに基づいてビジネスモデルを変化させていかなければ、いかなブランド企業であっても、経営が危うくなる可能性があることを意味している。

再びスターバックスを例に挙げよう。同社は中国市場に注力し、1年で500店舗増のペースで拡大。「スクエア」社が提供する顔認識のデジタル決済を導入することで、経営理念である「サードプレイス」において、極上のコーヒーに加え、スタッフからの温かい気遣い、心地よいコーヒーの香りと音楽、ゆったりとした空間が生み出す居心地の良さが生み出す「スターバックス体験」を提供することに成功した。顔認識によるデジタル決済を使えば、レジでの支払いを省略できるだけでなく、一人一人の顧客の過去の注文データを照合できるので、好みに応じたお勧めをすることが可能だ。そうした会話による「感情価値」「関係性価値」も含めて、特別な体験を提供していたこともあり、2017年には売り上げが7%増えた。しかし翌2018年には、売り上げが2%落ち込んでしまう。これはピックアップとデリバリーに特化した「ラッキンコーヒー」によるもの。ラッキンコーヒーは顧客がアプリをダウンロードすると無料券が1枚もらえる。デリバリーとピックアップを選べるが、ピックアップの際には購入時に発行されたQRコードを見せるだけ。コーヒーチケット

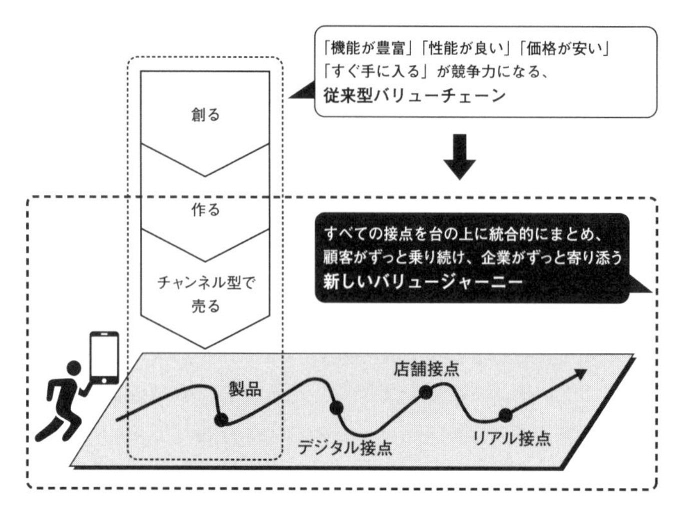


図版10–19：バリューチェーンからバリュージャーニーへ（出典：藤井2020）

で支払えば、二杯分を一杯の値段で購入できる。また、QR コードを人に送ると、コーヒーをプレゼントしたり、代理で受け取ってきてもらうこともできた。こうした利便性ゆえに、スターバックスからラッキンコーヒーに乗り換える客が続出し、それがスターバックスの売り上げを低下させたのである。

スターバックスは当初、サードプレイスという言葉で表されるように、「場所の価値」を重視していたことから、デリバリーフードに参入しなかった。しかしながら、売り上げの減少を放置することは、経営上由々しき問題となる。スターバックスはそれまでのサードプレイスへの固執をやめ、「スタバらしいデリバリーとは何か」「アフターデジタル型のスタバが提供すべき価値とは何か」を再定義する。アリババ傘下のデリバリーサービスであるウーラマと提携したのち、ウーラマにスターバックス専属配達員を配備。一件の注文に対して寄り道せずに直接届ける 1on1 配送を行うことで、一般的なデリバリーサービスの半分以下の時間、10 ～ 15 分で配達するようにしたのである。専属配達員は「スターバックスの店員の代理」として、コーヒーを届ける際に、両手をそろえて商品を手渡ししてお辞儀をする。コーヒーの味も損なわれず、味自体が普通においしいということで、一度ラッキンコーヒーに移った客の多くがスターバックスに戻り、2019 年第三四半期には過去三年で最高の成長率を記録した、という。

これは、「すでに確立しているブランド企業がデジタルによってディスラプトされる危険に見舞われたときには、時代の変化を正しく見据えて顧客に提供する価値を再定義することが重要である」ことを示している。デジタルによる利便性はコピー可能であるのに対して、すでに確立したブランド価値をコピーするのは難しい。したがって、既存の企業であっても時代に合わせて企業の提供価値を再定義して技術を正しく導入し、ビジネスの在り方をかえることができれば、ピンチをチャンスに転じ、アフターデジタル時代においてもより大きく成長することが可能であるということだ。

さて、ここで重要なのは、スターバックスがこうした転換を機に、イートインなし・デリバリーとピックアップのみの「スターバックスNOW」という店舗を増やしていることである。これは、スターバックスが、自らの提供価値の再定義をもとに、店舗展開の在り方自体を見直したということでもあり、そうした転換を社内全体で共有する体制を作ったということでもある。顧客との関係性の構築ステップを見据え、ジャーニーベースで組織体制を組むことで、それぞれがそれぞれのステップにおける指標を追いながら、顧客を志向したビジネスを進めていくことがポイントの一つ。そして、企業が顧客に対して「良い体験」を提供し続け、ずっと寄り添っていくとしたら、会社全体で「最終的に顧客にどのような体験を提供し、どのような状態になっているのか」というゴール状態を共有することが、二つめのポイントとなる。ユーザーから見た体験や価値がいつもそろっているためには、提供価値を分かりやすく定義した上で、そこに携わる企業側のメンバーがそれぞれで正しく認識し、解釈をして働ける状態にする必要があるからだ。そして第三のポイントは、対話型思考による有機的組織、である。自社がどのような環境変化に置かれ、競合他社がどのような動きをしているかを共有した上で、現場が自律的に考え、対話し、よりよい表現や価値提供ができる組織をつくることが重要だ。メンバーそれぞれが自ら考え、体現しながら動かないと、競合他社のスピードに追い付かないからであ

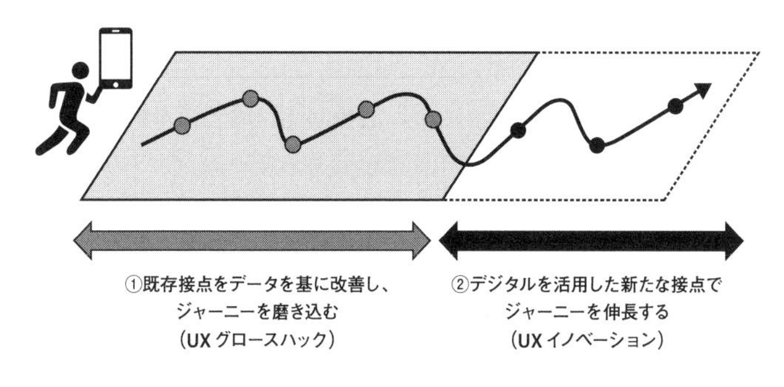


図版10–20：UXグロースハックからUXイノベーションへ（出典：藤井2020）

る。データに基づくUXの改善は、常に時間との戦いである。

中国では、オフライン・オンラインと物流の融合すなわち、オンライン・オフラインをユーザーが区別しなくなり、企業側も販売や物流をこのような論理で分けなくなる、そんなビジネスが展開している。アリババが展開するOMO型スーパーマーケット、フーマーは、その成功例である。2016年から展開をはじめ、2018年末には100店舗を超えたフーマーの最大の特徴は、利便性の高さと、新鮮で豊富な食材を顧客に素早く届ける仕組みにある。オンラインで注文すると、フーマーの店舗の3km圏内であれば30分以内に配送してもらえる。店舗内では、オンラインから入ってくる注文を端末で受け、商品をピックアップするまで3分、商品を詰めたバッグが配送センターにつくまでが5分、ドライバーは残り25分で配達する、というわけだ。

そしてフーマーの実店舗のコンセプトは、「食品ECの倉庫に顧客がウォークインできる」というものだが、スーパーマーケットでもあれば生鮮食品ECの倉庫でもあり、配送センターも兼ね、さらに生鮮食品の実践販売の場でもあり、レストランでもある。つまりは、オンラインとオフラインのよいところを組み合わせ、複数の機能を効率的に兼ね備えたスーパーマーケットなのである。フーマーの実店舗に来た客は、天井を走る配送バッグや鮮度の高い商品、海鮮コーナーそして、生きた魚がたくさん泳いでいる生け簀を見て驚く。フーマーではリテールメント、すなわち「リテール」(小売り)と「エンターテインメント(娯楽)」を兼ねた店舗づくりがおこなわれており、実店舗ではまるで工場見学のような視覚の楽しさがある。生け簀から店員がピッキングした魚をその場で調理してフードコートで食べているさまを見ると、同じように調理されたものが30分後に自宅にそのまま届くと安心できるので、海鮮品の注文に抵抗がなくなるのだという。まるで小さな築地市場に来たような臨場感を提供する店舗は、体験価値や感情価値を体現しているわけで、オンラインで食材を購入した客は、購入のたびに店舗での体験を追体験することができるのである。

フーマーは、オンライン、オフラインに関係なく、顧客はその時一番便利な方法で選びたいだけ、という考え方でサービスを展開している。自宅への帰り道に「今日はこれを食べたい」と思ったものを注文したら、帰宅とほぼ同時にものが届く。会社帰りに店舗によって購入し、30分後に配送してもらうこともできる。これは、顧客志向でサプライチェーンをリビルドしていることを意味している。そして、それがビッグデータとAIの活用によって支えられていることには、注意が必要である。オンラインユーザーもオフラインユーザーもアプリ経由で注文から購入までが

図版10–21：フーマーの実店舗
（出典：未来のスーパー「盒馬鮮生（フーマー）」から見える世界の変化　https://note.com/fukuwata/n/na6a4ec4169b4）

完結するが、ユーザー一人一人が見ている画面や、そこで紹介されている商品はすべて、AIによってパーソナライズされているのである。つまり、一人一人が見ている画面は、ユーザーごとに集められた詳細なデータによって、個別化されているのだ。こうした膨大なデータが統合され分析されて、その地域に住んでいる人たちのニーズに合わせた棚づくりが行われ、店舗ごとの商品棚のラインアップや在庫の最適化に活かされた結果、売れ残りはほとんど出していないという。

フードデリバリーが発達した中国の都市部では、30分以内の配送がスタンダードになっているが、フーマーは他社より早く広い立地場所をおさえて成功している。それを可能にしているのは、購買データや移動データを基にした顧客の嗜好性データや支払い能力データを最も多く所持しており、かつ、そのデータを活用するための、AIを始めとする裏側の仕組みがあるからである。

これら二つの例に共通するのは、双方とも自らのビジネスをバリュージャーニー型ビジネス＝体験提供型ビジネスと捉え、新たな顧客との関係がどのようなものであり、どのような体験を提供する存在になるかを、まず第一に考えていることである。そして、その価値を実現するために、テクノロジーや、リアルとデジタルの融合をどのように活用するかを考える。すなわち、UXの変革を中心におき、それを実現するためにDXを行うという順番なのである。UXとはユーザー（デザイン）、ビジネス、テクノロジー（機能）の三つがそれぞれ関わりあうときに生まれる体験・経験であり、体験提供型ビジネスの成否がいかに高頻度に使ってもらえるかにかかっている。つまりUXは、経営に直結する概念なのだ。

しかしながら日本では、UXという言葉はUI（ユーザーインターフェイス、すなわち、アプリやウェブの画面上のデザインや使い易さ）と一緒に語られてしまう傾向がある。そのため顧客価値提供、バリュージャーニー、ビジネスモデルを含めた経営レベルで語られることはなかったのである。これに対して、GAFAやアリババ、テンセントでは、UXの設計がすべてを決めるといっても過言ではないことが理解され、経営レベルでUXが語られる。彼我の差は決定的だ。2021年現在、日本のDX化が進まない大きな原因の一つは、ここにあるのではなかろうか。

## 第4節　UX起点のアーキテクチャーと社会経済システムの自己組織化

UXはユーザー起点のサービス設計といえるが、それはまた、ユーザーの行動様式を決める環境づくりという意味を持っている。そして、「環境の設計を通じて、行動をコントロールする手段」のことを、特にアーキテクチャーと呼ぶ。例えばマクドナルドのイートインでは、椅子を硬いものにしておくことで顧客の長居を未然に防ぎ、結果滞在時間を短くすることによって店舗の回転率を上げている。このように、環境を巧妙に設計することによって、ユーザーの行動を無意識のうちに規定するのが、アーキテクチャーの力である。

リアル社会におけるアーキテクチャーは、道路や公共交通機関など都市の使い勝手に関わるものなどであり、そうしたハードウェアが人々の行動様式を大きく規定

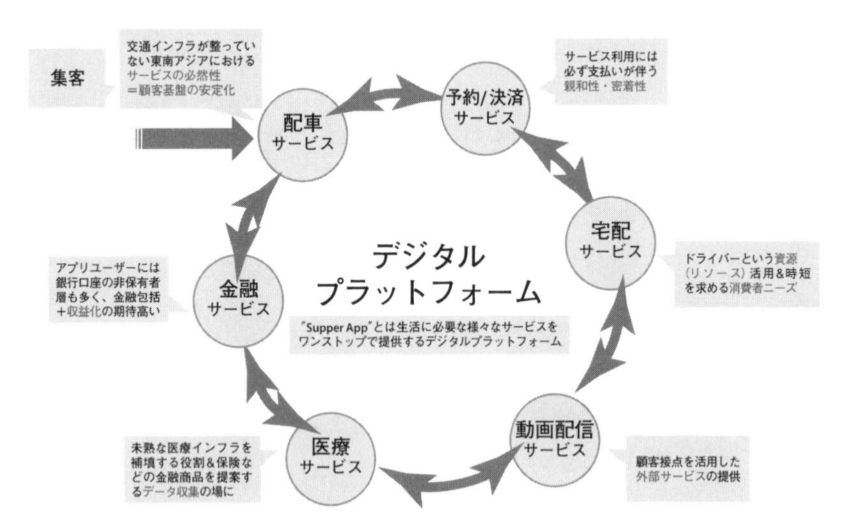


図版10-22：モビリティーサービス×決済サービスの親和性とデジタルプラットフォームの構築（出典：https://www.nna.jp/corp_contents/book/asean/200330/contents/pr_grab）

する。これらは通常、国や自治体レベルで計画され、作られるものだが、インターネット上のバーチャル空間では公的権力によるアーキテクチャーが存在しなかった。それゆえ、民間企業が自由に設計し、それを受け入れるユーザーたちによって社会実装されていくことになった。そして、バーチャルとリアルの違いこそあれ、共通して、ユーザーの行動を規定する力を発揮してきたのである。デジタルがどこにでも浸透してオフラインがほとんどなくなりオンラインがベースとなった今日、民間企業がオンライン上で行っていたアーキテクチャーの力を、リアルな世界にも浸透させられるようになった。これは、公的機関ではなく民間企業が、UXとテクノロジーの力を駆使して、社会のアーキテクチャーの一部を構築できるようになったことを意味している。

東南アジア全域に広がるGrabを例に説明しよう。Grabはタクシー配車兼ライドシェア機能を持ったアプリであったが、その後デリバリーフードやバイク便のようなサービスに広がり、GrabPayというモバイルペイメント機能を備えるようになった。そしてこのアプリは、タクシードライバーの人生を大きく変えた。東南アジアのタクシードライバーには銀行口座を持っていない人や社会的信用度が低くてローンを組めない人が多かったが、Grabがドライバーの行動を蓄積し、稼ぎがどの程度になるかを予測できるようになると、その情報をもとにしてGrabがドライバー

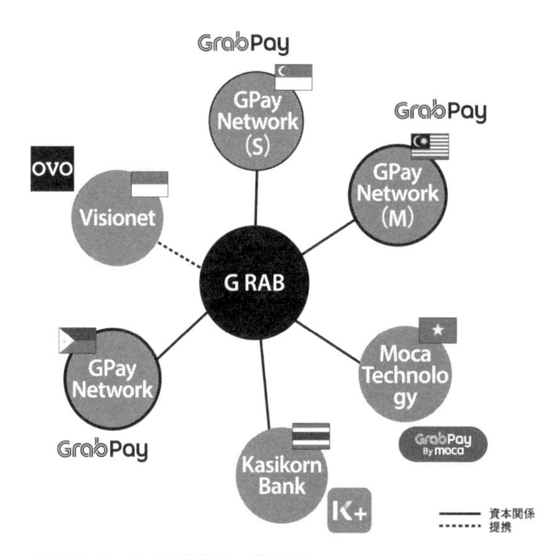


図版10–23：Grabの決済サービス展開
（出典：https://www.nna.jp/corp_contents/book/asean/200330/contents/pr_grab）

に融資できるようになったのである。Grabには「車内広告を掲載する」というオプションもついており、これを利用することで稼ぎを増やすこともできる。こうしてドライバーはより安定した家庭を築けるようになった。行動が蓄積されることと生活の安定性が待つことの双方から、ドライバーたちが社会的に品行方正になってきているという。これはつまり、一企業が提供するアーキテクチャーが、タクシードライバーの生活を向上させるだけでなく、タクシー業界の健全化ひいては社会の健全化にまで貢献したことを意味している。

中国では、アリババやテンセントの提供するサービスによって、今まで信頼情報が全くなかった市民が正しい行為を積み重ねた行動履歴によって信頼してもらえるようになり、お金を借りたり家を借りたり起業したりすることができるようになった。配車アプリのディディが作ったアーキテクチャーによって、ドライバーは、品行方正に振舞って、決められた水準の仕事をきっちり実行すれば稼げ、ユーザーも相手に失礼なく振舞うことで殺伐とした緊張関係がなくなって、互いに親切にするようになったという。アーキテクチャーの力によって、これまで詐欺や乗車拒否が横行していたタクシー業界が一変したのである。中国社会では、社会貢献意欲や変革意欲を持った起業家の提供するサービスによって、相手を信用して貢献したり、品行方正になったりするという変化が起こっている。

さて、中国では、さまざまなペインポイントの解決に向けてたくさんのプレイヤー

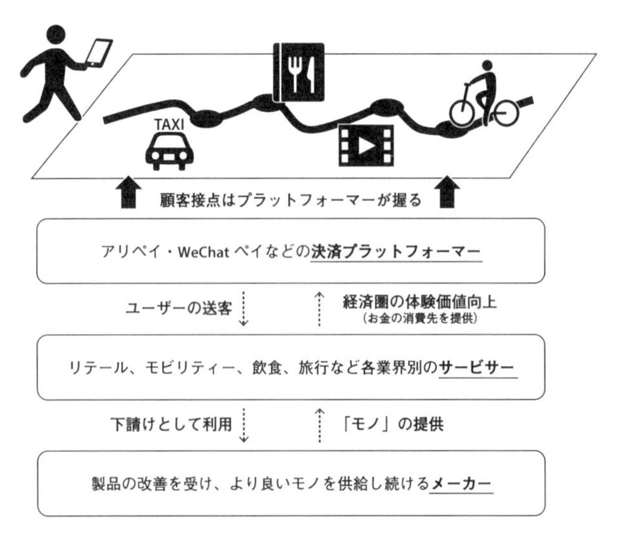


図版10-24：中国で起きているアフターデジタル型産業構造（出典：藤井2020）

が登場したが、その多くは滅んで限られたプレイヤーだけが生き残った。世界最多の人口を抱える中国では、世界で最もネットワーク効果が効き、2018年の時点で利便性のレイヤーはおおむね取りつくされて、現在は意味のレイヤーが広がりつつあるという。

アフターデジタル社会は、「国家やプラットフォームといった権力による総取り社会」とは異なる。「役に立つ」レイヤーから「意味がある」レイヤーに主戦場が移行したアフターデジタル社会では、意味性に富んだ「世界観型ビジネス」が多様に生まれ、人々にはUX（ユーザーエクスペリエンス）選択の自由が担保され、その結果、人々がその時々で自分に合ったUX・ジャーニーを選び取れるようになりつつある。デジタルとリアルが融合した社会の到来により、独自の世界観作りも、ユーザーの状況理解も、これまでより高いレベルで実現できるようになった。中国では今や、「意味に富んだ世界観型ビジネスが多様に生まれる社会」に向かって、さまざまな活動が生まれているのだ。さまざまな企業がUXとテクノロジーを柔軟に活用しながら、自分たちが描きたかった世界観やUXを作り出し、ユーザーが成し遂げたい自己実現を捉えたり、「こうありたい」という新たな価値観を生み出すことができるようになった。人々はその時々に応じて自分らしいUXを選ぶことができるようになった。この「アップデートされた自由」によって、人々はこれまで以上に自分らしく生きられるようになるはずだ。そして起業家・ビジネスパーソン

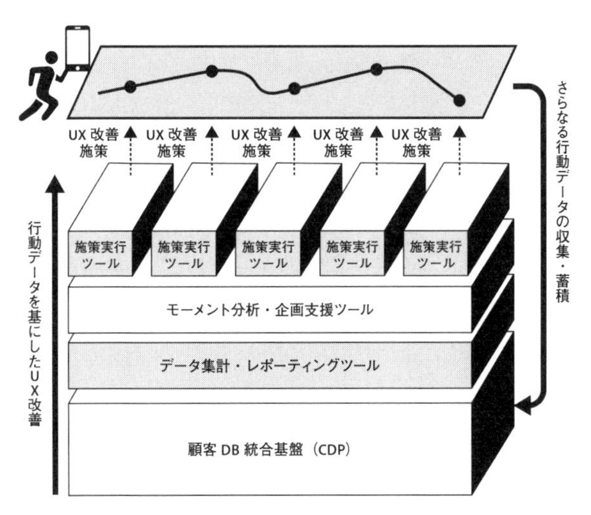


図版10–25：行動データの収集・蓄積と迅速・継続的なUXの改善
（出典：藤井2020）

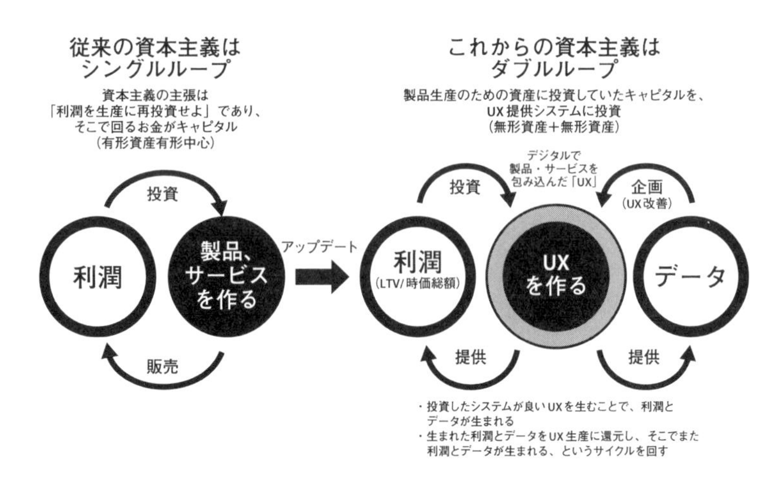


図版10-26：ユーザー中心の資本主義アップデート（出典：藤井2020）

の役割は、この自由のうちの一つ（または複数）を世に生み落とし、人々の自己実現や社会に貢献することであろう。

ここで重要なことは、バーチャルとリアルが溶け合う時代においては、それぞれ異なるアーキテクチャーに属している人が空間的に混在していても、アプリが介在することによって、コンフリクトを避けながら共生する、あるいは棲み分けを可能にすることによって、社会に対する満足度を向上させることができるということである。例えばGrabはタクシードライバーと乗客という異なる立場の人の間に良好な関係を構築させることに成功しているし、本章第2節で述べたとおりNIOではNIO HouseやNIO Appを通してNIOの世界観に共感し、かつ600万〜700万円する車を購入できる生活水準の人が集まり、交流を楽しむ環境を提供することに成功している。これは、IoTとは違う社会的なレベルで、Cyber Physical Systemすなわち、リアル世界における情報をバーチャル世界に蓄積し、バーチャル世界におけるシミュレーション結果をリアル世界に反映させることで、タクシードライバーの生活が安定する、そして、NIOに対するエンゲージメントが上昇するなど、現実社会における共生そして棲み分けが可能となったことを意味している。それは利用者にとって自らが属する社会経済システムに対する満足度を向上させるとともに、より高頻度なアプリの活用そして情報の蓄積をもたらし、それはさらにデータに基づくUXの改善という形で、企業とユーザーの間の好循環を作り出している。

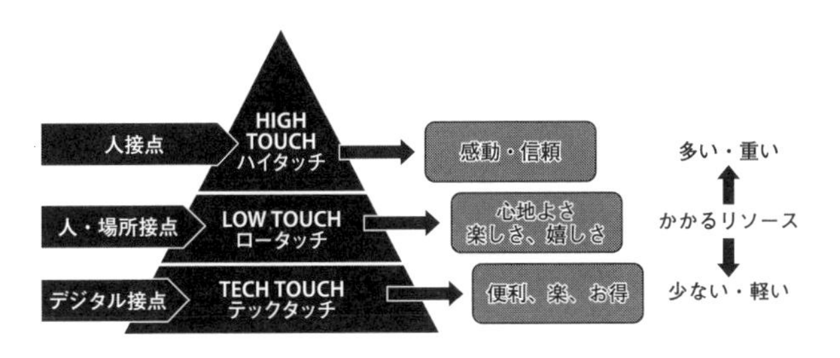


顧客接点を三つに分類したもの

ハイタッチ：1対1の接点で、訪問、相談などの個別対応

ロータッチ：1対多の接点で、リアルで複数人に対応するワークショップやイベントなど

テックタッチ：1対無限の接点で、オンラインコンテンツやメールなど、量産可能でいつでもどこでも触れられるもの

図版10–27：カスタマーサクセス理論のタッチポイント（出典：藤井2020）

オンラインとオフラインの境がなくなり、ユーザーに関するデータの収集にかかるコストが低下すると、いかにして高頻度低価格のタッチポイントを生み出して、大量のデータを収集できるかが、重要なポイントとなる。顧客がオンラインとオフラインの境界を意識することなく、その時々に自分が望む方法でサービスを受けたいと望むようになっており、どのサービスを利用するかはユーザー自身が決めるとなれば、得られたデータを最大限に活用してプロダクトとUXを高速で改善できるかどうかが、企業経営において決定的に重要なものとなるからである。その際にポイントとなるのは、サプライサイド起点ではなく、ユーザー起点の思考法だ。ユーザーがオンラインとオフラインの区別なく同レベルのサービスを受けたいと望むのであれば、企業側もそれに対応する必要がある。例えばオンラインとオフラインのコンサルティングで同水準のサービスを実現するために、IDの入力を求めない対面コンサルティングの場面においては、顔認証システムを使って瞬時に顧客を認識し、属性データや行動データをもとに対応できるようにする、などの工夫が求められよう。

現代は、リアルを含めてあらゆる状況に置かれたユーザーの行動がデータとして収集できる。しかし日本においては、その可能性を十分に生かしている企業は少ないようだ。中国では、得られた情報の持つ価値を最大限に活用し、ユーザーにより よい体験をしてもらうために、プロダクトとUXに還元する活動が絶えず行われて

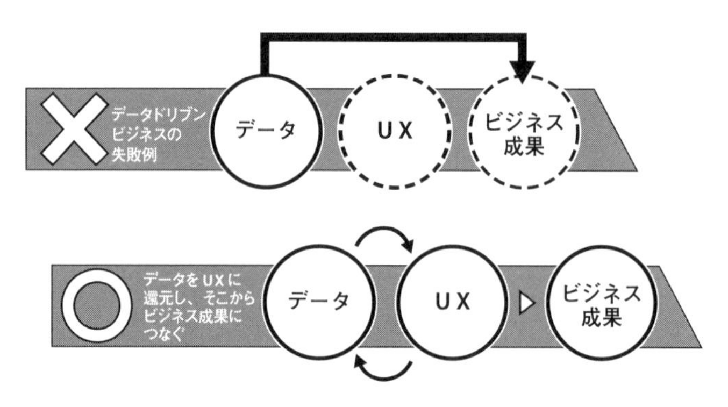


図版10–28：データをUXに還元してビジネス成果につなげる（出典：藤井2020）

いる。どのサービスを利用するかは常に顧客の側に決定権があるのだから、収集したデータをユーザーが納得する形で活用し、プロダクトとUXの質を向上させていかなければ、瞬く間に他のサービスに乗り換えられてしまう。こうして顧客接点を失えば、顧客に関するデータが得られなくなり、その企業はあっという間に競争力を失ってしまうことになるからである。

三つ目のポイントは、バーチャルだけではなくリアルをも含めた高速改善である。オンラインマーケティングでは、ABテストや高速PDCAという手法が用いられるのが常である。こうしたスピード感のある手法はオンラインならではのものではあるが、こうしたオンライン側の思考法で、プロダクトや店の構造などリアルな顧客接点の構造についても、高速改善を行っていくことが重要となる。顧客にとっては、バーチャルとリアルが融合している方が便利なのだから、バーチャルで高速改善するのであれば、リアルな接点についても、ウェブサイトのユーザー行動のようにデータを取得し、それを活用して、改善していくべき、ということである。バーチャルと異なりリアルは、それなりの経費や時間、そして労力が必要となるから、慎重な意思決定が必要ではあるが、リアルな領域においてもアフターデジタル世界の競争原理が働くことを考慮すれば、ここでもスピード感が大事であることは間違いない。

これらのことから分かるのは、アフターデジタルの世界では、顧客との間で高頻度接点を保ち、属性データと行動データを収集・分析することにより、UXを常に改善してくこと、そして、行動データに基づいてユーザーが望むタイミング・最適なコンテンツを予測し、その人の性格や特性に適したコミュニケーション方法で提供することが、競争優位の源泉になるということである。市場の捉え方が属性志向から状況志向へと本質的に変わるのだ。

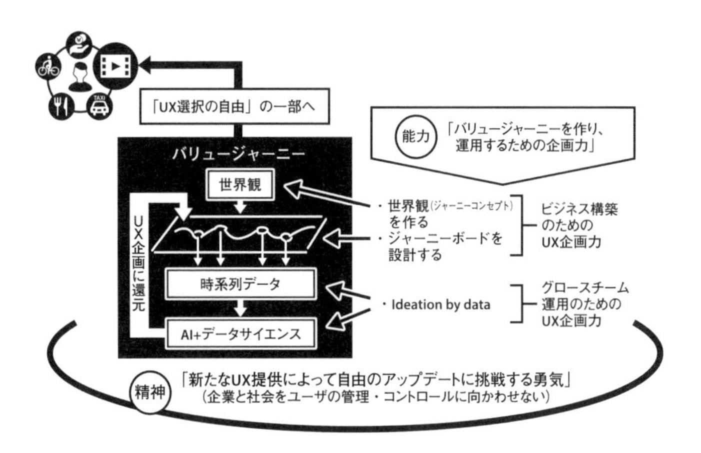


図版10–29：アフターデジタルでのUXとデータ・AIの関係性（出典：藤井2020）

さて、中国ではオンライン・オフラインの別なく、さまざまな課題を解決する際に個人IDとデータが紐付けられ、それらIDに紐付けられるあらゆるデータが国家やプラットフォーマーに総取りされているように見える。しかし実際は、意味性に富んだ「世界観型ビジネス」が多様に生まれ、人々にはUX選択の自由が担保され、人がその時々で自分に合ったUX・ジャーニーを選び取れるようになっている。UXとテクノロジーを柔軟に活用しながら、自分たちが描き出したかった世界観やUXを作り出し、ユーザーが成し遂げたい自己実現を捉えたり、「こうありたい」という新たな価値を生み出したりしながら、その実現を支援する。そんな「多様な自由が調和する、UXとテクノロジーによる自己実現社会」を目指しているのである。デジタル先進国である中国は監視社会の様相も呈しているが、中国企業の経営者の多くは「ユーザーに不義理なことはしない」「データを持っていることは責任であり、社会貢献に還元する」というマインドを持って、アーキテクチャーの設計を行っている。UXとテクノロジーを扱う人材・組織の影響力は非常に大きいから、起業家やビジネスパーソンがよき精神をもってUXとテクノロジーを活用することが極めて重要である。データを自社の利益にのみつなげるのではなく、UXに還元することによってこそ、ユーザーからの信頼とサービスへの吸着が生まれる。その上で、より高い付加価値を提供し、より高頻度に接するユーザーが増えることで、よりよいデータを蓄積することができる。こうした好循環こそが、社会にも自社にもユーザーにも結果として利益をもたらす構造を生み、持続可能な成長を実現することになる。

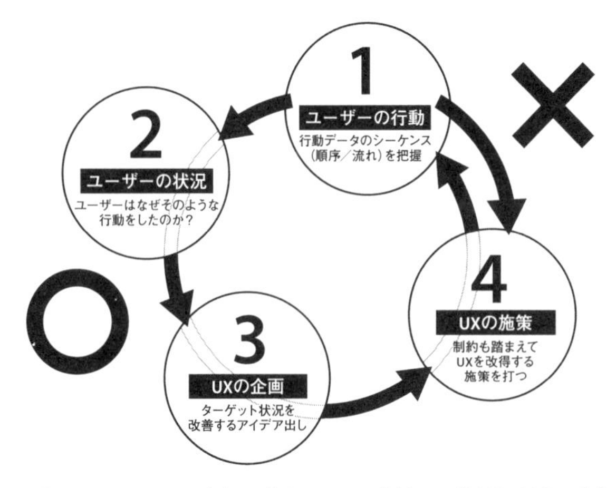


図版10–30：アフターデジタル社会におけるビジネスの勝ち筋（出典：藤井2020）

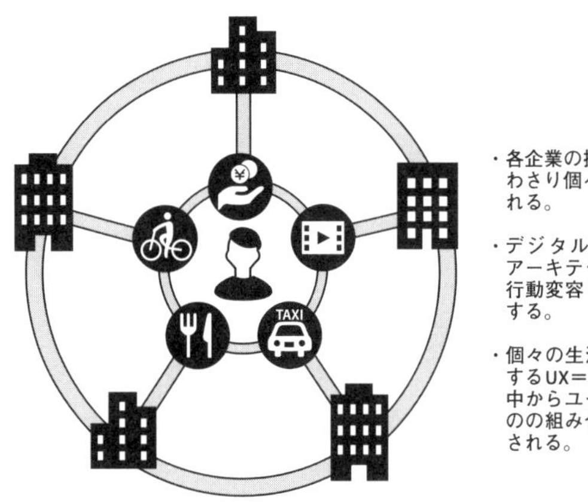


・各企業の提供するUXが組み合わさり個々人の「生活」が紡がれる。

・デジタルリアル融合時代のアーキテクチャー設計が人の行動変容・自己実現を可能にする。

・個々の生活は、各企業が提供するUX＝アーキテクチャーの中からユーザーが選択したものの組み合わせによって構築される。

図版10–31：テクノロジーが社会のアーキテクチャーを作る（出典：藤井2020）

こうした現象を意味や価値という観点から読み替えて、本章のまとめに代えたい。

中国におけるアフターデジタルが示しているのは、多様な文化・価値観・ライフスタイルが共存する現代社会において、一人一人のユーザーが、その時々で自分に合ったUXを選択することによって問題解決そして自己実現を果たすことができる社会の可能性であった。それはさまざまな企業がデータを独自の世界観を提示し、属性データと行動データを合わせ分析することによってそれを実現するためのUXをデザインし、アジャイル的に更新させながら、社会実装を進めるような社会。さ

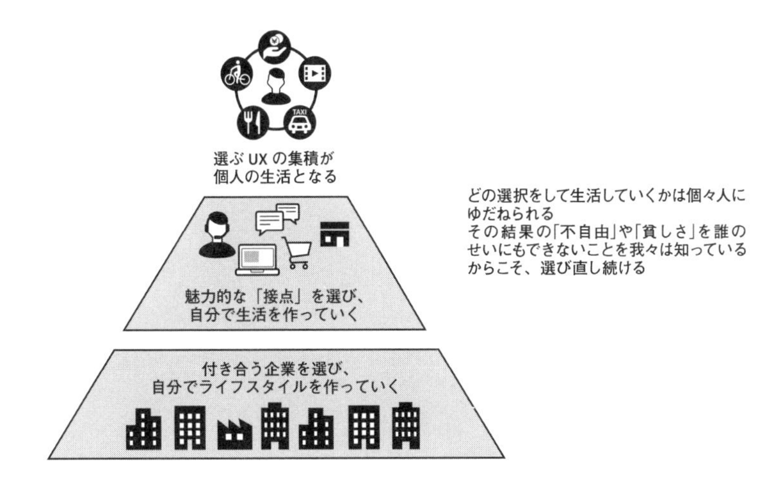


図版10–32：リバティー型のアフターデジタル社会（出典：藤井2020）

まざまなUXの選択肢があふれる中で、利潤とデータをUXに還元し、UXで競い合ってユーザーの指示を得る競争を行いながら、調和を目指すような社会である。

豊かなUXの選択肢が存在することは、よりよい社会の実現という観点だけでなく、人々の自己実現や自由という観点からも、望ましいことといえる。ただし、UXが備えるアーキテクチャーは環境管理型権力としての側面も持っており、無自覚のうちに行動を制御させられてしまう可能性がある。それゆえユーザーの側には、自らの選択が自分一人だけでなく社会全体にどのような影響をもたらすかを考慮しながらUXを選択していくことのできる社会性や、企業が提供するアーキテクチャーに盲目的に従うのではなく、その構造を理解し意識的に選択することのできる自律性が求められる。また、企業の側には、アーキテクチャーの設計が社会的な行為であることを自覚し、新たなUXの提供によって自由のアップデートに挑戦する勇気と、利益のためだけにユーザーの管理・コントロールを行わないという選択をするだけの矜持が求められることになる。

## 第10章　注

第1節は主に（メドウズ、1972）（宮垣元ほか、1998）に依拠している。第2節は主に（早稲田大学早田宰研究室、2014）（藤井・尾原、2019）（藤井保文、2020）に、第3節・第4節は主に（藤井・尾原、2019）（藤井保文、2020）に拠っている。

第 11 章

# オープンデータ・ビッグデータと API 経済

## 第 1 節　オープンデータとオープンガバメント

オバマ大統領がオープンガバメント・イニシアチブを打ち出し、その一環としてオープンデータを打ち出してから、オープンデータという言葉は日本でも広く知られるようになった。しかし、米国のそれは概ね政権のイニシアチブ、すなわち行政の取り組みとして推進されており、例外的に政府の支出データについて法的な義務付けを行ったに過ぎない。これに対し、EU では、公共セクター情報の再利用という形で 2000 年代前半からほぼ同じ問題に取り組んでおり、国内法にも反映される EU 指令という形で、立法府も巻き込んだ制度設計を行っている点で、制度設計も本格的である。では、オープンデータとはどのようなものであろうか。

オープンデータとは、端的に言えば「自由に使えるデータ」であり、オープンデータ活用とは、その社会的流通を増やし、質を高め、活用を促して、政府活動･社会生活･経済活動にさまざまな効果を生み出そうとすることである。その際にポイントとなるのは、｢法的な自由｣と｢技術的な自由｣。前者はデータを公開するだけでなく、｢オープンライセンス」にすることを意味する。利用しにくかったデータの利用条件を緩和し、「自由に使えるデータ」を増やすための「オープンデータ政策」の推進が期待されるゆえんである。後者はデータを公開するだけでなく、迷わずに探せること、

| バナー | ライセンス名 | ライセンスの解説 |
|---|---|---|
| BY | 表示<br>（CC BY） | 原作者のクレジット（氏名、作品タイトルなど）を表示することを主な条件とし、改変はもちろん、営利目的での二次利用も許可される最も自由度の高いCCライセンス。 |
| BY SA | 表示-継承<br>（CC BY-SA） | 原作者のクレジットを表示し、改変した場合には元の作品と同じCCライセンス（このライセンス）で公開することを主な条件に、営利目的での二次利用も許可されるCCライセンス。 |
| BY ND | 表示-改変禁止<br>（CC BY-ND） | 原作者のクレジットを表示し、かつ元の作品を改変しないことを主な条件に、営利目的での利用（転載、コピー、共有）が行えるCCライセンス。 |
| BY NC | 表示-非営利<br>（CC BY-NC） | 原作者のクレジットを表示し、かつ非営利目的であることを主な条件に、改変したり再配布したりすることができるCCライセンス。 |
| BY NC SA | 表示-非営利-継承<br>（CC BY-NC-SA） | 原作者のクレジットを表示し、かつ非営利目的に限り、また改変を行った際には元の作品と同じ組み合わせのCCライセンスで公開することを主な条件に、改変したり再配布したりすることができるCCライセンス。 |
| BY NC ND | 表示-非営利-改変禁止<br>（CC BY-NC-ND） | 原作者のクレジットを表示し、かつ非営利目的であり、そして元の作品を改変しないことを主な条件に、作品を自由に再配布できるCCライセンス。 |

図版11-1：クリエイティブ・コモンズ・ライセンスの種類
（出典：クリエイティブ・コモンズ・ライセンスとは　https://creativecommons.jp/licenses/）

そして、形式や語彙をそろえて使いやすくすることである。さらに、異なるデータ間の関連付けをしたリンクト・オープンデータ形式になっていたり、プログラムの要求に応じてデータを提供するAPIが提供されていれば、開発者による利用は進む。かつては一部の企業や団体のみにデータが提供されるだけだったものもあるが、そうした旧習をあらためることもまた、重要な課題であろう。

オープンガバメントの思想は、政府の機能や情報をあらためて社会に開き、情報通信技術の特徴を生かして多くの人々や企業の参加と協力を得て社会課題に取り組むというものだが、その概念については、これを推進する組織であるオープンガバメント・パートナーシップ（OGP）が公表している、適格基準およびオープンガバメント四原則、そして、OGP参加国に求められる五つのアクションから理解することができる。まず第一に、OGPでは、①予算の透明性、②情報公開法の存在、③政治家と行政幹部の収入と資産の公開、④市民参画（これらは特に「四つの重要分野」とされる）における客観的指標において獲得可能な総得点の75%以上を得点しなければ、適格基準を満たすことはできない。また、オープンガバメント四原則として、①政府の活動についての情報の利活用可能性を高めること、②市民参加を支援すること、③行政活動の全体において行政職員は職業人として品位ある最高水準の規範を採用すること、および④オープン性と説明責任を高めるために人々の新しいテクノロジーのアクセスを増やすこと、を挙げている。ここでは詳細は省くが、さらに参加国に求められる活動として、①市民社会と一緒になって、OGPアクション・プランを策定すること。②アクション・プランの時間軸に沿って約束したアクションを実施すること。③自己アセスメントレポートを準備すること。④インディペンデント・レポーティング・メカニズムによる調査プロセスに参加すること。⑤ベスト・プラクティス、専門的知識、技術支援、テクノロジーや資源を、ピア・ラーニングを通して提供すること、を挙げている。その特徴は、政府と市民社会組織がほぼ同等に参加していること、第三者が客観的かつ専門的に評価するメカ

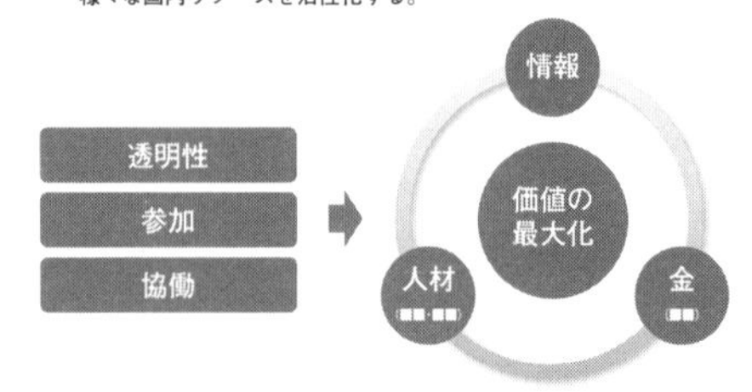


図版11–2：オープンガバメントの持つポテンシャル（出典：140413東京大学オープンガバメント　https://www.slideshare.net/hiramoto/140413-33540783）

ニズムを義務付けて、アクション・プラン実現の実効性を高める工夫をしていること、そして徹底した公開性にある、といえよう。

日本では2012年に、内閣官房IT戦略本部が「電子行政オープンデータ戦略」を策定し、2013年の「世界最先端IT国家総合宣言」(閣議決定)でもオープンデータを柱の一つにしている。電子行政オープンデータ戦略では、オープンデータ政策の目的として、①透明性・信頼性の向上：政治分野で民主主義の質を高めること、②国民参加・官民共同の推進：行政分野で社会課題に社会全体で取り組むこと、③経済の活性化・行政の効率化：経済分野で新たな価値を生み出したりコストを下げたりすること、の三つが掲げられている。人口や税収が減少し、価値観やライフスタイルが多様化する中、社会課題が複雑化するのとは対照的にこれまでの制度の疲労・形骸化が進んでいるため、政府だけでは課題の解決は困難となっている。それゆえ、住民参画による課題解決を促進することが必至だが、そのためには政府が説明責任を果たし、透明性を向上させる必要がある、ということである。

透明性の向上は、国民参加・官民協同の基盤となる、重要なプロセスである。良好な官民協同を実現するためには、社会課題に多様な利害関係が存在することを認識した上で、政府、企業、消費者・国民、NPO・NGOなどの組織や個人が「対等」な立場で議論し、学びあい、解決策を見出していくことが、必要となる。そのためには自発的な調整を通した合意が必要となるが、それを実現する上では、当事者たちが対等につながることと、十分な情報が共有されることが前提となるからだ。

最後に経済の活性化・行政の効率化であるが、例えば米国では政府によりGPSデータの民生利用化を進めたところ、年間900億ドル規模の位置情報サービス市場を生み出したといわれている。EU27カ国で公共データがオープン化された場合には、年間2000億ユーロで、地域経済に対する経済波及効果があるとの試算があり、それに基づいて日本における経済波及効果を試算すると年間最大5.5兆円、世界規模では年間最大5.4兆ドルという巨大な経済効果が推定されるなど、大きな期待が寄せられている。

ここで留意しておきたいのは、オープンデータを提供するのは行政だけではなく、民間企業もまたその担い手となりうる、ということだ。民間企業がオープンデータ化を進めるメリットには、オープンイノベーションによるあたらしいビジネスの創出や、さまざまな技術者コミュニティとの関係の強化、社会的責任や社会貢献など、さまざまなものが考えられるが、その際に重要なのは、プライバシーの問題である。オープンデータはそもそも第三者提供が認められないような個人情報を提供するものではなく、あくまで公開可能な情報をより自由に使えるようにしようというものであるが、他のデータとのかけ合わせによって個人が特定されたり、プライバシーが明らかにされたりする可能性がある。こうした情報についての扱いについては、本人同意を取得するか、個人の再特定を禁じるなど、一定のルールが必要であろう。

オープンデータの活用は、福井県鯖江市や神奈川県横浜市など、さまざまな自治体で進められ、さまざまな成果を上げているほか、企業での活用も進んでいる。例えばホンダは、埼玉県からの「交通事故の死傷者を減らすために、ホンダのデータを使えないか」という相談に応じて、車にセンサーを搭載して集めていた数秒ごとの走行データを分析して、急減速の多発地点を抽出して道路地図にマッピングすることにより、ドライバーたちが急ブレーキを踏んでいる地点を特定。現地調査を行い対策をとることで、急ブレーキの回数を七割減らし、事故を未然に防ぐことに成功した。2011 年 3 月の東日本大震災の発生時には、事故発生時以降の車両の走行データを分析し、走行実績情報マップを作成・公開することで、被災地支援の車両が通行可能な道路の情報を共有している。2004 年の中越地震、2007 年の柏崎地震の際の経験をもとにした活動だが、グーグルアースで読み込める形式でデータを公開し、広く一般に提供したことにより、自衛隊をはじめ現地に行かなければならないさまざまな人々に活用されたという。この活動は、ホンダ、トヨタ、日産、パイオニアという競合会社が集まって、それぞれの会社が持っているカーナビのデータを KMZ 形式のファイルで持ち寄っただけでなく、国土交通省が地方整備局に指示して道路の通行止め情報を国土地理院に集めた上で、それらを ITS ジャパンがマージして公開した、官民オープンデータの最初の事例でもある。さまざまな団体・機関の持つ情報を集めることによって、情報の質が上がり、自衛隊はじめ行政側の人の活動に貢献した。その後、地震については、民間各社の情報を ITS ジャパンが集約して出すという体制が出来上がったのである。

ただし、地震以外の領域を見れば、例えば台風や豪雪などのケースであっても、情報の取り扱いは各社の判断にゆだねられている。民間企業の場合、データの収集・整理・処理自体に多大な経費をかけているため、オープンデータ化によってそれを回収できなければ、経営自体が成り立たないからである。しかしながら、自社資源だけでは、自社で蓄積したデータが持つ可能性を十分に生かすことができないこと、そして、多様な価値観とライフスタイルを持つ現在、自社で開発した特定のソフトウェアだけでは、多くの顧客にリーチできないことは明らかだ。これは、多大な費用と労力を用いて収集したデータの多くが、その真価を発揮させられないまま死蔵されていることを意味する。そうした非効率を乗り越え、さまざまな団体・機関に相応の利益をもたらしながら、組織の壁を越えてさまざまなデータを活用できるよ

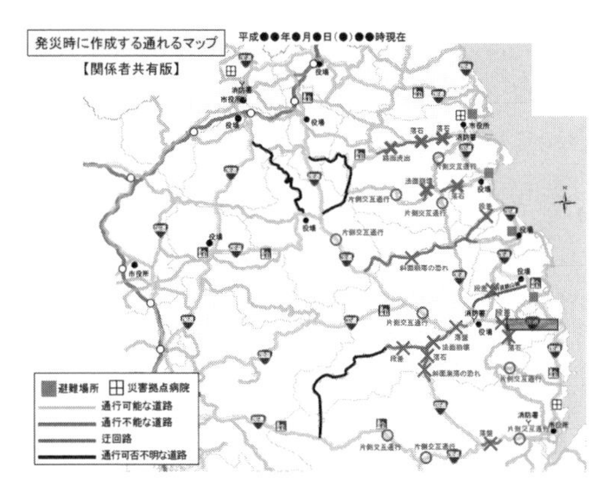


図版11–3：東日本大震災時に作成された「通れるマップ」
（出典：官民の車両走行データを集約、「通れる道」明らかに https://project.nikkeibp.co.jp/atclppp/PPP/news/060700332/?ST=ppp-print）

うにする仕組みとして、APIの整備と活用が進められている。

ではAPIとは何か。APIは「Application Programming Interface」の略で、一言でいえば「あるソフトウェアの機能を別のソフトウェアやサービスなどと共有する仕組み」のことである。これを企業に限定して言い換えれば「あるソフトウェアやサービスが持つ機能の一部を別のプラットフォームで利用してもらうために、ソフトウェアやサービスを開発した企業が利用する企業向けに提供する仕組み」ということになる。例えば我々がホテルや旅行を検索する際、ホームページの一部にグーグルマップが表示され、検索対象であるお店やホテルの詳細な場所、そこにいたるまでの経路についての情報が得られることがあるが、これはグーグルマップがAPIを公開しており、それを通して他のホームページからグーグルマップの機能を使えるようになっているからなのである。

APIが注目されるのは、企業が集めたデータについて、その権利を守りながら公開する方法として、大きな可能性を持っているからだ。公共性の高い地震波などのデータについては、政府や学校を中心にして無償公開する取り組みが進んでいる。しかし、企業側がコストを払って収集し、企業側に権利があるデータは、そういういうわけにはいかない。だが、それ自体を公開するのではなくAPIを通して公開する形にすれば、企業側としては、データのすべてを奪われることなく活用してもらうことができる。さらに、APIに使用料を設定すれば、自社で活用しきれていないデータから収入を得たり、自社でリーチできない顧客から他社のサービスを通して収益を得ることも可能だ。このように考えれば、APIを通したデータそしてサービスの提供は、企業にとって非常にうまみのあるやり方といえる。

Uberや Air bnbなどといったプラットフォーム・ビジネスは、タクシー会社や旅館・ホテル業など、資産や設備に投資・蓄積・維持を行う従来タイプのビジネスモデルを破壊しつつ、瞬く間にビッグビジネスへと成長した。これに対してAPIエコノミーは、商品やサービスそして人材とデータを持つ大企業にとっても、遊休資産や死蔵しているデータを活用し、収益を上げる機会を提供するという意味で、本質的に異なるモデルである。大企業は既存の商品やサービス、データベースの維持などに多大なコストが必要な一方、ビジネス上の付き合いから生じたさまざまなしがらみや、成功体験を捨てられない経営者・管理職、およびその他のスタッフの能力不足により、それらを十分に生かしきれていないケースがある。他社の成功モデルを自社に合うようにアレンジして組み込むにも時間がかかるから、ビジネスとして始めた時にはすでにマーケットそのものが消滅している可能性も高い。大企業の体質が一朝一夕に変えられないのであれば、さまざまなAPIによって提供されるサービスを組み合わせることによって新規事業を作り上げ、自らリスクを取りながら展開する企業に対して、自社の持っているサービスやデータなどをAPIを通して有料で提供し、その使用料を支払ってもらう形に、戦略を転換した方がよい。先に挙げたUberもまた、マッチング以外の機能をすべて、他社が提供するAPIで賄っているのである。

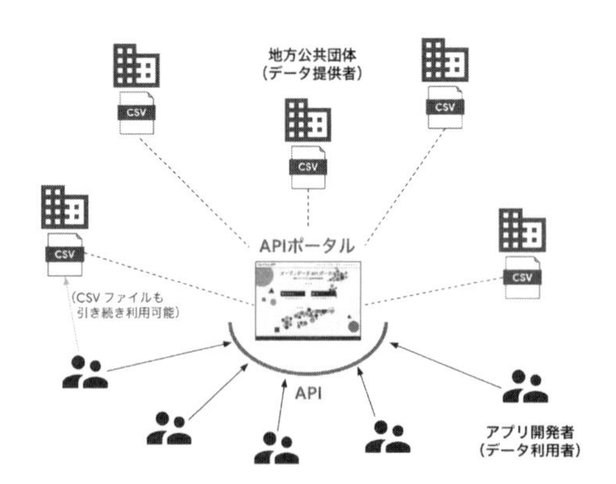


図版11-4：APIポータルの活用イメージ
（出典：オープンデータをWeb API化　内閣官房のIT総合戦略室が「APIプラットフォームサイト」を開設　https://atmarkit.itmedia.co.jp/ait/articles/2012/22/news041.html）

こうしたことが示しているのは、APIが当たり前に提供されるようになった社会における、APIエコノミーと呼ばれる新しい経済圏がもたらす未来だ。さまざまなサービスやデータを蓄積する大企業がAPIを通してサービスを提供し、斬新なアイデアに基づいてAPIを通して提供されるサービスを組み合わせ、リスクを取りながら新たなビジネスを開拓し社会実装していく新興企業が躍動する。新規事業のもとになる世間のニーズや関心事は、ツイッターなどの投稿を分析した需要予測を、APIを通して入手すればよい。企画やアイデアを登録すれば、即座に需要予測が産出されて、資金が集まれば事業化し、ダメであれば撤退する。そうした形で、あらゆる産業がダイナミックに、人間中心のものに変化する。API経済の先には、そんな未来が待ち受けているのかもしれない。

## 第2節　ライフスタイル・価値観の多様化と情報サービスへの期待

いわゆる「豊かな社会」が訪れると、人々はオーダーメイドとはいかなくても、自分向けにカスタマイズされた商品やサービスを求めるようになった。ライフスタイルや価値観が多様化するにつれて、企業や行政機関に対しても、画一的なモノやサービスではなく、自分に合ったものを求めるようになっている。多品種少量生産や分衆・小衆という言葉が使われるようになってから、すでに久しい。

先に見たオープンガバメントそしてオープンデータに関わる活動が展開されるようになった大きな理由として、人口減少や税収の低下および市町村合併や行政改革による行政サービスの低下を、市民や企業といった民間にサービスによってより高いレベルで補完するという方向性がある。行政は法律や条例で定められ、事業計画として議会の承認を得た平等・公平なサービスしか提供できないが、市民や企業ならば柔軟な発想に基づく迅速なサービスの提供が可能だ。行政が自らのデータ作成業務の中にオープンデータとして公開・共有するプロセスを組み込んで、機械処理が可能で二次利用ができるデータをうまく組み合わせて使うことで、行政では実現できないさまざまなサービスが次々と生まれ、地域社会だけでなく地域経済をも活性化できる。多くの人が利用するサービスを提供できれば、そこに雇用が生まれるだけでなく、それを参考とした事業・それを利用した事業が次々に生まれてくると期待できるからである。神奈川県横浜市の事例は、市民と企業を巻き込んだオープンデータ活用の試みとして、大きな可能性をもっている。

今一つ興味深いのは、福井県鯖江市の活動である。地元出身のソフトウェアエンジニアの働きかけにより、行政の持つオープンデータ化が進む一方、2014年には市役所の中にJK課が作られ、地元の女子高生たちが主役となり、市役所の職員や地元の大人たちの協力・協同を得て、自分たちの街を楽しむ企画や活動を展開。ボランティアでアプリ開発やスイーツ商品企画などに参加。さまざまなサービスを生み出しては、地元住民の抱える問題の解決のために、活用してもらうようになった。鯖江市役所JK課プロジェクトは2021年で7年目に入るが、地域の抱える問題の解決を、市議会議員や国会議員などを通して政治問題化し、補助金などを得て事業化して解決するのではなく、志ある地元の若者が、課外活動の感覚で取り組み解決する。スマートフォンとインターネットに象徴される情報環境と、オープンデータを活用したアプリ開発および公開を、行政や企業ではなく、偏差値の高い進学校の生徒でもなく、地元に根を張り生きていくごく普通の高校生たちが、特に気負うことなくサークル活動感覚で行っていく。その姿は自学自習型の学習モデルとしても意義深く、高度情報社会における学びの在り方として、先駆的なものとされた。この取り組みは大人たちをも巻き込み、JK課に続いてOC課も立ち上がる。JK課の活動に刺激を受けた市内の女性グループが、自分たちにも何かできないかと始めた活動がきっかけである。OCとは「おばちゃん」の意。フェイスブックやツイッターを用いた活動や、「全国OCサミット」の開催など、JKに負けず劣らずの元気なご婦人たちのSNSを用いた「誰にも縛られない自由な活動」が、人権問題やまちづくり、福祉や子育てなど、多様な分野で展開している。

こうした活動から分かるのは、オープンデータやIT環境がさまざまな世代によって活用されていることであり、また、さまざまな領域で活用されていることである。そして、オープンデータやアプリケーションという面から重要なのは、それぞれの活動で必要とされるデータの種類が異なり、求めている機能が異なり、ユーザーによって使いやすいインターフェイスが異なる、ということだ。ダイバーシティという観点からイメージを広げれば、視覚障がい者や聴覚障がい者にとっては、使いやすいインターフェイスであるか否かは、致命的な問題である。そして外国から訪れ

図版11-5：福井県鯖江市JK課のみなさん
（出典：福井県鯖江市ＪＫ課、意外と本気で活動中　https://withnews.jp/article/f0140709002qq0000000000000W00f0401qq000010240A）

た人にとっては、自国語に対応しているかどうかが、重要な問題だ。公共施設の混雑度などのデータはリアルタイム性、そして近未来の状態に関する予測が求められるし、要望によっては複数のデータを掛け合わせた結果が必要なこともある。このように考えれば、求められるアプリの種類は実に多様であり、ニッチなものも少なくないであろう。それらのアプリは行政が作るには負担が大きすぎるし、企業が提供してもビジネスとして成立するかどうかは疑わしい。

そこで期待されるのが、APIの提供やオープンデータの公開であり、それを活用したシステムやアプリを開発・提供しうるNPO・NGOや、IT技術に長けた有志市民の存在であり、そうした環境を生かしたアプリやサービスについての要望やアイデアを出すことのできる一般市民の存在である。パソコンやスマートフォンの普及と高度情報ネットワークの整備、通信費用の低廉化により、開発コスト・運用コストは著しく低下しているから、行政がオープンデータ化を勧めれば、一般の市民にとっても、多くの人が共通して抱える問題を解決するために、ちょっとしたアプリやシステムを開発し提供することはそれほど難しいことではない。JK課が行ったのはまさにそういう活動であった。スマートフォンなどで市文化の館（図書館）の閲覧机の空き状況が瞬時に分かるアプリ「Sabota（さぼた）」。高校生は閲覧机を学習スペースに活用している。しかし訪れてみないと空き状況は分からない。これは不便だ。こうしてJK課メンバーがアプリ開発を発案する。11卓ある閲覧机の空き状況と蔵書検索、図書返却場所を確認することができる。ユーザー・インターフェイスはピンクが基調。レッサーパンダのイラストをあしらったデザイン。これらも全てJK課メンバーが考えた。邪魔にならず、ちゃんと働くように考えながら、自らの手でセンサーを設置。アプリ化や、設計は、市民有志Code for Sabaeが担当した。オープンデータの先駆自治体である鯖江市では、この当時からすでに、市民による問題発見とユーザーインターフェースの提案を、IT技術を習得した市民そして地元のIT企業からなる団体が受け止め、アプリの構築と社会実装を行っていく体制が出来上がっていたということである。そしてそれは、地域の抱える問題について市民同士が「ゆるく」協力し合いながら解決していく活動に、ITが新たな可能性をもたらしたことを意味するとともに、使い手と作り手がコミュニケーションを積み重ねながら工夫していくことによって、多様な人々がそれぞれが使いやすい・親しみやすいユーザー・インターフェイスを備えたアプリを生み出し、より多くの人がそのアプリを活用できるようにすることを通して、地域問題の解決や地域の活性化が可能になることを意味している。こうした形で成果が目に見えるようになれば、行政側は費用も労力もかけることなく住民満足度を上げられることを理解できるから、公開するオープンデータの種類や量を増やすことについて積極的になり、それを活用した市民の活動も活発化して、結果、地域社会が活性化されていくことだろう。アプリを開発する市民の側には実績と技術と学びの経験と自信が育まれ、社会貢献活動を行うことの楽しさを実感できれば、活動の連鎖が生まれていく可能性もある。

さて、オープンデータの活用に向けた全世界的な活動として、オープンデータデイがある。日本においても 2011 年から、民間活力を活用したオープンデータ活用のイベントが、アイデアソン、ハッカソンなどの形で、さまざまな自治体で開催され、その結果、数多くのアプリが作り出された。東日本大震災後、情報環境を活用した災害支援が話題となったこともあってか、防災情報全国避難所ガイドや、避難コンパス、防災マップや防災情報可視化 AR アプリなど、防災関連のものも多い。2019 年における国内のオープンデータ活用事例を見ると、自治体、企業、社団法人、大学、研究所、そして個人といった多彩なアプリ提供者が、交通ルートの検索、交通事故の予想といった日常的な問題領域から、不動産仲介。観光案内や観光タクシーの相乗り。緊急情報の共有やバリアフリーマップ。そして、衛星画像を分析した農地管理と収穫予測などを作成している。活用するデータもアプリの機能もユー

図版11–6：鯖江市図書館を活用するためのアプリ「Sabota」（出典：女子高生が考案――鯖江市図書館を活用するためのアプリ「Sabota」が公開　https://www.itmedia.co.jp/ebook/articles/1407/15/news058.html）

ザー・インターフェイスも多彩である。これらの事実は、行政が自ら集めたデータを自らの活用に限定することは、税金によって集められたデータの持つ価値の大半を活用することなく、死蔵している可能性が高いことを示している。データはそれを必要としているユーザーが、理解でき利用できる形で提供されてこそ、価値を生む。これは、多種多様な公的データがオープンにされ、それを活用したさまざまなアプリが多様な主体から提供されることが、ライフスタイルと価値観が多様化し、言葉や障害の種類だけでなくさまざまな意味でダイバーシティに富んだ現代日本の市民たちにとって、非常に大きな意味を持つことを意味している。行政の持つデータと企業の持つデータを適切な形で組み合わせて活用することで、企業の側もまた、自らコストをかけて収集したデータから新たな価値を引き出し、収益に結び付けられる可能性がある。データを抱えている企業自身で自ら集めたデータの新たな可能性を見出せない場合、あるいは、自社で事業化することが難しい場合には、有料でAPIを通して提供することで、ベンチャー企業などによる事業化を期待する戦略も考えられる。データの特性によっては、活用レシピ付きでAPIの利用を促すことで、自社中心のデータ活用エコシステムを構築できる可能性もあるだろう。税収の低下と住民の多様化に起因する市民からの行政サービスへの不満を、オープンデータのさまざまな組み合わせ・企業の持つデータとの組み合わせと、さまざまな主体による多彩なユーザー・インターフェイスのデザインにより、柔軟に乗り越えていくことができるような、自治体運営が求められる。

国内でもそうした事例は散見されるようになったが、ここでは特に、2014年12月に神奈川県川崎市宮前区で行われたハッカソンで作られ、その成果を経て翌年2月に行われたマーケソンで社会実装に向けた動きを見せたアプリ、「ジジババウォッチ」について触れたい。これは高齢者による子供たちの見守りをゲーミフィケーションの手法を用いて実現しようとするものであった。

図版11-7：東京オープンデータデイ2016（出典：https://peatix.com/event/145540）

高齢者による子供たちの見守りに関する試みにはさまざまなものがあるが、世代が違い価値観や文化が異なる子供たちと高齢者の交流はなかなかに難しい。そこでこのアプリでは、当時子供たちに人気のあったアニメ「妖怪ウォッチ」を参考に、地域社会で見守り活動に参加する高齢者の面々を「妖怪」に見立て、子供たちが疑似的に「妖怪探し」・「妖怪の捕獲」を行うゲームを行う、というストーリーを設定した。その上で、地域の高齢者有志に、地域を見守る「地域ウォッチ隊」を結成してもらい、メンバーひとりひとりにその個性に応じた「妖怪」キャラを割り当てる。街で見守り活動に出るメンバーには、QR コードが印刷されたベストを着用してもらう。子供たちがスマホに「妖怪探し」のアプリをインストールし、通学中に出会った見守り隊のメンバーのバーコードを撮影すると、そのメンバーに割り当てられた妖怪を「捕獲」できるというわけだ。こうしたアクションを設定することで、子供たちと高齢者の間のコミュニケーションが生まれることだろう。子供たちが沢山の妖怪を捕獲しようと頑張れば、多くの見守り隊のメンバーとのつながりが形成されるから、地域社会の防災機能が高まるだけでなく、コミュニティ形成の契機にもなるはずだ。このアプリには子供たちの位置情報や学校、公園の情報などを見ながらルートを決められる機能なども備わっているから、パトロールのルートを改善する上でも役に立つし、高齢者施設に子供たちが近づくとアラームが鳴るレーダー機能を活用すれば、子供たちの登下校のタイミングを見計らって施設を出発するなどの工夫もできるだろう。

宮前区のハッカソンでは、このほかにも、坂の多い宮前区でサイクリングを楽しんでもらうためのアプリ「ミヤマエペダル」、公園を中心に市民同士のコミュニケーションを促進するアプリ「公園に行こう」、区内に点在する直売所をバスで巡るた

図版11–8：アイデアソンとは（出典：https://circu.co.jp/pro-sharing/mag/article/2037/）

めのアプリ「ぐるっと 宮前バス」、さまざまな地域情報を「観光レシピ」として教えてくれるアプリ「おいしい宮前区　農産物＆ホッピー」など、さまざまなアプリが提案された。しかし、これらさまざまなアプリの中でも、「ジジババウォッチ」は、問題設定と問題解決の方法論の両面において大変興味深いアプリあり、オープンデータを活用した市民活動が持つさまざまな可能性を感じさせる試みといえるだろう。新型コロナウィルスの感染拡大で明らかとなったのは、感染の危険にさらされている市民各自に危機意識が薄く、「マスクなし会食」や「三密の行動」、いわゆる「自粛破り」などが頻発して、それが感染を広げる結果となった、ということであった。子供たちの見守り活動も同様で、当事者である子供たちに危機意識を持たせることはなかなかに難しい。そして、ライフスタイルや価値観が多様化し、社会経済そして流行の変化が速い今日では、子供たちと高齢者の間にコミュニケーションを成立させること自体、多くの場合困難であろう。高齢者には、子供たちを守りたいという気持ちはあっても、体力・気力には限りがあり、しかも、子供たちの話題に合わせることは難しいからである。「ジジババウォッチ」は、子供たちに必要とされるとき、必要なだけ見守り活動ができる支援アプリというだけでなく、子供たちに人気のアニメコンテンツに倣ったアクションをリアルな地域空間で行うことができる機能を、スマートフォンを通して子供たちに提供することで、「地域ウォッチ隊」を通した高齢者による見守り活動の中に、子供たち自身が楽しみながら参加していくというストーリーの社会実装に、現実味を感じさせるアプリといえよう。ライフスタイルや価値観が多様化する今日、高度情報環境を活用して社会問題を解決するさまざまな主体の活躍の展開を、期待したいものである。

図版11–9：ジジババウォッチ
（出典：おじいちゃん・おばあちゃんとお孫さん世代を跨いで楽しく見守り　「ジジババウォッチ」実施地域募集中！　http://machihito.blog131.fc2.com/blog-entry-1569.html）

## 第3節　ユーザーエクスペリエンス起点のアプリ・システム開発の方法とは

新たな価値や意味を生み出すアクションをイノベーションと呼ぶことにすれば、イノベーションは既存の技術や知識の新結合によってもたらされる。しかし、イノベーションが社会実装される、すなわち事業として成功する確率は、3/1000未満の低さといわれてきた。情報技術の発達と情報ネットワークの普及により、こと情報システムに関する限り、試行に必要なコストはゼロに近づいているから、成功するにはできるだけたくさん試してみて、うまくいったものを残す、という方法が現実的だ。にもかかわらず、日本社会には減点主義の発想がいまだに強く残っており、システム開発といえばウォーターフォール型以外にあり得ないという思い込みが強い。企業の組織や文化も、そうしたことを前提に組み立てられており、これを変えることは企業のアイデンティティそのものを捨てることとみなされることから、価値起点のイノベーションが実を結ぶことは非常にまれ、というのが現実であろう。

先に見た「ジジババウォッチ」は、川崎市宮前区の抱える問題と、ユーザーエクスペリエンスを想定した上で、アプリの機能およびユーザー・インターフェイスを設計した、優れたアプリであった。具体的な社会実装のためには、地域に住む高齢者の組織化や、子供たちのスマホへのインストールなど、さまざまなハードルがあり、子供たちに人気のあるアニメコンテンツは時代とともに変化していく。また、IT環境は常に変化発展していくから、この手法で開発したアプリは一旦開発したらそれで済むというものでもない。アプリの開発が終了し、さまざまな問題を解決して「いざ社会実装」という段になった時には、子供への訴求力が失われてしまっている可能性もある。VUCA時代においては、すべての製品・サービスは常にそうしたリスクを孕んでいるから、仮に日本社会が市民によって生み出された優れたアプリの実装について慎重になり検討に時間をかけるあまり、その有効性が失われたのちにしか実装テストを行えないような体質を持っているとしても、死蔵されているデータからさまざまな価値を生むアイデアが市民から生まれてくる場を作っておくことには、十分な意味がある。企業や行政など組織としての継続性を持つ機関にはコアメンバーが存在するが、そうした組織内の人材だけでは需要の変化・多様化や技術革新の発展・高度化に対応することは難しく、組織外部のいわゆるクラウド人材を活用できなければ、経営の継続は困難となることから、多種多様なクラウド人材を数多く育てていくことが、社会的な課題となっているからである。「ジジババウオッチ」の事例は、そうした人材を育てる、あるいは発掘する上で、アイデアソン、ハッカソンというイベントが、有効であることを示唆している。では、アイデアソン、ハッカソンとはどのようなものか。

アイデアソン（Ideathon）とは、アイデア（Idea）とマラソン（Marathon）を掛け合わせた造語で、アイデアとマラソンを合わせてアイデアソンと名付けられたといわれている。もともとはエンジニア、デザイナー、プランナー、マーケティターなどがチームを作り、与えられたテーマに対し、それぞれの技術やアイデアを持ち寄り、短期間に集中してサービスやシステム、アプリケーションなどを開発し、成果を競う開発イベントの一種だった。1999年ごろ、アメリカのIT企業やスタートアップ領域で使われ始めたとされ、旧サン・マイクロシステムズやグーグル、アップル、フェイスブックなどが相次いで開催したことで、広く知られるようになった。今では一般的に、ある特定のテーマについて多様性のあるメンバーが集まり、対話を通じて、新たなアイデア創出やアクションプラン、ビジネスモデルの構築などを短期間で行うイベントのことを指す。日本では当初、2011年に震災復興への貢献活動としてITコミュニティが手がけたほか、楽天やヤフーなどといったIT企業を中心に開催されてきたが、近年では、IT業界に限らずさまざまな領域での開催が報告されるようになった。各地で開催されているオープンデータデイだけでなく、先に見た宮前区のように、自治体と大学などが連携して開催される場合もあり、いずれも、設定されたテーマに関心を持つ一般市民やNPO・NGO、そして企業など、さまざまな人が集い、お互いが平等な立場でアイデアを出し合い、議論する点では共通している。

これに対してハッカソンは、ハック（hack）とマラソン（marathon）を合わせた造語である。ハッカソンでは、システムやソフトウェアを解析したり改造したりというテーマに対してエンジニアをはじめ、デザイナーやプランナーのようなテクニカル面のメンバーたちが、販促に乗せるものならマーケターなどがチームを作り、チームのメンバーそれぞれが技術やアイデアを提供して、1日～1週間程度の短期間でプログラムの開発やサービスの考案などを行う。その始まりは1999年6月4日にカルガリーで行われた暗号開発イベントにあるとされ、アメリカ合衆国から10人の開発者が暗号ソフトウェアの輸出規制によって発生する法的問題を回避するために参加したといわれている。その後、2000年代半ばから後半にかけてハッカソンは著しく普及し、企業やベンチャーキャピタルが新たなソフトウェア技術の迅速な開発や技術革新、投資の新たな場と注目するようになっていった。

ハッカソンにはさまざまな種類がある。モバイルアプリケーションやデスクトップOS、Webプログラミングといった特定のプラットフォームに焦点を絞ったもの、特定の企業もしくはデータソースを使ったアプリケーションプログラミングインタフェイスでアプリケーションを製作する目的のもの、政府を改善する、具体的にはオープンガバメントを目的としたものほか、音楽ハッカソン、アートハッカソン、ヘルスケアハッカソン、バイオハッカソンなど。そしてもちろんオープンデータハッカソンもある。

企業によるオープンイノベーションの手段として、ハッカソンが用いられることもある。多くの企業では、新しい発想や、製品開発についてのアイデアや技術開発などに限界を感じており、さまざまな形で外部人材を活用することにより、新しいアイデアそして新しい発想を取り込もうと試みている。オープンイノベーションの手法にはさまざまなものがあるが、その一つとしてハッカソンが注目されているのである。なお､ハッカソンがソーシャルイノベーションやソーシャルビジネスなど、社会起業家の視点を交えて行われることも多くなっている。地域社会が抱える社会問題の解決を目的としたハッカソンであれば、立場や所属が違うさまざまな人々が集うことが期待できるし、特定の企業が抱える問題がテーマでなければ、ライバル企業の人が入った場合であっても、メンバー間での合意形成可能と考えられるからである。今日では、地域が抱える医療問題、環境問題などといった社会問題の解決そのものが、企業にとってビジネステーマとなっていることも多い。このような場合、団体や組織の壁を越えて多様な視点から物事を考え、ソリューションのために技術を持ち寄ることができるパートナーを見つけることができれば、ハッカソンの成果を事業に生かすこともできよう。一つの企業で抱えることのできる人材や技術には限りがあり、社外の人材や技術に関する情報収集には限界があるから、さまざまな技術者が集い共通の目的のために協働するイベントとしてのハッカソンは、展示会や製品発表会とは異なり、実践を通したコラボレーションの可能性を見出す、貴重な機会にもなるだろう。

さて、アイデアソンとハッカソンとの関係であるが、IT 領域のイベントが中心だった時期においては、アイデアソンは「ハッカソンの事前会議」との位置付け、あるいは「ハッカソンの導入部に行われるアイデア創出」を指すことが多かった。アイデアソンも地域づくりプランやレシピ・商品・サービスの開発、新規事業開発

図版11–10：ハッカソンとは（出典：https://circu.co.jp/pro-sharing/mag/article/2486/）

など、非IT領域で、ハッカソンを伴わない単独のイベントとして開催されることが多かった。近年では、アイデアソンが単独で開催されるケースも増えてきている。

アイデアソンやハッカソンは、団体や組織の壁を越えてさまざまな人たちが集い、時には一般市民の参加を得て、ある限られた時間の中で、新しい革新的なアイデアを得たり、特定の目的のためのシステムやモジュールを開発する上では、非常に有効な手段であると考えられるが、いくつかの点で限界を抱えているのも事実である。その一つは、ごく短い期間で集中して行うイベントであるため、斬新なアイデアや新しいビジネスモデルのイメージが得られたとしても、その有効性を検証するためには、さまざまなデータの分析やモデルを用いたシミュレーションなどを行う必要があるということである。アイデアソンで得られた成果をそのまま、事業にできるわけではない。また、ハッカソンの成果は、参加者各自が持つ技術のレベルだけでなく、制限時間によっても左右される。したがって、たとえプロトタイプであったとしても、例えばアイデアソンで出された提案のすべてに応えるシステムを作りあげることができると期待するのは非現実的であって、あくまでもその場で構築可能な機能について時間内で達成可能な範囲で具体化するイベント、との割り切りが必要である。いずれも時間内に達成できなかった部分については、後日改めて取り組み、形にしていくという態度がなければ、単にイベントを開催し、非日常的な交流の場を共有したに過ぎないことになる。

そしてもう一つの限界は、いずれのイベントも、その参加者が同じ時間に同じ場所に集まることができる人に限定されていることから、さまざまなアイデアや技術を取り込むことができるといっても、実社会に存在する人々の持つ多様な価値観や文化を反映することにはおのずから限界がある、ということである。こうした限界を超えて現実社会の多様性を取り込んでいく方法にもさまざまなものがあると思われるが、その中でも特に有効と思われるものは、さまざまなデータを自由に使える環境を用意した上で、自由な発想でアプリ開発をさせる、コンテスト形式のイベントであろう。

## 第4節　好例としての東京公共交通オープンデータコンテスト

オープンデータの活用によるユーザーエクスペリエンスの向上を、広く有志市民の活動によって実現させる試みとして、東京公共交通オープンデータチャレンジがある。2017年の第一回の主催は公共交通オープンデータ協議会、共催はINIAD cHUB（東洋大学情報連携学 学術実業連携機構）、東京大学大学院情報学環ユビキタス情報社会基盤研究センター、CPaaS.io プロジェクト、東京メトロ、東京都交通局、JR 東日本の特別協力のほか、一都三県で公共交通に関連した事業を展開する企業からの協力を得て、鉄道・バス・航空機のデータの活用に加え、各省庁および東京都が公開しているオープンデータとの連携も謳われている。公共交通オープンデータを活用したアプリケーションおよび、公共交通オープンデータを活用した新しいアプリケーション、サービス、ビジネス等のアイデアが募集された。応募期間は約 3 か月間であったが、海外からの参加も含め、約 800 件の参加申し込みがあり、約 100 件のアプリケーション、アイデアの応募があったという。

初回のコンテストでは、交通情報を表示するのみならず、観光スポットとのマッチング、トイレ案内等、交通機関利用者の目線でさまざまなニーズをとらえた作品が数多くみられ、東京を歩き慣れていない人、外国人旅行者などが、思わず使ってみたくなると思われるものが表彰対象に選ばれたが、こうして選ばれたアプリの数々は、オープンデータ活用の可能性と、さまざまな主体が参画することによる多種多様な要求に対応したユーザー・インターフェイスの実現可能性を、示唆している。

例えば、都内の鉄道会社のアプリを連携させ、在線位置（リアルタイムな電車の位置と遅延）や時刻表（列車単位・駅単位)、乗り換え情報について、鉄道会社の枠を超えて路線・駅間をサクサク移動できるようにした Tokyo Trains、東京近郊の鉄道・バスについて出発地・目的地・経由地を選ぶと、真っ白な背景に出発地・目的地・経由地に近い鉄道とバスの路線について、あらゆる選択肢を描き出してくれるトーキョーラインズは、複数のデータを合わせて使うことで、公共交通機関を使って移動する人たちに対してより高度な情報サービスを行えることを実証して見せた。

駅・バス停の所在や路線図、時刻表等の情報が個別にまとめられていただけだった従来の交通情報の中から必要な情報だけを抽出して有機的に結び付け、三次元空間表示によって現実世界に忠実な動作を再現して「動く交通情報」を提供する HEAVY 4D TOKYO、複雑で分かりにくい東京のバスについて、現在地周辺のバス停から目的地周辺のバス停までのバス経路を探索し、経路の候補がある場合に、乗りたいバス停まで AR（現実の風景にバーチャルの視覚情報を重ねて表示する技術）で案内するバスナビ AR は、高度情報環境が可能としたグラフィック表現を活用して、分かりやすい表現による情報提供を実現している。

「画像データはあるが、観光地名称が分からない、読み方が分からない」という外国人観光客を想定し、ユーザー・インターフェイスからの入力を、SNS 等から取得した画像データのみの入力で実現することで、文字入力を極力減らしつつ、画像データのみから「目的地までの経路情報 」、さらには「観光地情報」、「観光地周辺情報」までも案内をするPHOTO ROUTE SEARCH、次に行く目的地までの行き先について、経路を提示するだけではなく、現在の情報を踏まえた案内をお客様に提示する、付き添うような案内を行う機能を、文字入力ではなく表示されたボタンをタップするだけで利用可能にしたDokoiku?は、ユーザーが置かれている状況と、言語能力やメディアリテラシーのレベルを配慮した上で、より多くの人が使いやすいユーザー・インターフェースを実現している。

さて、コンテストでは、身体障害者を想定したアプリも受賞している。例えば車椅子利用者が鉄道を利用する場合、乗車駅と降車駅との連絡に電話等が使われていることや、利用者と介助者との連絡手段がないことなどの理由で、降車駅での介助者の準備が整うまで乗車することができず、また、乗車後に具合が悪くなったりして途中で降りたくなっても、介助の手配が無いため降りられない。この連絡をIT化し、待機時間を削減する、そして利用者の移動状況の把握や介助人員の効率化を図ろうとしたアプリ「Suiっ都くん」。そして、エレベーターが必要な人、空いているルートで移動したい人、助けが必要な人など、公共交通機関を活用する人によって、乗換へのニーズもそれぞれ違う。駅の利用者数や施設情報などのオープンデータからその人に合わせた最適な乗換を提案し、さらに車イスなど支援が必要な方がアプリから駅員さんにお願いできるようにする「ユニバーサル乗換サポート」。後者はアイデア段階のものであるが、第一回の時点で、ダイバーシティに対応したアプリやアイデアでの応募・受賞があるのは、素晴らしいことだ。

応募された作品の中には交通事業者では考え付かないアイデアがたくさんあり、受賞した作品は、公共交通事業者の垣根を超えてデータ連携を行ったもの、既存のサービスにはないようなユーザー・インターフェイスを提案したもの、そして、公共交通を単に移動するためだけでなくそこに付加価値を与えてくれたものだった。このことは、交通事業者が持っているデータをオープンデータ化することによって、東京都民や国内外からの観光者たちにとって有用なサービスが生まれ、活用できるようになることを示唆している。

さて、2017東京交通オープンデータチャレンジは、コロナウィルス感染拡大により応募期間を延長したこともあり、2021年4月現在、第四回の募集中である。初回の2017年には計22社局の鉄道、バス、航空事業者のデータが公開され、時刻表等の静的データだけでなく、在線情報やバスロケーションのデータといった動的データも多数公開された。その結果、約800件の参加申し込み、ならびに、約100件のアプリケーション、アイデアの応募があったという。2018年の第2回のチャレンジではJR東日本、東京メトロ、東京都交通局をはじめ、計26社局のデータが公開され、時刻表等の静的データと在線情報やバスロケーションのデータといった動的データに加え、国土交通省の協力を得て主要駅構内図のデータも加わった。その結果、海外からの参加も含め約500件の参加申し込み、ならびに約60件のアプリケーションとアイデアの応募があった。さらに2019年の第3回チャレンジでは、JR東日本、東京メトロ、東京都交通局を含む計32社局の公共交通データのほか、国土交通省や東京都の事業で整備が進められている駅構内図のデータの公開も拡充された。その結果、国内海外を合わせて、約1000件の開発者登録、約90件の作品応募があったということである。

登録数と応募数にはばらつきがあり、必ずしも右肩上がりというわけではないが、毎回さまざまなアイデアそしてアプリが応募され、優れたアプリが生み出されていることは事実である。例えば第二回コンテストの優秀賞には、視覚障害者が音声のみで自分の乗りたいバスの時刻表や、現在のリアルタイムなバスの位置を確認することができる「私のバス」というアプリ。これはアプリの設定まで音声のみで行うことができるスマートソリューションである。第二回コンテストにおける障害者向けアプリとしては、聴覚障害者を対象として、LINEチャットボットとの会話を通して簡単な操作で電車の発車時刻を教えてくれる「まよワン！じっこくん」や、車椅子利用者を対象としたアプリとして、各鉄道会社の車両における電車の車いすスペース（フリースペース）の位置を知らせる「車いすの方向け乗り換えアプリ」が入賞を果たした。その他、外国人観光客を想定したアプリ、日々の通勤通学に活用できるアプリ、都市の営みをビジュアルに楽しめるアプリなど、さまざまなテーマの作品が続々と生み出されている。

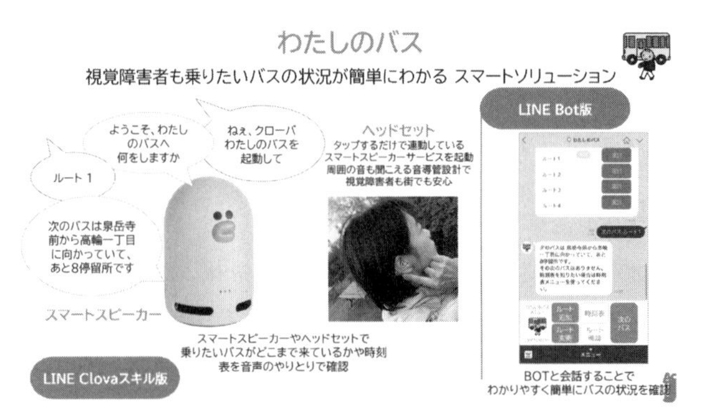


図版11-11：わたしのバス
（出典：第二回東京公共交通オープンデータチャレンジ　結果発表　https://tokyochallenge.odpt.org/2018/award/index.html）

その中でも特に注目したいのは、食事に関する要件が厳しく（豚肉やアルコール飲料を摂取できないなど）、1日に5回お祈りする必要があるイスラム教徒を対象に、最寄りのモスク、祈祷室、ハラールレストランに関する情報を提供するだけでなく、目的地を設定するだけで、祈りの時間を考慮した旅行計画を作成できるウェブサービス、「Trip Planner for Muslim tourists」である。さまざまな属性や文化を持った人が訪れる観光都市では、観光客の宗教や文化に応じた訪問先および飲食店の選別そして、日常習慣・宗教習慣・食習慣に応じた訪問先の選択とスケジューリングが容易であることが望ましい。そして日本では、ハラール認証を得た飲食店は、まだまだ少ない。本アプリはこうしたことに鑑み、オリンピック・パラリンピックの開催に伴い、100万人以上のスラム教徒観光客が訪日することを見据えて、彼らが宗教的戒律を破ることなく日本での生活を楽しめるように構想･構築されたものである。

こうしたアプリの登場は、世界中からさまざまな文化・宗教・生活習慣を持った人たちが訪日する未来、そして多様な人々が共生する都市を効率的にマネジメントしていく上で、極めて重要な意義を持つものである。もし仮に、イスラム教徒に対してこのアプリが有効に機能するのであれば、それは他の宗教・文化を持つ人たちにも応用可能と考えられるが、それを敷衍すれば、多様な価値観やライフスタイルを持った人たちについて、自己申告あるいはSNSなどのデータの分析に基づいてクラスタリングを行い、それぞれのクラスタの特性に合わせた情報提供を行うことが可能なはずだ。そうした情報環境を活用すれば、高度情報環境の下で、多種多様な人たちがコンフリクトを起こさず同じ都市の空間で共生でき

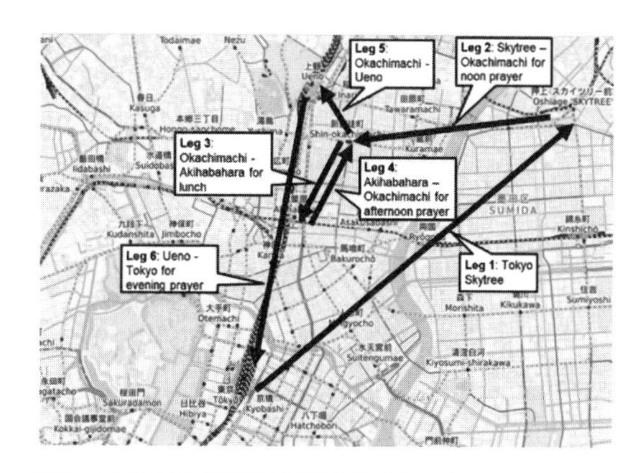


図版11-12：TRIP PLANNER FOR MUSLIM TOURISTS
（出典：https://tokyochallenge.odpt.org/3rd/award_data/document/trip_planner_for_muslim_tourists.pdf）

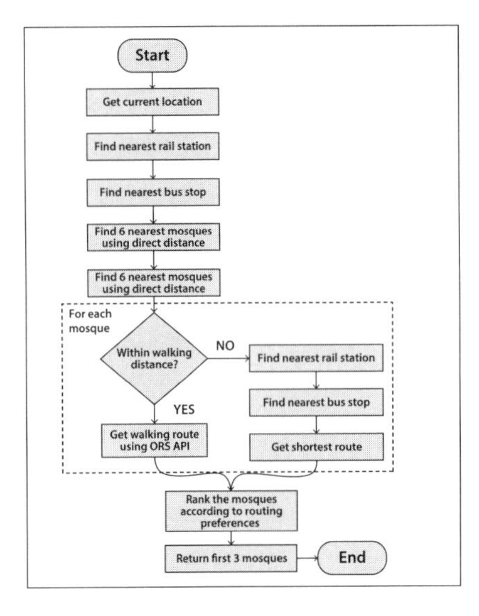


図版11–13：TRIP PLANNER FOR MUSLIM TOURISTS（出典：https://tokyochallenge.odpt.org/3rd/award_data/document/trip_planner_for_muslim_tourists.pdf）

るだけでなく、彼らの合意の下で異なる意味や価値を組み合わせることにより、新しい価値を次々に創造できる可能性そして、VUCA時代に発生するさまざまな問題に対して柔軟に対応できる社会を構築できる可能性がある。高度情報環境の発達は、価値観やライフスタイルが多様化した社会を、より高いレベルでの統合そして共存に向かわせるポテンシャルを持っているわけで、我々が目指すべきはそうした未来であろう。

ただし、そうした社会を実現していくためには、情報技術の発展・普及だけでなく、我々自身の社会・文化・法律・制度が本質的に変わっていかなければならない。価値起点のイノベーションが社会実装されるためには、社会そのもののバージョンアップが不可欠だからだ。そして我々は現在、総力を挙げてそれに取り組むべき時を迎えているのである。

## 第11章　注

第1節·第2節は主に、（佐々木隆仁、2018）および『智場 #119 特集号オープンデータ』に掲載された諸論文に依拠している。第3節は、主に、（朝岡崇史、2016）とG空間未来デザインに関するHPに依拠している。また、第4節は、東京公共交通オープンデータコンテストに関係するHPに依拠している。雑誌掲載論文およびHPに関する詳細は参考文献リストを参照されたい。

第 12 章

# VUCA ワールドとアジャイル型開発

## 第 1 節　流動的近代と VUCA ワールド

近代化は「慣例に凝り固まり、あまりにも停滞的で、非順応的で、変化に強く抵抗をした社会」を溶解し、「複雑な社会関係のネットワークを解体」して「経済中心の行動規則、経済中心の合理性基準に対して無抵抗なもの」にしてしまった。近代化によって「伝統的生産様式」は解体され、機能を停止した。しかし、これに代わって導入された「新しい秩序」は、あらかじめ計画され構築された秩序だった。この時代の特徴は、「フォード主義型重量資本主義」という言葉で表現される。そして高度成長期を境に、フォーディズム とテーラーシステム が支配的だった大量生産の時代すなわち「重い近代」が終了すると、フォーディズム後の、自由な個人からなる「軽い近代」が訪れた。「軽い近代」「ソフトウェア資本主義」の時代である。この時代の変化は、「重厚長大」から「軽薄短小」へ、という言葉で表現されることもあった。

OS やアプリケーションなどのソフトウェア、そして、大量生産された部品に残る品質のばらつきを特定のアルゴリズムが組み込まれた LSI によって吸収することで、高度なすり合わせ技術を不要とし、イノベーションによって競争優位を保つ企業が自社利益を確保しながら、オープン＆クローズ戦略 によってデザインされた国際斜形分業によって安価な商品を市場に供給するビジネスモデルを特徴とするこの時代の社会経済システムは、常時「変化」の過程にあり、流動的な性格を備えている。こうした社会経済システムの特徴は「ソフトウェア資本主義」と呼ばれ、そうした社会経済システムによって実現された後期近代は特に、「流動的近代」という言葉で表現される。高度成長期と異なり、現在では技術力で勝っていても、ビジネスで勝てるとは限らない。技術だけでなく、さまざまなレベルにおける「アイデア」が会社の経営を左右するのが、知識社会としての現代社会の特徴なのである。

ビジネスの基盤がパイプライン型からプラットフォーム型へと移行し、プラットフォームがパイプラインを駆逐するという現象が起こると、それまで供給側が独占していた「製品に価値を付与する役割」が民主化され、ユーザーサイドによる自由な意味づけがなされるようになった。プラットフォーム上では N × N の組み合わせの中で、さまざまな意味や価値が創発されるからである。例えば家電の組み合わせ一つとってみても、メーカーサイドではすべての家電についてフルコースのように自社製品をそろえて欲しいと考えるが、ユーザーは一つ一つの製品を自分なりの価値基準で評価し、それぞれの用途についてベストと考える製品を組み合わせて使いたいものだ。国境を越えて、さまざまな企業と協業するエコシステムを形成するためのオープン&クローズ戦略に長けていた欧米企業は、メーカーをまたいだ家電の協調動作を可能とすることが、結局は自社製品の価値を高め、競争力の源泉になることを理解したがゆえに、協調動作を実現する上で必要なリモートコントロールアプリとの通信に必要なAPIを公開した。そしてこの戦略は、現実に、自社製品の国際競争力を高めるうえで大いに役に立ったといわれている。

これに対して日本の家電メーカーは、高度成長期に成功した「囲い込みモデル」に固執し、APIの提供を拒み続けた。このため、家電を一つのメーカーで統一したユーザーは、専用アプリを用いて家電を協調させながら動作させる利便性を享受できたが、さまざまなメーカーの家電を組み合わせて使用するユーザーは、大いなる不便を強いられた。そしてこれが、日本の家電メーカーが国際的競争力を喪う、大きな原因となったといわれている。堅固な近代、高度成長期に垂直統合型の経営の下、フォーディズムで他に類を見ない経済的成功を経験した日本の家電メーカーには、時代が本質的に変化してしまったこと、そして流動的近代のもつ特性を理解できず、それゆえ有効な対応策を打てなかった、ということであろうか。

さて、流動的近代は社会状況の変化が速いだけでなく、想定外のリスクに満ちた世界でもある。事実、1989年の冷戦終了後、世界は政治、安全保障、貿易、経済、金融、技術、情報、社会、自然環境などさまざまな領域において、「想定外」の事態をたびたび経験してきた。例えば、為替の変動や取引にかかる交換のコストを取り払い、企業にとっての変動性、不確実性、複雑性、曖昧性を低減する目的で導入されたユーロ単一通貨は、アメリカの世界金融危機によってバブルがはじけた後、甚大な欧州債務危機を発生させた。それまで最も安全だと思っていた債権、欧州の先進国政府の国債が突然ハイ・リスクとなり、保有債券の価値の崩壊が発生したのである。その他、昨今の異常気象や大規模災害、テロや戦争の続発、トランプ大統領の保護主義やトランピズム、そして世界規模での社会的格差の拡大や貧困問題の発生、そして2020年からの新型コロナウィルスの世界的流行など、具体的な例を挙げれば枚挙にいとまがない。

こうした状況を表す言葉として、Volatility（多様性）、Uncertainty（不確実性）、Complexity（複雑性）、Ambiguity（曖昧性）の頭文字を組み合わせた「VUCA」という造語がある。これは、1989年の冷戦の終結によりいっそう複雑化した各国の情勢について議論したり記述するために、アメリカ陸軍士官学校などで導入された軍事用語である。2016の世界経済フォーラムにおいて、「VUCAワールド」への対応が呼びかけられたことが契機となり、広く知られるようになった。

そして高度情報技術の発達と普及もまた、政治・社会・経済の領域で、先の読めない環境変化を生み出し続けている。例えばiPodは音楽産業の在り方、人々の余暇の過ごし方を一変させた。iPhoneはいわゆる携帯電話だけでなく、デジカメ、携帯音楽プレーヤー、携帯ゲーム機、デジタルレコーダー、腕時計など、さまざまな電子機器の機能を代替した。iPadは紙メディアを時代遅れのモノとするだけでなく、DVD、ブルーレイといった映画パッケージ、パッケージのレンタルショップ、そしてテレビ局までをも衰退の危機に直面させている。アップル製品や情報科学の領域に限らず、さまざまな領域における技術およびビジネスモデルのイノベーションが、企業だけでなく業界そのものを消滅させる事態は、もはや珍しくない。ビジネス一つとってみても、平成以降世界は「予測不能なVUCAの時代」に突入したと考えることができよう。それは、今までにない新たなサービスやテクノロジーの出現により急速に発展する企業や産業がある一方、衰退や消滅を余儀なくされる企業や業界が次々に現れる時代である。そこでは、未来を予測して「傾向と対策」を考えることは、ほとんど意味をなさない。なぜなら、重要な局面で予測は必ず外れる、からである。その代わりに求められるのは、「未来を構想する力」なのだ。アラン・ケイは1972年に発表した論文で、「ダイナブック」というコンセプトを提示したが、これを高度成長期的な発想に基づいて、「半世紀前にタブレット端末の登場を予測していた」と理解する完全な誤りである。この事実は、彼が「こういうものがあったら素晴らしい」と考え、そのイメージを具体化し、多くの人に働きかけた結果、タブレット端末が普及する世界が実現した、と理解されなければならない。これは、全く同じ事実であっても、解釈枠組みが異なれば全く違う意味になり、解釈の仕方を間違えば、意味のある行動をとることができないということを意味している。

図版12-1：iPod製品群（出典：https://ja.wikipedia.org/wiki/IPod）

それゆえ、VUCAワールドにおいては、未来を予測し批判するのではなく、未来を構想し、構想した未来の実現のために意見を出し、行動を起こすことが重要になる。リベラルアーツに基づいて構想され、組織によって掲げられる「意味」こそが、従業員や顧客を引き付ける競争優位の源泉となるのである。これは例えば、市場調査や社会調査によって得られたデータを統計的に分析して、その結果をデザイナーやエンジニアに正しくフィードバックして得られた「正解」が、どれだけ論理的に正しくても社会的には価値を持たない、という時代の到来をも意味している。日本の企業のほとんどが、iPhoneの登場により、携帯電話の市場からの撤退を余儀なくされた。そしてアップルは、市場調査をほとんどやらないことで知られている企業だ。これは、アップルが「何を打ち出すか＝WHAT」を打ち出すことを優先させているのに対し、日本の企業が「どのように打ち出すか＝HOW」を優先した結果とされる。日本の企業の多くは、「なんのために」という答えをはっきりと持っていなかった。それが企業の競争力を喪失させてしまったということである。

さて、作り手が思いにこだわって作った製品は、市場に合わせて作った製品と異なり、共感する人に対しては、非常に強い訴求力を備えたものとなる。そして、その潜在的な市場規模は、その思いに共感する人の数によって決まる。高度情報社会では、市場がグローバルに向かって開けており、しかも、告知や流通のための限界費用が低下しているから、「グローバル×ニッチ」という市場セグメントにおいて、「スケールとフォーカスの両立」を実現することが可能だ。例えば日本の広島にある地場の木工会社「マルニ木工」は、その好例である。1928年創業の同社は「工芸の工業化」を掲げて量産技術を磨き、グループ売上は1991年に300億に達したが、バブル崩壊後に需要が激減した結果、経営難に陥った。教科書的な経営再建法に限界を感じた同社社長は、「本当に自分が欲しいと思う椅子で勝負する」という形に経営方針を転換。世界的なデザイナーであった深澤直人氏に依頼し新しい

図版12-2：ダイナブックの活用イメージ
（出典：人類の進化を加速させた「手で触る情報操作」子供の創造的学習意欲を刺激するパソコンは、ここから始まった　https://wisdom.nec.com/ja/innovation/2019062401/index.html）

椅子「HIROSHIMA」を作り出した結果、アップル本社への大量納入や高級百貨店への配荷、住宅メーカー経由や商業施設向けの販売が増加するとともに、以前は皆無だった海外販売が増加するだけでなく、ミラノサローネへの出展も認められるようになった。これが示すのは、高度情報化が進んだ今日では、人の感性にゆさぶりをかけるようなエッジの立った提案がなされれば、それを受け取った人々によってSNSなどを通して世界中に拡散される=「限界費用ゼロ」で世界中に告知できる、それがVUCAワールドのもう一つの顔だということである。

そうした製品のアイデア創出、そして、事業としての成功のための方法論もまた、VUCA以前とVUCA以後では大きく変化している。VUCA化する世界では、蓄積した知識や経験が急速に陳腐化するが、組織にコアに抱えた人材の知識や経験をアップデートし続けることは難しいので、数少ない専門家の地位が低下してしまうのである。そして、これに代わって活躍するのは、門外漢の集団からなるクラウド人材だ。クラウド人材は膨大な数から構成されるため、最新の知識を持つ人がどこかしらにいる、と考えられるからである。進化論を着想したダーウィンは門外漢の地質学者であった。新幹線を開発したのはゼロ戦などの研究開発に携わっていた航空機技術者であった。これらの事実が示しているのは、専門家に過度に依存すると、課題設定あるいは問題解決の能力を著しく棄損する危険がある、ということである。VUCA時代には、組織内にいる専門家による、リベラルアーツに基づいた「問題の設定」と、組織外のクラウドにいる門外漢をうまく組み合わせ、企業における価値想像力を維持・発展させていくことが重要なのである。

今一つ重要なことは、UVCAワールドにおいては何が成功し何が失敗するかはやってみなければ分からない、ということである。ある研究によれば、成功者のキャリア形成のきっかけは、80%が偶然である、という。だとすれば、企業が腐心するべきは「いい偶然」を招き寄せるための努力であり、「大量に試して、うまくいったものを残す」という方法であろう。GAFAの中核であるアマゾンは、上場以来70を上回る数の新規事業に参入しているが、そのうちの1/3程度は失敗し、早期に撤退しているという。ここから分かるのは、アマゾンの成功は膨大な数の「試行錯誤」の結果であり、綿密な計画による予定調和的なものでは決してない、ということだ。企業経営も生物の自然淘汰と同様、新しい形質の獲得は基本的に「偶然」であり、偶然の変化が起きる数が多いほど進化の契機も増加する。限界費用が低下し、「試す」このコストが低下した現在においては、「戦略的な計画」よりも「意図された偶発性」の方が、よりよい成果に結びつく可能性が高い。したがって、VUCAワールドでは、「とりあえず試してみて、結果を見て修正する」「計画を実行しながら、計画を作っていく」というダイナミックなアプローチを採用する企業こそが、生き残っていくと考えることができる。

そして、その際重要なのは、「撤退」の判断を的確に行うことである。アマゾンは「試行と撤退の達人」と称されるほど、「試す力」と「撤退する力」を併せ持っている。これは日本の企業とは対照的である。いまだに日本社会では、新規事業を実現する際には綿密な計画を立て、乾坤一擲の資源投入によって成功を目指す、という考え方が強い。長期の計画を立て、その計画を頑なに実行しようとし、思いがけずにやってきた機会に対して自らを閉ざし続ける。そのような態度では、ビジネスを巡る状況が目まぐるしく変化するVUCAワールドで、成功を収めることは不可能に近い。さらには、利益の出なくなった事業をずるずると続けて、最終的にどうしようもないという段階に至って初めて、仕方なく二束三文で売却する、という「撤退の稚拙さ」は、企業の存続そのものを危うくさせる悪習である。日本企業は、新規事業の「試行」と「撤退」に関わる文化・制度を、根本から変革すべきであろう。

## 第2節　ウォーターフォール型からアジャイル型へ

伝統的なソフトウェア開発手法は、ウォーターフォール型開発と呼ばれ、滝の水が上流から下流に流れるのと同じように、ソフトウェア開発の工程を、一方通行で上流から下流に流すものだった。ウォーターフォール型開発では、「要件定義」「概要設計」「詳細設計」「実装」「テスト」の明確に工程を分け、原則として行為ごとに作業を完結し、前の工程に戻ることはない。それぞれの工程ごとに作業担当者が異なることも多く、肯定の違う担当者間のコミュのケーションは、一般的にドキュメントを通して行われることになる。

伝統的なソフトウェア開発プロジェクトは、一般的に大規模・大人数のプロジェクトであり、数年の単位で計画され、要件定義工程で決定された要件は、その後ほとんど変更がないか、変更があったとしても後工程か吸収できる程度に小さいものだった。開発技術についてもすでに「枯れて」安定した技術を使用し、ベテラン設計者が設計していれば、想定外の事態は発生しづらかった。しかし通常、この方法では、実装工程まで進んだ段階で要件の変更を行うことはできない。そして、致命的な欠陥ほどプロジェクト期間の最終段階に見つかる傾向がある、という事実がある。プロジェクトの最終段階で欠陥が見つかったとしても、取り返しがつかない。そのため、本来なら早めに対処したい課題が、先送りになってしまうのである。

ウォーターフォール型開発の前提は、「顧客の要求は、プロジェクトが始まる時点ですでに存在し、プロジェクトが完了するまでそれは変わることがない」と考える点である。それは、VUCA以前の状況下では通用したかもしれないが、1990年代後半からは徐々に通用しなくなってきた。現代では、市場に対して素早く頻繁に新製品やサービスを提供する必要があるだけでなく、競合他社の動きにも機敏に対応しなければならない。そして、商品やサービスを提供する企業の側も、常に業務提携や経営統合などといった環境の変化にさらされている。数年後そして数か月後のビジネスの変化をすべて予見して、完璧な要件定義を行うことは不可能だ。したがって、長い時間をかけて要件定義を行ったとしても、出来上がったころにはビジネスに対応できない､役に立たないシステムになっている可能性は決して低くない。これらのことから､直面する問題に俊敏に対応できるシステム開発の方法論として、アジャイル型開発の方法論の構築が要請されたのである。

俊敏な開発手法が要請されるようになったもう一つの理由は、情報技術の発展・普及のスピードと、高度情報ネットワーク環境の整備である。1990年代後半といえば、オープンシステムが浸透し始め、新しい技術が次々と出始めた時期。一般事務員もパソコンを利用するようになり、IT部門も新しい技術を取り入れる必要に迫られるが、そこにはいくつものリスクがあった。習熟期間が必要という問題、不具合が潜んでいる危険、マッシュアップ時に問題となる相性などがそれである。しかしながら、ハードウェア能力の劇的な向上と、オブジェクト指向の開発環境の整備、インターネットの普及により、製品テスト反復時間が大幅に短縮され、チームによる効率的なシステム開発が可能となった。また、ネットワークを通したサービス提供は、バグの修正や機能追加を行ったシステムの提供に必要とする経費や時間を限りなくゼロに近づけた。こうした背景の下、アジャイル型開発手法が生み出され、普及することとなったのである。

アジャイル型開発の本質は、ビジネスニーズの変化に素早く対応することができるソフトウェア開発である。それは従来のウォーターフォール型開発と違い、短期間の開発を繰り返し行う反復開発の手法であるが、開発予定のすべての機能について検討し、要件の中で優先度の高いものについて動くソフトウェアをできるだけ早めに作って、顧客からのフィードバックを得ながらよりよいものに改良した上で、顧客の了解を得て順次実装していく。開発期間中にビジネス環境が変化し、新しい機能が必要となる場合、そして、最初に必要と考えられていた機能が不要になる場合には、顧客の要望に応じて柔軟に対応する。一つ一つの機能の開発には「反復期間」が設定され、あらかじめ設定された開発範囲が完了しない場合でも、決められた期日でいったん完了し、改めて次の反復の計画を行う。状況は常に変化しているのに加え、顧客の要望には限りがないからである。

こうしたいわば高度情報環境を活用したVUCA対応型の開発スタイルという側面以外にも、アジャイル開発にはさまざまな長所がある。その一つが、段階的なコスト回収である。ウォーターフォール型開発では、顧客へのシステムのリリースは開発計画完了直前に一度だけ実施するが、アジャイル型開発では反復が完了するたびに顧客が利用可能なシステムをリリースする。ウォーターフォール型開発ではリリースが一度だけなので、それ以前にシステムから得られる価値はゼロであるが、アジャイル型開発においては顧客は反復ごとに価値のあるシステムを受け取ることができるから、そのたびに、かけたコストに比例した価値を受け取ることができるというメリットがある。さらに、顧客にとって最も必要な機能がプロジェクト初期段階にリリースされるのであれば、顧客はプロジェクト初期段階にコスト以上の価値を受け取ることも可能だ。もっとも、アジャイル型開発に初めて取り組む場合や、事前のアーキテクチャー設計に時間を割いた方が開発の効率が上がるような大規模開発の場合には、こうしたメリットが得られない場合もあるので、注意が必要である。

人の要素を生かす、というのも、アジャイル型開発の特徴の一つだ。ウォーターフォール型開発では各工程にそれぞれの専門職を割り当て、それによって効率を上げようとする。しかし、それぞれの工程が直列につながっており、工程をつなぐのは厳密に内容が定義されたドキュメントである。ここでは各工程の担当者が完璧な仕事をするものと仮定されている。しかしながら、システム開発は上流から下流に至るまで創造性を求められる仕事であり、この種の仕事においてすべての担当者に100%の仕事を期待するのは不可能だ。仮に、各工程の担当者の達成水準が95%であるとすれば、要件定義からテストに至る五つの段階全体での完成度は0.95の五乗すなわち77%となってしまう。これに対して、反復を特徴とするアジャイル型開発では、人の要素を生かすことを考える。人にはそれぞれ得意分野があるとしても、一つの専門業務しかできないというわけではない。アジャイル型開発では、多機能工化したメンバーがチームを構成し、ドキュメントではなくメンバー同士の会話によってコミュニケーションを行うことで、自分の得意分野でチームに貢献するだけでなく、他のメンバーが困っているときには積極的にサポートするなど、それぞれのメンバーが主体的に行動する。チームの中のやり方も、最初に決めた方法に拘泥することなく、不都合が発生すればよりよい方法を検討する。要件が変わったり、プロジェクト内の状況が変わったりすれば、それに柔軟に対応する。アジャイル型開発は、自己組織化され、継続的改善を行えるチームを前提とし、かつ、自己組織化と継続的改善を行いやすい仕組みなのである。

最後に、ウォーターフォール型開発では将来についてできるだけ正確な予測を立てることによって、完成する成果物とその完了時期をコントロールしようとするのに対し、アジャイル型開発では予測通りにプロジェクトが進むことを最善とせず、その時その時の状況に応じてよりよい要求を見出し、よりよく対応していこうとする。競合他社の動きだけでなく、社会経済的状況から顧客の必要とするもの、プロジェクトの人員などさまざまな条件が変わらないのであれば、ウォーターフォール型開発が有効であることは明らかであろう。しかしながら、ビジネススピードの変化を含めて、VUCA 化が進んだ今日では、半年後の状況を予測することさえ難しい。さらに、プロジェクトが進むにつれて新しいアイデアが生まれ、新しい要求やより優先度の高い要求が出されれば、柔軟に対応していくことによって、最終成果物をよりよいものにすることができるものと考えられる。すなわち、ウォーターフォール型開発を「予測型」という言葉で特徴づけるとすれば、アジャイル型開発は「適応型」であり、VUCA 時代に対応するための不可欠な開発手法と考えることができよう。

予測困難な VUCA の時代、テクノロジーの進化で未知の競合や製品・サービスがしのぎを削る令和時代において、アジャイル的な行動様式は一つソフトウェアの領域のみならず、さまざまな製品・サービスの領域における成功の秘訣とされるようになった。何が当たるか分からない時代にビジネスで成功するためには、できるだけたくさんのアイデアを出し、その中から成功確率の高そうなものを試してみるというプロセスが重要になる。既存のものに違ったものを組み合わせると、今までにないものが生まれる。そうして生み出された数多くのアイデアの中から、ビジネスになりそうなものを取捨選択していくのだが、その際にポイントとなるのは、論理と直感のバランスである。データを根拠にアイデアを選択するという発想では、競合他社との差異を生み出すのは難しく、ビジネスとしての成功はおぼつかない。しかし、人々の内発的動機を刺激するアイデアであっても、直感の赴くままに製品開発を行うのでは、リスクが高すぎる。したがって、独創的なアイデアについて、必要な投資や市場・顧客規模、新規性やリスクなどをリストアップし、事業化の可否を論理的に検証することが求められる。そして重要なのは、アイデアをアイデアのままで終わらせず、「小さく、素早く、試してみる」ことである。小さな規模でスタートさせ、ユーザーの反応やフィードバックを得ながら、その製品・サービスの成功の可能性や改善・改良の余地を探っていく。「試す場所」が増え、「試すコスト」が低下している現代においては、机上で考えるより実際に試してみた方が実践的であり、より意味のあるデータを収集することができる。それに加え、「たくさん試してみる」ことも重要である。優れたアイデアであっても、先進的過ぎたり共感を得られなかったりすることもある。そして、改善・改良を繰り返してもビジネスとして成立する見込みがなければ、早々に見切りをつけて次のアイデアを試す決断を行うべきなのである。高速でPDCAサイクルを回し、アイデアを実際に試してみながら「続行」と「撤退」を素早く決めることが、VUCA時代にビジネスを成功させる鍵となる。事実､アマゾンやグーグルの成功は､数多くの「試行」と「撤退」の上に成り立っているのである。

このように考えれば、現代の企業経営において、与えられた問いに対して処理能力や知識をフルに活用し正解を出すことを良しとし、100点主義と減点主義に固執することは、愚かであり有害ということになる。なぜなら、現代社会では、「正解」自体が変化するからだ。こうした状況の下では、プロジェクトのリーダーに求められるのは管理能力ではなく､スピード感のある仮説検証能力であり､単なるアンケート調査ではなく、試行を通した市場との対話である。自社が対峙する市場と顧客に対して提供できる価値について大胆な仮説を設定し、それに基づいて行った実行結果を冷静にデータで分析し、それ以前の仮説を進化させて、新しい価値が生み出されるまで、しぶとく高速に進めていくこと。不確実で変化する市場に対し、たくさんの新商品という「問い」を素早く、小さく投げかけてみて、その中で成功につながる勝ち筋をいち早く見出すこと。こうした能力は、世界で活躍しているリーダーが有するものであるが、今日、日本企業の多くはそのような特性を有するリーダーを渇望しているという。

では、知識偏重型の従来の受験制度で育った人たち、そして、自前主義にこだわる日本企業が、VUCA時代に対応していくためには、どのようなことが必要であろうか。次節では、こうした点について、検討してみることにしたい。

## 第3節　クラウド人材の活用とラーニングアジリティ

終身雇用制度が崩壊したとはいえ、企業が存続する限り、企業に必要なコア人材は残存し、マネジメントを担うことになる。ここで重要なのは、VUCA化によって知識や経験の陳腐化が早まっているのに対し、「正解探し」を続けて出世してきたような経営者・管理職は、過去の成功体験や「調査・計画・改善」モデル、専門家依存の意思決定など、「石橋を叩いて渡る」ような、失敗しても責任を問われない方法論に固執する傾向があることだ。これは、それまでの実績や従順さに応じてポジションを与えるという企業内人事に起因するものと考えられるが、それゆえ、知識や経験をアップデートし、意味のある問題設定を行うべきコア人材が、最新の知識を持つ社外人材を活用できず、イノベーションプロジェクトが頓挫することも少なくないという。そしてその理由は、こうした人材が必ずしも内発的動機によって動いているとは限らないことにある、と考えられている。人は、自分の内発的動機とフィットする場に身を置かなければ、自らの意志に基づいて自由自在に活躍することはできない。そして、専門家よりも門外漢が問題解決の担い手となり、パフォーマンスを挙げつつある今日、無批判に専門家の意見や指示に従うことがどれほどの意味があるのかが、問い直されている。つまり、組織のコアに最先端の知識を持った人を抱えることは、必ずしもビジネスにプラスになるとは限らず、場合によってはビジネスを停滞させる危険すらあるということだ。

VUCA化が急速に進む世界においては、組織内にいる専門家と組織外のクラウドにいる門外漢をどう組み合わせていくかが、企業における価値創造力を大きく左右する。それは、どんなに知識と経験が豊富な組織であっても、会社のコア＝内側とクラウド＝無限の外側を比較すれば、蓄積された知識と経験量の面で内側が外側に勝ることはないからである。そして、情報流通の限界費用が原則的にゼロとなる社会においては、社内人材に問題解決を依存するという発想そのものの合理性が大幅に低下する。したがって、社内人材であるコアの役割を「問題の設定」およびクラウド人材のマネジメントに限定し、「解決策の追求」をクラウド側に委ねる、というのが、現代社会における効果的な経営手法、ということになる。

では、「問題の設定」を行う上で重要なことは何か。問題を生成するためには、その前提となる「あるべき姿」を構想することが必要となる。そして、この「あるべき姿」は、個人の全人格的な世界観・美意識によって規定される。それゆえ、このような営みを行うには、どうしてもリベラルアーツに根差した人文社会科学的な思考が必要だ、ということになる。確かに2008年、ウォール・ストリート・ジャーナルが報じた国際的な報酬調査の結果によれば、STEMとしてくくられる理数系学位を得た学生は、総じて給与水準の高い職に恵まれているように見える。しかしながら、全米で中途採用された人のうち、中央値ではなく「最も高収入で採用された上位10%」の集団を見ると、上位十校をエール大学やダートマス大学といった、教養学部に強みを持つ学校が並んでいることが分かる。この傾向は専攻別でも同様で、中途採用者の専攻別の給与ランキングの平均値ではコンピュータサイエンスや化学工学が上位にランクされているものの、年収の上位10%にあたる人々の専攻科目は政治学、哲学、演劇、歴史といったリベラルアーツが突出しているのである。このことは、経営を取り仕切ったり、独自の知識・創作活動によって社会にインパクトを与えるようなリーダーに、理数系学位ではなく、リベラルアーツ系の学位を持っている傾向があるということを示している。では、それはいかなる理由からなのか。

組織においては、経営の課題＝アジェンダを設定するのは経営者の仕事であり、経営者が定めたアジェンダを現実に解消していくのは中堅以下のスタッフの仕事になる。それゆえ、上層部になればなるほど仕事の重心が「問題の設定」へと傾斜し、逆に組織の下層部になればなるほど、仕事の重心が「問題の解消」へと傾斜することになる。したがって、「問題の設定」に大きな比重が置かれる組織の上層部には、課題を設定するためのリテラシーとしてのリベラルアーツが求められる一方、「問題の解消」に大きな比重が置かれる組織の下層部にいる人々には、問題を解消するためのリテラシーとしてのSTEM能力、すなわちサイエンスが求められることになる。この役割分担が逆転し、組織の上層部が「未来を構想する」という最も大事な仕事を放棄して「数値分析に基づく問題の解消」に注力してしまうと、企業は「構想なき生産性の向上」に陥り、従業員のモラルとモチベーションが低下したり、企業経営が行き詰まってしまうことになる。自らの五感をフルに働かせ、社会や未来を全体的に把握しようとする知的格闘、そして、リベラルアーツを駆使して未来を構想することこそ、現在の企業経営において、組織の上層部そして経営者に求められていることなのだ。

では、リベラルアーツとは何か。リベラルとは自由という意味であり、アートとは技術のことである。したがって、リベラルアーツとは「自由になるための技術」ということになる。人はそれぞれ、社会経済的地位や自らが置かれた具体的な環境、そして、時代背景や社会背景など、さまざまなものに縛られている。そして多くの場合、自らの世界で常識として通用するものを、特に疑問も持たずに受け入れ、それを通してものを見ている。リベラルアーツは、そうした前提や枠組みからいったん身を引き、相対化してみるための技術。すなわち、日ごろ「当たり前」として受け入れているものについて疑い、問を投げかけることによって、それから自由になる技術なのである。いつの時代にあっても、新しい価値を生み出すうえで、こうした営みは不可欠なものなのだ。だがしかし、目の前の常識について問い、疑うことをやめてしまえば、未来を構想することはできないとはいうものの、すべての常識を疑ってしまうと著しくコストがかかり、日常生活が成り立たなくなってしまう。そこで、差し当たって疑わなくてよい常識と、その時点で疑うべき常識を、見極める選球眼が重要となる。そして、この選球眼を与えてくれるのもまた、リベラルアーツなのである。

リベラルアーツの本質は「真・善・美」という人間とって普遍的な価値を身につけることである。真理を知ってこそ、人は自らを縛るさまざまな要因から自由になれる。コンプガチャ問題もキュレーションメディア問題も、事業を始めるときは経済性が、やめるときには社会圧力がきっかけとなっていた。「違法ではない」にもかかわらず、倫理を大きく踏み外しているということで、社会的な制裁を受けた形である。VUCA時代においては、さまざまなテクノロジーやビジネスモデルの変化に対して、ルールの制定が追い付いていない状況が多々発生している。遺伝子操作や人工知能など、きわめて倫理的な判断の難しい領域も存在し、それが、こうした問題を引き起こしている。そしてそれは、不確定な時代において、明文化されたルールだけを根拠とし、判断の正当性すなわち、その判断が「真・善・美」に則るものであるかどうかを問わないという実定法主義の考え方を踏襲したために生じる問題である。不確定な時代における事業開始の意思決定を、法律や業界ルールなどの明文化された規則だけを判断の基準に行うことは、非常にリスクが高い。このような時代には、それが自然や人間の本性に合致するかどうか、その決定が「真・善・美」に則るものであるかどうかを基準に、事業開始の意思決定を行う必要がある。そうした判断の基盤になるものが、まさにリベラルアーツなのである。

今日においては、STEMに代表される理工学系の知識・技術は、高度化するとともに細分化され、専門化されている。そのために、自分の専門外のことには口出しせず、専門家に全て委ねる、という傾向が強くなっている。しかし、世界の進歩の多くが、門外漢の素人によるアイデアによってなされていることを考えれば、こうした当たり前の「遠慮」が、世界全体の進歩を大きく阻害する結果となっているとも考えることができる。つまり、専門化が進めば進むほど、専門の境界を越えて動くことのできる精神の能力が重要になってくるわけで、その能力を与える唯一のものが、教養すなわちリベラルアーツなのである。教養は、専門領域の間を動くときに、つまり境界をクロスオーバーする時に、自由で柔軟な運動、精神の運動を可能にしてくれるのである。科学的な知識と技術・教育が進めば進むほど、専門領域を自由に横断しながら、必ずしも博学な知識がない問題についても、全体性の観点に立って考えるべきことを考え、言うべきことを言うことが、組織の上層部に属する人たちに求められるようになっている。リベラルアーツは、そのための基礎的な武器ということができる。

リベラルアーツとともに、組織の上層部に属する人たちに求められるのは、アンラーニングを含むラーニングアジリティである。VUCA以前は、それまでの豊富な経験が、よりよい意思決定を行う上で、非常に重要な根拠となりえた。しかしながら、環境の変化によって経験の価値がリセットされてしまうVUCA時代では、過去の成功体験を根拠に意思決定を行うことが、いつも有効であるとは限らない。人は未経験の事態に対処する場合、ゼロベースで情報を集め、それらをもとに試行錯誤しながら対処することになる。そして経験を積むにつれ、過去に経験した事態と同様の事態について、よりよい処理ができるようになる。これがいわゆる「経験と勘」であり、年の功というものであるが、環境の変化が速くなると、こうした能力は意思決定の価値を減殺させるばかりか、状況への対応力を破壊する可能性すらある。そして、「経験の無効化」は、組織の意思決定の在り方に変化を促すことになる。VUCA以前の社会では、経験豊富な長老たちが大きな発言権を持って組織の上層部を担う体制の下で、未曽有の新しい問題については分析や論理に基づいた問題解決能力の高い若者世代が向き合い、そうしたアプローチが通用しない複雑な問題については、過去の経験値を蓄積した長老世代が向き合う、という役割分担がそれなりに機能していたのかもしれない。しかし、現代において、過去の経験に依存した意思決定を行うことは、危険であり有害でありうる。そのような時代に求められるのは、経験と勘ではなく、学習機敏性＝ラーニングアジリティである。

ここで注意しなければならないのは、ラーニングアジリティという言葉が、「速く学習する」という意味とともに、「すでに学習して身につけたパターンをいったんリセットする」という意味を内包している、ということである。だが多くの人にとって、この「リセット」が難しい。大抵の場合、人は「失敗」という代償を払って「経験」を積む。そして失敗経験は多くの場合、ストレスを伴う。それゆえ、少なくない代償を払って学習し身につけたパターンを手放したくないのは人情であり、新しい経験のために改めて代償を払うのは避けたいというのもまた人情である。「経験の無効化」を認めて「リセット」を行うことは、組織内における自らの地位と役割の根拠を自ら否定することになる。頑ななまでにリセットを拒むことには、社会経済的地位の保全すなわち保身という意味合いもあるということだ。しかしながら、大きな環境変化が頻繁に起こる今日では、それまでの経験が無価値になるだけにとどまらず、意思決定や行動のクオリティをきわめて劣悪なものにする、という現象が、すでに至る所で見られるようになっている。第二次世界大戦後のいわゆる「土地神話」を前提として、土地を担保として大胆な資金調達を行い、それによってアグレッシブに事業を拡大させるという「成功パターン」を信じ、リスクの高い事業投資を行っていた多くの企業が、バブル景気の崩壊とともに多大な負債を抱えることになり、その後の日本経済を停滞させたのはほんの四半世紀前のことである。そして今、高度情報化によって訪れたデジタルシフトは、検索エンジンや書籍販売、携帯電話の製造において多くの経験と知識を蓄積し優秀な人材を有していた先行事業者を尻目に、その領域では「経験の少ない新参者」に過ぎなかったGAFAを、デジタル世界の覇者に押し上げた。こうしたことは、それまで蓄積していた経験と知識に縛られて、よりよい意思決定をできなかった企業が敗者になるという、VUCA時代のビジネスにおける新しい常識がどのようなものであるかを、如実に示すものである。

クラウド人材の中に、いかに優秀な人が埋もれていようとも、従来どおりに過去の経験と知識に基づく判断しかできず、また、自らの専門以外のことはその道の専門家に一任して素人たちの意見を一切受け付けないような人が組織の上層部を占めている企業は、VUCA時代のプレイヤーとして生き残ることは困難である。過去の経験や知識をアンラーニングした上で、目の前の状況を虚心坦懐に観察し、ラーニングアジリティを発揮して､常に自らの経験と知識をアップデートし続けること。そして、リベラルアーツに基づいて専門領域を自由に横断しながら、自由で柔軟な精神のもと、素人を含めた門外漢の意見を専門家のそれと分け隔てなく受け入れ、全体性の観点に立って物事を考えて言うべきことを言いながら、イノベーティブな問題解決を実現していくことができること。VUCA時代に組織の上層部を占める人たちに求められるのは、VUCA以前のそれとは全く違う、そうした能力だということができよう。

未知の競合や製品・サービスがしのぎを削りあう予測困難なビジネス環境になった今日では、時間とともに「正解」自体が変化する。この時代に求められるのは、与えられた問題に対して処理能力や知識をフル活用して正解を出す能力ではない。リーダーに求められるのは「管理」ではなく「スピード感のある仮説検証」であり、なるべくたくさん試して､可能性のあるものを探り残していくこと。そのためには、大局的な視野を持って自社が対峙する市場と顧客に対し価値を提供できる大胆な仮説を設定し、活用できる資源を最大限に活用して成功確率を70%まで上げたら、残りの30%は「やってみないと分からない。失敗したら自分の責任、そこから学んでいけばいいだけだ」と覚悟を決めて、とにかくやってみる。もし思ったような結果が得られなければ、その結果を冷静にデータで分析し、それまでの仮説を進化させて検証する。こうした試みを新しい価値を生み出せるまでしぶとく、高速に進めていく。これこそ、VUCA時代のリーダーのあるべき姿である。したがって、組織の上層部には、VUCA以前の方法論と異なる各部署のリーダーの新しい行動様式を理解し、支える役割が期待される。それに加えて、これだけ変化の激しい状況の下では、当初の見込みとは異なった形で成功した・失敗したという事態が多発するが、組織の上層部がそうした事態の発生が珍しくないことを正しく認識した上で、事業評価および事業化の方向性を柔軟に行っていくことができるか否かもまた、極めて重要なポイントとなる。

組織の上層部がリベラルアーツを活用する能力を持ち、自ら蓄積してきた知識や経験に拘泥することなく、アンラーニングを含めたラーニングアジリティを発揮していくことが、組織の盛衰を決定づけるようになった。この時代を生き抜いていくためには、我々自身が、自らの思考枠組みを根本的に変換していく必要があるということだ。

## 第4節　人生100年時代に求められるリカレント教育

1840年以降、データがある中で最も長寿の国の平均寿命は、1年に平均3か月のペースで上昇している。19世紀半ば以降、平均寿命は一貫して伸び続けてきた。これはすなわち、若い人ほど長く生きる可能性が高いことを意味している。もはや100年ライフは珍しいものではない。今生まれてくる子供の多くは、100歳を超えるまで生きることになるだろう。そしてこれは、今まで想定されていたライフコースが、もはや役に立たないものになってきていることを意味している。

例えば、1945年生まれの太郎、1971年生まれの啓太、1998年生まれの翔の三人がいるとしよう。太郎君の世代は平均寿命が70歳前後。この世代は、教育と仕事と引退という3ステージの人生が、最もうまく機能した世代といえる。啓太の世代の平均寿命は85歳。太郎の世代より長寿化の恩恵を受けているが、30代以降はVUCA化する世界への対応に苦慮しているのに加え、60～65歳で引退するとなれば、20年以上の老後が待っている。これでは、太郎の世代の3ステージの人生ではやっていけない。そして翔の世代になると、100年以上生きる可能性が高い。VUCA化の進む世界では、大学時代までに受けた教育で一生を過ごしていくことは不可能であるし、60～65歳で引退すれば、貧乏で悲惨な老後が待っている。しかし見方を変えれば、翔の時代こそ人生の設計の自由度が最も大きく、新しい生き方を実践することもできるかもしれないのである。

人生100年時代の到来を想定すれば、太郎の世代の3ステージの生き方が機能しなくなることは明らかだ。AIやロボットなど新しいテクノロジーが登場すると、産業や職業も激変し、大学時代までに習得した知識や技術では対応できなくなる。労働市場の変化に対応するためには、人生の途中で時間を割いて新しいスキルの習得に投資し、新しいテクノロジーを身につけることが必要だ。こうして翔の世代では､3ステージではなくマルチステージの人生が当たり前になるだろう。太郎にとってうまく機能していた生き方は、啓太には困難になり、翔には全く実践不可能になる。だがそれは、嘆き悲しむべきことではなく、実に素晴らしい変化なのではないか。3ステージからなる人生設計を忘れ去り、マルチステージの人生設計をすることができれば、長寿は大きな恩恵と化し、人々は活力と創造性に満ちた、充実した人生を送れるようになるはずだ。

さて、産業の興亡という点では、これから先100年以上生きる世代はそれまでの世代に比べて、生涯に経験する産業の変化や新陳代謝が多くなることは必至である。そして、産業の転換が進めば、我々は柔軟に新しいスキルを習得する必要がある。太郎の時代は一つの企業にある程度長く勤め続ける傾向が強かったが、翔の世代になると働いている産業や企業が激変に見舞われて、生涯に何度も職場を変える可能性が高い。そして、企業の在り方も大きく変わっていく。小規模な企業には大企業では発揮しづらい柔軟性があるのに加え、テクノロジーの進化により、組織を介さなくても働き手たちが連携しやすくなったからである。大企業の周囲に多くの中小企業や新興企業が集まり、エコシステムが形成されることを通して、雇用の機会が多様化されることだろう。中小の新興企業では、専門性の高い職や柔軟な働き方が生まれるからである。翔の世代では、こうしたエコシステムの柔軟性を生かして、人生の一時期に組織に雇われずに働く選択肢も、ありうるはずだ。フルタイムやパートタイムでやとわれて働くのではなく、次々と多くの顧客の依頼を受けて働くギグ・エコノミー。ビジネスとしてのシェアリングエコノミーなど、個人がお金を稼ぐ方法の柔軟性も高まっていく。その一方、テクノロジーは中スキルの労働者の代替と雇用の空洞化を進める段階から、高スキルの労働力を代替する段階へと入りつつある。ロボットは労働力人口の縮小を補い、経済性と生産性と生活水準を保つ上で役立つとともに、新しい雇用を生む。ただし、それは予想不能な新しい製品やサービスの登場、そして新しい産業の台頭によるものである可能性が高い。太郎と異なり翔は、生涯を通じてより多くの変化を経験し、より多くの不確実性に直面することになる。それゆえ翔の世代には、柔軟性をもって人生を構想し、状況の変化に応じて方向転換と再投資を行う覚悟が必要となる。太郎の世代とは別次元の速さで、知識や経験が時代遅れになってしまうからだ。

さて、100年ライフを生きる人たちは、その過程で大きな変化を経験し、多くの変身を遂げることになる。それを実現するためには、当人が自覚的に､「変身」に必要となる資産を蓄積しておく必要がある。具体的には、自分についてよく知っていること、多様性に富んだ人的ネットワークを持っていること、新しい経験に対して開かれた姿勢を持っていることなどである。このタイプの資産は太郎の世代ではあまり必要とされなかったが、翔の世代、すなわちマルチステージの人生では非常に重要なものとなる。人生の途中で変化と新しいステージへの移行に伴う不確実性への対処能力を高め、移行を成功させる意思と能力のことは特に、「変身資産」と呼ばれる。啓太や翔の世代は、太郎の世代より多くのステージと多くの移行を経験することになる。さらに翔の世代では、勤務先だけでなく、働く業種も変わることだろう。翔の世代の人々は就職の際にそのことを十分予見した上で、自発的に変身資産の蓄積を行っていかなければならない。

ここで「自分についての知識」とは、アイデンティティの問題と深く関わっている。100年ライフの時代には、その人の出自よりも、その人が何をするかが、アイデンティティを大きく形作るようになる。この世代の人々にとって、アイデンティティは、親の社会経済的地位や20代前半までに培った学歴・学校歴で決まるものではなく、その後の人生において自分自身が丹念に作り上げるものになる、というわけだ。そして変身資産を積極的に築こうとする人に必要なのは、さまざまな他者に意見を求め、自己認識と世界の見方を更新していくことである。何を知っているかだけでなく、どのように知っているかを変えるときに、「変身」は起こる。自分についての知識は、自分自身があり得る自己像へと変化を遂げるための道筋を示す役割だけでなく、変化を経験しながらもアイデンティティと自分らしさを保てるようにする役割を持っている。寿命が延びると、外的要因により多忙を強いられたり、職や居住地を頻繁に変えるなどして、アイデンティティが脅かされるような機会が増えるが、自分についての知識を持っている人は、そういう中にあってもアイデンティティを保つことができ、人生の新しいステージで成功する確率が高いだろう。人は一貫性を持った人生の物語を描くために多大なエネルギーを費やす。そのために不可欠な要素である継続性と因果関係という要素を形作る上で、自分についての深い知識が、極めて重要な役割を果たすからである。

「変身」が当たり前になれば、準拠集団、ロールモデル、比較対象とする人たちが、たびたび変わる。移行は交際範囲の変化を伴う。アイデンティティの変化、視点の変化のためには、それまでよりも広く多様性に富んだ人的ネットワークに触れる必要がある。そして、大規模で多様性に富んだネットワークは、長期にわたり価値を生む。職探しで重要なのは、人的ネットワークなのである。ここで重要なのは、新しい職に関する情報が、親しい人からではなく、「友達の友達」など、それほど緊密な関係にない知人からもたらされることが多い、ということだ。それゆえ、マルチステージの人生を生きる世代には、「弱い絆」を含む大規模かつ多様性に富んだ人的ネットワークが必要なのである。

ただし、変身資産にダイナミズムをもたらすのは、当の本人による実際の行動である。過去に例のない大胆な解決策を受け入れる姿勢、古い常識ややり方に疑問を投げかけることをいとわない姿勢、画一的な生き方に異を唱え、人生のさまざまな要素を統合できる新しい生き方を実験する姿勢、他の人たちの生き方と働き方に興味を持ち、新しいことを試すときにつきものの曖昧さをいとわない姿勢など、自らリスクを取って多くの選択肢と向き合い、場合によっては過去と決別することもいとわないこと。新しい生き方を意識的に模索する行動こそが、変身資産にダイナミズムをもたらす。そしてそれこそが、長寿を恩恵の源にする上で、決定的な重要なことになるだろう。

さて、長寿化が進んで、マルチステージの人生が一般化すれば、年齢とステージが一致しなくなることから、年齢層ごとに人々が隔離されるタイプの社会は、世代間の交流が日常化するものへと、大きく変化することになる。異世代が触れ合い、共通の体験をし、互いのことを知り、私的な知識を共有できるようになれば、年齢に関する固定観念や偏見も弱まる可能性が高い。それぞれの世代に特徴的な文化や考え方についても理解が深まり、新たな意味や価値が創造されるようになることだろう。その際に重要なことは、年齢による知能特性の違いについて認識し、それぞれがその長所を発揮できるようにすることである。

知能の分類にはさまざまなものがあるが、ここでは実年齢による知能特性の違いを考察するために、特に流動性知能と結晶性知能に着目してみることにしたい。流動性知能とは、分析と論理に基づいて問題解決をする際に用いられる知能のことで、推論、試行、暗記、計算などに代表される。これに対して結晶性知能とは、経験則や蓄積した知識に基づいて問題解決をする際に用いられる知能のことで、知識や知恵、経験値、判断力など、経験とともに蓄積される知能のことである。二つの知能のピークとなる年齢は大きく異なり、流動性知能のピークが20歳前後にあるのに対し、結晶性知能のそれは60歳前後にあるとされる。太郎の世代はいわゆる定常社会に近かったから、結晶性知能はまだまだ有効だった。しかし、社会の変化が速くなった今日では、経験の価値があっという間に減殺されてしまう。それゆえ、流動性知能が重要であり、学習機敏性すなわちラーニングアジリティが求められる。しかし人間だれしも、過去に学んで身につけたものをリセットすることにはストレスを感じるものだ。その結果、年長者には、過去の経験に基づいて形成されたパターン認識能力によって、目の前の現実を整理し理解しようとする傾向が強い。しかし、変化の激しい今日にあっては新たなものの見方を獲得したり世界観を拡大したりする機会を喪失させる、大きな要因となる。これは属人的というよりは年齢による傾向によるものであるが、本人にそれと認識することができれば、リベラルアーツを活用することによって、意識的に変えていくことができる類のものであろう。年長者世代が自らの経験や知識を相対化し、目の前の状況を虚心坦懐に観察し、相手の立場に身を置いたより深いコミュニケーションによって物事の本質を理解した上で、さまざまな立場からそれを捉え直し、過去に蓄積した経験と知識をアップデートしながら、深い気づきや創造的な発見・生成につながるさまざまな意味を引き出していくことができれば、あるいは、若い世代がそのような形で年長者の経験や知識を活用することができれば、単一世代からなる組織よりも多様な世代が混在する組織の方が、より優れた意思決定を行うことができるようになるはずだ。

人生100年時代、マルチステージの人生が当たり前になる時代において、さまざまな世代の間の交流が人間性豊かな社会の実現に結実していくためには、それぞれの世代が時代の変化を正しく認識した上で、互いの長所を生かし合えるように、考え方や行動様式を変えていくことが、求められていることになる。老いも若きも、人生観の大転換が必要な時代が訪れた、ということか。

## 第12章　注

第1節の流動的近代については（Bauman, 200）、プラットフォームについては（妹尾堅一郎、2014）に、VUCAについては（柴田彰ほか、2019）および（山口周、2019）に依拠している。2節は主に（Moreira, 2018）（平鍋健児ほか、2013）、第3節は主に（山口周、2019）に依拠している。なお、第4節は主に（Gratton & Scott, 2016）に依拠している。

第13章

# リベラルアーツとSociety 5.0で実現する人間中心の社会

## 第1節　Industrie 4.0とインダストリアル・インターネット

高度情報環境の活用は、産業政策にも、大きな変革をもたらしている。その一つが、ドイツにおいて政府や産業界が主導して推進する製造業の国家戦略プロジェクト「Industrie 4.0」である。

ドイツ連邦政府は2011年に「2020年に向けたハイテク戦略の実行計画」の10施策の一つとしてIndustrie 4.0構想を公表した。2013年4月にはワーキング・グループが「Industrie 4.0導入に向けた提言書」をまとめると同時に「プラットフォームIndustrie 4.0」が設立された。このプラットフォームを通じて、政府機関、業界団体及び、研究機関、民間企業を含めた産官学連携体制が構築される。

ドイツ国内企業全体のうち、中小企業の割合は99.6%。こうした企業の多くは、自らデジタル化を促進することは困難だった。こうした中小企業のデジタル化推進

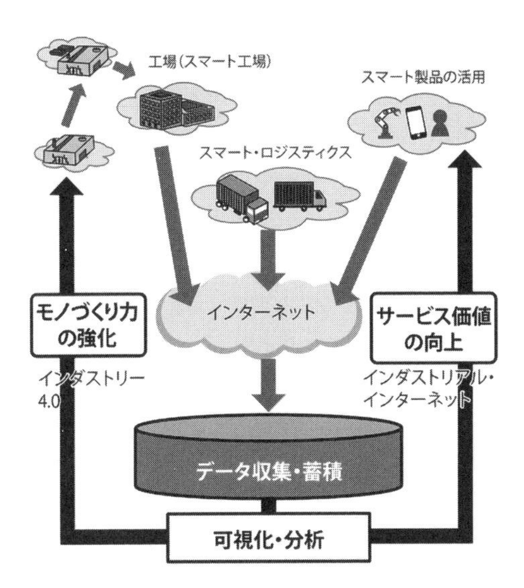


図版13–1：インダストリー4.0とインダストリアル・インターネットの狙い
（出典：生産効率向上を実現…インダストリアル・インターネットとは？　https://gentosha-go.com/articles/-/17774）

を目的とした公的支援の一つとして、ミッテルシュタント・デジタルという研究・コンサル機関がある。情報提供を含む中小企業向けの無料のデジタル化支援業務を行う窓口となっており、多くの中小企業と接触している。そして中小企業の中には、少数ではあるが、世界でもトップクラスのデジタル化への取り組みをしている企業もある。

Industrie 4.0の主眼は、スマート工場を中心としたエコシステムの構築にある。共通の情報プラットフォームを通して人間、機械、その他の企業資源が互いに通信することで、各製品がいつ製造されたか、そしてどこに納品されるべきかといった情報を共有し、製造プロセスを円滑なものにするだけでなく、既存のバリューチェーンの変革や新たなビジネスモデルの構築をもたらすことを目的としている。

ドイツでは、インターネットアクセス技術として光ファイバーの整備は進んでおらず、とりわけ中小企業が多く存在する地方におけるインターネット環境は十分ではなかった。また、ドイツの中小企業は日本の製造業のように系列化されていないため、スマート工場を起点とするエコシステムを形成するためには、さまざまな事業者の技術仕様に対応した汎用的な仕組みを構築する必要があった。さまざまな機器及びテクノロジーが連携する必要性が増すIoT環境においては、システムを交換可能な部品で構成する「モジュール化」、また、モジュール同士の比較的緩い接続によって工程を柔軟に変更することを可能にする「プラグ&プレイ」方式などを通して、スマートファクトリー実現に向けての研究を行う必要もあった。

これらを行なうことによって、スマートファクトリーによって仮想的な生産システムと現実の生産システムがグローバルかつ臨機応変に互いに協力する世界を構築でき、それによって製品の完全なカスタマイズ化と新たな経営モデルの創出が可能になると謳われた。遍在化しモバイル化したインターネット、小型化し強力になったセンサーの低価格化、さらにAIと機械学習の技術を活用して、製造業を改革する。その特徴の一つは、サイバー・フィジカルシステムを活用したデジタルツインによるスマートファクトリーの実現である。スマートファクトリーとは「考える工場」の意であり、機械や人間、その他のあらゆる企業資源が相互に接続して通信し、工場の稼働状況の「見える化」を発展させ、機械が自律して判断し、生産プロセスをより効率化・高品質化させる、というコンセプト。これによってサプライチェーンやビジネスモデルの在り方が大きく変わる。すなわち、従来の少品種大量生産による低価格の実現という方法論を超えて、大量生産の仕組みを土台としたうえでオーダーメイド定期な生産を行う「マス・カスタマイゼーション」を実現するのである。

しかし、Industrie 4.0の目指すものは、そこに留まるものではない。IoTを構成

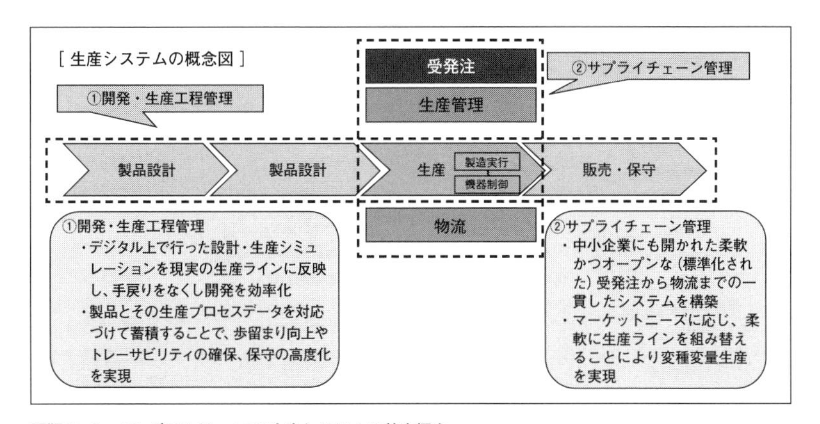


図版13–2：インダストリー4.0の生産システムの基本概念
（出典：インダストリアルIoTの現況と日本社会が取り組むべき課題　http://www.neptunegroup.jp/topics/image/nobbyyoshida_industrial%20IoT%20and%20issues.pdf）

するデジタル技術を用いて、研究開発、生産工程、アフターサービス、製品・サービスの構成を変える。そこでは、知能を持った機械が、部品や材料の情報を自動的に管理し、顧客の要望に合わせた製品を低コストで組み立てられるよう、調整が行われるという。それは、現場での労働や経営管理、プラットフォームやエコシステムを変える。さらには、あるセクターにおける製造工程全体を変える。これは、特定分野の業績を個別に改善するのではなく、さまざまな工程をネットワークしたうえで、一つの領域における技術的イノベーションを他の領域に波及させることで、すべてのプロセスチェーンの関係を変化させ、これに関わる企業の役割までをも変化させることで、個々の企業が単独で業務改善を行った場合に勝る効果を生み出そうとするものである。ネットワークの中で生まれた、互いに協調し合う複数のイノベーションは、新たな技術の組み合わせによる価値の創造を促していく。それは新たな価値を生み出し、市場に新たな需要を作り出すというわけである。

Industrie 4.0には、それに加えて、企業の別・業界の区別を超えたエコシステムを形成することで、製造業に関わるすべてのプロセスを、よりスマートなものへと変えていこうとする構想も含まれている。これは、「モノ売りからサービス売りへ」というビジネスモデルの転換を推し進めて、材料から再創造までという製造物のライフサイクルを視野に入れ、サステイナブルな社会を実現していくための、社会経済システムの再構築ということになろうか。ブロックチェーンを活用すれば、一つ一つの製品について、それを構成する部品一つ一つの材料・加工に用いられた電力から、故障や修理の履歴、そして回収した製品を分解して得られた部品の再利用までが、極めて低コストで管理できるようになるからである。

例えば自動車部品メーカーであるボッシュは、世界トップのセンサー企業であり、システムとセットで売ることを強みとしている。同社はモビリティ分野のIoT化、自動運転やコネクテッドカーの分野で注力し、車載用の自動運転CASE戦略を狙って、MEMS（超小型機械電機システム）を生産するだけでなく、ダイムラー社と協働で自動パーキング用のオペレーションシステムを開発、実用化している。

同社はグループ内の工場の産業機器などをボッシュのデジタルプラットフォームに連結し、ビッグデータの分析・処理を行うだけでなく、自社の工場のデジタル化によって在庫や物流のコストを下げるノウハウや実例を積み重ねた成果を、外部の企業のコンサルティングに活用し始めている。こうしてボッシュは、スマートシティ、スマートホーム、エネルギー、スマートビルなどの分野でIoT事業の拡大に取り組んでいるのである。

また、シーメンスはドイツのIndustrie 4.0プロジェクトを推進する主要メンバー企業として、産業界のデジタル化を目指して、事業の選択と集中を行いながら、ソフトウェア事業を拡大している。アンベルク工場はIndustrie 4.0のテクノロジーを導入した代表的工場であり、製造工程のデジタル化を進めることで、一つの工場で1000種類のコンピュータが、少量でも低コストで生産できるマスカスタマイズ生産の体制を整えている。

シーメンスもまた、デジタルプラットフォームの機能をB2Bで提供することに注目している。IoTの分野で工場などのネットワークを進めるため、SAP社が提供するシステムを使って、インダストリアル・クラウドシステムの提供を開始。自動車産業からさらに幅広い産業へ、また、各業界のトップ企業から、中堅・中小企業まですそ野を拡大しながら、ドイツ産業界全体のデジタル生産、デジタルサービスの提供に取り組んでいる。ドイツではシーメンスのプラットフォームを利用する大企業が増えており、中小企業を得意とするソリューション提供企業も、これを用いてソリューションを提供している。シーメンスは世界有数の鉄道車用メーカーでもあるが、車両を製造して販売するという従来のビジネスモデルから、ソフトウェアを活用した鉄道サービスを提供するというビジネスモデルへの転換を進めている。シーメンスは自らをデジタル企業に変革し、ソフトウェアの活用でビジネスモデルをサービスに変換し、付加価値を生み出す方向性を打ち出した。そしてそれは着実に成果を上げているのである。

これに対してインダストリアル・インターネットは、米国のゼネラル・エレクトリック社が提唱した概念で、さまざまな製品から稼働データなどを収集してビッグデータを分析し、運用・保守や次の製品開発に生かす事により、製造業のビジネスモデルを変えるようとするもので、ICT技術を活用し生産性の向上やコストの削減を支援する産業サービスである。タービンや発電機などを構成するさまざまなパーツにセンサーを取り付け、インターネットを通して情報を収集・蓄積する。蓄積されたデータを分析・評価することにより、機材の運用を改善する提案を行ったり、故障の前兆を見つけて保守の提案を行う。それによって、自社製品に関わるユーザーの業務コストを削減させたり、業務中断のリスクを軽減させるというものだ。

インダストリアル・インターネットは、Industrie 4.0が対象とする製造業だけでなく、エネルギー・ヘルスケア・公共・運輸を含む五つの産業を対象としている。これを推進するのは、ゼネラル・エレクトリック社、インテル社、シスコシステムズ社、IBM社、AT&T社の5社によって設立されたインダストリアル・インターネット・コンソーシアムだが、現在では米国企業のみならず日本企業や欧州企業などの幅広い分野から100社以上の企業が参画している。

インダストリアル・インターネットの狙いは、先に触れた①コスト削減と効率化、②販売後の機械を常に最新の状態に保つことに加え、③ソフトウェアを継続的に更新することそして、④新しい価値を創出することにあるとされる。製品のパーツにセンサーを付け、その状態を常に管理することで、タイムリーな部品交換を行い、製品を常に最新の状態に保つことができる。これらセンサーを通して機材の細かい動作状態についてのデータを蓄積することにより、販売時点には想定されていなかった用途や製品のクセなどについて詳細に分析することができる。そうしたデータをもとにして、交換する部品を改良したり、製品の動作を制御するソフトウェアをバージョンアップすることも可能だ。そしてバージョンアップのたびにインターネットを通してソフトウェアをダウンロードさせれば、製品の機能を販売時点よりも優れたものにすることができる。インダストリアル・インターネットの考え方に基づいて作られた製品は、それ以前のものと違って、購入して使用することによって価値を失っていくのではなく、使えば使うほど製品についてのデータが蓄積され、それにもとづいてソフトウェアがバージョンアップされることにより、価値が上がっていく。これは革命的な変化である。

さらにこうした製品は、メーカーの手を離れた後も、センサーと通信回線を通して稼働状態に関するデータを継続的に収集できるので、この機能を活用すれば、予知保全などのサービスを行うビジネスだけでなく、製品の稼働状態に応じて課金する形のビジネス、そして製品によるソリューションを販売する形のビジネスなど、さまざまな形のビジネスを構築し、低コストで展開することもできる。さまざまなビジネスモデルが用意されれば、ユーザーは直面する問題を解決する上で最も効率的な方法を選ぶことができる。それは企業の収益だけでなく、社会経済的資源の効率的な活用による、持続可能な成長の実現という点でも、意義深い。

例えば航空機エンジンや医療機器、発電施設などの開発や保守を含むハードウェア事業を強みの一つとしてきたGEは、2011年にクラウドベースのソフトウェア・プラットフォームを開発した。航空機エンジンに取り付けられたセンサーなどから送られてきたビッグデータを、このプラットフォームによって分析することにより、ハードウェア提供だけでなく、ソフトウェアを通したサービスを提供する事業モデルの構築を行ってきた。このプラットフォームはオープン・プラットフォームであることから、GE以外の企業も活用可能であり、他社が提供するさまざまな機能と連携させることで、サービスの進化や対象領域の拡大も可能である。

一方、生産の分野でもDMP（データ・マネジメント・プラットフォーム）の活用が進んでいる。ビッグデータ分析に強みを持つ米国のPalantier Technologies社はエアバス社と連携し、エアバス社が所有するデータすなわち、飛行機の設計、運行、引退までに至る過程のデータを統合して管理できるプラットフォームを開発した。エアバス社はこれをオープン・プラットフォームとして運用するSkywise社を設立。同社の航空機を運行する航空会社も利用できるようにすることで、生産管理や予防保守、さらには新規ビジネスの創設など、広範なビジネスプロセスに役立てている。

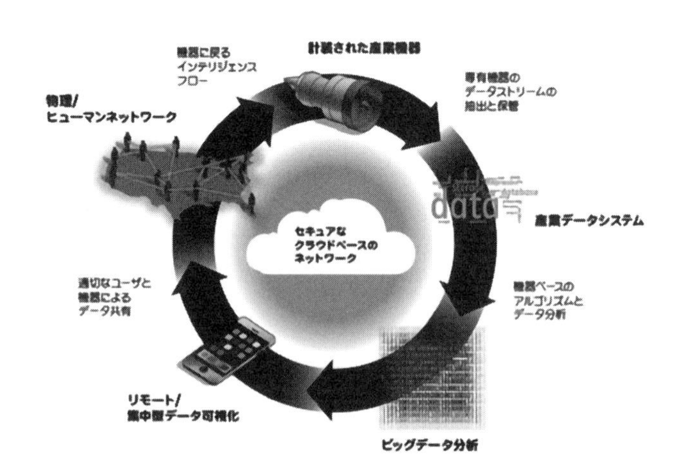


図版13–3：GEのインダストリアル・インターネットのデータループ
（出典：インダストリアルIoTの現況と日本社会が取り組むべき課題　http://www.neptunegroup.jp/topics/image/nobbyyoshida_industrial%20IoT%20and%20issues.pdf）

エアバス社はこれにより、生産現場における品質管理のトラブルを約30%低減しただけでなく、トラブルの原因特定にかかる時間を平均2か月から平均2週間に短縮することができ、ユーザーである航空会社は品質管理に関する報告書作成にかかる時間を3週間から2日以内に短縮することができた。

インダストリアル・インターネットは着実な成果を積み重ねつつあるといえる。

## 第2節　Society 5.0の包括性と先進性

第5期科学技術基本計画（2016–20）において提示されたSociety 5.0は、多くの識者による議論と、技術と社会の発展についての考察から生み出された「新たにめざすべき社会像」であり、その構想を産業界や市民社会で広く「共有」するために打ち出された、日本発の概念である。その目標は、ICTを最大限に活用することにより、単に産業だけでなくさまざまな領域において未来社会として目指すべき「スマート社会」を、サイバー空間とフィジカル空間を融合させることにより実現していくことにある。ここでスマート社会とは、地域、年齢、性別、言語等による差別のない社会であり、多種多様なニーズ、まだ表面化していない潜在的なニーズにきめ細かく対応したモノやサービスを提供することで、経済的発展と社会課題の解決を両立できる社会であるとされる。それを通して、人々が快適で活力に満ちた質の高い生活を送ることのできる、人間中心の社会の実現を目指す、というのである。

現実の世界からデータを集め、それをコンピュータで処理し、計算結果を社会で

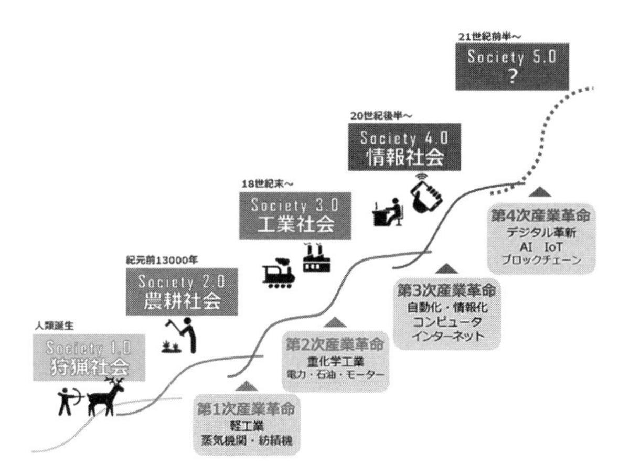


図版13–4：Society 5.0―ともに創造する未来―
（出典：https://www.keidanren.or.jp/policy/Society 5.0.html）

活用するということ自体は、すでに実用化されている技術だ。ここでSociety 5.0が新しいのは、それを一つの部屋や鉄道システムなどといった限られた空間・領域ではなく、社会全体で実現しようとするところにある。CPUやメモリなどの発達、エッジやクラウドそしてAIなどソフトウェアテクノロジーの進化、6LowPANやインターネットなど高度通信環境の普及により、初めて可能となるサイバー・フィジカルシステム。実社会全体のモデルをサイバー空間に作りこみ、これまで単独に制御されていた個々のシステムを相互に接続して、これまでにない高度なサービスや新たな価値を創出する。これによって、経済的発展と社会課題の解決を両立するとともに、社会全体にとっての最適と個人にとっての最適をバランスさせることをめざす。

例えば、経済発展だけを目指すと、大量生産によるコストダウンを通した大量消費型社会が最適解とされ、資源やエネルギーの浪費が地球環境破壊につながる恐れがある。さりとて、資源やエネルギーの利用を規制すれば、経済が停滞するだけでなく、快適な生活を送ること自体が難しい。また、一人ひとりにとっての快適と、社会全体にとっての最適は両立するのだろうか。エアコンの温度一つとっても、一人一人の好みの温度は異なるわけで、これを平均すれば、社会全体の満足度が上がるという性格のものではない。このように考えれば、Society 5.0は単なる技術的な概念ではなく、人文科学・社会科学的な視点をも含んだものである、ということが分かる。人間中心社会は、人間と社会についての学に基づく考察抜きには実現できないからである。

さて、Socity5.0の構想では、人間社会に関するさまざまな領域、具体的には、交通、医療・介護、ものづくり、農業、食品、防災、エネルギーなどの領域について、その展開イメージが示されている。それぞれの地域や領域で蓄積された情報はAIによって分析され、その成果が現実世界に反映されることにより、さまざまな問題が解決されることが期待されている。そして重要なことは、それぞれの地域や領域におけるデータの蓄積とその分析によって得られた知見が境界を越えて連携・共有され、新たな価値を生み出すと想定されていることである。

例えば医療・介護の領域では、①病気が悪化した状態で発見されて、治療の負担が大きくなる、②行きつけの病院でない場合や専門機関が近くにない場合、適切な治療を受けられない可能性がある、③看護や介護に対する家族や施設での負担が大きい、④要介護などによる引きこもりや孤独死、⑤医療費や介護費の増加などによる社会的コストの増加などの問題があった。これに対してSociety 5.0では、各個人のリアルタイムの生理計測データ、医療現場の情報、医療・感染情報、環境情報と

図版13–5：Society 5.0が拓く社会
（出典：電波新聞【CEATEC2019特集】Society 5.0実現へ〝共創〟を世界に向け発信　https://dempa-digital.com/article/15077）

いったさまざまな情報によるビッグデータのAI解析などによって、①ロボットによる生活支援・話し相手などにより一人でも快適な生活を送ること、②リアルタイムの自動健康診断などでの健康促進や病気を早期発見すること、③生理・医療データの共有によりどこでも最適な治療を受けること、④医療・介護現場でのロボットによる支援で負担を軽減することなどが可能になるとされる。そしてさらには社会全体としても健康寿命の延伸による医療費や介護費などの社会的コストの削減、そして医療現場等での人手不足の問題を解決することが可能とされている。

また、ものづくりの領域では、①多様なニーズに対応した迅速な生産が難しいために、②予想外の受注に対応するため、在庫をある程度抱えておかないといけない（在庫過多）という問題があり、③生産のための人材を確保しておかないといけないが、労働人口減少で難しく、④被災などトラブル発生時に部品供給が滞り、生産がストップしてしまうという課題があった。これに対してSociety 5.0では、顧客や消費者の需要、各サプライヤーの在庫情報、配送情報といったさまざまな情報に関するビッグデータをAIによって解析することにより、①これまで取引のない他分野や系列のサプライヤーを連携させ、ニーズに対応したフレキシブルな生産計画・在庫管理を行うことや、② AI やロボット活用、工場間連携による生産の効率化、省人化、熟練技術の継承（匠の技のモデル化）、多品種少量生産が可能となり、③異業種協調配送やトラックの隊列走行などによる物流の効率化を図ることによって、④顧客や消費者がニーズに合った安価な品物を納期遅れなく入手できるようになる、という。さらには、社会全体としても産業の競争力強化、災害時の対応、人手不足の解消、多様なニーズの対応、温室効果ガス排出や経費の削減、顧客満足度の向上や消費の活性化を図ることが可能になるとされている。

では、知識集約型社会、そしてデータ駆動型社会と称される Society 5.0 において、新たな価値を生み出し社会変革へと導く原動力となるものは何か。それは、「データ（Data）」「情報（Information）」、そして「知識（Knowledge）」であるとされる。ここでデータとは一般にフィジカル空間に存在するモノや事象を記述した数値、状態、名称、またはその有無を意味する。これに対して情報とは、収集されたデータをある目的や方向性の下で選別・加工し、意味づけしたものである。具体例を挙げれば、住民票の記載された各住民の性別や世帯構成、住所等は「データ」であり、ある都市における人口推移が増加傾向にあるのか、あるいは減少傾向にあるのかについての判断結果が「情報」となる。そして知識とは、作成された情報が経験則や前例に基づいて理解され、分析・洞察された結果であり、積み重ねた個別解に基づいて一般化された経験則のことである。先の例の文脈でいえば、人口減少の原因は

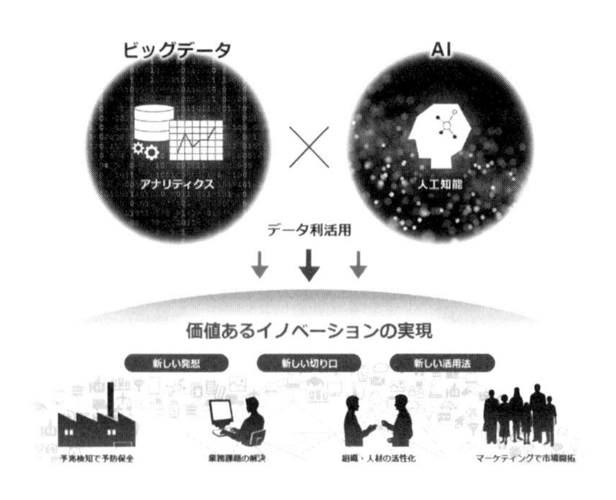


図版13–6：ビッグデータ×AIによる「価値あるイノベーション」の実現
（出典：ビッグデータ×AI　https://www.hitachi.co.jp/products/it/bigdata/bigdata_ai/index.html）

何かについての分析そして洞察の結果、および、人口減少を解消するにはどうしたらよいかについての考察結果が、「知識」となる。「データ」が「情報」、「知識」へと変換されることによって、人間や社会にとって初めて、データは有用なものになる。知識が蓄積されればされるほど、情報に基づく的確な判断ができるようになっていくからである。

そしてSociety 5.0とそれまでの社会との決定的な違いは、この「知識」の生産プロセスである。これまでの社会においては、人や社会の事象、物流や交通、そして都市や環境から取得されたデータはサイバー空間に蓄積されるものの、それを読み取って意味づけ「情報」を生み出すプロセス、そして、情報を読み取って「知識」を生み出すプロセスには、人間が介在する必要があった。しかしSociety 5.0では、フィジカル空間からの情報の所得は数多くのセンサーによって自動的に行われ、サイバー空間の中でビッグデータとして蓄積される。その後も人間が介在することなく、学習データを含めた過去の履歴をもとにAIが解析して知識を生み出していくことが可能となるのである。生み出された知識は現実空間に適用され、その結果に基づいてそれまでの判断基準が更新されることにより、情報分析の精度が向上していくことになる。こうして、データの情報化や情報から智識を生み出すプロセスに、人間が介在する必要がなくなると、これまでできなかった大量のデータを、高速かつ正確に処理して知識を生産できるから、VUCA時代の特徴である多様性や予測不能な変化に対しても、迅速・的確に対応することが可能となるだろう。

知識集約型社会であるSociety 5.0は、ヒトが集中する場所・空間を起点に成長する「労働集約型社会」やモノが集中する場所・空間を起点に成長する「資本集約型社会」とは異なり、データや情報が集まり、それを読み解いて活用するための知識が集積する空間や場所を起点に成長する社会となっていくと考えられている。そこでは、これまでモノ自体に高い付加価値を持たせることを目的として行われてきた技術開発が、知識を集約させ組み合わせて新しい価値を創造していく形へと、大きく変化していくものと予想されている。そればすなわち、第一次産業も含めたすべての産業が大きく変わっていくことを意味している。その意味で、Society 5.0は、人間社会全体を視野に入れた、壮大なコンセプトなのである。

そして忘れてはならないのは、Society 5.0の構想時点において、世界がすでに「大変革時代」に突入しており、それまでの「五カ年計画」のような、「あらかじめ決められた事業内容を計画通り粛々と行っていく」というやり方では成果を得ることができないということが、意識されていたということである。未来予測は必然的に外れる宿命にある。したがって、未来予測を現実のものにするには、自らが先頭に立ってさまざまな主体に働きかけ、未来そのものを創っていくほかはない。そして、不確実性に満ちた社会では、Plan-Do-See-Action のサイクルを従来と同じようなペースで回していては、間に合わない。重要なことは、できるだけ速く、たくさんのアイデアを試してうまくいったアイデアを残すこと、そして、失敗から学んでよりよいプランを作っていくことである。そして、価値観が多様化した今日、アイデアの種は社会を構成する一人一人の生活者の側にある。だとするならば、Society 5.0 で創造する人間中心の社会は、技術起点ではなく価値起点で、そして、一部の政治家や企業人ではなく国民全員が参加する形で、作り上げていくことが望ましい。

そう、第五期科学技術基本計画に示された Society 5.0 のイメージは、茫洋としてつかみどころがない、壮大な理念体系である。これは、この構想が、ある特定の型にはまることなく、さまざまな主体による多様な解釈と、それに基づく事業の実現を期待したものであることを意味している。Society 5.0 の解釈としては、現時点においても Cyber-Physical Systems（CPS）、サービスプラットフォーム、System of Systems、IoT × Big Data × AI × Robotics、データ駆動型社会、Digital Transformation（DX）等々、さまざまなものがあるが、そのすべてが正解であるだけでなく、それ以外にも多様な正解があり得るということだ。中でも 2020 に日本経済団体連合会によって示された Society 5.0 for SDGs は、国連によって 2015 年 9 月の国連サミットで採択された「Sustainable Development Goals（持続可能な開発目標）」の実現のために Society 5.0 のコンセプトを応用しようとする点で、社会的な意義が大きいといえるだろう。

Society 5.0 の持つそのような特性を最も明確に反映させているのは、市民社会＝市民の居住（ハビタット）の変革を志向する「ハビタット・イノベーション」というアプローチである。行政や企業がよりオープンとなり、信頼できるデータをオープンデータとして公開するデータ駆動型社会においては、住民は自身もデータを生み出しながら持続的・積極的に活動に参加し、行政や企業にはそれに対し責任のある反応を行うことになる。そうしたことの繰り返しにより、住民や行政、企業がデジタル時代のリテラシーを高め、良い流行、良い習慣、良い文化が少しずつ形成され、社会全体が成熟していくことになる。その過程において生み出されるサービスや技術、そして法制度について、それぞれ関連するステークホルダーと議論を重ねることを通して、市民自身が社会課題解決と経済成長を両立させ、持続的に都市を刷新していく。これこそ、住民起点のイノベーションすなわち、ハビタット・イノベーションの意義なのである。

人間にとって居住は自らの存在基盤に関わるものであるから、ハビタット・イノ

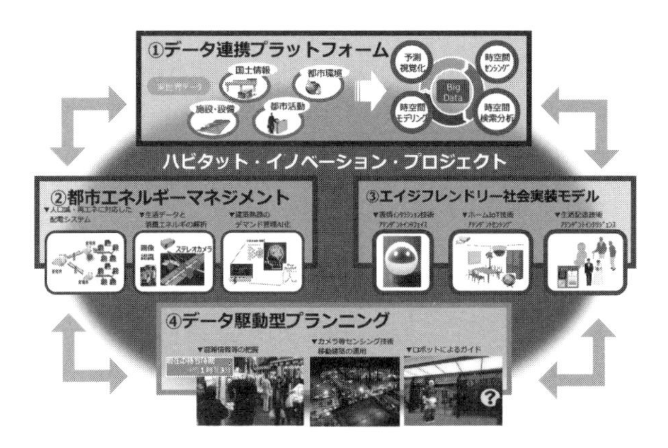


図版13–7："Society 5.0"を具現化する課題解決モデル
（出典：http://www.ht-lab.ducr.u-tokyo.ac.jp/summary/）

ベーションは、理工学的な知識・技術だけでなく、人文社会科学の領域における知識や教養の蓄積をもあわせ用いながら取り組むべき事柄といえる。一人一人の個人における Quality of Life（生活の質）の向上とは何かを洞察し、それを実現するために分野横断でデータを活用できるプラットフォームと、個人の便益に関するシミュレーション技術を発達させるとともに、長期的な需要変動や潜在的なニーズにきめ細かに対応できるシステムアーキテクチャーなどの技術を開発し、これらを住民起点で社会実装していくこと。そのために必要な技術を開発し、政策を着実に行っていくこと。それを実現するためには、居住地域における行政や企業の活動に住民を参加させて社会実験の経験を共有し、共に学びながらよりよい価値を生み出すという、技術と社会の共進の仕組みが求められよう。

## 第３節　人間中心社会か超管理社会か

Society 5.0 は超スマート社会を実現するための取り組みであり、ビッグデータと AI の活用による「これまでとは異なる価値創造のプロセス」は、社会の構造を大きく変える可能性がある。少子化、高齢化など、早急に対応しなければならない問題に対処するために、新しい技術やサービスを世界に先駆けて開発する。そしてその先にある、より人間的な社会を目指す。そうしたゴールを共有し、新しい社会を一緒につくり上げていく過程で創造性が発揮され、新しい価値が生み出される。技術起点のイノベーションから価値起点のイノベーションへと転換しつつある今日、物ではなく個々の人を中心に考えることがこれからの社会変革の鍵となる。こうしてデジタル革命は、新しい技術を作り出すことではなく、社会の構造そのものを本質的に変えていくものとされている。その際注意しておかなければならないのは、Society 5.0が実現する高度情報環境が、ジョージ・オーウェルが『1984』で描いたような、超管理社会を可能にするものでもある、ということだ。そして我々は、現在の中国にその姿を垣間見ることができる。

Web上では24時間体制で中国独自のネット監視システム金盾（グレートファイアーウォール）が稼働し、国内からは当局が承認していないサイトには接続できない。これは、党や政府に都合の悪いニュースや話題が国内に広がるのを防ぐのが目的で、SNSへの書き込みも常時監視されている。そのため市民の日常的な投稿までが、当局の「言葉狩り」の対象となることもしばしばだ。習近平氏とオバマ大統領が並んで歩く写真が、くまのプーさんとその友達のティガーのようだとSNS上で話題となり、当局から削除対象にされたことは記憶に新しい。また、中国政府による「社会信用システム」は、民間企業による与信システムの仕組みやノウハウを吸い上げて広く活用しようとするものだが、モデル都市威海市では、(1) 政府や国からの表彰・奨励、(2) 公共サービス、(3) 法令遵守、(4) 社会的義務の履行、(5) 道徳・交易の五分野につき、29分類3411項目についての個人のふるまいが評価・可視化されている。スコアが上がればローン金利や病院での優遇が受けられるのに対し、下がれば公共交通機関の利用が制限されたり、NPOの立ち上げが禁止される。今後は消費行動、社会行動、法律や社会のルールの遵守などの日々の行動がスコア化され、信用ポイントとして可視化されるものと予想されている。日本では、コロナ禍での飲食店に対する規制について、政府の要請に応じ、きめ細かい対応をして

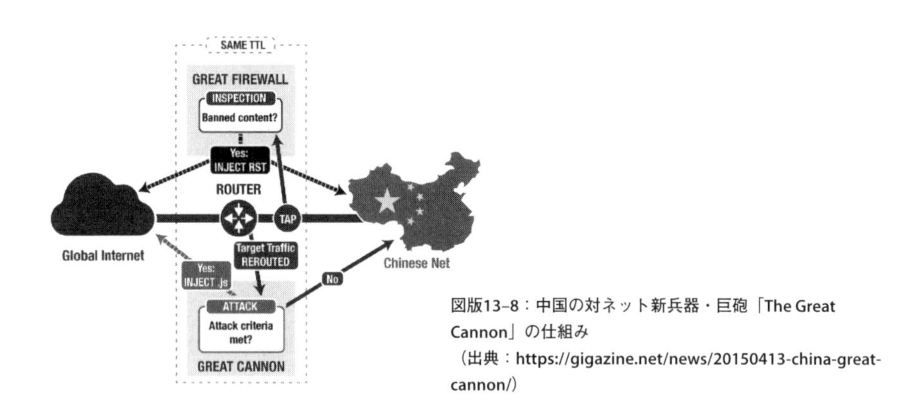


図版13–8：中国の対ネット新兵器・巨砲「The Great Cannon」の仕組み
（出典：https://gigazine.net/news/20150413-china-great-cannon/）

いる店舗が、従わない店舗同様に一律の扱いを受けることに対する不満が報じられた。信用スコアのシステムを応用すれば、個々の店舗について状況に応じた対応が可能となるかもしれないが、このような超管理社会を彷彿とさせる仕組みが日本社会にふさわしいかどうかは、慎重に検討すべき問題であろう。

さて、中国国内で稼働している監視カメラは二億台を超えるといわれ、国内の治安維持のみならず、さまざまな形で活用されている。最新鋭の監視カメラが24時間体制で路上を監視。撮影した写真から交通違反を犯した歩行者や自転車、バイクなどをAIを用いて自動的に検出し、当局が保管しているデータと照合して本人を特定し、違反の模様とクローズアップされた顔の写真だけでなく身分証の一部までをも、繁華街などに設置されている巨大なモニターに映し出す。このモニターは「交通違反者暴露台」と呼ばれ、交通違反者は大勢の市民に「さらし者」にされる。そして後日、違反者には警察から罰金を支払うよう連絡が入ることになる。こうした

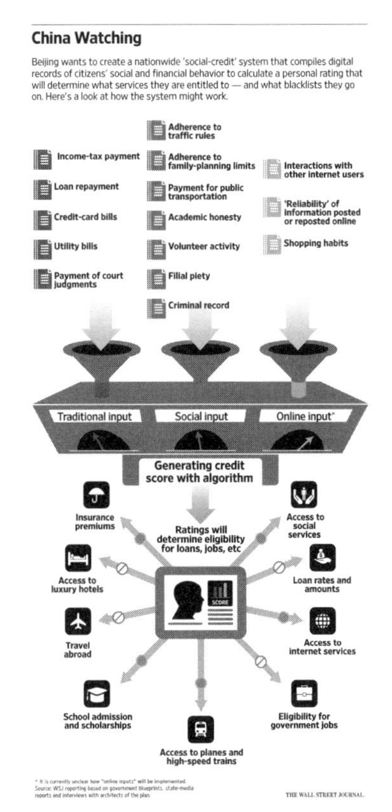


図版13–9：システムの概念図
（出典：中国が強化する社会統制：市民を信用格付け
https://jp.wsj.com/articles/SB10604864507425704319504582465583140464936）

システムは、上海、南京、洛陽などの大都市で導入されている。歩行者の信号無視は当たり前、自動車のスピード違反は日常茶飯事だった交通マナーが、暴露台によって改善されたというから、一定の成果を上げていることは明らかであるが、本人が気づかないうちに国民のさまざまな情報が「治安維持」の名目のもとに当局に吸い上げられ、そうして蓄積されたビッグデータによって「監視の目」が強化されていくというのは、民主主義国家にふさわしいといえるだろうか。

2020年のコロナの流行は、当局による個人情報の活用を、さらに進展させた。アリババ集団が開発した接触確認アプリ「健康コード」。スマートフォンを持っている者について、感染の恐れがないかを自動判定するもので、黄色や赤の文字が表示されれば「感染の疑いあり」として一定期間の隔離を強いられる。アリババが杭州市政府と協力して同市内に「健康コード」を導入したのは、武漢の封鎖から3週間足らずの2月11日のこと。その後このアプリは急速に普及し、2月19日には国内の100を超える主要都市で利用されるに至る。その後テンセントも同様のサービスを実装。飲食店や観光地など多くの施設が健康コードでの感染確認を入場条件にしていることもあり、中国での健康コードの普及はほぼ100%となった。そしてここにも、超管理社会としての中国の側面を、うかがい知ることができる。アリババやテンセントは各地方政府と協力してアプリを開発したが、危険性判定にどのよ

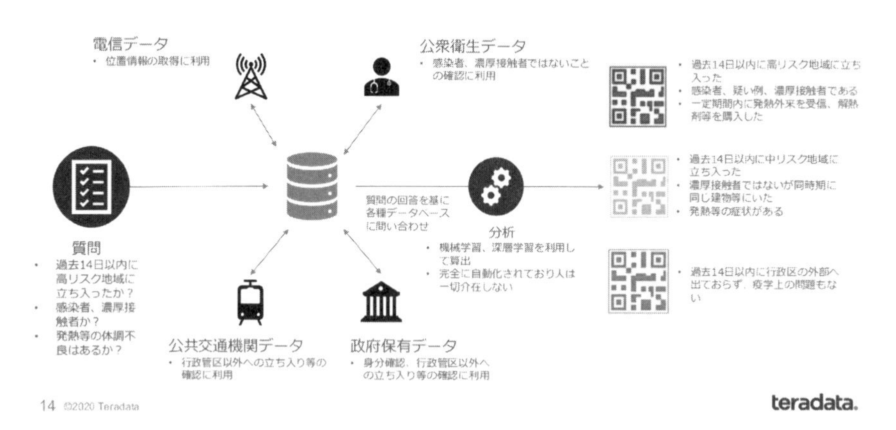


**図版13-10：健康コードにおけるデータの収集と分析**
**（出典：「健康コード」はデータドリブン政策の証、中国の新型コロナ対策　https://ascii.jp/elem/000/004/015/4015626/#eid3052818）**

うな情報を使用しているかは明らかにしていない。ただし中国では、スマートフォンを購入する際に身分証番号の登録が義務化されているから、スマホと個人が完全に紐づけられており、スマホの移動履歴や電波の発信情報などをたどれば、一人一人のユーザーがいつどこにいるかを簡単に特定できる。こうしたことを考慮すれば、買い物、食事、移動など、大量の個人情報が政府やIT企業に蓄積され、判定に活用されているものと推測できよう。このシステムが新型コロナの封じ込めに大いに役立ったことは事実であるが、問題は、当局がコロナの封じ込めに成功したのちもこれを手放さず、市民の行動監視に利用しようと目論んでいると思われることだ。街の至る所に監視カメラ、スマホのデータを使った個人情報の収集、web上のデータの24時間監視、当局が問題視する書き込みを行った市民の拘束。Society 5.0が目指す「人間中心の社会」とはかけ離れた、超管理社会の姿がそこにはある。

すでに2017年、中国ではインターネット安全法が制定されている。これは、中国で収集したデータをすべて中国国内に保管するように義務付けたもので、データを海外に持ち出す際には当局による審査を受けなければならなくなった。国家情報法によれば、中国市民と企業は、地理的境界に関係なく、「諜報活動」への法的責任と義務を負う。それに加えて、外国企業が収集した膨大なデータについても、当局が無断でアクセスできる恐れが生じたのである。2020年秋、アリババ集団創業者の馬雲が「中国の金融当局が技術革新を抑制している」と批判した直後、傘下企業の株式上場が中止に追い込まれ、アリババは独占禁止法違反で多額の罰金を科されることとなった。2021年には、配車アプリの大手「ディディ（滴滴出行）」がア

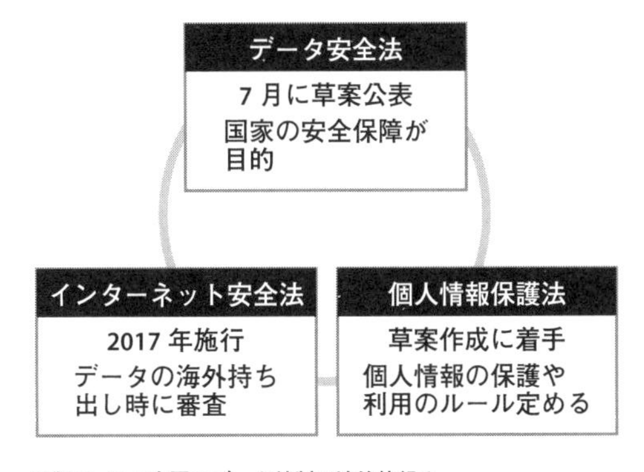


図版13–11：中国のデータ統制の法的枠組み
（出典：中国のデータ統制　全人代で法案整備を表明　https://www.nikkei.com/article/DGKKZO61881750S0A720C2EA2000/）

プリを通じて違法に個人情報を集めているとして、アプリの公開を停止するよう通知された。こうして世界は、中国政府がIT大手企業、それもアメリカで上場を目指す企業を集中的に規制を強めていることを知る。国家が情報の安全を厳しく管理しなければならない、という理由によるものだが、2021年末に成立するとされるデータセキュリティ法・個人情報保護法の法案は幅広く、曖昧で、複雑であり、規制当局は執行において多大な裁量判断が可能となる。そして中国には、米国のように、独立した裁判所による司法制度、政治面のチェック・アンド・バランス、一政党の管理下に入らない言論の自由が存在しない。先端のIT企業であっても、共産党のさじ加減次第でどうにでもなることを目の当たりにして、中国のIT企業の中には中国脱出や事業撤退を決めたものもあるという。アメリカの大学院で学んだ中国の若者たちには、今後中国の国内での活躍の機会をあきらめ、アメリカに留まる人が増えているというから、その結果、中国国内における科学技術の発展を抑制する可能性すらある。

もちろん、中国政府が行ってきた情報政策には、日本に先んじた面もある。中国政府は「デジタル政府」の整備を積極的に推進し、2019年にアリババのある浙江省、テンセントのある広東省などIT事業に強い省の地方政府が「全国統一オンライン政府事業サービスプラットフォーム」の基盤を作り上げると、同年11月にはこれを発展させた「国家政府事業サービスプラットフォーム」をリリース。32地域、46部署の連結を実現し、中央政府の1142項目および地方政府の358万項目のサービスがオンラインで利用できるようになった。これにより、簡単な手続きはもちろん、原子力発電所の建設から消費被害の告発までが、オンライン上で行えるようになったのである。Webからのアクセス、アプリからのアクセスに加え、WeChatやアリペイのミニプログラムでも簡単にアクセスできるようになっているため、ユーザーはシームレスに活用できる。税務署のアプリを使えば、簡単に申告ができ、課金された収入や税金免除できる項目の提出、そして税金の納付や還付などの一連の手続きが、全てアプリ一つで完結する。その他、市民用だけでなく法人用、地方政府サービスへのアクセス、関税、税務署などたくさんのサービスが用意されている。こうした点については、日本は中国に学ぶべきことが沢山ある、といえよう。

では、中国の経験に学びながら、優秀で多様な人材を引き付け、科学技術を発展させて、次々とイノベーションを生み出すためには、どうしたらよいだろうか。そのために必要なことは、多様な立場の人々が多様な経験と知識を持ち寄り、ディスカッションを通じて新しいものを生み出していくことのできる社会環境を整えることだ。それゆえ、分野と領域を超えたコラボレーションを活性化させるための、人文・社会科学と自然科学や技術との融合をはじめ、さまざまな壁を越えた連携ができるようにすることが重要である。大学を卒業し社会人となったあとで、能力を発揮する機会に恵まれない人材を適材適所で活用し、潜在能力を引き出すことを通して新しい価値を創出していくことも大切だ。VUCAワールドの中で、それぞれの企業が自分たちの強みをどこで活かし、どこに投資すべきかを適切に見極める上で、企業と大学との新しい産学連携の仕組みも創り上げなければならない。産学官だけでなく、ベンチャーキャピタルをも含めた四者関係がうまく回る仕組みを作り、パラダイムシフトや産業創生につなげていく視点も必要である。新たな都市のありかた、社会の設計が模索され、さまざまな学問分野が連携し、ものづくり、まちづくりに関わる最先端の技術や考察が統合される。そうしたことを通して、よりよい生

図版13-12：中国政府のオンラインサービス
（出典：中国政府のオンラインサービスの発展について。スマホで全ての手続きが完結する世界へ　https://note.com/beijingball/n/ndc8966016fa1）

き方を支える生活環境や、持続可能な社会構築に必要な制度を構築していくことが期待されている。

ヒトという軸から Society 5.0 を概観すれば、情報の自由で有効な活用、環境や制度設計の工夫とテクノロジーにより、人としての望ましい在り方を縛ってきたさまざまな制約から解放される社会、個人として必要とすること、希求することが、社会全体の持続的発展と調和した形で充たさせる社会、そして、身体的だけでなく精神的にも健康であり、日々の生活の中で満足や生きがいを感じ「幸福」が得られる社会、ということになる。そして、主観的な幸福というものが、経済社会の状況、身体や精神の健康、社会との関係性の三つと関係しているならば、一人ひとりがこれらの点について満足を感じられることが、幸福の条件になるものと考えられる。仮に AI 技術の進展やデータ活用により生活がしやすく働きやすい都市環境が作られ、ヘルスケアシステムが充実し私たちがより健康に生きられるようになるとしたら、つまり、経済社会の状況が向上し、心身の健康を維持する環境が整うとしたら、「より幸福な社会」すなわち、全体として幸福度が高い社会の実現が期待できるだろう。ただし社会は、さまざまな考え方そして感情を持った、生身の人間から構成されている。個人がそれぞれ利己的な行動に走るようなことがあれば、社会を持続させることはできない。Society 5.0 が目指す社会を実現するために、人間の心の特性を踏まえて、行動の自由と制御のバランスをとった社会設計を行う必要があることは、間違いない。

社会設計の在り方は、人と人とのつながりやコミュニティの在り方について、よりよい姿を実現する上でも重要なポイントとなる。では、幸福につながるような関係性とはどういうものなのか、そして、果たしてそれは社会設計によって実現可能なものなのか。同質的なつながりは安定性をもたらすかもしれないが、創造性や寛容性を喪い、差別や排除を生む可能性もある。多様性に満ちたつながりは、創造性や寛容性を育み差別や排除をなくす上で有効かもしれないが、安定性に欠くものになるかもしれない。そして人間社会は、しばしば「予期せざる結果」によって、大きな影響を受けてきた。人間中心社会を実現する上で考慮しなければならない問題は多岐にわたっている。

さて、Society 5.0 が、より豊かに快適に暮らせる社会であるとするならば、それを実現するためにポイントとなる「個と社会の調和」は、換言すれば「行動選択の制御」ということになる。行動を端的に動かす仕組みの一つは報酬と罰であるから、技術開発の成果を組み込んだ環境や制度設計によってこれらにかかるコストを減らすことができれば、よりよい社会の実現に一歩近づくことだろう。その際重要なのは、罪と罰はそもそも外発的な動機付けであるのに対し、人間は自由の下での自律的な意思決定を求める気持ちが強いということだ。「個と社会が調和する社会」を目指すあまり、自律性や選択の自由をないがしろにしては、Society 5.0 の理念は実現できない。そのために求められるのは、人の心の特性を踏まえたプロセスを設計することである。具体的には、報酬や罰をあからさまに導入するのではなく行動を少しずつ誘導する環境設定により、人々のなかに行動と合致する態度や価値観の形成もたらすこと。すなわち、人々の文化変容を実現することにより、社会と調和する個の行動が支えられる状態を形成する、という戦略である。情報システムの構想や構築は容易でも、その社会実装には困難が伴う。そして、人間中心社会の実現は、それ以上に困難で、時間のかかるプロセスになるだろう。だが、理念を持ちその実現に向けた意志を持ち続けなければ、なにごとであろうとも実現することはできない。

ただし、人をどの方向に動かすべきかを決める原理原則は何か、どのような行動なら動かすことが許されるのか、他者をさりげなく誘導することは誰に許されるのか、など、人文社会科学的な観点から残された問題は多い。グーグルやアマゾンの利用者が目にせざるを得ないネット広告や、迷惑メール、フィッシングメールなど、バーチャル空間では日々さまざまな「誘導」が行われていることを考慮すれば、善意の設計者が行う誘導はむしろ望ましいといえるのかもしれない。しかし、無意識のうちに誘導されているかもしれないという疑念から、バーチャル空間に対する恐怖感・拒否感を増幅させる人が増えてしまうかもしれない。そうした疑問に対する答えは、市民全体が文系・理系の境界を超えた知を持ち、リベラルアーツに基づいて理工学的な知識と技術を活用する能力を持ち、技術や制度の設計がなされる場面で、また、Society 5.0 の理念がさまざまな領域に実装されていく場面で、実現可能な選択肢をリストアップした上で、さまざまな立場から正当性・妥当性を問い、試し、選択していく中で、その都度見出していくほかあるまい。そうであればこそ、我々は我々の社会を、アジャイル的な営みの中で、常によいものへと変えていくことができるのである。その意味で、Society 5.0 は、その時代を生きる人たち全てに、積極的に関与することを求めている。民主主義国家においては常に当たり前のことだが、Society 5.0 の時代にはなおさら、我々は責任をもって新しい技術や制度を試し、選び、そして社会をよりよいものに作り替えていく責任を、現代を生きる我々自身だけでなく、未来を生きることになる我々の子孫たちのためにも、果たしていかなければならないのである。

## 第４節　文理融合の先にあるリベラルアーツの重要性

Society 5.0 の実現のためには、フィジカル空間からあらゆるタイプのデータ、すなわち、エネルギー、交通、排気ガスなどの都市環境や、人の動態、購買履歴などあらゆるデータがサイバー空間に蓄積され、AI によって情報に、そして知識へと変換されて、フィジカル空間へと反映される。そしてその目的の一つは、社会全体の最適と個人の最適を両立させる、サステイナブルな社会の実現にある。そのために、プライベートな空間であるはずの家屋内部から、さまざまなインフラに至るまで、至る所にセンサーネットワークが張り巡らされ、現実空間から仮想空間へと継続的にデータが送信・蓄積される。仮想空間ではデータから情報、情報から知識が生み出され、社会サービスの最適化や個人生活の快適化と、地球環境の維持とがバランスさせるために活用される。それは工学的な意味では現代社会の抱える問題をクリアするもっともよい方法であるかもしれない。しかし、理論的な最適解は果たして、人間にとって望ましい社会すなわち人間中心社会といえるだろうか。

個人のプライバシー情報が仮想空間に蓄積され、それによって効率的な社会運営がなされる社会は、一例をあげれば、顔認証技術を使ってレジに並ばずに買い物ができる便利な社会であり、街角に設置されたカメラにより逃亡中の犯罪者の所在が分かる安心安全な社会である。センサーや web カメラを用いて収集されたデータにより、顧客の動きや購買行動を把握・分析することで、顧客体験を向上させることができる。万引き防止の目的で設置したカメラから得られたデータを、顧客満足度を向上させることで離反を未然に防止したり、より多くの顧客の獲得に活用することは、小売業界にとって当然の営業努力である。顧客は自らのデータを提供することによって、まるで自分向けにあつらえたような、快適な顧客体験を得ることができる。しかるべき企業に容姿についての画像データや、貯蓄・融資・負債などの金融データ、日常生活やレジャーなどに関するデータそして行動履歴を提供することにより、自分が必要な時に自分に適したサービスを受けることができ、他人のなりすましによる不正を検知して通知してもらうこともでき、もし犯罪などで疑われることがあっても、自分が関わっていないことを証明することもできる。

しかしそれは常に、ジョージ・オーウェルが小説『1984』で警告した、超管理社会に転じる危険をはらんでいる。AI の発展は、ビッグデータの中から特定の個人についての情報を探し出し、常時監視することを可能にしたが、それはベンサムのいう「パノプティコン（一望監視施設）」が､社会全体についての監視を常時行っているようなものだからだ。しかもそれは、グーグルやフェイスブックがユーザーの情報を蓄積し、分析し、マーケティングや広告の表示に活用するのとはレベルが違う。至る所に設置されたセンサーにより、リアル空間での行動データが収集され、時にバーチャル空間でのふるまいに関するデータと組み合わされる形で徹底して分析され、しかもその結果は、公権力と結びついた形で具体的に行使される危険性もゼロではない。したがって我々は常に、集められたデータの妥当性と、その使われ方の合法性について監視確認する必要があり、それを保証する法制度が正しく整備され運用されるように働きかけなければならない。

先に触れたSociety 5.0の社会実装を実現するために行う「行動の自由と制御のバランスをとった社会設計」。その方法として、行動を少しずつ誘導する環境設定により、人々のなかに行動と合致する態度や価値観の形成を促すというプロセスは、社会と調和する個の行動が支えられる文化の形成をもたらす上では有効と考えられるが、それは同時に、人々がSociety 5.0が可能とする「環境管理型権力」に対して無感覚になる危険性をはらんでいる。情報環境が日常的にレコメンドする行動オプションが、個人を泡のように包むフィルターバブルとして機能し、同質性の高い人たちとの心地よい交流が日常化することで、多様性や変化に対する耐性を喪う結果となりはしないか。我々はすでに、その危険が現実になった姿を「ポスト真実」として経験している。そして情報環境の側から常に満足度の高い解が提示されることが常態化すれば、VUCAワールドで当たり前に発生する想定不可能な事態や情報システムでは日常的に発生するバグそしてトラップに遭遇すると、判断停止してしまう人が大量に発生することにならないか。ブロックチェーン技術を基盤に展開す

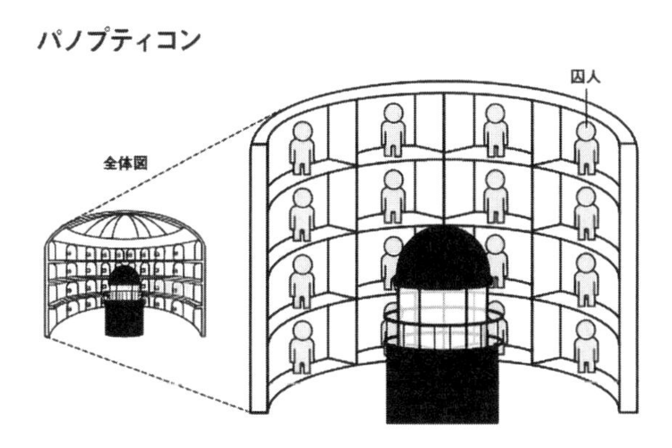


図版13–13：パノプティコン
（出典：プロパガンダの中国　https://sh1nk1ba.com/2020/04/07/プロパガンダの中国/）

る「After GAFA」の時代に求められる、自らの情報を自らの力で管理し、自らが接触する情報を自らの判断で選ぶ能力を自らの力で身につけていく機会が社会の中から失われ、それが日本社会の衰退につながってしまうのではないか。仮にSociety 5.0の環境の下で、よりよい社会を目指して国民を誘導する役割を担った人々が善意をもって専心するとしても、人為的な操作によって一人一人の生活や考え方が影響を受け、人生が捻じ曲げられてよいものなのか。こうした問題の存在について考察すれば、Society 5.0によって人間中心の社会を作っていくということそのものが、実に深奥な人文社会科学的な問題、哲学的な問題をはらんでいるといわざるをえない。しかし、現在の日本には、そうした問題の持つ意味を理解し、かつ、建設的な批判を行いながら、人間中心の社会を築いて行くことのできる文理融合型の人材が不足しているだけでなく、アジャイル的なプロセスを繰り返しながら状況の変化に柔軟に対応しつつ、絶えず社会システムをバージョンアップし続けるという営みを理解し実践することについての社会的合意すら、困難な状況に置かれているように思われる。

2000年代に入って以降、中国ではBATHと総称される企業群が、ビジネスインフラが整っていない市場で金融などのインフラを補完し、企業にビジネス機会を提供しながら、プラットフォーム・ビジネスを展開してきた。数々の「困りごと」を抱えていた当時の中国には、最新の技術を取り入れてモデルを構築する上で障害となるレガシーが存在しなかったからである。だがネットユーザーの増加ベースが鈍化した2010年代後半からは、企業の効率化・低コスト化そして収益構造へと、重点戦略が移りつつある。一方米国では、GAFAによるプラットフォーム・ビジネスの次のモデル、すなわちブロックチェーンを用いたインターネットの自律分散化、すなわち、ネットユーザーが責任を持って自らの情報を管理し、自らの選択によってネット上の情報にアクセスする権利を取り戻せるようなインターネット環境の構築に向けた動きが始まっている。Society 5.0を提唱した日本には、GVCの変化に対応したビジネスモデル・イノベーションや、知的財産のマネジメントを通じた国際エコシステムの構築と展開、リベラルアーツを基盤とした文理融合の知の活用、質的データと量的データを総合して現象の本質を理解するセンスメイキング能力の養成、ビッグデータとAIそしてデータサイエンスを活用できる人材の輩出、社会デザインおよびそれを具体化する情報システムの構築を通した具体的な問題解決活動、APIエコノミーの構築を通した柔軟かつ機動的なビジネスの展開など、取り組むべき課題が多いが、いずれも新しいチャレンジングな課題。本書では、これらの課題について、VUCA時代に対応できる人材育成の在り方について考察・提言を行ってきたが、これらはそのまま、Society 5.0が実現する情報環境を活用して、人間中心の社会を構築・発展させていく上でも、重要なポイントとなるだろう。

若い世代にとっては、日本がいまだかつて経験したことのない、チャレンジングな環境のもとで、新しい価値を生み出す活動を行うことのできる、可能性に満ちた時代である。すでに社会で実績を積んだ世代にとっては、人生100年時代の到来に対応するために、アンラーニングを含めた学び直しが求められる、再チャレンジの時代である。高度情報化がもたらすさまざまな変化は、これまで当たり前であった事柄のすべてを再定義していく。そしてその中で、政治・行政そしてビジネスの在り方はもちろんのこと、教育の在り方も学問の在り方も、社会の学問に対する要請も様変わりしていくことは、間違いないだろう。このような大きな社会変革のプロセスにおいては、社会的混乱やアノミーの発生、そして、社会的格差の拡大などが想定され、これに対処するために、人文社会科学的な教養の価値の再発見、そして再構成が求められるのではないか。産官学民の間に生まれる新しい関係は、社会経済の活性化を促すとともに、時代に対応できない機関・団体・組織は淘汰されていくことになろう。しかしながら、人文社会科学系の領域からの文理融合の在り方そして、社会デザインの考え方に基づく情報システムの構想・構築と社会実装を標榜する教育機関やその実践者は、日本においてはまだまだ寡ない。文理融合・問題解決の知を目指して生まれた学部・学科の内容をつぶさに見れば、それぞれの領域で功成り名を遂げた研究者の寄せ集めが大半であり、学生たちは何のロールモデルもないままに、手探りで未来を構想し、さまざまなスキルを身につけ、自己責任で試行錯誤を迫られる環境に、投げ込まれているだけのようにも見える。

そう、若者は常に、リスクを取って自らの存在を未来の中に投げる、そういう存在だ。しかしながら、彼らを育てる側が縦割りのアカデミズムの中で成功体験を積み上げることに執着し、VUCAワールドが内包するリスクや、文理融合人材を受け入れる素地のない日本社会に先駆けるリスクを、若者たちだけに強要しているのだとしたら、そしてそういう指導者たちが若者たちの試みを評価するのだとしたら、そのことを理解した若者たちの多くは、目標を見つけられず、やる気を失ってしまうのではなかろうか。本書がそうした教育者たちのエクスキューズとして利用されるとしたら、著者としてこれ以上の不本意なことはない。

そこで次の最終章では、日本における人文科学系の研究者による文理融合の試みと、社会デザインの考え方に基づく情報システムの構想・構築及びその社会実装に向けた格闘の実例を紹介し、それについて考察することを通して、日本における文理融合人材が直面している困難と、それを克服するために求められていることを明らかにした上で、Society 5.0 が実現する高度情報環境の下で人間中心社会を実現していくために活躍が期待される、人文社会科学系からの文理融合型人材の在り方について考察することにしたい。

### 第 13 章　注

第 1 節は主に（尾木蔵人、2020）（シュワブ、2016）（Schaeffer, 2017）に依拠している。第 2 節は（日立東大ラボ、2018）に、第 3 節·第 4 節は（渡邊哲也ほか、2020）（川島博之、2018）に依拠している。

第14章

# 危機の時代の情報社会学

## 第1節　災害や危機に際しての情報社会学の意義

インターネットに代表される情報通信環境の発達と普及は、それまでは困難だった時間と空間、組織や団体の壁を超えたつながりを容易にした。グラスルーツと呼ばれる市民運動が国境を越えてつながり、世界的な広がりを見せたのは、こうした情報通信ネットワークによるところが大きい。1995年を境に、日本においてもインターネットが爆発的に普及したが、バーチャル空間におけるつながりがリアル空間における地域おこし活動と結びつき、それまでは考えられなかった展開がみられるようになった。そうした活動の特性は、「時間や空間・組織や団体の壁を超えた人的ネットワークの形成と、それを通した資源動員による、具体的な地域社会の問題解決」にある。さまざまな特性を持つ人的ネットワークが重層的・多元的に形成され、地域社会や地域問題の特性に応じた手法と資源が選択されることで、問題解決を契機とした活動が生き生きと展開し、その活動を通して地域社会が再定義され、新たな意味や価値が生まれることが期待された。筆者が関わった地域づくり運動を支援するための情報システムの構想と構築、そして運用は、そうした未来に期待した、時代に先行する試みであった。

さて、1995年という年は、日本にとって特別な意味を持っている。1月には阪神・淡路大震災、3月には地下鉄サリン事件と、日本社会全体に衝撃をもたらす出来事が、立て続けに発生したからである。震災発生後、ボランティアによる被災者支援活動が展開され、それが特定非営利活動促進法の成立（1998）につながることになる。NPOやNGO、そしてボランティアは、東日本大震災発災後の被災地支援においても大きな役割を果たした。その意味で、過去の大災害の経験は、着実に受け継がれ、その後の大規模災害発生時に活かされている、ということができる。

ただしここで注意しなければならないのは、阪神大震災時に指摘されていた「被災者の需要と義援物資のマッチングの不在」に起因する問題が、東日本大震災発災時に至るまで放置され、それゆえ、東日本大震災発災後の被災地においても、マッチング不在の義援物資による支援活動の阻害という問題が、繰り返されてしまったことである。阪神大震災に学んだ遠野市および同市のNPO、仙台市社会福祉協議会、そして災害支援NGOであるCivic Force、などの数少ない例外は存在したものの、被災自治体は津波のように押し寄せる義援物資への対応に疲弊した。混載物資の仕分けと保管そして、被災者への平等・公平な分配は、被災状況の確認や被災者支援のための活動に追われる自治体にとって、大きな負担となった。自治体の施設・設備の多くが震災・津波によって破壊されてしまっていたのに加え、自治体職員そして職員の家族親族もまた被災者となっていたし、業務の多くは平時のそれを大きく逸脱したからである。被災者の中には状況を見ながら自らの都合で移動する者も少なくなく、状況は時々刻々と変化していく。マスコミ各社はそれぞれ取材しやすい被災地に入って取材活動を展開して、物資の過不足について繰り返し報じ、視聴者による正しい事実認識を困難にした。

物資の問題に対する自治体側の対応は、分類・整理とロジスティックに長けた宅配便業者への依頼であった。集荷と出荷の拠点を分け、地域をよく知る業者が入荷の時間帯を設定し、配送ルートとスケジュールを設定することによって、被災自治体における混乱はようやく収拾を見る。こうした経験からか、東日本大震災の後、さまざまな自治体と宅配便業者との間で、災害協定が結ばれるようになった。平時における業務に従事する民間業者が、非常時にそのノウハウを生かして、物資支援の任にあたる仕組みを作ったのは、素晴らしい。しかし、ここで気を付けなければならないのは、民間業者への委託にはそれなりのコストが必要であること、そして、マッチングなしに地域に直送されてくる混載物資の処理は人手を使って行う必要がありうることから、民間業者を介在させることで広く国民の間に浸透した「相互扶助」の動きが抑制される可能性が高いこと、である。

先に触れたように、東日本大震災の発生後、全国各地からの善意の支援を活用して被災者支援を効果的・効率的に行う試みが行われている。ここでは、岩手県遠野市、仙台市社会福祉協議会、そして、Civic Forceの活動に着目することにしたい。発災当時の遠野市の本田敏秋市長は、阪神大震災発生時は岩手県職員であったが、沿岸地域における大規模災害の発生を想定して阪神大震災における支援活動に学んでいた。沿岸地域で大規模災害が発生した場合、遠野市は被災者の受け入れだけでなく、後方支援基地として自衛隊の駐屯や物資の募集と一時受け入れ・仕分けと保管・マッチングを行った後の配送などを行う業務を担うことになると想定し、自衛隊との合同災害訓練などを実施して、災害発生に備えた。災害発生後は、いち早く人員を派遣して被災状況および避難所の状況についての情報収集を行い、すぐさまプッシュ型の支援を行って、被災地を支えた。緊急時が過ぎたのちは、被災地からの物資要請を受けて、さまざまな企業や機関から義援物資を募り、全国各地からの義援物資も受け入れるなどして、プル型に切り替えた支援を継続的に行ったが、要望された物資を集めるのに時間がかかるのに加え、被災医者の要望は時々刻々と変化するなどの事情から、市役所の担当の実感としては、支援の成功率は50%程度だったという。例えば自転車500台という要望が遠野市にもたらされた時のこと。一つの企業や団体が500台まとめて寄付してくれるわけではないので、市役所の担当は、さまざまな企業に可能な数をお願いしていくことになる。こうして、要望された台数を確保するまでには、しばらく時間が必要となる。やっとの思いで集めても、市役所には一斉に配送する手段がないので、三々五々の配送になる。被災自治体では平等・公平を期すために、要望された台数が揃うまで配布が行えない。こうして、要望から配布までに多大な時間がかかれば、その間に被災者の要望が変化したり、被災者が移動することによって、配布先を失ってしまう。そうした状況が、しばしば発生したということである。

Civic Forceは2009年、日本で起きる大規模災害に対応し、NPO、企業、行政、住民組織などの連携によって迅速で効果的な被災者支援を実現するために、設立された。設立の動機は、2004年の新潟県中越地震での経験。災害支援に関わるさまざまな組織が、日頃から連携を密にし、支援の想定プランを確認しあっておけば、いざというときにスムーズな対応につながり、より多くの被災者のニーズにこたえる。Civic Forceはそのための調整機関であり、情報、人、資金、物資などのリソースを集約したプラットフォームを目指していた。そして、このNGOにとっての最初の大規模ミッションが、東日本大震災だった。Civic Forceは設立当初からさまざまな企業と提携関係を結び静岡県袋井市と連携するなど東海地震を想定した被災地支援を想定したネットワークの構築を行うとともに、大災害を想定した訓練を実施していた。3.11時は被災直後から他の機関に先立って防災ヘリを飛ばして被災状況を確認し、被災自治体に対する支援の申し入れを行い、甚大な被害を被った気仙沼市への支援を開始。発災後しばらくの間は連携自治体である袋井市からの資源・燃料の提供、それ以後は提携している企業や支援を申し出たボランティア、そしてネットを経由した資金提供などを受けて、被災地の状況に応じた支援を行った。

災害時には、さまざまな企業・個人・NPO・NGOが、被災地・被災者の支援を行うために、資源や資金の提供を行う準備を持っている。しかし、災害時には被災地に関する情報を入手することが極めて困難であり、被災地までの輸送手段の確保も難しいため、どのようにすれば自らが提供した資源が被災地の支援に貢献できるかを、イメージすることが難しい。Civic Forceは、被災地の情報を収集することにより、そうした資源提供者と被災地とのミスマッチを解消するために設立されたが、東日本大震災では実際に、ヘリやトラックなどの輸送手段により、飲料水や食料、毛布などの支援物資、コンテナハウス・トレーラーハウスなどの宿泊施設を運搬するだけでなく、離島へのフェリー航路の確保など、自治体合併と職員・経費の削減によりスリム化した基礎自治体の職員によっては実現不可能な支援活動を行い、自ら構築したビジネスモデルの有効性を実証して見せた。

Civic Force は平常時において、災害発生時に可能な範囲で支援を行って欲しいという「緩い」形で、連携する企業や団体の数を増やしていた。それゆえ、支援優先リストの上位にある企業が政府や自治体の要請で動けなくなった時でも、次の、そして次の次の企業へ依頼することができた。そうした仕組みにより、協定を結んでいる自治体から被災状況や支援要請の情報を得、協定を結んでいる企業・団体との間でマッチングを行い、物資や支援手段の提供を行うことができたのである。このモデルを敷衍すれば、まさに災害発生時における「機関・団体間のネットワークを通したボーダーレスな資源動員による問題解決」そのものであり、平時からこのネットワークに参加しておくことによって、災害発生時における支援あるいは受援を効果的・効率的に行う相互扶助関係に加わることができることになる。Civic Force の活動はその意味で、さまざまな企業・団体が持っている資源を災害時に有効活用するための、自治体レベルでの保険の仕組みのようなもの、と考えることができよう。

さて、最後に仙台市社会福祉協議会の活動についてみよう。仙台市社協では、発災後、ビルの地下にある市の駐車場を物資の集積所として確保し、仙台市を被災地の後方支援基地と位置付けた。社協は支援対象とする避難所から必要な物資の情報を収集すると、四つの県に対し物資の支援を要請する（以下、これらの自治体を、遠隔支援基地と呼ぶ）。遠隔支援基地では、県内の企業や団体・市民に対して、義援物資の寄付を呼び掛け、社協内で仕分けして保管した。中には、地域の放送局に依頼して、市民に対して寄付を呼び掛けた県もあるというから、素晴らしい。こうした体制を作った後に、仙台社協は各県に対して必要な物資と数量を伝え、指定した日に物資集積所に届けるように依頼する。遠隔支援基地は、指定された物資を指定された数量、指定された日に集積場に届くように発送。仙台社協では物資を受け取るとすぐに開封・仕分けし、要請に従って避難所ごとに物資をまとめて、配送に回した。物資を配送する際には、各避難所の新たな要請内容を収集。遠隔基地への要請に反映させる。こうした手続きを徹底させることにより、発送を終えた集積所には、ただの一つも物資が残らなかったというから、驚きだ。仙台市や今日では被災者支援が終了するまでこうした作業を連日続けて、効果的・効率的な避難所支援を成し遂げた、という。

ここで紹介した事例を主催した活動主体は、自治体、社協、NGOとさまざまであり、支援の手法も異なっている。被災者支援のために必要な資源の動員方法・活動手法はさまざまなものがあり得るが、いずれも自らが活用できる資源をうまく組み合わせて、最も効果的に活用しているものと考えることができる。そしてこれらの支援に共通しているのは、義援物資の仕分けを被災地で行うのではなく、後方支援基地で行っていること。被災地からの情報を正確に収集し、的確に処理することによって、不要な物資の滞留を防ぎ、被災自治体の負担を最小限にしていることである。被災者支援は一定の時間継続する必要があり、物資の収集と配送については物理的な施設と手段が必要になるが、情報の収集を正しく行い、ステークホルダーが最適な行動をとれるようにデザインした上で活用すれば、支援活動の混乱を未然に防ぎ、被災地の負担を最小限にしながら、国民の善意を被災者支援に活用することが可能になることが分かる。

さて、情報という点に着目すれば、被災者支援活動を効果的・効率的に行うためには、後方支援基地において被災者の状態および必要としている物資の情報を正確に集約し、それに応じて、遠隔支援基地に対して必要な物資の種類と量を伝達すること。後方支援基地に送られてきた物資を仕分けして避難所ごとのセットに組み直し、効率的な配送計画の下、各避難所へ届けることが、ポイントとなる。災害発生時には、公的避難所以外にも、さまざまな場所に指定外避難所ができることが多いが、こうした避難所の情報を集めるのは困難であり、公的なルートを通した支援物資の配送対象とはなりにくい。また、各避難所が必要としている物資についての情報を収集できたとしても、善意に基づいて送られてくる義援物資の内容を、これに合わせて調整することは難しい。ここから、大規模災害発生後の被災者支援における情報面の問題は、各避難所についての情報を支援に必要な粒度で収集すること、および、必要とする人に必要な物資を必要な量、タイミングよく届けるために、被災者が必要としている物資の内容と支援物資の内容をマッチングさせることの、二点にあると考えられる。

高度情報環境が可能としたコミュニティ・ネットワークによる地域問題の解決というモデルを災害支援に応用することで、被災者支援のための社会システムの構想と、支援活動を支援するための情報システムの構想ができる。さらに、情報システムを構築・運用できれば、災害レジリエンスを備えた社会システムを、日本の中に実装することができるだろう。それは、情報社会学の理論による災害対策の、一つの意義深い試みになると思われた。

### 第2節　情報社会学者による被災者支援システムの構想と構築

高度情報環境が可能にしたコミュニティ・ネットワークの特徴は、広域・狭域で重層的・多元的に形成された人・団体・機関同士のネットワークと、それを通した資源動員によって地域社会が直面する具体的な地域問題を解決することにある。しかしながら、「泥棒を見て縄を綯う」の言葉が示すとおり、災害が発生してからつながりを作るのでは支援活動には間に合うものではない。さらに、双方の自治体が互いのことをよく理解していなければ、被災の状況をイメージすることも、必要な物資の種類や量、そして、配送の経路までをイメージすることもできず、それでは効果的・効率的な物資の支援さえままならない。

東日本大震災の特徴の一つは、被害が非常に広範囲にわたり、近隣自治体と締結されていた自治体間連携が、あまり機能しなかったことである。沿岸自治体は共に津波被害を受けたため、協定先の自治体を支援することは不可能だった。代わりに支援の陣頭に立ったのは、遠野市など内陸の自治体だった。兵庫県や西宮市など、阪神大震災時にさまざまな支援を受けた遠隔地の自治体は、物資だけでなく職員を派遣して、被災地自治体の活動を助けた。こうした事実からは、大規模災害に備えるためには同じような条件を備えた自治体、近隣にある自治体だけでなく、条件の

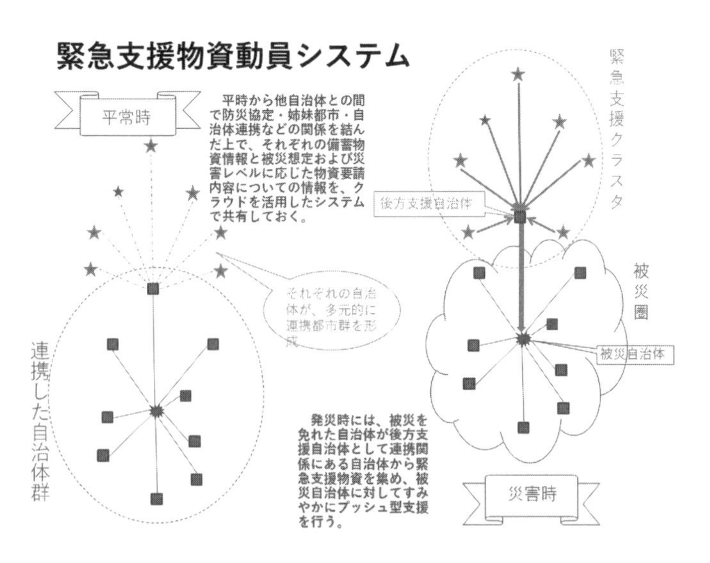


図版14–1：義援物資マッチングが想定する自治体連携のかたち（出典：執筆者オリジナル）

異なる自治体や遠隔地にある自治体とも、連携を行っておくべきことが分かる。

もし仮に、それぞれの自治体がさまざまな広がりを持って他の自治体と連携していれば、その自治体で大規模災害が発生した際に、被災地の外側にある自治体の一つを後方支援基地、遠隔地にある複数の自治体を遠隔支援基地とすることによって、先に挙げた例に共通する支援体制を構築することができる。つまり、平時からさまざまな団体・機関の間にネットワークが形成されていれば、災害発生時にはそれを基盤として、迅速かつ効果的に、被災地支援のための体制を構築することができるはずである。ただし、自治体間の連携であっても、担当の人事異動などがあると、発災直後の混乱期にどのような体制を作るか、そして、必要な物資をどこにどういう形で要請するかなど、さまざまな対応が難しい場合も想定されよう。それぞれの自治体の担当者がどのような状態であっても、効果的・効率的な支援を行えるようにするには、大規模災害発生時において、被災自治体と後方支援基地との間で被災者支援に必要な物資の情報が共有され、後方支援自治体と遠隔支援自治体との間で義援物資・備蓄物資の情報が共有されて、被災自治体が必要な物資について後方支援基地と遠隔支援基地の間でマッチングした上で、後方支援基地に集約できるような仕組みがあることが望ましい。

このような構想の下、義援物資マッチングシステムは構想・構築された。高度情報環境が可能にしたコミュニティ・ネットワークを基盤として、災害レジリエンスを備えた社会システムを日本に実装する試みを、情報面から支援するためである。被災自治体と後方支援基地および遠隔支援基地で活動した自治体、NPO・NGOそして社会福祉協議会を対象とした社会調査に基づいて社会システムの構想を行い、それに基づいて情報システムを構想・設計し、社会学者がシステム構築を行って、サーバー上でサービスを無償公開するという意味では、恐らくは日本初の試みであった。

大規模災害の発生後、被災自治体に義援物資が集中して発生する混乱を避けるためには、被災地の外側に後方支援基地を設定し、被災地内の避難所で必要とされる物資の情報を集約すること、そして、遠隔支援基地で収集した物資を被災地の需要とマッチングした上で後方支援基地へと送り、集荷・仕分けをして各避難所に配送することができる体制を作ることが望ましい。ここで、集荷・仕分けおよび配送については、被災地域で営業しノウハウを蓄積してきた宅配業者に委託することを考えるべきなので、自治体や社協、NGOなどが考慮すべきは、遠隔支援基地と後方支援基地における物資のマッチング、ということになる。

その作業を効率的に行うためには、大規模災害発生時の被災地支援のための作業

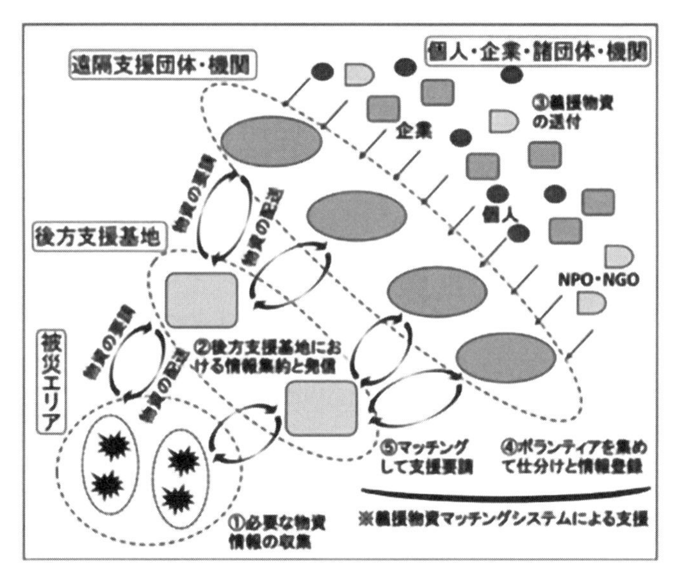


図版14–2：義援物資を活用した被災地支援活動のイメージ（出典：天野・遠藤）

を 1. 平時から連携関係にある自治体を、災害時の相互支援自治体群としてグループ化し、情報システムに登録しておく、2. 災害発生時に、どの自治体が後方支援基地となり、どの自治体が遠隔支援自治体となるかのパターンをあらかじめ設定し、グループ内で共有しておく、3. 災害発生後、後方支援基地から、どのような物資をいつまでにいくつ欲しいかの要請を行う、4. 遠隔支援基地では、自治体内の企業や市民団体、市民に対して義援物資の寄付を求める、5. 遠隔支援基地では集めた物資を仕分けした後、その情報をシステムに登録する、6. 後方支援基地では情報システムを通して、各遠隔支援基地に対して、必要とされる物資を必要な量、送ってもらうよう要請する、7. 遠隔支援基地では、後方支援基地の要請に従い、要請された物資を要請された数量だけ発送する、という形で定型化し、関係各機関及び市民に周知しておく必要がある。そして、こうした支援活動の成否を左右するのが、これら一連の作業を情報面で支えるサービスであろう。

義援物資マッチングシステムは、そのような想定の下、構築された。具体的には、

1. 連携関係にある自治体・団体を一つの災害支援グループとして登録する機能
2. それぞれのグループ内で、物資の要請や収集状況の情報を共有する掲示板機能
3. 各自治体・団体が収集・仕分け・保管している物資の種類・数量を共有する機能

4. 後方支援基地が、遠隔支援基地群に対して、必要な物資を必要な量、要請する機能
5. 遠隔支援基地が、支援を受諾し、物資を発送したことを後方支援基地に知らせる機能
6. 後方支援基地が物資を受領したことを、遠隔支援基地に知らせる機能
7. 遠隔支援基地において保管している在庫を管理する機能
8. 後方支援基地において、受領した物資の内容を記録する機能

を、単一のシステム内で行うことができる。

さて、物資のマッチングを行う際に問題となるのは、物資の内容をどのレベルで管理するかということであろう。同じパンであっても菓子パンと食パンは異なるし、ご飯であっても白米とパック米は異なるからである。そこで本システムでは、東日本大震災発生後の物資支援に関する報告書および、経済産業省で行われた事業における物資の分類表を参考にして、大分類・中分類・小分類の設定を行った後、現地で必要とされるボランティアを登録するためのコードを追加した上で統一コードを設定した。なお、仕分け後の一つ一つのパッケージを識別できるよう、ユニークな番号を付した荷札を出力する機能も装備している。

大規模災害発生時の発生時には、公的避難所だけでなく、住民たちが自然発生的に集まってできる指定外避難所も、数多く発生する。これらの避難所に滞在する人

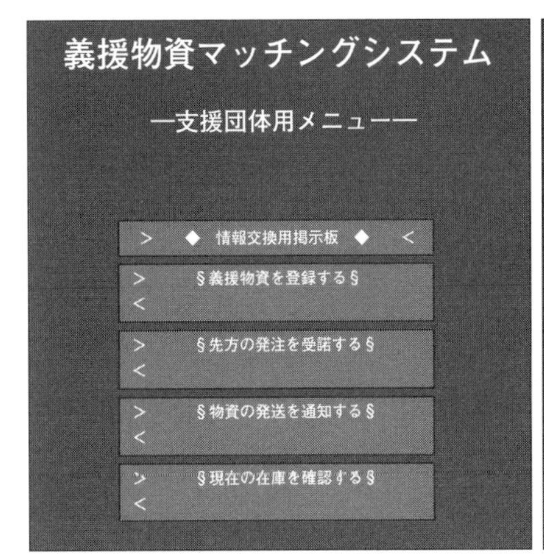


図版14-3：義援物資マッチングシステム（支援団体用）トップメニュー（出典：執筆者オリジナル）

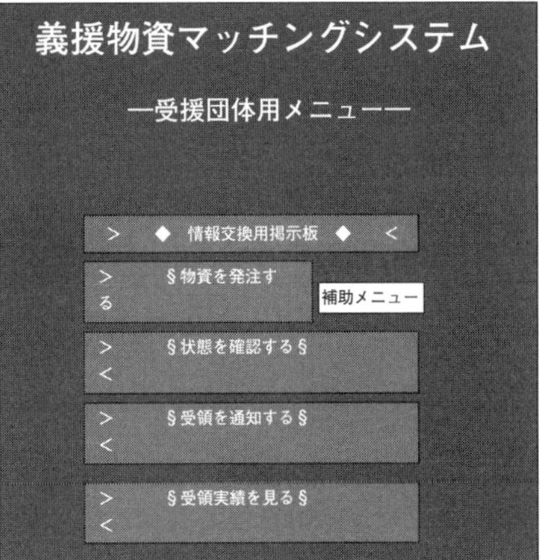


図版14-4：義援物資マッチングシステム（受援団体用）トップメニュー（出典：執筆者オリジナル）

の内訳や、必要とする物資の情報、および、物資の充足状況についての情報を収集し共有することは、被災者支援を展開する上で極めて重要なことである。また、各避難所に滞在する被災者の人数や必要とする物資の内容は、発災後時間が経過するにつれ変化していくことから、こうした情報は反復して収集される必要がある。発災直後の混乱時には、すべての指定外避難所の所在を確認することは難しく、したがって、被災者の状態を把握することも難しいことが想定される。ただし、現在はスマートフォンが普及しており、発災直後の数時間は基地局もバッテリーによる稼働が可能であるから、その間に指定外避難所の側から所在や避難民の状況、必要な物資について発信してもらうことができれば、その後の被災者支援に活かすことができるはずである。

しかしながら、指定外避難所はそもそも避難所となる想定がない施設であるから、あらかじめ避難所として登録することは不可能であるのに加え、災害発生時に発信された情報は、その真偽について確認作業を行うことが難しく、また、名称から指定外避難所の場所を特定することもしばしば困難が伴う。したがって、災害発生後に避難所として情報登録を行う場合には、情報発信者に関する情報と、避難所の住所、そして可能であれば緯度経度情報を、同時に登録してもらうことが望ましい。指定外避難所であっても、公務員や民生委員など避難所運営に適した人が滞在している場合には、情報共有をはじめとした受援体制が取りやすいと考えられるからである。

そして避難所からは、乳幼児の存在や要支援者の人数、外国人や妊産婦そして傷病者の状態など、緊急に人員を派遣する必要を判断する上で不可欠な情報を、収集する必要がある。アレルギーを有する人についての情報も、またしかり。支援物資が被災者の健康を害することのないよう、配慮するためである。そして情報システムを構築する際には、行政機関·研究機関が行った調査に基づく報告書だけでなく、

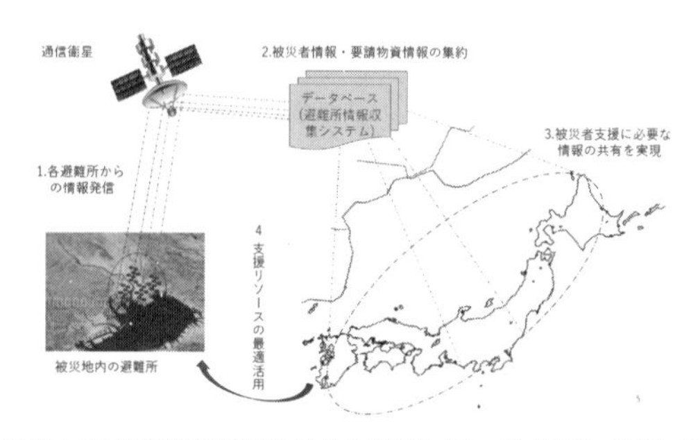


図版14–5：避難所情報収集システムの稼働イメージ（出典：天野・遠藤）

実際に支援活動を行ったNPOやNGO、救助活動を行った医師や看護婦からの情報も考慮しながら、被災者のプライバシーが侵害されない範囲で、必要な情報を収集できるよう配慮しなければならない。大規模災害の場合、支援に活用できる資源には限界があり、また、輸送経路の問題も想定されることから、避難所の状態を可能な限り正確に把握して、適切な優先順位を設定した上で、可能な方法を用いて支援活動を展開する必要があるからだ。

避難所情報収集システムは、これらのことを配慮しながら、特定のOSに依存することなく各避難所の情報を収集できる、webサービスとして構築された。被災者は、利用登録を行ってIDとパスワードが発行されれば、避難所の状態・物資充足状況・必要な物資についての情報を発信し、行政や社協そしてNPO・NGOなどの支援団体と共有することができる。内閣府職員を前に行ったプレゼンテーションでは、内閣府が準天頂衛星みちびきを用いての運用を予定している安否確認サービス「Q-ANPI」のイメージに近いとのことであった。なお、「Q-ANPI」は回線に対応したS帯の端末のみで利用可能だが、本システムはinternet回線を通してスマホでも利用できる。

義援物資マッチングシステムと異なり、避難所情報収集システムは発災後の利用申請を想定しているため、利用者はID・パスワードの発行申請を行わなければならない。情報発信の責任者の特定のため、避難所リーダーの氏名・年齢・性別のほか、住所・電話番号・メールアドレスなど、インフラが回復したのちに連絡を取るため

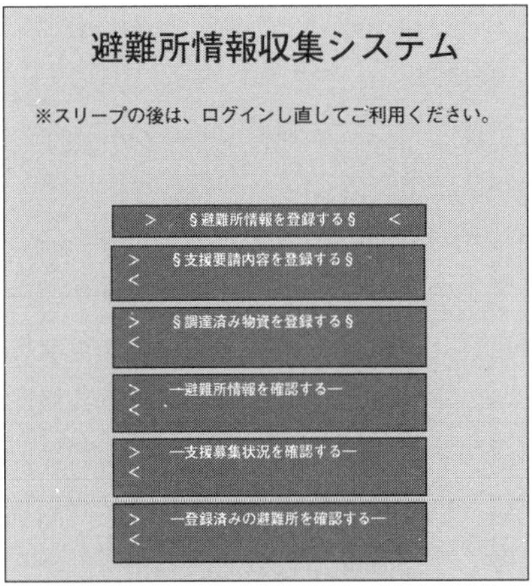

避難所情報収集システム

※スリープの後は、ログインし直してご利用ください。

> §避難所情報を登録する§ <

> §支援要請内容を登録する§ <

> §調達済み物資を登録する§ <

> 一避難所情報を確認する一 <

> 一支援募集状況を確認する一 <

> 一登録済みの避難所を確認する一 <

図版14-6：避難所情報収集システムトップメニュー
（出典：執筆者オリジナル）

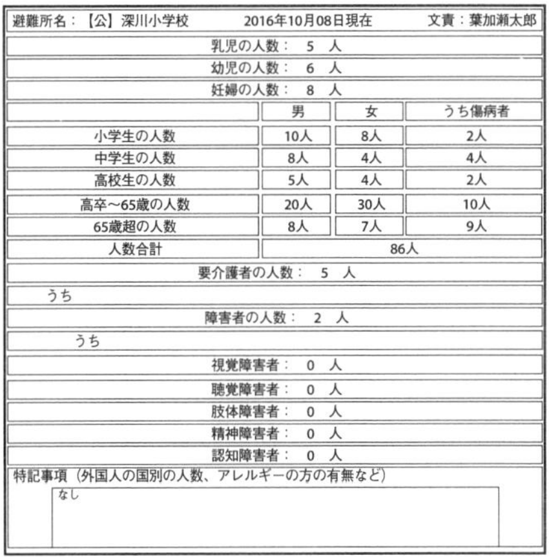

避難所名：【公】深川小学校　2016年10月08日現在　文責：葉加瀬太郎

| | 男 | 女 | うち傷病者 |
|---|---|---|---|
| 乳児の人数：5人 | | | |
| 幼児の人数：6人 | | | |
| 妊婦の人数：8人 | | | |
| 小学生の人数 | 10人 | 8人 | 2人 |
| 中学生の人数 | 8人 | 4人 | 4人 |
| 高校生の人数 | 5人 | 4人 | 2人 |
| 高卒～65歳の人数 | 20人 | 30人 | 10人 |
| 65歳超の人数 | 8人 | 7人 | 9人 |
| 人数合計 | 86人 | | |
| 要介護者の人数：5人 | | | |
| うち | | | |
| 障害者の人数：2人 | | | |
| うち | | | |
| 視覚障害者：0人 | | | |
| 聴覚障害者：0人 | | | |
| 肢体障害者：0人 | | | |
| 精神障害者：0人 | | | |
| 認知障害者：0人 | | | |

特記事項（外国人の国別の人数、アレルギーの方の有無など）
なし

図版14-7：避難所情報収集システム情報入力画面の例
（出典：執筆者オリジナル）

の情報を登録してもらうことになる。また、支援活動をスムーズにするために、公務員や社協、ボランティアセンターの職員か否かについても、登録が必要である。これらの情報の登録の後、避難所情報の登録に移る。避難所の名称、郵便番号を含む住所、電話番号・FAX 番号に加え、公的避難所か指定外避難所か、あるいはそれ以外（個人宅など）かを登録する。システム管理者は住所をもとに緯度経度を検索・登録し、避難所リーダーに対して ID とパスワードの発行を行う。これにより、避難所からの情報発信が可能となる。

システムの機能は極めてシンプルで、1. 避難所情報を登録する、2. 支援要請内容を登録する、3. 避難所情報を確認する、4. 支援要請内容を確認する、の四つである。データ入力画面もシンプルなので、スマホの画面からも操作しやすい。避難民の状態については、特別な支援を要する人の存在及び人数を把握するために、乳幼児及び妊婦の数、要介護者の人数と種類（聴覚障害、視覚障害、肢体障害、精神障害、認知障害者について）の登録のほか、外国人、アレルギー、知的障害・発達障害・ダウン症などの方がいれば、特記事項として登録することができる。その他、小・中・高校生、高卒～ 65 歳まで、および 65 歳超えの人については、性別の人数および傷病者の数の登録ができる。これらの情報があれば、当該避難所についてどのような支援を行えばよいかの計画を立てることが可能となるだろう。

さらに、緊急支援が必要な物資については、具体的なカテゴリーに分けて、品質サイズなどの要望・希望数量に加えて、希望配達日の登録が可能となっている。物資が充足されたら、システム上でチェックをすれば、物資到達日が登録される。これにより、不要な物資が一つの避難所に集中するという事態を、避けることができるはずだ。

そして、このシステムには、「閲覧のみ」の ID とパスワードが設定されている。これを被災者支援を行う行政機関や民間機関、NPO や NGO などのボランティア団体と共有しておけば、それぞれの機関・団体が各避難所についての最新の情報を自由に閲覧できるので、各機関・団体の得意とする領域を生かしながら、また、避難所の種類や位置に応じた役割分担をしながら、支援活動を展開することが可能になるだろう。その他、閲覧専用の ID をマスコミ各社に共有しておけば、行政機関からの報告に頼らずに各避難所の位置や避難所の状態が分かることから、情報の取りまとめや状況報告に関わる被災自治体の負担も軽減されるとともに、マスコミ各社により取材対象の分散が行われれば、より多くの避難所の状態を把握することも可能となるはずだ。

また、このシステムでは ID とパスワードの発行時に、システム管理者が避難所

今回登録する支援要請内容一覧

【（公）深川小学校が、今回登録した支援要請内容は、次の通りです。】　文責：葉加瀬太郎

| 要請内容の類型 | 要望内容（品質、サイズなど） | 希望数量 | 希望配達日 |
|---|---|---|---|
| 漬物・梅干 | 梅干し10個パック | 10 | 20161012 |
| 缶詰（おかず） | さんまの缶詰 | 20 | 20161013 |
| 缶詰（フルーツ） | ももの缶詰（中） | 5 | 20161015 |
| スープ | コーンスープの素（三食分入り） | 7 | 20161011 |
| レトルト（肉） | ミートボール8個入り（レトルト） | 5 | 20161014 |

図版14–8：避難所情報収集システム　情報入力画面の例　※入力されたデータは架空のもの
（出典：執筆者オリジナル）

の緯度と経度を登録するため、緊急を要する支援については、ドローンを活用することも可能である。支援団体が、クライシス・マッパーズ・ジャパンおよびドローンバードなどドローンを用いた支援が可能な団体と連携し、さらに機動的な被災者支援が可能になることを期待したい。

## 第３節　平時における備蓄物資活用システムへの展開（食品ロス削減のための情報システムの構築）

「天災は忘れたころにやってくる」の言葉通り、自治体や企業で「その時」のために備蓄している保存食が、災害時に活かされることは、実は「まれ」である。つまり、災害のためだけに備えているさまざまな資源の大半は、実際に災害時に活用されることなく、放置されるか破棄されるか、あるいは災害対応以外の目的のために活用されることになる。それは同時に、大規模災害発生時のみを想定した情報システムだけでは、ビジネスとして社会実装することが不可能であることを示唆している。このように考えれば、災害発生時における支援物資活用のためのシステムは、平時における備蓄物資活用のシステムと、連携する形で運用されることが望ましい。そこで本節では、平時における備蓄物資の活用、特に賞味期限が迫った保存食品の活用に着目し、自治体や企業がどのような方法を用いているかについて検討し、マッチングシステムの考え方を援用した備蓄物資の活用について考えていくことにしたい。

地方自治体の場合、備蓄物資は市区町村単位で管理しているから、賞味期限が迫った備蓄物資の活用は、市区町村の担当部署の管轄になる。市町村の担当としては、余すところなく物資を配布することが最優先事項であり、配布団体の活動内容が適切であるか、配布後に適正に使用されるか、配送先及び配布物資の情報が適切に管

理されるか、配布のためのコストが抑えられるかが、主要な関心事となる。自治体の規模によって備蓄物資の種類・量および配布候補団体の種類や数が異なるため、配布候補の選択や配布方法もまちまちであるが、基本的には、行政機関の各部署と信頼関係のある機関・団体例えば、フードバンクや子供食堂が選ばれることが多いようだ。コロナ禍による失業者の増加を受けて、大人相手の食糧配布の需要も増え、これに対応してフードドライブなど配布先を工夫する自治体もある。

規模の小さい自治体の場合、配布候補団体も配布する物資の種類・量も限られているから、特に情報システムの支援がなくても、備蓄物資の流れと情報の管理は十分可能であろう。しかし、都道府県レベルや人口規模が大きな市町村では、配布候補団体が多いのに加え、物資の種類・量の管理も難しくなる。さらに、情報システムによる支援がない場合、配布候補先は最終的に担当者の裁量で決定せざるを得ず、また、各配布先への物資の種類・量の決定プロセスにおいても、配布側の都合が反映される可能性が高い。期限が迫った備蓄物資の配布という制度は、仮に広報などで周知されていたとしても、必要とする団体が見逃していたり、手続等が面倒なため活用を希望する団体自体が限定されてしまっている可能性もある。

自治体が備蓄している物資の原資は税金であるから、期限が迫った備蓄物資の活用については広く市民に開かれているべきであり、配布団体の決定と配布した物資の種類・量についての記録は誰もが閲覧できる形で公開されるべきである。また、配布された物資を活用して行った活動の成果については、市民が共有できる形で公開されることが望ましい。そうしたプロセスを支援する情報システムが存在し、さまざまな自治体が活用することになれば、期限が迫った備蓄物資の活用がより民主的になり、市民に開かれたものになるはずだ。

こうしたシステムの使用機会は、大規模災害とは異なり、短いスパンで繰り返し訪れる。備蓄物資の活用システムは、平時と非常時でシームレスに使用されることが望ましい。

このような考え方の下、平時における物資マッチングシステムは構想・構築された。活用手順は以下のとおりである。

行政機関が物資の寄贈を受けたり、備蓄物資の配布を決定したら、当該物資を提供した企業・機関とともに、公募対象物資を登録する。物資は企業・団体と電話番号で紐付けされ、団体・機関とともにデータベース上に登録される。

次に、物資の配布候補となる団体・機関の情報を登録する。物資の種類によって配布候補となる団体・機関が異なるものとなる可能性があることから、各団体・機関の登録時に、配布団体のフィルタリングを行う際に必要となるキーワードを登録

【　平時における物資マッチングシステム（試験運用Version）】

1）物資提供企業・機関の登録
2）物資配布候補の団体・機関の登録
3）物資配布候補の団体・機関情報の閲覧・修正
4）公募対象物資の登録
5）公募対象物資の閲覧・修正
6）公募対象団体・機関の選択
）◆配布対象物資への応募（配布候補団体がアクセスするページ）
7）応募団体・応募数量の閲覧と決定
8）配布数決定団体への通知
9）物資別配送完了配布団体の登録
）◆配布団体による受領物資情報の登録（物資受領団体がアクセスするページ）
10）物資受領団体の情報登録確認
）◆配布団体による活動成果の報告（配布を受けた団体がアクセスするページ）
）◆物資提供企業による活動内容の閲覧（寄贈団体・機関がアクセスするページ）

図版14–9：平時における備蓄物資活用システムのトップメニュー
（出典：執筆者オリジナル）

しておく。キーワードは四つまで登録できるので、例えば 1. 都道府県、2. 市区町村、3. 団体種類、4. 活動内容について、あらかじめ決めておいたキーワードを入力していけばよいだろう。入力したデータはデータベースに保存されるので、一度登録してしまえばいつでも再利用ができる。

登録した物資について、配布候補となる団体・機関の条件が決定されたら、公募の通知を行う。通知対象となる物資を指定し、配布候補先となる団体・機関の条件を、最大四つのキーワードで指定する。指定が不要な項目があれば、スキップすればよいだけだ。あとは条件が合致する団体・機関のリストが表示されるので、一つ一つ確認しながらメール送信ボタンを押せば、先方には公募の文面にアクセス用 URL がついたメールが送付される。

先方に必要なのは、送付された URL にアクセスして、希望する数量を入力するだけである。

公募期限が終了したら、対象となる物資について、どの団体からどれだけの数量の希望が寄せられているかを確認する。希望数量の合計が在庫の数量を下回っていれば、希望数量の数値をそのまま決定値に入力すればよい。なお、希望数量の合計が在庫の数量を上回っていた場合は、担当機関で数量調整を行い、各団体への配布数を入力することになる。

団体ごとの配布数量の入力の後、各団体へ配布が決定した物資の数量、および、物資到達後の数量確認結果を登録する URL を通知するメールを発送する。物資の数量に応じた文面と、配布対象となる集団に応じたURLは自動作成されるので、管理者はメール送付ボタンを押すだけでよい。

メールを受け取った機関・団体は、物資受領の報告を行う。これも送られてきたURLから指定のHPにアクセスし、送られてきた物資の数量と、受領日を入力するだけでよい仕組みになっている。

管理者は物資が到着したとの通知を受けたら、その物資を用いた活動の報告を要請するメールを発送する。配布先の機関・団体に応じた文面と、活動報告を登録するためのURLは自動作成されるので、ここでも必要な作業は、送付先の団体・機関を選んでメール送信ボタンを押すだけである。

メールを受け取った機関・団体は、活動が終了したら、指定されたURLにアクセスし、送られてきた物資を用いた活動の写真に若干の文章を添えて投稿する。物資配布を希望する団体の作業はすべて、スマホ一つでこなすことができるから、物資の配布を希望する際の心理的な障壁は、かなり引き下げられることになるだろう。

活動報告はすべてデータベースに保存されるから、管理者側はいつでも閲覧することが可能だ。配布物資が「期限が迫った備蓄物資」であれば、自治体のHPから参照できるような仕組みにしておけば、広く市民からのアクセスを期待することもできよう。

さて、賞味期限が迫った備蓄物資の活用は、備蓄物資の管理と深く結びついている。自治体によっては、備蓄物資の賞味期限の管理と活用に関連する情報管理をシステム化できておらず、賞味期限の管理ができないケースもあると推測されるからである。したがって、賞味期限が迫った備蓄物資の活用を行うマッチングシステムは、備蓄物資の管理システムと連動あるいは備蓄物資の管理を含んだものになることが、望ましいかもしれない。備蓄物資を購入した際に、賞味期限と保管場所を登録しておき、賞味期限が近づいたときに通知が出され、自動的に配布対象物資に登録されるような仕掛けがあれば、物資管理の担当者は安心して仕事にあたることができ、フードロスの発生可能性を減らすこともできると考えられるからである。そして、システムエンジニアにとって、そのような機能を付与することは、技術的には十分可能だ。すでに行政が運用しているであろう「備蓄物資管理システム」のデータを、災害発生時には「義援物資マッチングシステム」、平時には「備蓄物資マッチングシステム」とAPI経由で連動させ、平時・非常時の別なく、備蓄物資の有効活用を実現する仕組みができれば、被災者にとっても市民にとっても、そして地球環境にとっても、望ましい結果が得られるに違いない。災害発生時に限らず、システムが活用されることになれば、ビジネスとして成立する可能性を見出すことができるから、社会実装が進むものと考えられるからである。

ただし、ここで注意が必要なのは、このような新しい仕組みが社会実装されるためには、システムの効果や効率、新たなビジネスモデルとしての可能性に加えて、既存の作業フローやそれに関与するステークホルダー、そして既得権構造というさまざまな障壁に加え、その時点における担当者が直面する評価基準や、仕組みの変更に伴う責任問題など、さまざまな人文社会科学的な要因をクリアする必要があることである。特に情報システムの構築においては、担当者が自らの作業の全体像を把握し、情報システムの構築に際して重要なポイントを理解していることはむしろ珍しく、システムの仕様書を作ること自体が困難である場合が多いものと推測される。さらに、システムの構築を行っていく過程で、基本的な仕様変更を要する機能の追加や、ユーザーインターフェースの変更を要求される場合もある。それに加えて、システム構築の基礎となる作業工程およびビジネスモデルについて、十分な説明をすることなくシステムの構築を求め、次々に要求を追加した上で、それが満たされないと試用さえ拒否してシステム構築自体が頓挫する、というケースすらある。

アジャイル型開発の時代におけるシステム構築の原則は、システム発注者とシステム開発者の密なコミュニケーションの繰り返しが基本であり、システムについて要求する仕様を包括的に示すことのできない発注者には、システム構築者に対してビジネスモデルの全体像を示し、自らがシステムに期待する要件を明示する必要がある。システムエンジニアは、ビジネスモデルの全体像を把握した上で、発注時点で発注者が明示できていないさまざまな要素を想定した上でシステムの全体像をイメージし、将来的な機能拡張を念頭に置きながら、要求された使用を満たせるように「マージン」をもってシステムをデザインするものだ。しかしながら、システム発注者はしばしば、自らのビジネスモデルを開示することを拒み、必要最小限の情報をその都度渡しながら、出来上がってきた試作品を眺めては、機能の変更や追加を要求する。システム構築者には断片的な情報しか与えないままシステムの構築を行わせ、その時点のビジネスモデル、作業の委託関係、業務フローに完全に一致するまで、システムの改変を要求し、それがかなわなければ、その時点で情報システムの導入は止まる。

こうした方法は、システム発注者がそれまで行ってきた、ビジネスの方法論、すなわち、顧客の立場にありながら必要な情報を小出しにすることで、常に優位な立場でプロジェクトを進めていくという、それまでのビジネスの方法論を踏襲しているものと推測される。しかしながら現実のシステム開発では、そのために労力や費用がかさみ、情報システムの構築と実装が不可能になってしまう場合がしばしばある。それが平時と非常時を通した、備蓄物資・支援物資の活用を、効果的・効率的にできない原因になっているとさえ思えるというのが、実際にシステム開発者としてプロジェクトに関わった者としての実感である。これを敷衍すれば、日本のDX化が進まないのは、DX化を要するさまざまな領域について、既存の問題解決システムが精緻に構築されており、そこに携わる人たちの利害関係や人間関係が出来上がって属人化されているため、イノベーションそしてDX化自体を拒絶する構造が存在することが大きな原因となっている、と考えることもできよう。

改めて考えてみれば、賞味期限が迫った備蓄物資の活用は、通常のロジスティクスと異なり、頻繁に発生するものではないが、受け取り・保管・仕分け・配送などの面では、ほぼ同様の施設・輸送手段の確保や、それを活用した作業が発生する。したがってこの領域では現業職が大半であって、マッチングや配送記録などで活用される情報ツールは、これら現業を支援する単に補助的なものと見なされ、必要なものと考えられているわけではない。規模の小さな自治体では、扱う物資の種類・量が限られており、寄贈先も少数なので、担当部署による人的管理で十分なのである。一方、大企業や大規模自治体からは一時期に大量の物資が寄贈されるが、それらの「処理」の際に重視されるのは、倉庫・輸送手段の確保と、大量の物資を引き受けてくれる寄贈先の確保である。現状、大企業や大規模自治体の物資活用において現実に機能しているのは、物資管理やマッチングから配送記録・活動記録までをカバーする情報ツールではなく、業界の事情を隅々まで知り尽くした上で、必要な資源を組み合わせ支障なく活用しながら、適切なロジスティクスと引受先を探し当て、手配する「センスメイキング」の能力である。ある食品ロスをなくす活動をしている団体のリーダーは、自治体や企業から物資寄贈の申し入れがあると、物資の受け取りと保管、公募開始から締め切りそして配布終了までのロジスティクスが具体的にイメージできるという。それに基づいて倉庫の手配､配送手段の手配を行い、配布候補を選定して公募作業を行う。配布当日の時間帯別の道路の混雑状態までイメージできるので、限られた期間内に間違いなく配布が終了するように、配布先ごとの配布数量を決定し、出荷を行うということであった。

こうした活動は業界で長い期間にわたり勤めあげてきた中で培われた経験と知識、さまざまなネットワークと信頼関係があってこそ実現できる職人技であり、それゆえ素晴らしい成果をあげてきているのは事実である。そして、SDGsにもある「食品ロスをなくす」という活動が、サプライサイドからでもユーザーズサイドからでもなく、ロジスティクスからの発想によって実現されていることは、実に興味深い。サプライサイドからみれば、いわゆる「在庫」が「適正」に活用された形になれば問題ないのだから、細かい配布先と配布量の決定はロジスティクスサイドに委ねるのは合理的な判断といえる。まさに、パイプライン的な発想である。しかし、現実には、現在配布先の候補とみなされている機関・団体よりももっと多様なユーザーが、物資活用の機会を求めている可能性が高い。そして、適切な情報支援ができるシステムが開発され活用されるようになれば、現在の物資活用の方法を、よりユーザーズサイドの発想を取り入れたものへと変化させられる可能性がある。ただし、これを実現するには、プラットフォーム的な発想が必要である。特に備蓄物資は原資が税金であるから、その活用は広く市民に開かれたものであるべきであり、そうすることで防災意識をより高めることができるはずである。そして、その過程で形成される自治体と市民の間の絆は、日本のどこかで大規模災害が発生し遠隔支援基地として機能する際に、物資支援の輪として機能することが期待できるはずだ。しかし、現実には、パイプライン・システムで十分機能しており、サプライサイドとしてはそれで何も問題が生じていないのだから、リスクを覚悟しコストをかけてまでプラットフォーム・システムに転換する必要はないとされているようである。

このように考えれば、平時と非常時を通した災害用の備蓄物資の管理・活用を支援するための情報システムの構築と実装は、災害大国日本にとって非常に重要な意義を持つものといえる。備蓄物資の購入から、倉庫への保管と管理、平時における賞味期限が迫った物資の活用、災害発生時における被災者支援のための物資の活用について、トータルで支援できるようなwebサービスを構築し、クラウド環境を通じてさまざまな自治体が活用できるようにすれば、平時・非常時を通じて、より高度な物資活用が可能となるだけでなく、食を通じて日本人の防災意識を高めることができると考えられる。物資管理に必要な情報管理を外注できれば担当部署は物資のよりよい活用法の工夫に注力できるし、サービスがスケールすれば、1ケース当たりのコストを低く抑えることが可能となるだろう。DXは単に情報環境を活用した業務の効率化ではなく、ビジネスモデルの変革をも含む本質的な業務改革である。備蓄物資活用におけるDXの導入は、被災者支援だけでなく平時の防災意識の醸成はじめ、さまざまな領域で良い結果を生む可能性があり、それを目指した努力が行われるべきと考えられるが、サプライサイドの発想が支配的な日本社会では、このような考え方はなかなか理解されないというのが現実のようだ。

## 第4節　日本社会のデジタルトランスフォーメーションに向けて

高度情報化は、GVC革命をもたらし、世界の社会経済構造を大きく変化させてきた。さまざまな領域で、プラットフォームがパイプラインを駆逐し、ゲートキーパーによる価値の選定からプラットフォームによる価値の創造という形へと、ビジネスモデルの領域においても革命的変化が続いている。VUCAワールドでは、客観的データと数理モデルによる分析結果と質的調査に基づく非定型データの分析結果の双方に目を配りながら、リベラルアーツを用いて理解するセンスメイキングの手法の必要性が、謳われるようになった。本章で考察してきた情報システムの構想・構築そして社会実装の試みについてのエピソードは、人文社会科学の教養と理工系の技術を融合させた情報社会学をもって、現実に存在する社会問題の本質を把握し、情報システムの社会実装によって解決していくプロセスをイメージする上で、貴重な事例といえる。

どのような領域でも同様だが、食品ロスの解消に取り組む団体の活動も、単にその団体のワークフローだけで、活動が完結するわけではない。継続的な活動の中で、業務に関わるさまざまな人間関係が構築され、既得権構造が生み出され、ステークホルダーの信頼関係の中で活動実績が積み重ねられる。情報システムとは一見無関係に思えるこうした事柄が、実は情報システムの実装の可否を決める重要な要因なのである。

そして多くの場合、現業の現場の担当者は、業務フローの中に改善すべき点があることは認識できても、それをシステマチックに認識していることは少ない。つまり、一つ一つの問題は個別のものと認識され、すべてのワークフローの中でどのような位置づけになるかを詳細に理解しているケースは少なく、エンジニアに対しても現場が意識しているレベルでの情報しか与えられないことが多いということである。

しかし、問題について限られた情報しか与えられず、STEM的な知識・技術だけを用いて取り組む場合には、個々の問題について個別に解決するためのシステムを構想・構築することができても、それらをワークフロー全体、および、その業務に関わるステークホルダーの関係を考慮した上での意味づけができないため、業務全体の質の向上にはつながらないばかりか、新たな問題を発生させる可能性すらあることには、注意が必要である。

問題の本質的な解決すなわち、業務全体の質を上げるための情報システムの実装を行うためには、現状のワークフローだけでなくステークホルダーの関係も理解した上で、その業務の社会全体に対する意義を考察して「あるべき姿」を構想し、それをもとに行われるべき情報処理の姿をデザインした上で、その具体化として、当面要求された機能を満たす情報システムの構想・構築を行っていくことが望ましい。

それにもかかわらず、情報システムの社会実装という立場で現場と関わることになった場合、現場から出てくる要望は断片的であり、アンケートや聞き取りなどの調査では意味のある情報が得られないことが多い。システム構築の初期段階において、業界や現場についての詳しい情報を得ようとしても、無視されたり拒絶されたりするケースもある。したがって、システム構築のプロセスを共有することで現場との信頼関係を築きながら、徐々に情報を収集してシステムの全体的なイメージをデザインするしかないことがあるが、そのような場合にはアジャイル的な手法で具体的な問題を解決することで現場の理解を得ながら情報を集め、業務全体の現状を徐々に理解し、あるべき姿のイメージをつくっていく作業が不可欠となる。しかし、現業などの領域では、現場のカルチャーとエンジニアのカルチャーの間に大きな乖離が存在し、意味のあるコミュニケーションが成立しないこともしばしばであることから、相互理解のプロセスに入ること自体が困難となり、DX化のプロジェクトが頓挫する可能性すら生じてしまうのである。

危機的な状態を回避し、情報システムの構築に成功したとしても、STEM的なアプローチで構築する情報システムは、現場の業務改善、いわゆるインプルーブメントのレベルにとどまる場合が多いことだろう。しかし、情報社会学的なアプローチで構築する情報システムはDX化すなわち、業務そのものを社会全体の在り方の中で再定義し、新しい価値を生み出すことを目指すものである。業務プロセスへの情報システムの導入は、本来、新たな価値の創造という視点から行われるべきであり、情報システムの構想と構築、および社会実装は、業界のビジネスモデルそのものの改革につながらなければ意味がないからである。

ただし、現場レベルだけでなく、管理職・経営者レベルにおいても、DX化について本質的な理解をしている人は少ない。それに加えて、現場レベルでは業務フローが変化されるそれぞれの段階において、業務に支障が生じることにたいする恐れを常に抱くものである。さらに、現場レベルでのビジネスモデルの変化にたいする拒否感には、相当強いものがあるはずだ。したがって、現場レベルではアジャイル型の開発を拒絶するケースは少なくないと想定される。さらに現場レベルでは、直面している問題を、業界の構造や業務フローなどの中で位置づけて理解できていないことが多い。データベースの構造やデータ処理のアルゴリズム、ユーザーインターフェイスなど、情報システムの構築に必要な要件を示すことができないこともしばしばであろう。にもかかわらず、アジャイル型の開発を拒絶しウォーターフォール型の開発を期待するという矛盾、その結果、十分な情報提供が行われないまま構築された「現場の要請を満たせない情報システム」を現場が拒絶するという、必然的な結果が、数多く生じているものと推察される。

このような特性を持つ領域においてDX化を進めていくためには、STEM的な知識・技術を前提としたうえで、業界の構造や現場の業務フローだけでなく、対象となる現場を取り巻くさまざまな人間関係や利害関係、既得権構造、さらには、情報システムの導入プロセスにおける関係者の理解のプロセスなど、実に数多くの要因を考慮する必要がある。現業の現場では情報システムの必要性や導入の意味を感じていない場合も少なくないであろうし、情報システムの導入は新しい技術の学習を伴うことから、拒絶されることも少なくないと考えられる。したがって、情報システムを導入する際には、システムの構築を行う前の時点で、現場を担う人たちが納得できる理念を示すことも必要となるだろう。つまりDX化は、技術的な観点からだけでなく、人文社会科学的な観点からも配慮され、考察され、デザインされなければ、機能しないものなのである。

ここで気を付けなければならないのは、情報システムの社会実装を重視するあまり、データベースやユーザーインターフェィスを一つ一つの現場に合わせて細かくカスタマイズすることが、逆に、ビジネスモデルを見直す機会を失わせ、業界の不効率を温存させる可能性があることだ。情報システムにはメンテナンスが必須であるから、多様なシステムが乱造・乱立すると、それだけメンテナンスのコストが必要となり、単価が高くなる。したがって、情報システムの構想・構築の際には、現場のワークフローを十分に分析・検討し、一般化が可能な部分と個別対応が必要な部分を整理して、一般化可能な領域についてスケールする形で情報システムを構想・構築し、その現場に特徴的な領域については、現場レベルの工夫で対応する方法を考えて、具体的な手順を示すという対応が望ましい。場合によっては、基幹部分を共通化しておいて、特定の現場でだけ必要とされる機能については別モジュールを作って対応する、という方法も考えられるだろう。

これら一般化できる基幹部分、現場の特性に合わせた別モジュール、そして、現場に応じた工夫による解決をどのようにデザインして組み合わせるかは、現場における業務内容だけでなく、現場の慣習や現場を構成している人々の能力と人間関係、そしてその業務が関連しているさまざまな機関や団体なども考慮して決定しなければならない。これらに関する配慮が、情報システムの社会実装を大きく左右することを考慮すれば、システムのデザイン自体が実は、理工学的な知識・技術だけではなく、人文社会科学的な知見、リベラルアーツに基づく判断が必要とされる領域であることが理解できるだろう。

高度情報環境の普及によって、マーケティングは属性重視から状況重視となり、ユーザーエクスペリエンスの向上がビジネスを左右する時代となった。そこで重要となるのは、ユーザーとのタッチポイントの設定と、それを通したビッグデータの収集およびAIによる分析、そして、その結果をユーザーエクスペリエンスの向上に反映させるために、リベラルアーツを活用したセンスメイキングが必要であることである。現業の現場における情報化は、ユーザーとは違ったレベルでの、多くの困難が付きまとう。しかしながら、職場における業務の情報化については、ユーザーに対してと同様の配慮が行われてこなかったのではないか。そしてそれが、日本のDX化が遅れている最も大きな原因なのではなかろうか。このような問題を解決するには、文理融合型の超領域的な知に基づく、理論と実践を融合させる学問領域に学んだ人材の育成、そして、マネジメント層によるDX化についての本質的な理解および、DXの担い手となり得る人材が手腕を発揮して活躍できる環境の整備が、必要不可欠なのである。さもなければ、現業の現場やDXを拒絶する中小企業の多くは、より上位のレイヤーにおけるイノベーションにより、ディスラプトの憂き目に遭うことになるのではないか。

現業のリーダー、そして中小企業のリーダーたちを対象とした、リメディアル教育の在り方が問われている。

## 第14章　注

第1節は（天野徹、2013）、第2節は（天野・遠藤、2017）に依拠している。第3節で紹介した【平時における物資マッチングシステム（試験運用Version）】はhttp://cns.japanwest.cloudapp.azure.com/reborn_center/Test_Menu.htmlより公開中である。また、第4節の内容は著者の実体験に基づいている。

# あとがき

情報環境・高度情報環境の発達・普及は、グローバル・バリューチェーン革命をもたらし、日本型の成功モデルを時代遅れのものにした。VUCAワールドの下では、日本に高度成長期をもたらしたキャッチアップモデルは機能しない。知識社会の到来とLSIの高度化・低価格化により、日本の勝ちパターンであるすり合わせ型・垂直結合型の製造モデルから競争力を奪う、モジュール型・国際斜形分業モデルが生み出され、オープン&クローズ戦略とコア領域における継続的なイノベーション、そしてエコシステムの主催者の精緻なマネジメントにより、日本の経済的な衰退は避けられないものとなった。

日本においてもIoTの活用により、製造業のサービス産業化すなわち、モノ売りからサービス売りへの転換が散見されるようになり、ビッグデータとAIの活用が謳われるようになり、Society 5.0の構想では高度情報環境の下での人間中心社会の構築が謳われ、オープンデータの活用によるさまざまな試みが行われるようになったが、欧米や中国における革命的な変化には及ぶべくもない。そうした閉塞状況を打破するためにも、センスメイキングという手法が重要であり、アジャイル型の問題解決ができる文理融合型・理論と実践双方の能力を備えた人材の育成が大切である。人生100年時代、マルチステージ型の人生を生きることになる若者世代、そして現在第一線で活躍されている社会人の皆様にはラーニングアジリティを発揮していただいて、「想定外」の時代に対応するための能力を自ら身につけ、マルチステージの人生の中で、人間中心の社会の構築をエンジョイできるようになって欲しい。なぜなら、日本にとって、そのような人材こそが、今もっとも求められているのだから。以上が、本書の基本的なメッセージであった。

高度成長期に発揮されたモノづくり領域における日本の長所は、実に日本社会の隅々にまで浸透しており、職人気質の文化の下で、すり合わせ型製品をモジュールの組み合わせに仕立て直すこと自体に拒否反応が示されたのと同様、日本では政府・自治体から企業そして市民団体に至るまで、一つ一つの「業務」について「すり合わせ型」のスタイルが徹底しているという事実がある。これはおそらく、日本社会独特の「系列」に由来するものであろう。実績のある方法論の継承は、信頼できる人間関係と無理の言える間柄に基づいた既得権構造、業務への支障を極度に嫌うためにアジャイル型のプロジェクトを忌避する体質、技術的な裏付けのない文系人材による立場を利用した「マウント型」のマネジメント手法など、高度経済成長期の成功モデルに基づくビジネスの方法論は、特に現業の領域で強く残存しており、それゆえ、本書の最終章で提示したDX実現のプロセスは、いかに丁寧に勧めようとしたところで、スタート時点から現場の拒絶反応に遭い頓挫する定めだったのではなかろうか。文学的表現をするとすれば、それは日本人が情報化・高度情報化を前に背負わされることを定められた、「原罪」とでもいうべきものなのかもしれない。そう、それは、高度成長期を想定して自らの人生を構想し、思考パターンや行動様式を身につけた世代による、高度情報化社会・VUCAワールドに対するアノミー的反応であり、日本の社会経済を継承する定めにある若い世代が、自らの人生のかなりの期間を、その犠牲になって耐えることによってしか、社会経済システムの変革ができないことを示しているのだろう。

このように考えれば、本書で提示した「VUCAワールドに対応できる人材育成」は、ある意味で日本の若者に、絶望的な戦いを強いるようなものなのかもしれない。なぜならば、文理融合型・理論と実践の双方に対応できる能力を持った人材が、高度成長期の成長体験をなぞる世代に置き換わり、若い世代がのびのびと活躍できる場を提供できる立場に就かない限り、日本の政治経済システムは変わりようがないからであり、その移行期においては、日本経済が衰退し続けることを止めようがないからである。特に、志ある人たちが採算を度外視して活動する分野や、高い収益が見込めず競争が少ない領域で、情報環境の活用が排除され続ける可能性が高い。労働力の単価が低ければ、新しい技術の導入は起こらないからである。志に基づいてやり甲斐を求めて始めた事業なのだから、苦労して築き上げた事業モデルを変更させたり事業の過程でできた人間関係や既得権構造を変えたりするぐらいなら、情報技術など導入したくない、という論理が働いている可能性すらある。本書で提示した「賞味期限が迫った備蓄物資の活用」や「食品ロスを減らすための活動」はそうした領域の代表例といえるのかもしれないが、SDGsに示されているさまざまな領域について、先に見たような高度成長期型のビジネスモデルが構築され既得権化されて放置されるようなことがあれば、その非効率性が今後の日本経済にとって重大な問題となる可能性すらあると思われてならない。

新型コロナへの対応に見られるように、日本社会はリスクをとることを極端に嫌う。海外の成功事例に学び、それを国内の社会経済システムに適合させる形でアレンジして、巧妙に取り入れていくのが、過去の日本における成功の方程式だった。そしてVUCAワールドにおいては、その方法はもはや通用しない。しかし現在の日本では、VUCAワールドに対応できる人材育成が、現時点の日本の政治経済システムを脅かす、憎むべき存在とみなされてしまう傾向がある。

それにもかかわらず、そうした人材の育成を、遅まきながら今からでも進めていかなければならないという立場から、文理融合型・理論と実践の双方に関わり、絶望的な試みを続けてきた当事者の一人として、本書では、新たな時代に対応できる人材育成に資するような、情報社会学教育のリデザインの在り方を示してきた。そのような人材を育成することでしか、コロナ禍においても DX を拒み、衰退の一途をたどりつつある日本を回復させる方法論、人生 100 年時代・マルチステージの人生を送ることになる若い世代が生き生きと自分の生を謳歌できるようにする方法論は存在しないと信じているからである。

そして現在現役で活躍中の社会人の諸賢には、21 世紀型スキルとしての情報社会学をリメディアル教育の領域として選んだことを奇貨として、大学までの教育で学んだことそして、これまでの職業生活での経験の枠を取り払った上で、1. 情報技術の発達と情報環境の普及による GVC の変化を鋭く見極め、それが関係各国の社会経済構造及び法制度・経済政策の絶妙な組み合わせによって成り立っていることを理解した上で、2. 自らが関心を寄せる業界あるいは企業が持つ知財を活用した知財戦略の在り方、収益を上げるために用いているビジネスモデル及びイノベーション戦略を把握し、3. 自らがどのような領域で企業あるいは事業に貢献していくかを選択し行動していくかについて判断する能力を培うことで、高度成長期とは全く異なる様相を持つ VUCA ワールドを生き抜くために必要な、現実的に機能するストラテジーの構想力を培っていただくことを期待したい。

それは本書で言及した内容と関連したものに限ってみても、情報技術の発展と GVC の変化の中での戦略的立ち位置の決定、ビジネスの帰趨を決定する技術的なイノベーション、自社優位のビジネスモデルの構想と構築・マネジメント、新しい調査手法を用いたマーケットの発見、ユーザーエクスペリエンス起点のバリュージャーニーを実現する情報システムの構想・構築、そして、ビジネスプロセスの再定義に基づく DX の実装など、さまざまなレベルにおける多様な領域にわたる。グローバル・バリューチェーン革命以後、ポストコロナのルネサンス、SDGs などパブリックな価値起点のイノベーションの時代に入ってなおさら、数多くのビジネス領域で、こうしたことが重要になってきているわけで、経験豊かな社会人諸賢には是非とも、VUCA ワールドを前に守りの姿勢で応じるのはなく、新たなロジックと方法論を開拓しながらアジャイル的に挑む姿勢をもって欲しいのだ。

例えば単に、現在携わっている事業プロセスを全面的に見直し、事業プロセスに内在する矛盾が属人化されたスキルで解決されているようであればそれを正して、正当なコスト評価ができるようにするだけでも、事業のDX化への第一歩を踏み出したことになる。かつては微に入り細に入った記載内容に基づく煩雑な契約抜きに、現場での信頼関係に基づいて細かいすり合わせのもと想定外の事態にも柔軟に対応するのが日本のビジネススタイルの長所だった。しかし高度情報環境のもとで、一つ一つ切り分けられたジョブの組み合わせにより同等のアウトプットが可能となった今日では、ジョブの脱人格化と代替可能なモジュールへの置き換えによるコストダウンができないことが、VUCAワールドという環境下において、日本社会における生産性の向上を阻害していると思われるからだ。

日本国内の企業の中で99.7%と圧倒的多数を占める中小企業のうち、60%以上が赤字となっている現実。これらの企業が情報環境の活用を図りながら自ら事業を改革し、黒字化をしていかなければ、経営破綻⇒失業率の増加あるいは、税収の伸び悩み⇒赤字国債の増加そして事業の矛盾の現場レベルでの解消⇒現場への過重負担の放置という事態が発生すると想定され、いずれにしても良い結果をもたらさないことは明白だ。実際に中小企業の現場にITを導入するにあたっては、現場担当者の意識改革を含めたきめ細やかな配慮が必要であるが、可能な領域から少しずつでも「可視化」を行い、現状の業務の問題点を明らかにした上で、業務改革を伴うDX化を勧めていくことが、今の日本に求められている。現在現役で活躍している社会人の諸賢には、一旦現場から離れ、自らの企業の置かれている状況を客観的に俯瞰した上で、実現可能なDX化プランを構想し、地道に業務改革に取り組むことが期待されている。

本書で検討したように、Society 5.0は、VUCAワールドに対して日本の社会経済システムが迅速かつ柔軟に対応していく可能性を秘めた、社会的ムーブメントである。そして、多様かつ急速に変化する状況に応じて、社会経済的資源を柔軟に組み替え、必要かつ十分なソリューションを提供していくことが求められる今日、大企業、中小企業、ベンチャー企業など、さまざまなセクターが、高度な情報環境を活用して、それぞれの長所を活かしながら協働し、ユーザーエクスペリエンスの向上に向けてバリュージャーニーを構築していく上で、日本の企業の99%以上を占める中小企業のDX化は重要なポイントとなる。世界経済が第二の大分岐ともよばれる第四次産業革命を迎えている今日、これから社会に出ていく若者たちだけでなくむしろ、現役社会人の諸賢が果たすべき役割こそが、極めて大きい。

現場の第一線でリーダーとして活躍し、実践的なノウハウを蓄積されてきた方々が、DX化を拒む理由としては、次のようなことが考えられよう。

1）自らが身体化し、暗黙知の段階まで高めているノウハウを形式化して書き出し、誰もが理解可能な形で客観化することが、自らの存在価値を失わせてしまうのではないか、という疑念と、ノウハウだけで自らと同様のことができるはずがなく、それゆえ書き出すこと自体に意味があるのか、という疑念。

2）作業のプロセス自体が、現場におけるさまざまな気付きをもたらす貴重な経験となっており、一つのミスも許されないプロセスを成立させる人材がいなければノウハウの客観化に意味がないこと、そして、プロセスの自動化により身体性が介入する余地がなくなることが、自らの経験を無効化するのではないかという恐れ。

3）作業プロセスを抽象化してモデル化した結果、それが極めて単純な作業の連鎖であり、その自動化によって高速かつ正確に処理できることを目の当たりにして、それまで自らが経験してきた苦労が無意味なものに思えてしまうのではないか、という絶望感。

4）あるいは、そもそも勘と経験により身体化してきた作業プロセスを抽象化して書き出すという行為そのものに不慣れであり、確かかつ漏れのない形で整然として書き出さねば自らの実績そのものを疑われかねないという恐れから、作業に取り掛かる前に受ける精神的なプレッシャー。

5）作業プロセスが身体化されており、それゆえ作業プロセスのスピードがヒューマンスケールに合ったペースに抑えられ、かつ、自らが信頼するさまざまな人々の雇用の根拠になっているため、その抽象化・高速化が自らの、そしてそのプロセスに関わる人々の雇用を脅かし、仕事を通して形成されたインフォーマル・グループが崩壊してしまうのではないかという疑念。

6）自らがさまざまな苦労の中で練り上げてきたノウハウは、自分と同じ苦労をし自分が認めた後継者に伝えたい。そうでなければ伝えたい思いが伝わるはずがない。今に至るまでの苦労を全く知らないエンジニア、年齢がずっと下・人生経験に劣るエンジニアの求めに応じてノウハウを開示することは、本来ノウハウだけでなく人格的にも周囲から尊重されるべき熟練のリーダーであるべき自分のプライドが許さない。

7）現場担当者自身が自らの現場で行われてきた作業プロセス自体になにがしかの矛盾や疑問、問題や課題の存在を感じているため、書き出すことによってそれらが白日の下にさらされることによって、その責任を問われることを避けたい。

その他、過去の補助金政策を活用した業務プロセスの情報化における苦い失敗の経験が、中小企業のDXを阻害するケースもあるだろう。補助金で購入可能なシステムでは中途半端で、必要な機能の追加を求めると多大な費用を請求されたとか、文具屋の情報化に鮮魚屋のシステム、青果屋の情報化に布団屋のシステムが売りつけられるなどといったことを経験すれば、「情報化」という言葉自体に不信を抱くのも当然だからである。

いずれにせよ、中高年の転職市場が未発達で、35歳を超えると転職が困難になるという我が国の現状を考慮すれば、勘と経験と人間関係が事業成立の基盤となっているような現業の領域においては、内発的な形ではDX化が進みにくいものと推測される。しかし、もし仮に現場レベルで極限までインプルーブメントが推し進められていたとしても、上位レイヤーでイノベーションが起これば、業界自体がディスラプトの憂き目に遭う可能性が高い。そのような事態が発生する前に、業界全体を定義し直す新たなビジネスモデルを構築し、業界に関わる人々の経験と実績を新たな文脈の中に位置づけ直して、ステークホルダーがそれぞれwin-winの関係になるような形でのDXが進んでいくことを期待したい。

そしてその際、現役社会人の諸賢には、単にSTEM的な側面からDXに取り組むだけでなく、本書で提示したような総合社会科学の視点からの世界認識と自社のDX化を関連付けて理解する、そして、リベラルアーツに基づいたDXビジョンの形成を行う、試みを行って頂ければと思う。現場での経験豊富な方々には、現場の抱える具体的な問題についての知見は十分に蓄積され、暗黙知のレベルに達していることも珍しくないと思われるが、VUCAワールドにおいては、そこからいったん自由になり、さまざまな視点から意味付け直してみることが、必要だからである。

その文脈で本書の内容を意味付け直すとすれば、「学部時代に社会科学総合、文理融合教育の場に身を置き、社会哲学・科学思想史をはじめとする人文科学的教養に親しんだ上で、大学院において量的・質的調査の実践の機会に恵まれ、アカデミアに職を得たのちに情報システムの構想・構築・社会実装に携わってきた小生が、その間に培わせた暗黙知に基づいて、21世紀スキルとしての情報社会学の全体像を示すために行った『知の編集作業』の成果」ということになろうか。そしてその意味では、さまざまな現場で経験を積んできた方々であれば、形式や内容に違いこそあれ、誰もが同様のことが可能なはずではなかろうか。

さて、本書のタイトルにあえて「スキル」という言葉を用いたのは、各自が置かれている立場や状況、学び身に付けた知識や教養そして、利用可能な情報や分析手法により、対峙する問題そして課題は多種多様であり、それを解決するために必要な「世界認識の在り方」も異なると思われるからである。我々は状況に応じて、利用可能な資源の組み合わせを柔軟に変化させ、必要ならば全く新しい資源を組み入れることによって、眼前の問題や課題に挑んでいく。それと同様に、課題の解決のベースとなる世界認識のために、さまざまな理論や知識、情報や分析手法をその都度編集し直し、それによって描き出されるコンテキストの中で自らを位置づける必要があるということである。そう、「新しい葡萄酒」には「新しい革袋」が必要なのだ。それができなければ、問題解決に失敗する、あるいは、社会的アノミーが発生する可能性が高い。

日本においては、社会人の学び直しを意味するリメディアル教育が、技術研修という文脈で語られることが多い。しかしながら、VUCA ワールドを生きる現役世代がアノミーに陥ることなく問題解決能力を発揮する上で、人文社会科学の領域におけるリメディアル教育もまた、技術習得に劣らず重要であることは確かである。そしてそのためには、「VUCA ワールドがはらむ危険性から人間性を護るための『知的な盾』」としてリベラルアーツ教育を再構築するだけでなく、「VUCA ワールドに対峙するために必要な『データに基づく世界認識の方法』」として、社会科学教育の在り方を再構築する必要があるのではなかろうか。そう、かつて確率理論が専制君主から啓蒙思想家を護る盾として活用されたように、である。

現象から意味を捨象して記号と論理で表現したものが「情報」であれば、その活用を極限まで追求した「情報社会」において人間中心社会を構築するために起点とすべきものは「意味」であり「価値」である。だとすれば、「情報」と「意味」そして「価値」の再統合は、以前とは違った高いレベルで行われるべきであろう。さまざまな人生を生きる上で直面する現象が持つ「意味」や「価値」を「正」、それらを抽象化した「情報」や「論理」を「反」と、すれば、それらを止揚した「合」をどのように創り上げていくか。ノウハウ教育が機能不全に陥り、ビッグデータ解析の限界が見えてきたVUCA ワールドであればこそ、小生は、本書で示した情報社会学の全体像を通して、読者諸賢一人一人の実存に問いかけたい。そう、大きな物語が失効し、多種多様な小さな物語が乱立するゼロ年代以降において、それぞれの物語が人文社会科学的な知性のもとで広がりと深みを持ち、状況の変化に応じて迅速かつ柔軟に多様な他者との間での協働・共創ができるまでに、その担い手が成熟していくこと。日本社会がVUCA ワールドに対応していくためには、そうした人材とそうした人材の育成が可能となる学びの環境・学び直しの環境の整備が必要なのだ。

新型コロナの感染による影響が長期化し、日本社会のDX 化の遅れが迅速な対応を難しくさせていることが、国民すべての前に明らかとなった。そして、コロナ後には決してコロナ前の状態に戻ることはない、といわれるようになった。この状況を奇貨として、VUCAワールドに対応できる人材が日本の社会経済システムを更新し、Society 5.0が構想する人間中心社会の実現に向けた活動が、豊かに展開される日が一日も早く訪れることを祈念したい。

最後に。本書の成立は、情報社会学会における学会誌への投稿および学会報告に関連した議論によるところが大きい。同学会を設立された公文俊平先生、学会運営に尽力してくださっている大橋正和先生、学会加入を勧めてくださった庄司昌彦先生、そして、私のような新参者による「情報社会学教育のリデザイン」についての問題提起および「スキルとしての情報社会学の構想」についての報告と議論の機会を与えてくださった同学会員の皆様に、心から感謝する次第である。

※本書は入門書としての読みやすさを優先させるために、出版社の方と相談の上、本文では詳細な注は省略し、各章末に出典や参考文献をまとめて示しています。学術的な意味で参考や引用を行う場合は、(本書ではなく)情報社会学会の学会誌『情報社会学会誌』に掲載されている拙著論文をご検討くださるようお願いします。

# 参考文献

## 和文

赤間清広『中国　異形のハイテク国家』毎日新聞出版、2021
朝岡崇史『エクスペリエンス・ドリブン・マーケティング――ブランド体験価値からサービスデザインへ』ファーストプレス、2014
朝岡崇史『IoT時代のエクスペリエンス・デザイン』ファーストプレス、2016
東富彦「オープンデータビジネスの事例と分析」『智場 #119 特集号 オープンデータ』国際大学グローバル・コミュニケーション・センター、2014
東富彦『データ×アイデアで勝負する人々』日経BP、2014
安宅和人・池宮伸次『ビッグデータ探偵団」講談社、2019
天野徹「コミュニティ・ネットワークによる被災地支援活動の展開――広域・創発型CNが拓いた新たな災害支援の可能性」社会情報学 第2巻2号、社会情報学会、2013
天野徹「「VUCA化する社会」を見据えた「情報社会学」教育のリ・デザイン」『情報社会学会誌』情報社会学会、14巻1号、2020
天野徹・遠藤昌義「災害時に支援リソースの最適配分を実現するための情報システム・社会システムについて――東日本大震災・熊本地震における支援活動の結果を、次の災害で活かすために」『地域防災データ総覧 平成28年熊本地震編』pp. 153–166、一般財団法人 消防防災科学センター、2017
荒井健一「STEM教育の海外動向」日本TEM教育学会、日本科学教育学会第44回年会論文集、2020、pp. 7–8.
安藤智樹「STEM/STEAM教育における基礎理論の綿密化と超領域的な概念にまつわる構造」日本科学教育学会第44回年会論文集、2020、pp. 235–238.
飯村亜紀子、特別講演「Society 5.0に向けた産学官連携による理工系人材育成」工学教育65–6、2017、pp. 32–40.
磯崎哲夫「STEM教育をどう捉え展開するか」日本科学教育学会、日本科学教育学会第44回年会論文集、2020、pp. 13–16
伊藤恵子「グローバル・バリューチェーンにおける途上国の生産機能の高度化」日本国際経済学会第78回大会報告要旨集 pp. 1–25、日本貿易振興機構　アジア経済研究所、2019
伊藤敬太郎「事例でわかる学部·学科の最新事情」スタディサプリ大学の約束、(株)リクルート、pp. 36–41、2021
伊藤真『Pythonで動かして学ぶ　あたらしい機械学習の教科書　第二版』翔泳社、2019
稲田修一『ビッグデータがビジネスを変える』角川アスキー総合研究所、2012
井上智洋『純粋機械化経済――頭脳資本主義と日本の没落』日本経済新聞出版社、2019
井上智洋『人工知能と経済の未来――2030年雇用大崩壊』文春新書、2016
猪俣哲史『グローバル·バリューチェーン――新·南北問題へのまなざし』日本経済新聞社、2019
井上博「サービス貿易とグローバル·バリュー·チェーン――日米中製品輸出におけるサー

ビスGVCの比較」立命館経済学　第69巻 第5・6号、立命館大学、2021
今井武・庄司昌彦「ホンダは安全な社会づくりにオープンデータを使う」『智場 #119 特集号 オープンデータ』国際大学グローバル・コミュニケーション・センター、2014
植野義明・小沢一仁「「Society 5.0」における教育とは（7）～これからの社会における教育の在り方を考える～」東京工芸大学工学部紀要43（2）、pp. 33–40、東京工芸大学工学部、2020
内ノ倉真吾・岩崎友規ほか「アメリカにおけるSTEM教育推進の活動事例報告――アイオワ州での取り組みに着目して」日本科学教育学会研究会研究報告 Vol.29 No.1、2014
内海志典「イギリスにおけるSTEM教育に関する研究――成立とその目的」科学教育研究 Vol.41 No.1、2017、pp. 13–22.
宇野常寛『ゼロ年代の想像力』早川書房、2008
梅棹忠夫・村上陽一郎他『ITと文明――サルからユビキタス社会へ』NTT出版、2004
オーウェル，ジョージ『一九八四年』早川書房、2009
大谷忠・谷田親彦・磯部征尊「科学・技術に関わる教育の連携・協働――STEM教育の視点から見た技術・理科・数学の位置づけと関係の在り方」日本科学教育学会年会論文集1巻、2017、201–202.
大谷忠「STEM教育の視点から見た技術教育に関する教師教育の現状」日本科学教育学会、日本科学教育学会第43回年会論文集、2020、pp. 155–156.
大谷忠「STEM・STEAM教育の国際的な動向と次世代教育の趣旨」日本科学教育学会、日本科学教育学会第44回年会論文集、2020、pp. 5–6.
大橋正和『デジタル革命によるソーシャルデザインの研究』中央大学出版部、2018
大森不二雄・斉藤準「米国STEM教育におけるDBER（discipline-based education reserch）の勃興――日本の大学教育への示唆を求めて」東北大学、東北大学高度教養教育・学生支援機構　紀要第四号、2018、pp. 239–246.
岡田謙介「ベイズ統計学の考え方」社会と調査 No.25、pp. 5–13、社会調査協会、2020
岡野寿彦『中国デジタル・イノベーション――ネット飽和時代の競争地図』日本経済新聞社、2020
岡部一明『インターネット市民革命――情報化社会・アメリカ編』御茶の水書房、1996
岡本由美子「グローバル・バリュー・チェーン革命の功罪――アフリカの持続可能な開発は可能か」同志社政策科学研究 第19巻2号、pp. 57–69、同志社大学政策学会、2018
小川紘一『オープン&クローズ戦略（増補改訂版）――日本企業再興の条件』翔泳社、2015
尾木蔵人『2030年の第四次産業革命――デジタル化する社会とビジネスの未来予測』東洋経済新聞社、2020
奥村晴彦・牧山幸史・瓜生真也『Rで楽しむベイズ統計入門――しくみから理解するベイズ推定の基礎』技術評論社、2018
落合陽一『働き方5.0――これからの世界をつくる仲間たちへ』小学館、2020
片岡雅憲・小原由紀夫・光藤昭男『アジャイル開発への道案内』近代科学社、2017
金子郁容『不確実性と情報　入門』岩波書店、1990
上阪章「グローバル経済統合と地域集積――循環、成長、格差のメカニズム」日本経済新

聞出版、2020
川島宏一「オープン・ガバメント・パートナーシップの概要とアジア太平洋連携の方向性」『智場 #119 特集号 オープンデータ』国際大学グローバル・コミュニケーション・センター、2014
川島博之『習近平のデジタル文化大革命——24時間を監視され全人生を支配される中国人の悲劇』講談社、2018
木内登英「『決定版　銀行デジタル革命——現金消滅で金融はどう変わるか』東洋経済新報社、2018年
喜連川優・能城智也『東大塾　IoT講義』東京大学出版会、2020
木原昌子「大学のカリキュラムの今を大学教授に聞いてみた」『スタディサプリ大学の約束』リクルート、pp. 42–51、2021
木村忠正『デジタルデバイドとは何か——コンセンサス・コミュニティをめざして』岩波書店、2001
木村忠正『デジタルネイティブの時代——なぜメールをせずに「つぶやく」のか』平凡社新書、2012
木村優里・原口るみ・大谷忠「エンジニアリングを基軸としたSTEM教育の実践と普及」日本科学教育学会、日本科学教育学会第43回年会論文集、2020、pp. 95–96.
木村優里・原口るみ・大谷忠「STEM教育における学習者の学びのプロセスに関する探索的研究——創造的プロセスと探求的プロセスが切り替わる契機の分析」日本科学教育学会研究会研究報告 Vol.35 No.3、2020、pp. 1–6.
ギャロウェイ，スコット（渡会圭子訳）『GAFA next stage——四騎士＋Xの次なる戦略』東洋経済新報社、2021
楠正憲「ブロックチェーンへの期待と、普及へ向けた課題」『智場 #121 特集号 ブロックチェーンのフロンティア』国際大学グローバル・コミュニケーション・センター、2017
熊坂賢次「地方からの学びイノベーション」『コンピュータ＆エデュケーション』Vol.37、コンピュータ利用教育学会、2014
熊野善介「日本におけるSTEM教育研究の在り方と展望——アメリカのSTEM教育改革の理論と実践を踏まえて」日本科学教育学会年会論文集 第40号、pp. 11–14、一般社団法人 日本科学教育学会、2016
熊野善介「Society 5.0に応える日本型STEM教育改革の理論と実践に関する実証研究」日本科学教育学会、日本科学教育学会第44回年会論文集、2020、pp. 223–226.
公文俊平編著『情報社会学概論』NTT出版、2011
公文俊平・大橋正和『情報社会学概論Ⅱ——情報社会のソーシャルデザイン』NTT出版、2014
黒田友貴「高等教育におけるSTEM人材養成のカリキュラムに関する一考察——シンガポール工科デザイン大学の事例に着目して」日本科学教育学会、日本科学教育学会第44回年会論文集、2020、pp. 243–246.
黒田昌克・森山潤「STEM/STEAM教育の観点から見た小学校プログラミング教育の在り方に関する研究課題の展望」兵庫教育大学学校教育学研究　第33巻、pp. 189–200、2020

経済産業省 特許庁（監修）工業所有権情報・研修館（企画）『事業戦略と知的財産マネジメント』発明協会、2010
後藤健太『アジア経済とは何か――躍進のダイナミズムと日本の活路』中央公論新社、2019、p. 100.
小林啓倫『IoT ビジネスモデル革命』朝日新聞出版、2015
小林弘人『After GAFA――分散化する世界の未来地図』株式会社 KADOKAWA、2020
斎藤和紀『エクスポネンシャル思考』六和書房、2018
斎藤智樹・熊野善介「米国連邦政府による STEM 教育改革」日本科学教育学会年会第 40 会年会論文集、2015、pp. 15–18.
斎藤智樹「STEM/STEAM 教育における基礎理論の緻密化と領域横断的な概念にまつわる構造」日本科学教育学会、日本科学教育学会第 44 回年会論文集、2020、pp. 235–238.
坂田尚子・熊野善介「アメリカ合衆国における低学年での STEM 教育の現状と日本での実践可能性についての検討」日本科学教育学会年会論文集 Vol.41、pp. 91–92.
酒巻隆治・里洋平『ビッグデータを活かすデータサイエンス――クロス集計から機械学習までのビジネス活用事例』東京図書、2014
坂村健『オープン IoT――考え方と実践』パーソナルメディア、2017
坂村健『DX とは何か――意識改革からニューノーマルへ』角川書店、2021
坂村健『IoT とは何か――技術革新から社会革新へ』角川新書、2016
佐々木隆仁『API エコノミー――勝ち組企業が取り組む API ファースト』日経 BP 社、2018
実積寿也「オープンデータのインパクト――経済効果の正しい解釈」『智場 #119 特集号 オープンデータ』国際大学グローバル・コミュニケーション・センター、2014
柴田彰・岡部雅仁・加藤守和『VUCA――変化の時代を生き抜く 7 つの条件』日本経済新聞出版社、2019
清水裕士「ベイズ統計学のためのソフトウェア――JASP と brms による分析」社会と調査 No.25、p. 47–55、社会調査協会、2020
シュワブ，クラウス、世界経済フォーラム『第四次産業革命――ダボス会議が予測する未来』日本経済新聞出版、2016
庄司昌彦「オープンデータの定義･目的･最新の課題」『智場 #119 特集号 オープンデータ』国際大学グローバル・コミュニケーション・センター、2014
情報通信総合研究所『電気通信アウトルック 2013――ビッグデータが社会を変える』NTT 出版、2012
城田真琴『ビッグデータの衝撃――巨大なデータが戦略を決める』日本経済新報社、2012
鈴木裕人・三ツ谷翔太『フラグメント化する世界――GAFA の先へ』日経 BP 社、2018
鈴木良介『ビッグデータビジネスの時代」翔泳社、2011
関治之･庄司昌彦「シビックテックとオープンデータ」『智場 #119 特集号 オープンデータ』国際大学グローバル・コミュニケーション・センター、2014
関下稔「資本のグローバル生産とグローバル蓄積の要諦――ポストアメリカンヘゲモニー時代の政治と経済」立命館国際地域研究　第 51 号、pp. 1–21、2020
関村正悟「多国籍企業「論」の現代的位相――社会諸科学の交流視座から」埼玉学園大学

紀要　経済経営学部篇 19 巻、pp. 127–138、2019
妹尾堅一郎『技術力で勝る日本が、なぜ事業で負けるのか——画期的な新製品が惨敗する理由』ダイヤモンド社、2009
妹尾堅一郎「産業パラダイムの大革命はなぜ生まれたか——イノベーション連鎖時代に見極めるべきトレンド」key to success 2018 winter、新日鉄住金ソリューションズ、2018
妹尾堅一郎「産業パラダイムの大変容を俯瞰する」AIR（APPAREL INNOVATION REPORT）Vol.17、pp. 6–13、アパレルウェブ・イノベーション・ラボ、2018
妹尾堅一郎『新ビジネス発想術』（週刊東洋経済 2012/5/12 号～ 2014/5/17 号）私家版冊子、2015 年
妹尾堅一郎「「CPS と SDGs——科学技術の加速度的進展とグローバルな制度形成が近未来の社会を激変させる」と「『AI 時代』のはばたきとまばたき」『コンピュータ&エデュケーション』Vol.45、コンピュータ利用教育学会、2018
早田吉伸「「循環」視点によるオープンデータ推進への提言」『智場 #119 特集号 オープンデータ』国際大学グローバル・コミュニケーション・センター、2014
高木総一郎「ブロックチェーン技術概要」『智場 #121 特集号 ブロックチェーンのフロンティア』国際大学グローバル・コミュニケーション・センター、2017
高木聡一郎、「ブロックチェーンと組織——「信頼の脱組織化」から考える」『智場 #121 特集号 ブロックチェーンのフロンティア』国際大学グローバル・コミュニケーション・センター、2017
高橋一将「アメリカの STEM 系教員を対象とした大学院プログラムについての事例研究」日本科学教育学会、日本科学教育学会第 43 回年会論文集、2020、pp. 149–150.
田中道昭『GAFA × BATH　米中メガテックの競争戦略』日本経済新聞社、2019
田中若葉・大谷忠「政府統計に基づいた STEM 教育における人材育成に関する調査分析」日本科学教育学会、日本科学教育学会第 44 回年会論文集、2020、pp. 325–326.
タプスコット，ドン、ほか『デジタルチルドレン』ソフトバンククリエイティブ、1998
タプスコット，ドン、栗原潔『デジタルネイティブが世界を変える』翔泳社、2009
玉井誠一郎『知財インテリジェンス——知識経済社会を生き抜く基本教養』大阪大学出版会、2012
月尾嘉男『ポスト情報社会の到来——10 年後を変　える 7 つの技術革新とは ?』PHP、1991
辻野晃一郎・北村行伸「データサイエンス×価値創造と人材」『スタディサプリ　大学の約束』（株）リクルート、pp. 20–23、2021
坪田知己『マルチメディア組織革命——「個」を主役にする「ビジョン駆動型組織」の提案』東急エージェンシー出版部、1994
時吉康範・坂本謙太郎・日本総研　未来デザインラボ『VUCA 時代を乗り切る　2030 経営ビジョンのつくりかた』日本経済新聞出版社、2019
トフラ ，アルビン（鈴木健次・桜井元雄訳）『第二の波』日本放送出版協会、1980
豊浦栄治『楽しい R——ビジネスに役立つデータの扱い方・読み解き方を知りたい人のための R 統計分析入門』翔泳社、2015
ドラッカー，ピーター（上田惇生訳）『ポスト資本主義社会』ダイヤモンド社、2007

中川慶一郎・小林佑輔『データサイエンティストの基礎知識――挑戦するITエンジニアのために』リックテレコム、2014
長沼博之『ビジネスモデル2025』ソシム株式会社、2015
西田亮介「「データシティ鯖江」モデル――なぜ鯖江市は、情報化に積極的なのか」『智場#119 特集号 オープンデータ』国際大学グローバル・コミュニケーション・センター、2014
日経クロストレンド編『サブスクリプション2.0――衣食住すべてを飲み込む最新ビジネスモデル』日経BP、2019
野口悠紀雄ほか『ブロックチェーンの衝撃〜ビットコイン、FinTechからIoTまで社会構造を覆す破壊的技術〜』日経BP社、2016
野村恵伍・山下修一「科学的根拠をもとに説明できる生徒を育てるSTEM教育――中学校理科「生命を維持する働き」の学習を通して」日本科学教育学会研究会研究報告Vol.31、No.5、2017、pp. 19–24.
野村総合研究所『ビッグデータ革命――無数のつぶやきと位置情報から生まれる日本型イノベーションの新潮流」アスキー・メディアワークス、2012
パーカー，ジェフリー・G、アルスタイン，マーシャル・W・ヴァン他『プラットフォームレボリューション――未知の巨大なライバルとの競争に勝つために』ダイヤモンド社、2018
橋本泰一『データ分析のための機械学習入門――Pythonで動かし、理解できる、人工知能技術』SB Creative、2017
橋元良明・電通総研 奥律哉他『ネオ・デジタルネイティブの誕生――日本独自の進化を遂げるネット世代』ダイヤモンド社、2010
花谷昌弘・前田幸枝『情報銀行のすべて』ダイヤモンド社、2019
埴淵知哉・村中亮夫編『地域と統計――〈調査困難時代〉のインターネット調査』ナカニシヤ出版、2018
ハメル，ゲイリーほか（一條和生訳）『コア・コンピタンス経営――大競争時代を勝ち抜く戦略』日本経済新聞出版、1995
林真『「科学技術計算」で使うPython」工学社、2016
原田信之編著『確かな学力と豊かな学力――各国教育改革の実態と学力モデル』ミネルヴァ書房、2007
伴正隆「ベイズ統計学を利用した欠測データの分析」社会と調査No.25、pp. 38–46、社会調査協会、2020
日立東大ラボ『Society 5.0――人間中心の超スマート社会』日本経済新聞出版社、2018
平鍋健児・野中郁二郎『アジャイル開発とスクラム――顧客・技術・経営をつなぐ協調的ソフトウエア開発マネジメント』翔泳社、2013
ファング，カイザー（矢羽野薫訳）『ヤバい統計学』阪急コミュニケーションズ、2011
深尾三四郎『モビリティ2.0――「スマホ化する自動車」の未来を読み解く』日本経済新聞出版、2018
藤井保文・尾原和啓『アフターデジタル――オフラインのない時代に生き残る』日経BP社、2019

藤井保文『アフターデジタル2――UXと自由』日経BP社、2020
藤田哲雄「グローバルバリューチェーンの展開とイノベーション政策の方向性――アジア企業の競争力向上にどのように立ち向かうべきか」JRIレビュー Vol.5、No.24、2015
ブラウン，ティム（千葉敏生訳）『デザイン思考が世界を変える――イノベーションを導く新しい考え方』早川書房、2019
ブリニョルフソン，エリック（Brynjolfsson, Erik）、アンドリュー・マカフィー（Andrew McAfee）他『ザ・セカンド・マシン・エイジ』日経BP、2015
古籏一浩『データビジュアライゼーションのためのD3.js徹底入門　Webで魅せるグラフ&チャートの作り方』SBクリエイティブ、2014
（株）ベイカレント・コンサルティング『3ステップで実現する　デジタルトランスフォーメーションの実際』日経BP社、2017
保科学世・アクセンチュアビジネスコンサルティング本部AIグループ『アクセンチュアのプロが教える　AI時代の実践データ・アナリティクス』日本経済新聞出版本部、2020
前川徹「ブロックチェーンへの期待」『智場 #121 特集号 ブロックチェーンのフロンティア』国際大学グローバル・コミュニケーション・センター、2017
松島聡『UXの時代――IoTとシェアリングは産業をどう変えるのか」英治出版、2016
松田卓也『2045年問題　コンピュータが人類を超える日』廣済堂、2012
松原憲治・高坂正人「資質・能力の育成を重視する教科横断的な学習としてのSTEM教育と問い」科学教育研究 Vol41 No.2、日本理科教育学会、2017、pp. 150–160.
丸島儀一『知的財産戦略――技術で事業を強くするために』ダイヤモンド社、2011
三木康司『「禅的」対話で社員の意識を変えた　トゥルー・イノベーション』CCCメディアハウス、2018
三谷宏治『ビジネスモデル全史』ディスカバー・トゥエンティワン、2014
宮垣元・佐々木裕一ほか『シェアウェア――もうひとつの経済システム』NTT出版、1998
宮崎彗「ベイズ・モデリングを利用したマーケティングの高度化」社会と調査 No.25、pp. 31–37、社会調査協会、2020
宮崎琢磨・藤田健治・小沢秀治『SMART SUBSCRIPTION――第三世代サブスクリプションがB to Bに革命を起こす！』東洋経済新報社、2019
三輪哲・林雄亮『SPSSによる応用多変量解析』オーム社、2014
村山宏『アジアのビジネスモデル――新たな世界標準』日本経済新聞社、2021
メドウズ，ドネラ H.『成長の限界」ダイヤモンド社、1972
メフェルト，ユルゲン、野中賢治ほか『デジタルの未来――事業の存続をかけた変革戦略』日本経済新聞出版、2018
持永大・村野正泰・土屋大洋『サイバー空間を支配する者――21世紀の国家、組織、個人の戦略』日本経済新聞出版社、2018
本山義彦『人工知能と21世紀の資本主義――サイバー空間と新自由主義』明石書店、2015
森健・日戸浩之『デジタル資本主義』東洋経済新聞社、2018

森川博之『データ・ドリブン・エコノミー――デジタルがすべての企業・産業・社会を変革する』ダイヤモンド社、2019
森田朗「データ活用社会と政府の役割」『智場 #119 特集号 オープンデータ』国際大学グローバル・コミュニケーション・センター、2014
八木啓代・常岡浩介ほか『リアルタイムメディアが動かす社会―― 市民運動・世論形成・ジャーナリズムの新たな地平』東京書籍、2011
矢野和男『データの見えざる手――ウェアラブルセンサが明かす人間・組織・社会の法則』草思社、2014
山口周『自由になるための技術　リベラルアーツ』講談社、2021
山口周『ニュータイプの時代――新時代を生き抜く24の思考・行動様式』ダイヤモンド社、2019
山田太・村田治「ボーダーレスなイノベーションと人材」スタディサプリ大学の約束、(株)リクルート、pp. 12–15、2021
山本真人、WebMag編集部『インターネット共創社会――野のネットワークに向けて』1999
ヤング吉原麻里子・木島理恵『世界を変えるSTEAM人財――シリコンバレー「デザイン思考」の確信』朝日新聞出版、2019年
米盛裕二『アブダクション――仮説と発見の論理』勁草書房、2007
レイシー，ピーター&ルトクヴィスト，ヤコブ（牧岡宏訳）『新装版 サーキュラー・エコノミー　デジタル時代の成長戦略』日本経済新聞出版社、2019
涌井良幸『道具としてのベイズ統計』日本実業出版社、2009
早稲田大学早田宰研究室「社会デザインの基礎理論――社会開発の系譜から」http://socialdesignlab.sblo.jp/article/92230046.html、2021.8.20.、最終確認
渡邊哲也・宮崎正弘・石平・ケント・ギルバートほか『中国に世界は激怒している』宝島社、2020
渡部俊也編『ビジネスモデルイノベーション』白桃書房、2011
渡辺智暁「欧州から考える政府のオープンデータ国際戦略」『智場 #119 特集号 オープンデータ』国際大学グローバル・コミュニケーション・センター、2014
渡邉英徳『データを紡いで社会につなぐ――デジタルアーカイブのつくり方』講談社、2013
NHK取材班『グーグル革命の衝撃』日本放送出版協会、2007

## 欧文

Albon, Chris, *Machine Learning with Python*, Cookbook, 2018（クリス・アルボン著、中田秀基訳）『Pyhton機械学習クックブック』オライリー・ジャパン、2018
Baldwin, Richard, *The Great Convergence: Information Technology and the New Globalization*, Pregident and Fellows of Harvard College, 2016（リチャード・ボールドウィン著、遠藤真美訳）『世界経済大いなる収斂――ITがもたらす新次元のグローバリゼーション』日本経済新聞出版社、2018
Bauman, Zygmunt, *Liquid Modernity*, Polity Press Ltd., 2000（ジークムント・バウマン、森田

典正訳）『リキッド・モダニティ――液状化する社会』大月書店、2001

Beyeler, Michael, *Machine Learning for Open CV*, Packt Publishing, 2017（マイケル・ベイヤラー、池田聖ほか訳）『OpenCV と Python による機械学習プログラミング』マイナビ出版、2018

Chesbrough, Henry, Win Vanhavaerbeke, and Joel West, *Open Innovation: Reserching a New Paradigm,* Oxford Univercity Press, 2006（ヘンリー・チェスブロウほか編、長尾高弘訳）『オープンイノベーション――組織を超えたネットワークが成長を加速する』英治出版、2008

Clark, Gregory, *A Fearwell to Alms*, Princeton University Press, 2007（グレゴリー・クラーク著、久保恵美子）『10 万年の世界経済史（上）』日経 BP 社、2009

Fuller, Steve, *Knowledge Management Fundations*, Elsevier Science Ltd., 2002（スティーヴ・フラー著、永田晃也・遠藤温・篠崎香織・綾部広則訳）『ナレッジマネジメントの思想――知的生産と社会的認識論』新曜社、2009

Galloway, Scott, *The Four*, Levine Greenberg Rostan Literary Agency, 2017（スコット・ギャロウェイ著、渡会圭子訳）『GAFA――四騎士が創り変えた世界』東洋経済新聞社、2018

Gilder, George, *Life after Google: The Fall of Big Data and the Rise of the Blockchain Economy,* Regnery Publishing, Inc., 2018（ジョージ・ギルダー著、武田玲子訳）『グーグルが消える日――Life after Google』SB Creative、2019

Gratton, Lynda & Adnrew Scott, *The 100-YEAR LIFE: Living and Working in an Age of Longevity*, 2017（リンダ・グラットン＆アンドリュー・スコット著、池村千秋訳）『ライフシフト（LIFE SHIFT）――100 年時代の人生戦略』東洋経済新報社、2016

Hacking, Ian, *The Taming of Chance*, Cambridge University Press, 1990（イアン・ハッキング著、石原英樹・重田園江訳）『偶然を飼いならす――統計学と第二次科学革命』木鐸社、1999

Healy, Kieran, *Data Cisualization; A Practical Interaction*, 2018（キーラン・ヒーリー著、瓜生真也・江口哲史・三村喬生訳）『データ分析のためのデータ可視化入門』講談社サイエンティフィック、2021

Lacy, Peter and Jakob Rutqvist, *Waste to Wealth: The Circular Economy Advantage,* Springer Nature Limited, 2015（ピーター・レイシー＆ヤコブ・ルトクヴィスト著、アクセンチュア・ストラテジー訳）『新装版 サーキュラー・エコノミー――デジタル時代の成長戦略』日本経済新聞出版社、2019

Madsbjerg, Christian, *Sensemaking: what makes human intelligence essential in the age of the algorithm,* 2017（クリスチャン・マスビアウ著、斎藤栄一郎訳）『センスメイキング――本当に重要なものを見極める力――文学、歴史、哲学、美術、心理学、人類学、……テクノロジー至上主義時代を生き抜く審美眼を磨け』プレジデント社、2018

Mayer-Schoenberger, Viktor and Thomas Ramge, *Reinventing Capitalism in the Age of Big Data*, Garamond Agency, 2018（ビクター・マイヤー＝ショーンベルガー＆トーマス・ランジ著、斎藤栄一郎訳）『データ資本主義――ビッグデータがもたらす新しい経済』NTT 出版、2019

Moreira, Mario E., *The Agile Enterprise: Building and Running Agile Organizations*, 2018（マリオ・E・モレイラ著、角征典訳）『アジャイル・エンタープライズ――アジャイル型組織の構築

と運用』翔泳社、2018
Murray, Scott, *Interactive Data Visualization for the Web*, 2014（スコット・マレイ著、長尾高弘訳）『インタラクティブ・データビジュアライゼーション――D3.jsによるデータの可視化』オライリー・ジャパン、2014
Parker, Geoffrey G., Marshall W. Van Alstyne & Sangeet Paul Choudary, *Platform Revolution: How Networked Markets are Transforming the Economy and How to make them work for you,* Baror International, Inc., 2016（ジェフリー・G・パーカーほか著、妹尾堅一郎監訳、渡部典子訳）『プラットフォーム・レボリューション――未知の巨大なライバルとの競争に勝つために』ダイヤモンド社、2018
Raschka, Sebastian, *Python Machine Learning*, 2015（セバスチャン・ラシュカ著、福島真太郎監訳）『Python機械学習プログラミング――達人データサイエンティストによる理論と実践』インプレス、2016
Salganik, Mathew J., *Bit by Bit: Social Reserch in the Digital Age*, Princeton University Press, 2018（マシュー・J・サルガニック著、瀧川裕貴・常松淳・坂本拓人・大林真也訳）『ビット・バイ・ビット――デジタル社会調査入門』有斐閣、2019
Schaeffer, Eric, *Industry X.0: Realizing Digital Value in Industrial Sectors*, Muenchner Verlagsgruppe, 2017（エリック・シェイファー著、井上大剛訳）『インダストリーX.0――製造業の「デジタル価値」実現戦略』日経BP社、2017
Schoenberger, Viktor Mayer and Kenneth Cukier, *Big Data: A Revolution that will transform how we live, and think,* Hougthon Mifflin Harcourt Publishing Company, 2013（ビクター・マイヤー=ショーンベルガー＆ケネス・クキエ著、斎藤栄一郎訳）『ビッグデータの正体――情報の産業革命が世界のすべてを変える』講談社、2013
Sundaraajan, Arun, *The Shareing Economy: The End of Employment and the Rise of Crowd-Based Capitalism*, ICM Partners, 2016（アルン・スンドララジャン著、門脇弘典訳）『シェアリングエコノミー――Airbnb、Uberに続くユーザー主導の新ビジネスの全貌』日経BP社、2016
Susskind, Richard and Daniel Susskind, *The Future of Professions: How Technology will transform the Work of Human Experts,* Oxford University Press, 2015（リチャード・サスカインド＆ダニエル・サスカインド著、小林啓倫訳）『プロフェッショナルの未来――AI、IoT時代に専門家が生き残る方法』朝日新聞出版、2017
Tapscott, Don and Alex Tapscott, *Blockchain Revolution*, Penguin Random House, 2016（ドン・タプスコット＆アレックス・タプスコット著、高橋璃子訳）『ブロックチェーン・レボリューション』ダイヤモンド社、2016
Unpingco, Jose, *Python for Probability, Statistics, and Machine Learning*, Springer Nature, 2016（石井一夫・加藤公一・小川史恵訳）『科学技術計算のためのPython――確率・統計・機械学習』エヌ・ティー・エス、2016

## ウェブページ

稲田修一、ビッグデータ活用でビジネスはどう変わったか～コマツにおけるモノのインターネット事例から考える～、株式会社セールスフォース・ドットコム、https://www.

salesforce.com/jp/blog/2013/12/vol3-bigdata.html、2021.8.20. 最終確認
慶應義塾大学大学院システムデザイン・マネジメント研究科、G空間未来デザインプロジェクト、http://gfuturedesign.org/wp-content/uploads/2015/04/0407_A4_leaflet.pdf、2021.8.20. 最終確認
公共交通オープンデータ協議会事務局「第1回 東京公共交通オープンデータチャレンジ概要」https://tokyochallenge.odpt.org/2017/index.html.2021.8.20. 最終確認
公共交通オープンデータ協議会事務局「第1回 東京公共交通オープンデータチャレンジ概要」https://tokyochallenge.odpt.org/, 2021.8.20. 最終確認
公共交通オープンデータ協議会事務局「第1回 東京公共交通オープンデータチャレンジ結果発表」https://tokyochallenge.odpt.org/2017/award/index.html, 2021.8.20. 最終確認
公共交通オープンデータ協議会事務局「第2回 東京公共交通オープンデータチャレンジ概要」https://tokyochallenge.odpt.org/2018/index.html.2021.8.20. 最終確認
公共交通オープンデータ協議会事務局「第2回 東京公共交通オープンデータチャレンジ結果発表」https://tokyochallenge.odpt.org/2018/award/index.html, 2021.8.20. 最終確認
公共交通オープンデータ協議会事務局「第3回 東京公共交通オープンデータチャレンジ概要」https://tokyochallenge.odpt.org/2019/index.html, 2021.8.20, 最終確認
公共交通オープンデータ協議会事務局「第3回 東京公共交通オープンデータチャレンジ結果発表」https://tokyochallenge.odpt.org/2019/award/index.html
四家千佳史、進化を続けるコマツの「スマートコンストラクション」https://iotnews.jp/archives/87037、IoTNEWS、2021.8.20. 最終確認
社会デザイン学会HP、http://www.socialdesign-academy.org/、2021.8.20. 最終確認
福野泰介の一日一創「JK課、図書館空席センサー設置とアプリづくり」https://fukuno.jig.jp/701
DEAS FOR GOOD「サーキュラー・エコノミー（循環経済）とは・意味」https://ideasforgood.jp/glossary/circular-economy/、2021.8.20 最終確認
IMdn Design interactive, ハッカソン成果の事業化を目指す初のイベント「G空間未来デザイン マーケソン」が開催、https://www.mdn.co.jp/di/newstopics/40106/、2021.8.20. 最終確認
ITmedia, 加速するコマツのIoT戦略、「顧客志向」が成功の源泉に、アイティメディア株式会社、https://monoist.atmarkit.co.jp/mn/articles/1612/02/news017.html、2021.8.20. 最終確認
livedoor News, 地域課題をアプリで解決、「G空間未来デザイン」ハッカソンレポート、https://news.livedoor.com/article/detail/9609484/, 2021.8.20. 最終確認
SMART ANALYTICS、SPSSソフトウェア、https://smart-analytics.jp/spss/、スマート・アナリティクス株式会社、2021.8.20. 最終確認

# 索引

【か】

【さ】

【た】

【な】



【は】

【ま】



【や】



【ら】

【欧字】

**【数字】**

**【著者】天野徹（あまの・とおる）**
明星大学人文学部人間社会学科教授。専門・専攻は情報社会学、社会調査法、社会統計学、統計学史、都市社会学。
著書に『大都市高齢者と盛り場——とげぬき地蔵をつくる人びと』（共著、東京都立大学出版会、2001 年）、『統計学の想像力——覚束ない未来のために』（ハーベスト社、2002 年）、『社会統計学へのアプローチ——思想と方法』（ミネルヴァ書房、2006 年）、『部分を調べて全体を知る——社会統計入門』（学文社、2008 年）、『東日本大震災の復旧・復興への提言』（共著、技報堂出版、2012 年）がある。
論文に「コミュニティ・ネットワーク研究のパースペクティブ——ICT による地域社会の具体的な問題解決に向けて」（『情報社会学会誌』2005 年）、「大規模災害時の義援物資の制御に向けて——義援物資マッチングシステムの挑戦」（『日本行動計量学会大会抄録集』2016 年）、「ビッグデータ時代における統計学教育のポイント——情報の定量的評価とリスク管理のセンスを持つ文理融合型人材育成のために」（『コンピュータ＆エデュケーション』2016 年）、「「VUCA に対応できる人材」を育成するための「情報社会学教育のリデザイン」（『情報社会学会誌』2020 年）、「「VUCA 化する社会」を見据えた「情報社会学」教育のリ・デザイン」（『情報社会学会誌』2020 年）などがある。
NPO 法人クライシスマッパーズ・ジャパンでも活動。http://cns.japanwest.cloudapp.azure.com/AmanolabPress.html

# 21世紀型スキルとしての情報社会学
——VUCAワールドを生きる人たちのために

2022 年 3 月 31 日　初版発行

著者　天野徹　あまの・とおる

発行者　三浦衛
発行所　春風社　*Shumpusha Publishing Co.,Ltd.*
横浜市西区紅葉ヶ丘 53　横浜市教育会館 3 階
〈電話〉045-261-3168　〈FAX〉045-261-3169
〈振替〉00200-1-37524
http://www.shumpu.com　✉ info@shumpu.com

装丁　長田年伸
印刷・製本　シナノ書籍印刷株式会社

乱丁・落丁本は送料小社負担でお取り替えいたします。

ISBN 978-4-86110-781-8 C0036 Y2800E